Laat de aarde draaien

Van Colum McCann verschenen eerder bij De Harmonie

COLUM MCCANN

Laat de aarde draaien

Vertaling Frans van der Wiel

De Harmonie, Amsterdam
Manteau, Antwerpen

Voor John, Frank en Jim.
En, natuurlijk, voor Allison.

'Alle levens die we zouden kunnen leven,
alle mensen die we nooit zullen kennen,
nooit zullen worden,
zijn overal om ons heen.
Dat is de wereld.'

Aleksandar Hemon
De dagen van Lazarus

W ie hem zag verstomde. In Church Street. Liberty. Cortlandt. West Street. Fulton. Vesey. Het was een stilte die
zichzelf hoorde, schrikwekkend en wonderschoon. Sommigen
dachten eerst dat het een speling van het licht was geweest, iets wat
met het weer te maken had, een samenloop van schaduwen. Anderen meenden dat het de klassieke stadsgrap was: stilstaan en naar
boven wijzen, totdat er mensen blijven staan, hun hoofd opheffen,
knikken, bevestigen, tot iedereen omhoogstaart waar helemaal niets
is, alsof je wacht op de clou van een Lenny Bruce-grap. Maar hoe
langer ze keken, hoe zekerder ze werden. Hij stond op het uiterste
randje van het gebouw, een donker vlekje tegen het grijs van de
morgen. Misschien een glazenwasser. Of een bouwvakker. Of een
springer.

Daarboven, honderdtien verdiepingen hoog, doodstil, een donker speeltje tegen de bewolkte hemel.

Hij was alleen vanuit bepaalde hoeken te zien, zodat kijkers moesten stilhouden op straathoeken, een opening tussen de gebouwen
moesten zoeken of tussen de schaduwen door laveren om een uitzicht te vinden dat niet door deklijsten, waterspuwers, balustraden
of dakranden werd belemmerd. Niemand had nog een verklaring
voor de lijn aan zijn voeten die van de ene naar de andere toren liep.
Het was de gestalte die hen in haar ban hield, ze rekten hun halzen,
in tweestrijd of ze moesten hopen op onheil of de teleurstelling van
iets gewoons.

Dat was het dilemma van de kijklustigen: ze wilden niet blijven
wachten voor niets, voor een idioot die aan de afgrond tussen de
torens stond, maar ze wilden ook het moment niet missen, als hij uit-
gleed, of werd gearresteerd, of met gestrekte armen naar beneden
dook.

Om de kijkers heen maakte de stad nog zijn alledaags lawaai. Autotoeters. Vuilniswagens. Veerbootfluiten. Het gerommel van de ondergrondse. Bus M22 zwenkte naar de stoep, remde, zakte zuchtend in een straatkuil. Een opgewaaide chocoladewikkel raakte een brandkraan. Taxiportieren sloegen dicht. Flarden afval schermutselden in de donkerste hoeken van stegen. Gymschoenen vonden hun dansend ritme. Het leer van aktetassen schuurde tegen broekspijpen. Een paar paraplupunten tikten tegen het wegdek. Draaideuren duwden kwarten gesprek de straat op.

Maar als de kijkers al die geluiden hadden opgepakt en op één grote lawaaihoop hadden gegooid, dan nog zouden ze maar weinig hebben gehoord: zelfs als ze vloekten, deden ze dat rustig, respectvol.

Ze kwamen in groepjes bijeen te staan bij de verkeerslichten op de hoek van Church en Dey Street; samen onder de luifel van Sam's Kapsalon; in de deuropening van Charlie's Audio; een klein, opeengepakt tableau van mannen en vrouwen tegen de hekken van de St. Paul's Chapel; dringend voor een plaatsje aan de ramen van het Woolworth-gebouw. Juristen. Liftbedienden. Artsen. Schoonmakers. Hulpkoks. Diamanthandelaren. Visverkopers. Hoeren in sneue jeans. Allemaal gerustgesteld door elkaars aanwezigheid. Stenografen. Makelaars. Bezorgers. Sandwichmannen. Beroepsgokkers. Kantoormensen van Con Ed. Van Ma Bell. Van Wall Street. Een slotenmaker in zijn busje op de hoek van Dey en Broadway. Een fietskoerier leunend tegen een lantaarnpaal in West Street. Een dronkenlap met rooie kop op zoek naar een eerste slok.

Mensen zagen hem vanaf de veerboot van Staten Island. Vanaf de vleeskoelhuizen in de West Side. Vanaf de nieuwe hoogbouw in Battery Park. Vanaf de ontbijtkarretjes op Broadway. Vanaf het plein eronder. Vanaf de torens zelf.

Natuurlijk waren er die de opwinding negeerden, die wel wat anders te doen hadden. Het was dertien voor acht in de ochtend en ze waren te gestrest voor iets anders dan een bureau, een pen, een telefoon. Ze doken op uit de metrostations, uit limousines, uit stadsbussen, staken kordaat de straat over, weigerden een kijkje te nemen. Een nieuwe dag, het oude liedje. Maar als ze de oploopjes tegenkwamen, hielden ze hun pas in. Sommigen bleven even staan, haalden hun schouders op, draaiden zich nonchalant om, liepen naar de hoek, botsten tegen de kijklustigen op, gingen op hun tenen staan, tuurden over de menigte en stelden zich voor met een *Wauw* of een *Jeminee* of een *Godsallemachtig.*

De man boven verroerde geen vin, maar het mysterie dat hij was bewoog. Hij stond buiten de omheining van het uitkijkterras op de zuidtoren – elk moment zou hij zomaar in het niets kunnen stappen.

Onder hem zeilde een duif van de bovenverdieping van het Federal Office Building omlaag, alsof hij de val voor wilde doen. De beweging trok de aandacht van sommige toeschouwers en ze volgden de grijze veeg tegen de kleine vorm van de staande man. De vogel zoefde van de ene dakrand naar een andere, en pas toen zagen de kijkers dat ze gezelschap hadden gekregen van mensen in de ramen van kantoren, waar jaloezieën opgetrokken en een paar ramen moeizaam opengeschoven werden. Meer dan een paar ellebogen of manchetten van een overhemd of een mouwophouder was er niet te zien, maar toen kwam er een hoofd bij, of een vreemd uitziend paar handen erboven, dat het raam nog hoger tilde. In de ramen van naburige wolkenkrabbers kwamen personen staan – mannen in hemdsmouwen en vrouwen in fleurige blouses, wiegelend in het glas als lachspiegelverschijningen.

Nog hoger voerde een weerhelikopter een dalende bocht boven de Hudson uit – een eerbiedige erkenning dat de zomerse dag toch bewolkt en koel zou worden – en de wieken sloegen een ritme boven de pakhuizen van de West Side. Aanvankelijk leek de helikopter scheefhangend vooruit te gaan, en er werd een zijraampje opengeschoven alsof het toestel naar lucht snakte. Er verscheen een lens in het open raam. Even flitste een schittering op. Na een ogenblik corrigeerde de helikopter zich elegant en cirkelde de lege ruimte door.

Sommige politieagenten op de West Side Highway zetten hun ellendelicht aan, zwenkten snel de afritten op en maakten de ochtend nog fascinerender.

De lucht rond de kijkers raakte met spanning geladen en – nu de dag door sirenes gewicht had gekregen – er werd gekletst, hun zekerheden wankelden, hun kalmte verdween en ze keken elkaar aan en begonnen te gissen: zou hij springen, zou hij vallen, zou hij op zijn tenen over de richel lopen, was hij daar aan het werk, was hij in zijn eentje, was hij een lokmiddel, droeg hij een uniform, had iemand een verrekijker? Wildvreemden pakten elkaar bij de arm. Er werden vloeken uitgewisseld en geruchten over een mislukte roofoverval, dat hij een geveltoerist was, dat hij mensen had gegijzeld, dat hij een Arabier, een Jood, een Cyprioot, een IRA-man was, dat het eigenlijk maar een publiciteitsstunt, een reclametruc was: *Drink meer Coca-Cola, Eet meer Fruito's, Rook meer Parliaments, Spuit meer lysol, Hou meer van Jezus.* Of dat hij een demonstrant was en een spandoek zou ophangen, het vanaf het dak zou uitrollen en daar in de bries zou laten wapperen, als een reusachtig stuk luchtwasgoed – *Nixon Wegwezen! Uit Vietnam, Uncle Sam! Onafhankelijkheid voor Indochina!* – en toen iemand zei dat hij misschien een hangglider of parachutist was, lachten alle anderen, maar die kabel aan zijn voeten was hun een raadsel en de geruchten laaiden weer op, een botsing van gevloek en gefluister verhevigd door steeds meer sirenes, die de harten nog sneller liet pompen, en de helikopter vond een gunstige hangplek aan de westkant van de torens, terwijl in de benedenhal van het World Trade Center agenten over de marmeren vloer spurtten en rechercheurs hun politiepenning onder hun overhemd vandaan trokken en de brandweer het plein opreed en het rood-blauw van de zwaailichten het glas verblindde en een platte truck met hoogwerker arriveerde, waarvan de dikke wielen de stoep op hobbelden, en iemand lachte toen de hefarm opzij draaide en de chauffeur omhoogkeek, alsof het bakje dat enorme trieste eind zou kunnen overbruggen, en bewakingsmannen schreeuwden in hun walkietalkies en de hele augustusochtend werd wijd open geblazen en de kijkers stonden als aan de grond genageld, voorlopig kon er van weggaan geen sprake zijn, de stemmen verhieven zich in crescendo, in allerlei accenten, een Babel, totdat een kleine, roodharige man van de Home Title Guarantee Company in Church Street zijn kantoor-

raam openschoof, zijn ellebogen op de vensterbank zette, diep
ademhaalde, naar buiten leunde en naar de verte brulde: Doe het
dan, klootzak!

Even bedaarde het rumoer voordat de lach kwam, een seconde
voor het tot de kijkers doordrong, een eerbetoon aan de oneerbie-
digheid van de man, want dat was wat zo velen heimelijk dachten –
doe het dan, godsklere! Doe het! – en toen kwam er een stortvloed
van opmerkingen, uitroepen en reacties los, die helemaal van de
vensterbank naar de stoep beneden leek te golven en over het gebarsten wegdek naar de hoek van Fulton, de straat door naar Broadway,
dan zigzaggend naar John Street en vandaar de hoek om naar Nas-
sau en verder, als dominostenen van gelach, maar met een scherp
kantje van verlangen, van ontzag, en veel kijkers realiseerden zich
huiverend dat, wat ze ook beweerden, ze eigenlijk getuige wilden
zijn van een geweldige val, wilden zien hoe iemand dat hele stuk
omlaag zeilde, maaiend met zijn armen uit de zichtlijn verdween, op
de grond smakte en de woensdag spanning, betekenis gaf, dat ze
niet méér nodig hadden om een grote familie te worden dan een uit-
glijder van een duizendste seconde, terwijl de anderen – zij die wilden dat hij daar bleef, dat hij standhield, de rand zelf werd, maar
meer niet – nu door hun walging voor de schreeuwers voelden dat
ze leefden: zij wilden dat de man zich in veiligheid bracht, achteruit-
stapte in de armen van de agenten in plaats van de lucht.

Ze waren nu opgepept.

Opgeladen.

De stellingen waren betrokken.

Doe het dan, klootzak!

Niet doen!

Ver boven hen was er beweging. In de donkere kleren telden al
zijn bevinkjes. Hij boog zich half naar voren, stond gebukt alsof hij
zijn schoenen inspecteerde, als een potloodstreepje dat grotendeels
was uitgegumd. De houding van een duiker. En toen zagen ze het.
De kijkers stonden stokstijf, zwegen. Zelfs degenen die hadden
gewild dat de man sprong voelden de lucht uit hun longen stoten.
Ze weken achteruit en kreunden.

Een lichaam zeilde de lucht in.

Hij was weg. Hij had het gedaan. Sommigen sloegen een kruis. Sloten hun ogen. Wachtten op de klap. Het lichaam tolde en talmde en buitelde, heen en weer geschud door de wind.

Er ging een schreeuw op onder de kijkers, een vrouwenstem: God, o God, het is een hemd, het is maar een hemd.

Het viel, viel, viel, ja, een sporttrui, fladderend, en toen lieten hun ogen het kledingstuk in de lucht los, want hoog daarboven had de man zich uit zijn gebukte houding opgericht, en er daalde een nieuwe stilte neer over de agenten boven en de kijkers beneden, een schokgolf trok door hen heen, want de man was uit zijn buiging overeind gekomen met een lange, dunne stang in zijn handen, die hij liet schommelen, in de lucht liet wippen, het gewicht wegend, een lange zwarte stang, zo buigzaam dat de uiteinden zwiepten, en zijn blik was strak gericht op de andere toren, die nog in steigers stond ingepakt als een gewonde die op hulp wachtte, en nu was de kabel aan zijn voeten voor niemand meer een raadsel, en wat het verder ook mocht zijn, nu was de kans verkeken om zich nog los te rukken: geen ochtendkoffie, geen sigaretje vóór de vergadering, geen nonchalant babbeltje, het wachten was magisch geworden en ze keken hoe hij een donkergeslofte voet optilde, als een man die op het punt stond in warm grijs water te stappen.

De kijkers beneden hapten allemaal tegelijk naar adem. Opeens was er het gevoel dat ze de lucht samen deelden. De man boven was een woord dat ze schenen te kennen, al hadden ze het nooit eerder gehoord.

Daar ging hij.

BOEK EEN

Met alle respect voor de hemel, maar ik blijf liever hier

En van de vele dingen die mijn broer Corrigan en ik zo leuk van onze moeder vonden was dat ze zo muzikaal was. Ze had in de woonkamer van ons huis in Dublin een radiootje op de Steinway staan en op zondagmiddag, nadat we alle mogelijke zenders hadden afgezocht, Radio Éireann of de BBC, zette ze de gelakte vleugel van de piano open, spreidde haar jurk over de houten kruk en probeerde het stuk uit haar hoofd na te spelen: jazzriffs en Ierse balladen en, als we de goede zender vonden, oude liedjes van Hoagy Carmichael. Moeder had een natuurlijk toucher, ook al had ze last van een hand die ze vaak had gebroken. We hebben de oorzaak van die breuken nooit geweten: het was iets waarover niet gesproken werd. Als ze ophield met spelen, wreef ze zacht over de rug van haar pols. Ik dacht altijd dat de noten nog door de botten natrilden, alsof ze van het ene naar het andere botje konden springen, over de breuk heen. Ik kan na al die jaren nog steeds in het museum van die dagen zitten en me herinneren hoe het licht over het tapijt viel. Soms legde moeder haar armen om ons tweeën en leidde onze handen zodat we hard op de toetsen konden slaan.

Het is niet meer in zwang, geloof ik, om het soort eerbied voor je moeder te hebben dat wij destijds, midden jaren vijftig, hadden toen het lawaai voor het raam meestal een samenspel van wind en zee was. Je zoekt naar de zwakke plek, de poot van de pianokruk die korter is dan de andere, het verdriet dat een wig tussen ons en haar zou drijven, maar de waarheid is dat we aan elkaar verknocht waren, alle drie, en dat was nooit duidelijker dan op die zondagen dat de regen grijs over de baai van Dublin stoof en de buien vers tegen de ruiten waaiden.

Ons huis in Sandymount keek uit op de baai. We hadden een korte oprit vol onkruid, een vierkant stuk gras, een zwart ijzeren hek. Als we de weg overstaken konden we op de ronde strandmuur staan en een heel eind over de baai uitkijken. Aan het eind van de weg groeide een stel palmbomen. Ze waren kleiner en ieler dan palmen elders, maar toch exotisch, alsof ze uitgenodigd waren om de regen van Dublin te komen bekijken. Corrigan ging op de muur zitten, liet zijn hakken ertegenaan bonken en keek over het vlakke strand naar het water. Ik had toen al moeten weten dat de zee in hem zat, dat er een soort weggaan zou komen. Het tij sloop binnen en het water zwol aan zijn voeten. 's Avonds liep hij de weg af langs de Martello-toren naar het verlaten openbare bad waar hij met zijn armen wijd over de strandmuur balanceerde.

In de weekends wandelden we 's morgens bij eb met onze moeder door het enkeldiepe water en keken we om naar de rij huizen, de toren en de rooksjaaltjes die aan de schoorstenen wapperden. Twee enorme rood-witte schoorstenen van de krachtcentrale doorbraken de oostelijke horizon, maar verder was het een zacht gebogen lijn met meeuwen in de lucht, mailboten uit Dun Laoghaire, jagende wolken aan de horizon. Bij laag water was de zandvlakte gerimpeld en soms kon je bijna een halve kilometer lopen tussen waterpoelen en stukken oude rommel, lange scheermesschelpen, ledikantstangen.

De baai van Dublin was een traag deinend water, hoefijzervormig als de stad, dat zonder waarschuwing kon opspelen. Af en toe beukten de golven bij storm tegen de muur. Eenmaal gekomen, bleef de zee. Zout koekte op de ramen van ons huis. De klopper op de deur was rood van roest.

Bij smerig weer gingen Corrigan en ik op de trap zitten. Onze vader, een natuurkundige, was jaren eerder bij ons weggegaan. Eens per week kwam er een cheque met een Londens poststempel door de brievenbus. Nooit een briefje, alleen een cheque, afgegeven door een bank in Oxford. Hij dwarrelde omlaag. We brachten hem op een holletje naar moeder. Ze schoof de envelop onder een bloempot op de vensterbank in de keuken en de volgende dag was hij weg. Verder werd er nooit iets over gezegd.

De enige andere aanwijzing dat we een vader hadden was een kast vol oude pakken en broeken in moeders slaapkamer. Corrigan trok de deur open. We gingen in het donker met onze rug tegen de ruwe houten panelen zitten en schoven onze voeten in zijn schoenen, lieten zijn mouwen langs onze oren strijken, voelden de kou van zijn manchetknopen. Moeder trof ons op een middag verkleed in zijn grijze pakken aan, de mouwen opgerold en de broeken opgehouden met elastiek. We waren op zijn veel te grote gaatjesschoenen aan het rondbanjeren toen ze in de deuropening verscheen en stokstijf bleef staan, het werd zo stil in de kamer dat we de verwarming konden horen tikken.

'Nou,' zei ze, terwijl ze voor ons op de grond knielde. Op haar gezicht kwam een brede grijns die haar pijn leek te doen. 'Kom hier.' Ze gaf ons allebei een zoen op de wang en een tik voor onze broek. 'Vort nu.' We gleden uit vaders oude kleren, lieten ze op hoopjes op de grond liggen.

Later die avond hoorden we het gekletter van kleerhangers toen ze de pakken ophing en nog eens verhing.

In de loop van de jaren waren er de gebruikelijke driftbuien en bloedneuzen en gebroken hobbelpaardkoppen, en moeder moest zien om te gaan met het geroddel van de buren, soms zelfs met de attenties van plaatselijke weduwnaren, maar doorgaans strekte het leven zich aangenaam voor ons uit: kalm, open, een groot stuk zanderig grijs.

Corrigan en ik sliepen op een kamer die uitkeek op het water. Het gebeurde geruisloos, ik weet nog steeds niet hoe: hij, de twee jaar jongere, nam het bovenbed over. Bij het slapengaan lag hij op zijn buik naar het donker achter het raam te kijken, terwijl hij zijn gebeden zei – hij noemde ze zijn sluimerverzen – in een snel, hakkelig ritme. Het waren zijn eigen incantaties, voor mij meestal onverstaanbaar, met vreemde, kakelende lachjes en lange zuchten. Hoe dichter hij bij de slaap was hoe ritmischer de gebeden werden, een soort jazz, al hoorde ik hem soms opeens vloeken, en dan werden ze uit de vroomheid weggetild. Ik kende de katholieke hitparade – het onzevader, het weesgegroet – maar meer ook niet. Ik was een lomp, stil joch en God vond ik een vervelend figuur. Als ik tegen de onderkant van Corrigans bed schopte, werd het een tijdje stil, maar dan begon hij weer. Soms werd ik 's morgens wakker en dan lag hij naast me met een arm over mijn schouder en ging zijn borst op en neer bij het fluisteren van zijn gebeden.

Dan draaide ik me naar hem toe: 'Hè, Jezus, Corr, hou je kop.'

Mijn broer had een bleke huid, donker haar en blauwe ogen. Hij was zo'n kind naar wie iedereen glimlacht. Hij kon je aankijken en je uit je tent lokken. Mensen vielen voor hem. Op straat woelden vrouwen door zijn haar. Arbeiders sloegen hem vriendschappelijk op zijn schouder. Hij had niet in de gaten dat zijn aanwezigheid mensen aanmoedigde, blij maakte, hun onwaarschijnlijke verlangens aan de oppervlakte bracht – hij worstelde zich gewoon door alles heen, zich nergens van bewust.

Ik werd, toen ik elf was, op een nacht wakker van een vlaag kou die over me heen trok. Ik stommelde naar het raam, maar het was dicht. Ik tastte naar het licht en het vertrek baadde algauw in een gele gloed. Midden in de kamer stond een gebukte gestalte.

'Corr?'

De kou rolde nog van zijn lijf. Zijn wangen waren rood. Op zijn haar lag wat vochtige mist. Hij stonk naar sigaretten. Hij legde een vinger op zijn lippen en klom de houten ladder op.

'Ga slapen,' fluisterde hij van boven. De geur van tabak hing nog in de lucht.

De volgende ochtend sprong hij van het bed af, met zijn zware anorak over zijn pyjama. Rillend zette hij het raam open en klopte op de vensterbank het zand van zijn schoenen, in de tuin beneden.

'Waar ben je geweest?'

'Gewoon het water langs,' zei hij.

'Heb je gerookt?'

20

Hij keek de andere kant op, wreef zijn armen warm: 'Nee.'

'Je weet dat je niet mag roken.'

'Ik heb niet gerookt.'

Later die morgen bracht moeder ons naar school, met onze leren rugtassen om onze schouders. Een ijzige wind sneed door de straten. Bij het schoolhek ging ze op één knie, sloeg haar armen om ons heen, trok onze dassen recht en gaf ieder van ons een zoen. Toen ze opstond om weg te gaan, werd haar blik getrokken door iets aan de overkant, bij het hek van de kerk: een donkere figuur gewikkeld in een grote rode deken. De man hief een hand op ten groet. Corrigan zwaaide terug.

Er liepen genoeg oude dronkenlappen in de buurt van Ringsend rond, maar mijn moeder leek van haar stuk door de aanblik en even kwam het bij me op dat er misschien een geheim achter zat.

'Wie is dat, mam?' vroeg ik,

'Vort nu,' zei ze. 'Daar hebben we het na school nog wel over.'

'Wie is het, Corrie?' Ik gaf hem een stomp: 'Wie is het?'

Hij verdween naar zijn klas.

De hele dag zat ik in mijn houten bank, piekerend op mijn potlood te kauwen – visioenen van een vergeten oom, of onze vader die op een of andere manier gebroken terug was gekomen. Niets viel in die tijd buiten de wereld van het mogelijke. De klok hing achter in het lokaal, maar er was een oude, gespikkelde spiegel boven het klassefonteintje en vanuit een bepaalde hoek kon ik de wijzers achteruit zien gaan. Zodra de bel ging was ik het hek uit, maar Corrigan nam de lange weg terug, met korte trippelpasjes door de woonwijken, voorbij de palmbomen, langs de strandmuur.

Er lag een zacht, bruinpapieren pak voor Corrigan op het bovenste bed te wachten. Ik schoof het hem toe. Hij haalde zijn schouders op, liet zijn vinger over het paktouw gaan, trok er aarzelend aan. Er zat een nieuwe deken in, een zachte blauwe Foxford. Hij vouwde hem uit, liet hem in de lengte vallen, keek op naar moeder en knikte.

Ze streek met de rugkant van haar vingers over zijn gezicht en zei: 'Nooit weer, begrepen?'

Verder werd er niets over gezegd, totdat hij twee jaar later ook die deken weggaf, weer aan een dakloze alcoholist, weer op zo'n ijskoude nacht bij het kanaal op een van die nachtelijke wandelingen van hem wanneer hij op zijn tenen de trap af sloop en buiten het donker in ging. Het was voor hem een eenvoudige rekensom – anderen hadden de dekens meer nodig dan hij, en hij was bereid straf te incasseren als die op zijn weg kwam. Toen kreeg ik voor het eerst een vermoeden wat mijn broer zou gaan worden, en wat ik later zou zien bij de paria's van New York – de hoeren, de hosselaars, de hopelozen – al diegenen die aan hem hingen alsof hij een lichtend halleluja was in de strontbak die de wereld eigenlijk was.

Corrigan begon al jong met drinken – op zijn twaalfde of dertiende – eens in de week, op vrijdagmidag na school. Dan rende hij in Blackrock het hek uit naar de bushalte, zijn schoolstropdas af, zijn blazer opgevouwen, terwijl ik op het sportveld van school bleef rugbyen. Ik kon hem op lijn 45 of 7A zien stappen, zijn silhouet naar de achterbank zien schuiven als de bus optrok.

Corrigan hield van plekken waar het licht schaars was. De havenbuurt. De logementen. Straathoeken waar de kasseien gebarsten waren. Hij ging vaak bij de zatlappen in Frenchman's Lane en Spencer Row zitten. Hij nam een fles mee, gaf hem door. Als die bij hem terugkwam, dronk hij met zwier en wreef dan als een geoefend drinker met de rug van zijn hand over zijn mond. Iedereen kon zien dat hij geen echte drinker was – hij hield de fles niet in het oog, dronk er alleen uit als die zijn kant op kwam. Hij moet gedacht hebben dat hij erbij hoorde. Hij werd uitgelachen door de valsere drinkebroers, maar dat kon hem niks schelen. Natuurlijk maakten ze gebruik van hem. Hij was gewoon de zoveelste snotneus die in armeluisschoenen probeerde te staan, maar hij had een paar centen in zijn zak en was altijd bereid daar afstand van te doen – ze stuurden hem naar de slijter voor flessen, of naar de winkel op de hoek voor losse sigaretten.

Op sommige dagen kwam hij thuis zonder sokken. Andere keren had hij geen overhemd meer aan en rende hij de trap op voordat moeder hem snapte. Hij poetste zijn tanden, waste zijn gezicht en kwam netjes gekleed beneden, een beetje euforisch, niet aangeschoten genoeg om gesnapt te worden.

'Waar ben je geweest?'

'Gods werk.'

'En is Gods werk niet voor je moeder zorgen?' Ze trok de kraag van zijn overhemd recht terwijl hij aan tafel ging.

Na een tijd bij de zwervers begon hij erbij te horen, ging hij in de achtergrond op, nam hij hun kleur aan. Hij liep mee naar het logement in Rutland Street en zat daar uitgezakt tegen de muur. Corrigan luisterde naar hun verhalen: lange, onsamenhangende vertelsels die uit een heel ander Ierland leken te stammen. Het was voor hem een leertijd: hij kroop in hun armoede alsof hij zich die eigen wilde maken. Hij dronk. Hij rookte. Hij had het nooit over onze vader, niet tegen mij noch tegen anderen. Maar hij was er, onze verdwenen vader, dat kon ik merken. Corrigan verzoop hem met een fles sherry, of spuugde hem als een draadje tabak op zijn tong weg.

In de week dat hij veertien werd moest ik hem van mijn moeder gaan halen: hij was al de hele dag weg en ze had een taart voor hem gebakken. Het was een miezerige avond in Dublin. Er kwam een paard-en-wagen voorbij, het licht van zijn dynamo brandde. Ik keek hoe hij de straat uit klepperde, hoe het stipje licht zich verspreidde. Op zulke momenten had ik een hekel aan de stad, die geen enkele lust had om onder zijn grauwheid vandaan te komen. Ik liep verder langs de pensions, de antiekwinkels, de kaarsenmakers, de leveranciers van religieuze medailles. Het logement was te herkennen aan een zwart hek, ijzeren spijlen met scherpe punten. Ik liep achterom, waar de vuilnisbakken stonden. Regen drupte uit een gebroken pijp. Ik stapte over een stapel kratten en kartonnen dozen, riep zijn naam. Toen ik hem vond was hij zo dronken dat hij niet op zijn benen kon staan. Ik greep hem bij zijn arm. 'Hoi,' glimlachte hij. Hij viel tegen de muur en sneed zijn hand. Hij stond naar zijn handpalm te staren. Het bloed liep langs zijn pols. Een van de jongere alcoholisten – een nozem in een rood T-shirt – bespuugde hem. Het was de enige keer dat ik Corrigan ooit heb zien uithalen. Het was een slag in de lucht maar het bloed vloog van zijn hand en ik wist – meteen toen ik het zag – dat ik dit moment nooit zou vergeten, Corrigan die door de lucht maaide, druppeltjes van zijn bloed die de muur bespatten.

'Ik ben pacifist,' zei hij met dikke tong.

Ik sleepte hem het hele stuk langs de Liffey mee, langs de kolenschuiten, Ringsend in, waar ik hem met water uit de oude zwengelpomp op Irishtown Road waste. Hij nam mijn gezicht tussen zijn handen. 'Dank je, dank je.' Hij begon te huilen toen we op Beach Road, de weg waaraan we woonden, kwamen. Er was een diepe duisternis over zee neergedaald. Regen droop van de palmen aan de boulevard. Ik trok hem weg van het strand. 'Ik ben een slappeling,' zei hij. Hij veegde met zijn mouw over zijn ogen, stak een sigaret aan en hoestte tot hij overgaf.

Bij het hek van ons huis keek hij omhoog naar het licht in moeders slaapkamer. 'Is ze wakker?'

Hij liep schoorvoetend de oprit over, maar eenmaal binnen stormde hij de trap op en vloog in haar armen. Ze rook natuurlijk de drank- en tabakslucht, maar zei niets. Ze maakte een bad voor hem klaar, ging voor de deur zitten. Na een eerste stilte strekte ze haar voeten op de overloop uit, legde toen haar hoofd tegen de deurpost en zuchtte: het was alsof zij ook in een bad zat en reikte naar dagen die nog herinnerd moesten worden.

Hij trok zijn kleren aan, kwam de overloop op en zij droogde zijn haar met een handdoek.

'Je drinkt niet meer, hè, schat?'

Hij schudde zijn hoofd, nee.

'Uitgaansverbod op vrijdag. Om vijf uur thuis. Hoor je?'

'Oké.'

'Beloof het me nu.'

'Met mijn hand op mijn hart.'

Zijn ogen waren bloeddoorlopen.

Ze kuste zijn haar en drukte hem tegen zich aan. 'Beneden staat een taart voor je, schat.'

Corrigan liet zijn vrijdagse uitstapjes twee weken schieten, maar begon de alcoholisten algauw weer te ontmoeten. Het was een ritueel dat hij niet kon opgeven. De bietsers hadden hem nodig, of konden hem in elk geval gebruiken – hij was voor hen een geschifte, onmogelijke engel. Hij dronk nog wel met ze, maar alleen op bepaalde dagen. Meestal was hij nuchter. Naar zijn idee waren de mannen eigenlijk op zoek naar een soort verloren paradijs, keerden ze ernaar terug als ze dronken, maar waren bij aankomst niet in staat er te blijven. Hij probeerde hen niet over te halen om te stoppen. Dat was niet zijn stijl.

Ik had misschien makkelijk een hekel aan Corrigan kunnen hebben – mijn jongere broer die mensen tot leven vonkte – maar hij had iets wat die hekel moeilijk maakte. Zijn grote thema was geluk – wat het is en wat het misschien niet was, waar hij het zou kunnen vinden en waar het misschien zoek was geraakt.

Ik was negentien en Corrigan was zeventien toen onze moeder stierf. Een kort, snel gevecht met nierkanker. Het laatste wat ze ons opdroeg was om eraan te denken de gordijnen te sluiten zodat het tapijt in de woonkamer niet door zonlicht zou verbleken.

Ze werd op de eerste dag van de zomer naar het Saint Vincent-ziekenhuis gebracht. De ambulance liet natte sporen na op de zeeweg. Corrigan fietste er als een bezetene achteraan. Ze kwam op een lange ziekenzaal terecht. Wij zorgden dat ze een eigen kamer kreeg en zetten die vol bloemen. We zaten om beurten aan haar bed, kamden haar lange haar dat broos aanvoelde. Er bleven plukken aan de kam hangen. Voor het allereerst had ze iets van een gekrenkte vrouw over zich: haar lichaam had haar verraden. De asbak naast haar bed raakte vol haar. Ik klampte me vast aan het idee dat alles weer kon worden zoals het vroeger was als we haar lange grijze strengen maar bewaarden. Het was het enige waaraan ik durfde te denken. Ze hield het nog drie maanden vol en overleed op een dag in september toen alles leek open te barsten met zonlicht.

We zaten op de kamer te wachten tot de verpleegsters kwamen om haar lichaam weg te halen. Corrigan zat midden in een lang gebed toen er een schaduw in de ziekenhuisdeur verscheen.

'Hallo, zoons.'

Er kleefde een Engels accent aan het verdriet van onze vader. Ik had hem sinds mijn derde niet meer gezien. Een lange balk licht viel over hem heen. Hij was bleek, had opgetrokken schouders. Over zijn schedel lag een schijntje haar, maar zijn ogen waren helblauw. Hij drukte zijn afgenomen hoed tegen zijn borst. 'Het spijt me, jongens.'

Ik ging naar hem toe om hem een hand te geven. Ik schrok ervan dat ik langer was dan hij. Hij pakte mijn schouder en kneep.

Corrigan bleef stil in de hoek zitten.

'Geef me een hand, zoon,' zei onze vader.

'Hoe wist u dat ze ziek was?'

'Vooruit, wees een kerel en geef me een hand.'

'Zeg op, hoe wist u het.'

'Geef je me nog een hand of niet?'

'Wie heeft het u verteld?'

Hij wiebelde op zijn hielen heen en weer: 'Is dat een manier om je vader te behandelen?'

Corrigan draaide zich om, drukte een kus op moeders koude voorhoofd en vertrok zonder een woord. De deur sloeg met een knal dicht. Een kooi van schaduw viel schuin over het bed. Ik liep naar het raam en zag hem zijn fiets van een regenpijp losrukken. Hij reed dwars door de bloembedden en verdween met wapperend overhemd tussen het verkeer op Merrion Road.

Mijn vader trok een stoel bij en ging naast haar zitten, voelde door de lakens heen haar onderarm.

'Toen ze de cheques niet inde,' zei hij tegen me.

'Wat?'

'Toen wist ik dat ze ziek was,' zei hij. 'Toen ze de cheques niet inde.'

Een splinter kou drong diep in mijn borst.

'Ik zeg je slechts de waarheid,' zei hij. 'Als je de waarheid niet wilt horen, moet je er niet naar vragen.'

Onze vader kwam die nacht in ons huis slapen. Hij had een koffertje bij zich met een zwart rouwpak en een paar gepoetste schoenen. Corrigan hield hem tegen toen hij de trap op ging. 'Waar wou u naartoe?' Onze vader greep de leuning vast. Zijn handen zaten vol levervlekken en ik zag ze trillen toen hij bleef staan. 'Dat is uw kamer

26

niet,' zei Corrigan. Onze vader wankelde even op de trap. Hij deed nog een stap omhoog. 'Waag het niet,' zei mijn broer. Zijn stem klonk helder, stevig, zelfverzekerd. Onze vader stond versteld. Hij klom nog één tree hoger, draaide zich om, ging naar beneden, keek verloren om zich heen.

'Mijn eigen zoons,' zei hij.

We maakten een bed voor hem op een bank in de woonkamer, maar zelfs toen weigerde Corrigan met hem onder één dak te blijven: hij liep de deur uit, de kant van de binnenstad op en ik vroeg me af in welke steeg hij later die avond te vinden zou zijn, tegen welke vuist hij zou oplopen, in wiens fles hij omlaag zou klimmen.

De ochtend van de begrafenis hoorde ik onze vader Corrigans voornaam roepen: 'John, John Andrew.' Er sloeg een deur. Nog een. Daarna lange tijd niets. Ik legde mijn hoofd weer op het kussen en liet de stilte over me komen. Voetstappen op de trap. Het kraken van de bovenste tree. De geluiden waren vol raadsels. Corrigan rommelde beneden door de kasten en sloeg de voordeur dicht.

Toen ik naar het raam ging, zag ik een rij goed geklede mannen op het strand, pal voor ons huis. Ze droegen de oude pakken, hoeden en sjaals van onze vader. Een van hen propte een rode zakdoek in de borstzak van het zwarte pak. Een ander had een paar gepoetste schoenen in zijn hand. Corrigan liep ertussen, een beetje scheef, met zijn hand diep in zijn broekzak waar hij een fles had. Hij was zonder hemd en zag er woest uit. Een kop met ongekamd haar. Zijn armen en nek waren bruin, maar de rest van zijn lijf was wit. Hij grijnsde en zwaaide naar mijn vader die nu blootsvoets in de voordeur stond en verbouwereerd toekeek hoe een tiental kopieën van hemzelf langs de vloedlijn wandelde.

Twee vrouwen, die ik herkende van de bedelrijen bij de logementen, drentelden door het natte zand in oude zomerjurken van mijn moeder, pronkend met hun nieuwe kleren.

Corrigan zei een keer tegen me dat Christus niet zo moeilijk te begrijpen was. Hij ging waar Hij moest gaan. Hij bleef waar Hij nodig was. Hij had zo goed als niets meegenomen, een paar sandalen, een hemd, wat ditjes en datjes om de eenzaamheid te verdrijven. Hij wees de wereld nooit af. Als Hij die had afgewezen, zou Hij het mysterie hebben afgewezen. En als Hij het mysterie afwees, zou Hij het geloof hebben afgewezen.

Wat Corrigan wilde was een volledig geloofwaardige God, een die je in het vuil van alledag kon vinden. De moed die hij putte uit de kille harde waarheid – de smerigheid, de oorlog, de armoede – was dat het leven in staat kon zijn tot kleine schoonheden. Hij had geen belangstelling voor mooie verhalen over het hiernamaals of voorstellingen van een zoetsappige hemel. Voor hem was dat een kleedkamer voor de hel. Hij troostte zich liever met het feit dat hij in de echte wereld, als hij goed in het donker rondkeek, de aanwezigheid van een licht zou kunnen vinden, beschadigd en gebarsten, maar toch een lichtje. Hij wilde simpelweg dat de wereld een betere plek werd en had zich aangewend daarop te hopen. Er kwam een soort triomf uit voort die boven de theologische bewijsvoering uitsteeg, een reden tot optimisme tegen de verdrukking in.

'Op een dag willen de armen van geest misschien wel hun deel,' zei hij.

Na de dood van moeder verkochten we het huis. Onze vader inde de helft van het geld. Corrigan gaf zijn deel weg. Hij leefde van de liefdadigheid van anderen en begon het werk van Franciscus van Assisi te bestuderen. Uren aan een stuk liep hij door de stad te lezen. Hij maakte sandalen voor zichzelf van wat afvalleer en droeg er woest gekleurde sokken bij. Hij werd midden jaren zestig een bekend figuur in de straten van Dublin, met vlassig haar en een timmermansbroek, boeken onder zijn arm geklemd. Hij liep met grote, houterige stappen. Hij ging rond zonder geld, zonder jas, zonder hemd. Elke augustus op de gedenkdag van Hiroshima ketende hij zich vast aan de hekken van het parlement in Kildare Street, een stille wake voor één nacht, geen foto's, geen journalisten, alleen hij en zijn kartonnen doos plat op de grond.

Toen hij negentien was begon hij te studeren aan het jezuïetencollege in Emo. In de vroege ochtend naar de mis. Uren theologische studie. Middagwandelingen door de weiden. Nachtwandelingen langs de rivier de Barrow, God smekend onder de sterren. De ochtendgebeden, de middaggebeden, de avondgebeden, de completen. De gloria's, de psalmen, de evangelielezingen. Het gaf zijn geloof structuur, pinde hem vast op een doel. Toch konden de heuvels van Laois hem niet vasthouden. Hij kon geen gewone priester worden – dat leven was niets voor hem; hij was er te vaag voor, had meer ruimte nodig voor zijn twijfel. Hij verliet het noviciaat en ging naar Brussel, waar hij zich aansloot bij een groep jonge broeders die de geloften van kuisheid, armoede en gehoorzaamheid hadden afgelegd. Hij had een kamertje in het centrum van de stad. Liet zijn haar groeien. Hield zijn neus in de boeken: Augustinus, Eckhart, Massignon, Charles de Foucauld. Het was een leven van werken, vriendschap, solidariteit. Met een truck vervoerde hij fruit voor een plaatselijke coöperatie en organiseerde een kleine groep arbeiders in een bond. Op zijn werk droeg hij geen religieuze kleding of boorden, had hij geen Bijbel bij zich en hield zich het liefst op de achtergrond, zelfs bij de broeders van zijn eigen orde.

Maar weinig mensen die hem tegenkwamen hebben ooit van zijn religieuze banden geweten en zelfs op plekken waar hij het langst verbleef, stond hij zelden bekend om zijn overtuigingen – maar men herkende in hem een hang naar vroeger, toen de tijd langzamer, minder gecompliceerd leek. Zelfs de ergste dingen die mensen elkaar aandeden konden Corrigan niet van zijn overtuigingen afbrengen. Het was misschien naïef, maar dat kon hem niks schelen, hij zei dat hij liever zou sterven met het hart op de tong dan als de zoveelste cynicus te eindigen.

Het enige meubilair dat hij bezat waren zijn eiken bidstoeltje en zijn boekenplanken. Op de planken had hij een stel religieuze dichters, voornamelijk radicalen, en een paar bevrijdingstheologen. Hij had lang gehengeld naar uitzending ergens in de Derde Wereld, maar zonder succes. Brussel was hem te gewoon. Hij wilde ergens heen waar het er ruiger aan toeging. Hij werkte een tijdje in de sloppen van Napels, met de armen uit de Spaanse wijk, maar werd begin jaren zeventig naar New York overgeplaatst. Het idee stond hem tegen, hij verzette zich, vond New York te beschaafd, te steriel, maar het maakte geen indruk op de hoger geplaatsten in zijn orde – hij moest gaan waar hij gezonden werd.

Hij stapte op het vliegtuig met een koffer vol boeken, zijn bidstoeltje en een Bijbel.

Ik had mijn studie eraan gegeven en woonde na mijn vijfentwintigste lange tijd in een souterrain op Raglan Road, waar ik net het staartje van de hippietijd meepikte. Net als bijna alles in Ierland, was ik een paar jaar te laat. Ik zwalkte de drempel van de dertig over, vond een kantoorbaantje, maar haakte nog steeds naar het oude roekeloze leven.

Ik had nooit zo gevolgd wat er in het noorden gebeurde. Soms leek het een totaal ander land, maar in de lente van '74 kwam het geweld naar het zuiden.

Ik ging op een vrijdagavond naar de Paardenbloemmarkt om wat wiet te kopen, iets wat ik bij tijd en wijle deed. Het was een van de weinige plekken waar Dublin bruiste: Afrikaanse kralen, lavalampen, wierook. Ik kocht vijftien gram Marokkaanse hasj bij een kraam met tweedehands platen. Ik liep door South Leinster Street naar Kildare Street toen de lucht schokte. Heel even werd alles geel, een volmaakte flits, toen wit. Ik werd door de lucht gesmeten, tegen een hek. Ik kwam bij, overal paniek. Glasscherven. Een uitlaatpijp. Een autostuur dat over de straat rolde. Het stuur slingerde uitgeput, en alles werd merkwaardig stil totdat de sirenes begonnen te loeien alsof ze al in de rouw waren. Er kwam een vrouw voorbij in een jurk die van hals tot zoom was opengescheurd, alsof ze uitdrukkelijk met haar borstwond wilde pronken. Een man bukte zich om me overeind te helpen. We renden een paar meter samen op, kozen toen ieder een andere kant. Ik struikelde de hoek om naar Molesworth Street, waar een politieman me tegenhield en op wat bloedspatten op mijn overhemd wees. Ik viel flauw. Toen ik in het ziekenhuis bijkwam vertelden ze dat ik een stukje van mijn rechter oorlel was kwijtgeraakt toen ik achterover sloeg tegen de piek van een hek. Een Franse lelie. Wat een fijnzinnige ironie. Het puntje van mijn oor achtergebleven op straat. De rest van me was ongedeerd, zelfs mijn gehoor.

In het ziekenhuis doorzocht de politie mijn zakken om mijn iden-titeit vast te stellen. Ik werd gearresteerd vanwege het bezit van ver-dovende middelen en voor de rechter gebracht, die medelijden kreeg en zei dat het een onrechtmatige fouillering betrof, me een preek gaf en me wegstuurde. Ik ging regelrecht naar een reisbureau in Dawson Street en kocht een ticket het land uit.

Toen ik op John F. Kennedy Airport aankwam, droeg ik een lange halsketting en een Afghaanse jas, met daarin een haveloos exem-plaar van *Howl*. De douanebeambten gniffelden. De sluitband van mijn rugzak brak toen ik die weer probeerde in te pakken.

Ik keek rond naar Corrigan – hij had, op een ansichtkaart, beloofd me af te halen. Het was dertig graden in de schaduw. De hitte kwam als een moker op me neer. De aankomsthal zinderde. Gezinnen dwaalden rond, verdrongen elkaar om vluchtinformatie te krijgen. Taxichauffeurs straalden een glimmende dreiging uit. Nergens een spoor van mijn broer. Ik zat een uur op mijn rugzak, totdat een agent me met zijn gummiknuppel overeind porde en het boek uit mijn handen sloeg.

Midden in de smoorhitte en de herrie stapte ik op een bus. Later in de ondergrondse bleef ik onder de snorrende ventilator staan. Naast me wuifde een zwarte vrouw zich met een tijdschrift koelte toe. Ovale zweetparels op haar onderarmen. Ik had nog nooit een zwarte vrouw van zo dichtbij gezien, haar huid was bijna blauw, zo donker. Ik wilde dat voelen, even mijn vinger op haar onderarm drukken. Ze ving mijn blik op en trok haar blouse strakker: 'Wat valt er te zien?'

'Ierland,' flapte ik eruit. 'Ik ben Ier.'

Een ogenblik later keek ze me weer even aan. 'Hoe bestaat 't,' zei ze. Ze stapte uit bij 125th Street waar de trein piepend tot stilstand kwam.

Pas tegen de avond kwam ik in de Bronx aan. Vanuit het station liep ik de late warmte in. Grijze baksteen, grote reclameborden. Rit-mische klanken uit een transistorradio. Een joch in een mouwloos hemd tolde rond op een stuk karton, met zijn schouder op de een of andere manier als draaipunt voor zijn hele lijf. Vagere contouren.

Geen grenzen. Handen aan de grond, terwijl zijn voeten in een langgerekte ellips uitwaaierden. Hij ging omlaag en plotseling tolde hij op zijn hoofd, boog zich achterover, veerde los en kwam met een luchtsprong op de grond. Puurheid in beweging.

Een paar snorders stonden met draaiende motor op de Concourse. Oude blanke mannen met brede hoeden. Ik gooide mijn rugzak in de achterbak van een grote zwarte auto.

'Wat een zenuwlijers, hè?' zei de chauffeur over zijn stoel naar achteren leunend. 'Dacht je dat 't ooit wat wordt met zo'n joch? Die gebruikt z'n kop verdomme als een tolletje.'

Ik gaf hem het adres van Corrigan op een strookje papier. Hij gromde iets over stuurbekrachtiging, zei dat ze dat in Vietnam nooit hadden gehad.

Na een halfuur zwenkten we scherp de parkeerhaven in. We hadden in wijde kringen rondgereden. 'Twaalf dollar, vriend.' Protesteren had geen zin. Ik gooide het geld op de voorbank, stapte uit, greep mijn rugzak. De taxichauffeur trok op voordat ik de achterklep kon sluiten. Ik klemde mijn *Howl*-bundeltje tegen mijn borst. *Ik zag de besten van mijn generatie verwoest door waanzin.* De achterklep van de taxi wipte op en klapte dicht toen de chauffeur bij de verkeerslichten scherp afsloeg en verdween.

Aan een kant stond een rij grauwe torenflats achter hekken van draadgaas. Stukken van het hek waren bovenop afgezet met prikkeldraad. Aan de overkant, de snelweg: lichtstrepen van auto's schoten bovenlangs. Bij het viaduct eronder, een lange rij vrouwen. Auto's en vrachtwagens remden in de donkerte af. De vrouwen namen hun poses aan. Ze droegen hotpants, bikinitopjes en badpakken, alsof het een bizar stadsstrand was. In het schaduwlicht reikte een gebogen arm naar het dek van de snelweg. Een stilettohak beklom een prikkeldraadhek. Een been strekte zich uit over de halve lengte van een stadsblok.

Nachtvogels vlogen onder de steunbalken van de snelweg vandaan, leken even het luchtruim te kiezen, maar doken dan terug naar hun schuilplek.

Vanonder het viaduct verscheen een vrouw. Ze droeg een bontjas die haar schouders bloot liet en zette haar knielaarzen wijd uiteen. Er kwam een auto langs en ze gooide de jas open. Ze droeg er niets onder. De auto toeterde en scheurde weg. Ze gilde hem na, kwam mijn kant op lopen met iets van een parasol in haar hand.

Ik speurde de balkons van de torenflats af naar een teken van Corrigan. De straatlantaarns flakkerden. Een plastic zak tuimelde over straat. Aan een hoge telegraafdraad hing een paar schoenen.

'Hé, schatje.'

'Ik ben platzak,' zei ik zonder me om te draaien. De tippelaarster spuugde een fluim voor mijn voeten en stak de roze parasol boven haar hoofd op.

'Klootzak,' zei ze in het voorbijgaan.

Ze ging aan de verlichte kant van de straat onder haar parasol staan. Telkens als er een auto passeerde bewoog ze die omhoog en omlaag, waardoor ze een kleine planeet van licht en donker van zichzelf maakte.

Ik sjokte zo nonchalant mogelijk met mijn rugzak naar de flats. Heroïnespuiten lagen tussen het onkruid en binnen het hek. Iemand had verf op het bord naast de ingang van het flatgebouw gesprayd. Een paar oude mannen zaten zich voor de entree koelte toe te wuiven. Ze zagen er geslagen en afgetakeld uit, het soort mannen dat binnenkort in lege stoelen zou veranderen. Een van hen pakte het strookje papier aan waarop mijn broers adres stond geschreven, schudde zijn hoofd, zakte weer terug.

Er rende een jongetje voorbij met een metaalachtig geluid, een blikkerige beat. Hij verdween in het donker van het trappenhuis. De geur van verse verf slierde achter hem aan.

Ik sloeg de hoek om naar een andere hoek: niets dan hoeken hier.

Corrigan woonde in een grijs flatgebouw. Op de vierde van twintig verdiepingen. Een kleine sticker naast de deurbel: *Vrede & Recht* in een doornenkrans. Vijf sloten aan de deurpost. Geen ervan werkte. Ik duwde tegen de deur. Die zwaaide open en klapte tegen de muur. Er viel een stukje witte stuc op de grond. Ik riep zijn naam. De woning was leeg, afgezien van een haveloze bank, een lage tafel, een eenvoudig houten kruis boven het houten eenpersoonsbed. Zijn bidstoeltje stond naar de muur gekeerd. Boeken lagen open op de grond, alsof ze met elkaar in gesprek waren: Thomas Merton, Rubem Alves, Dorothy Day.

Ik strompelde naar de bank, doodmoe.

Even later werd ik wakker van de parasolhoer die met de deur smeet. Ze bleef even staan om zich het zweet van haar voorhoofd te wissen, gooide toen haar handtas naast me op de bank. 'Oeps, sorry schat,' zei ze. Ik wendde mijn gezicht af in de hoop dat ze me niet zou herkennen. Ze liep de kamer door terwijl ze haar bontjas uitgooide, naakt op haar laarzen na. Ze bleef even staan om in een langwerpig, gebroken stuk spiegel te kijken dat tegen de muur leunde. Haar kuitspieren waren glad en gewelfd. Ze hees het vlees van haar billen op, zuchtte, rekte zich uit en wreef haar tepels wakker. 'Godverdomme,' zei ze. Uit de badkamer kwam het geluid van stromend water.

De hoer kwam weer tevoorschijn met opgeverfde lippen en een frisse tik in haar stap. De scherpe lucht van parfum vulde de kamer. Ze blies me een kus toe, zwaaide met de parasol, vertrok.

Zo ging het een keer of vijf, zes achter elkaar. De deurkruk draaide. Naaldhakken klikten over de kale vloerplanken. Telkens een andere hoer. Een boog zich zelfs over me heen en liet haar lange, magere borsten in mijn gezicht hangen. 'Studentje,' zei ze bij wijze van aanbod. Ik schudde mijn hoofd en ze zei kortaf: 'Dacht ik al.' Ze draaide zich met een glimlach bij de deur om. 'Er komen eerder advocaten in de hemel, dan dat jij weer zoiets lekkers tegenkomt.'

Ze liep lachend de gang in.

In de badkamer stond een kleine metalen prullenbak. Tampons en treurige poliepen van gebruikte condooms in papieren zakdoekjes.

Corrigan maakte me later die nacht wakker. Ik wist bij God niet hoe laat het was. Hij had hetzelfde soort dunne hemd aan dat hij al jaren droeg: zwart, zonder kraag, lange mouwen en houten knopen. Hij was mager, alsof hij koppig was geslonken, louter vanwege zoveel armoede. Zijn haar hing op zijn schouders en hij had zijn bakkebaarden laten staan, was al een tikje grijs aan zijn slapen. Op zijn gezicht zat een kleine snee en rechts had hij een blauw oog. Hij zag er ouder uit dan eenendertig.

'Mooie wereld waar je in woont, Corrigan.'

'Heb je thee meegebracht?'

'Wat is er met je gebeurd? Je wang? Die snee?'

'Je hebt toch op zijn minst een paar zakjes thee meegebracht, broer?'

Ik maakte de rugzak open. Vijf dozen van zijn lievelingsthee. Hij gaf me een kus op mijn voorhoofd. Zijn lippen waren droog. Zijn stoppels prikten.

'Wie heeft je te grazen gehad, Corr?'

'Maak je over mij geen zorgen, laat me jou eens bekijken.'

Hij hief zijn hand op en tikte tegen mijn rechteroor, waar het puntje van de lel weg was.

'Alles goed met jou?

'Het is een aandenken, zullen we maar zeggen. Ben je nog steeds pacifist?'

'Nog steeds,' zei hij met een grijns.

'Leuke vriendinnen heb je.'

'Ze moeten alleen in de badkamer zijn. Ze mogen niet pezen. Ze kwamen hier toch niet pezen, hè?'

'Ze waren naakt, Corrigan.'

'Welnee.'

'Ik zweer 't je, man, ze waren naakt.'

'Ze houden niet van ongemakkelijke kleding,' zei hij met een lachje. Hij pakte mijn schouder, duwde me terug op de bank. 'Hoe dan ook, ze moeten schoenen aan hebben gehad. Het is New York. Je moet hier goede stiletto's hebben.'

Hij zette water op, pakte de kopjes.

'Mijn bloedserieuze broer,' zei hij, maar zijn lachje doofde toen hij het vuur onder de ketel hoog zette. 'Luister, jongen, ze zijn wanhopig. Ik wil ze alleen een klein plekje voor zichzelf geven. Even uit de hitte. Even een plens water over hun gezicht.' Hij stond met zijn rug naar me toe. Ineens herinnerde ik me hoe hij, jaren terug, op een van onze middagwandelingetjes was afgedwaald en omsingeld werd door het opkomende tij – Corrigan, alleen op een zandbank, verstrengeld in licht, terwijl stemmen, die vanaf het strand zijn naam riepen, over hem heen waaiden. De ketel floot, luider nu en schril. Zelfs van achteren zag hij eruit alsof hij was toegetakeld. Ik zei zijn naam een keer, twee keer. Bij de derde keer schrok hij op, draaide zich om, glimlachte. Bijna net zoals toen hij nog kind was – hij keek op, zwaaide en kwam tot aan zijn middel in het water terugwaden.

'Zit je hier alleen, Corr?'

'Voor een tijdje maar.'

'Geen broeders? Niemand bij je?'

'O, ik leer de oeroude gevoelens kennen,' zei hij. 'De honger, de dorst, de vermoeidheid aan het eind van de dag. Ik begin me af te vragen of God in de buurt is als ik midden in de nacht wakker word.'

Het was alsof hij tegen een punt boven mijn schouder praatte. Onder zijn diepliggende ogen zaten grote wallen. 'Dat vind ik het mooie aan God. Je leert Hem kennen doordat Hij er af en toe niet is.'

'Gaat het wel met je, Corr?'

'Beter dan ooit.'

'Wie heeft je dan te grazen genomen?'

Hij keek weg: 'Ik had een aanvaring met een van de pooiers.'

'Waarom?'

'Daarom.'

'Waarom daarom, man?'

'Omdat hij beweerde dat ik ze van hun werk hield. Die gast noemt zich Birdhouse. Heeft maar één goed oog. Moet je nagaan. Komt binnen, klopt op de deur, zegt hallo, noemt me broeder voor en broeder na, heel netjes en beleefd, hangt zelfs zijn hoed aan de deurknop. Gaat op de bank zitten en kijkt omhoog naar het kruisbeeld. Zegt dat hij grote waardering heeft voor de geestelijkheid. En opeens komt hij met een eind loden pijp aanzetten, die hij uit de wc had gerukt. Stel je voor. Zat hij daar al die tijd, terwijl hij mijn badkamer liet overstromen.'

Hij haalde zijn schouders op.

'Maar ze komen nog steeds,' zei hij. 'De meiden. Ik moedig het niet echt aan. Maar ja, wat moeten ze dan? Op straat piesen? Het is niet veel. Maar een kleine geste. Een plek waar ze terecht kunnen. Een waterplaats.'

Hij zette de thee met een bord biscuitjes klaar, ging naar zijn bid-stoel – een eenvoudig stuk hout dat hij achter zich schoof om zijn lichaam bij het knielen te steunen – en bedankte God voor de bis-cuits, de thee, de verschijning van zijn broer.

Hij was nog aan het bidden toen de deur woest openzwaaide en er drie hoeren binnenvielen. 'Oo, het sneeuwt hier,' kirde de para-solhoer toen ze onder de ventilator stond. 'Hallo, ik ben Tillie.' De warmte sijpelde uit haar weg: zweetdruppeltjes op haar voorhoofd. Ze gooide haar parasol op tafel, keek me half grijnzend aan. Ze was opgemaakt om van afstand gezien te worden: ze droeg een enorme zonnebril met rozenrood montuur en glinsterende oogmake-up. Een ander meisje gaf Corrigan een zoen op zijn wang en begon zich op te doffen in het stuk spiegel. De langste, in een wit gazen mini-rokje, kwam naast mij zitten. Ze leek me half-Mexicaans, half-zwart. Ze zag er strak en lenig uit: ze had over een catwalk kunnen lopen. 'Hoi,' grinnikte ze, 'Ik ben Jazzlyn. Jij mag Jazz zeggen.'

Ze was heel jong – zeventien of achttien – met één groen en één bruin oog. Haar jukbeenderen leken nog hoger door een streep make-up. Ze strekte haar arm uit, pakte Corrigans kopje op, blies erin, liet een veeg lippenstift op de rand achter.

'Ik snap niet waarom je geen ijs in die uilenzeik gooit, Corrie,' zei ze.

'Hou ik niet van,' zei Corrigan.

'Als je Amerikaans wilt zijn moet je d'r ijs in gooien.'

De parasolhoer begon te giechelen alsof Jazzlyn iets ongelooflijk grofs had gezegd. Het was alsof ze onderling een geheimtaal had-den. Ik schoof een beetje weg, maar Jazzlyn boog zich naar me toe en plukte een pluisje van mijn schouder. Ze had een zoete adem. Ik keerde me weer naar Corrigan.

'Heb je hem aangegeven?'

Mijn broer keek me niet-begrijpend aan: 'Wie?' zei hij.

'Die kerel die jou te grazen heeft gehad.'

'Aangegeven voor wat?'

'Maak je nu een geintje?'

'Waarom zou ik hem aangeven?'

37

'Ben je weer in elkaar getremd, schat?' zei de parasolhoer. Ze stond haar vingers te bestuderen. Ze beet een lange rand van haar duimnagel, bestudeerde het stukje. Ze schraapte de nagellak er met haar tanden af en schoot het stukje nagel vanaf haar uitgestoken vinger naar me toe. Ik keek haar verbluft aan. Ze liet even een witte grijns zien. 'Ik kan 't niet uitstaan als ik in mekaar getremd word,' zei ze.

'Jezus,' mompelde ik tegen het raam.

'Ophouden,' zei Corrigan.

'Het laat altijd littekens na, hè?' zei Jazzlyn.

'Oké, Jazz, nu ophouden, hè?'

'Op 'n keer bewerkte die vent, die klootzak, die driedubbelovergehaalde lul, me met 'n telefoonboek. Weet je wat 't is met 'n telefoonboek? Barstensvol namen maar geeneen laat een litteken na.'

Jazzlyn stond op en trok haar loshangende blouse uit. Ze droeg er een fluorescerend gele bikini onder. 'Hij heeft me hier geslagen en hier en hier.'

'Oké, Jazz, tijd om op te stappen.'

'Ik wed dat je hier jouw naam kan vinden.'

'Jazzlyn!'

Ze stond met een zucht op. 'Je broer is 'n lekker ding,' zei ze tegen me. Ze knoopte haar blouse dicht. 'We zijn net zo dol op 'm als op chocola. Net zo dol als op nicotine. Niet, Corrie? We zijn net zo dol op je als op nicotine. Tillie is smoor op 'm. Ja toch, Tillie? Tillie, luister je?'

De parasolhoer stapte bij de spiegel weg. Haar vinger streek langs de rand van haar mond waar de lippenstift was uitgeschoten. 'Te oud om acrobaat te zijn, te jong om dood te gaan,' zei ze.

Jazzlyn frommelde onder de tafel aan een cellofaanzakje. Corrigan boog zich naar haar toe en legde zijn hand op die van haar: 'Niet hier, je weet dat je dat hier niet kan doen.' Ze rolde met haar ogen, zuchtte en stopte een spuit in haar handtasje.

De deur bonkte in zijn scharnieren. Ze zwaaiden ons allemaal een kushandje toe, zelfs Jazzlyn, zonder om te kijken. Ze was net een mislukte zonnebloem toen ze met haar arm naar achteren gebogen wegging.

'Arme Jazz.'

'Wat een stakker.'

'Nou, ze doet tenminste haar best.'

'Haar best? Het is een stakker. Net als de rest.'

'O nee, het zijn goede mensen,' zei Corrigan. 'Ze beseffen alleen niet wat ze aan het doen zijn. Of wat hun wordt aangedaan. Het is allemaal angst, weet je? Ze barsten allemaal van de angst. Iedereen hier.'

Hij dronk zijn thee zonder de lippenstift van de rand te vegen.

'Het zweeft in deeltjes door de lucht,' zei hij. 'Net als stof. Je loopt rond en ziet het niet, merkt het niet, maar het is er en het komt allemaal omlaag, bedekt alles. Je ademt het in. Je krijgt het aan je vingers. Je drinkt het. Je eet het. En het is zo fijn dat je het niet merkt. Maar je bent ermee bedekt. Het is overal. Wat ik bedoel is, we zijn bang. Je hoeft maar even stil te staan en daar is het, die angst, op ons gezicht, op onze tong. Als we er werkelijk bij stilstonden, werden we alleen maar wanhopig. Maar we kunnen niet stilstaan. We moeten door.'

'Waarvoor?'

'Ik weet het niet – dat is mijn probleem.'

'Waar ben je mee bezig hier, Corr?'

'Ik zou me duidelijker moeten uitspreken, denk ik. Maar dat is soms ook mijn dilemma, man. Ik ben zogenaamd een man van God, maar ik heb het bijna met niemand over Hem. Zelfs niet met de meiden. Ik hou die gedachten voor mezelf. Voor mijn eigen gemoedsrust. Om mijn geweten te sussen. Als ik ze voortdurend hardop zou gaan uitspreken, zou ik gek worden, denk ik. Maar God luistert. Meestal. Echt waar.'

Hij dronk zijn kopje leeg en veegde de rand schoon met de slip van zijn hemd.

'Maar die meiden, jongen. Soms denk ik dat ze betere gelovigen zijn dan ik. In elk geval staan ze open voor het geloof van een omlaaggedraaid autoraam.'

Corrigan zette de theekop omgekeerd op zijn handpalm, liet hem daar balanceren.

'Je hebt de begrafenis gemist,' zei ik.

Een drupje thee lag in zijn hand. Hij bracht hem naar zijn mond en likte het op.

Onze vader was een paar maanden eerder overleden. Midden in zijn collegezaal, tijdens een verhandeling over quarks. Elementaire deeltjes. Hij wilde zijn college per se afmaken, terwijl de pijn door zijn linkerarm schoot. *Drie quarks voor Muster Mark.* Dank u voor uw aandacht. Wel thuis. Welterusten. Vaarwel. Ik was er niet van ondersteboven, maar ik had talloze boodschappen voor Corrigan ingesproken, zelfs de politie van de Bronx gebeld, maar die zei dat ze niets kon doen.

Op het kerkhof had ik telkens omgekeken in de hoop dat ik hem in het smalle laantje zag verschijnen, wie weet zelfs in een van vaders oude pakken, maar hij was niet komen opdagen.

'Er waren niet heel veel mensen,' zei ik.

Hij haalde zijn schouders op.

'Klein Engels kerkhof. Een man die het gras maaide. Zette de machine niet uit voor de plechtigheid.'

Hij liet steeds de theekop op zijn hand kantelen, alsof hij de laatste drup er nog uit wilde krijgen.

'Welke Bijbelteksten hebben ze gebruikt?' zei hij ten slotte.

'Dat weet ik niet meer. Sorry. Waarom?'

'Doet er niet toe.'

'Welke zou jij hebben gebruikt, Corr?'

'O, dat zou ik niet zo weten. Iets uit het Oude Testament, misschien. Iets primairs.'

'Zoals wat, Corr?'

'Weet ik niet precies.'

'Vooruit, zeg op.'

'Ik weet het niet!' schreeuwde hij. 'Oké? Ik weet het verdomme niet!'

Ik stond versteld van de vloek. Hij werd rood van schaamte. Hij sloeg zijn ogen neer, poetste het kopje met de punt van zijn hemd. Het maakte een vreemd, hoog piepgeluid en ik wist toen dat er niet meer over onze vader gesproken zou worden. Hij had die weg snel en hard afgesloten, had een grens getrokken, tot hier en niet verder.

Het deed me enig genoegen te bedenken dat hij een zwakke plek had die zo diep zat dat hij er niet mee kon omgaan. Corrigan wilde de pijn van anderen. Hij wilde zich niet met zijn eigen pijn bezighouden. Ik voelde ook een scheut van schaamte, omdat ik zo dacht.

De stilte van broers.

Hij schoof het bidstoeltje achter zijn knieën, als een houten kussen, en begon te prevelen.

Toen hij opstond zei hij: 'Het spijt me dat ik vloekte.'

'Ja, mij ook.'

Bij het raam trok hij het koord van de jaloezie afwezig open en dicht. Beneden bij het viaduct gilde een vrouw. Hij duwde de lamellen met twee vingers uiteen.

'Klinkt als Jazz,' zei hij.

Het oranje straatlicht door het raam bestreepte hem terwijl hij de kamer uit rende.

Uren en uren van waanzin en vergetelheid. De torenflats stonden bloot aan diefstal en tocht. De valwinden maakten hun eigen weer. Plastic zakken gegrepen door vlagen zomerwind. Oude dominospelers zaten op de binnenplaats te spelen onder de rondvliegende rotzooi. Het geluid van de plastic zakken klonk als dat van geweerschoten. Als je de troep een tijdje volgde kon je precies zien welke vorm de wind aannam. Misschien had het een zekere charme, die daar verder nauwelijks te vinden was: volmaakte, fel klapperende krullen en wijde achten, dubbele schroeven en spiralen. Soms bleef een stuk plastic aan een pijp hangen of raakte de bovenrand van een draadgaashek en trok zich schielijk terug, alsof het was gewaarschuwd. De hengsels klapten tegen elkaar en de zak stortte neer. Er waren geen boomtakken om in vast te raken. Een jongen uit een naburige flat had een lijnloze hengel uit het raam gestoken maar hij ving ze niet. De zakken bleven vaak op één plek zweven, alsof ze de hele grauwe bedoening wilden overpeinzen, maakten dan een plotselinge duik, een beleefde buiging, en weg waren ze.

Ik had mezelf in Dublin wijsgemaakt dat ik een paar gedichten in me had. Het was alsof ik oude kleren te drogen hing. Iedereen in

Dublin was een dichter, misschien zelfs de bommenleggers die ons op hun middagje lol hadden getrakteerd.

Ik was al een week in de Zuid-Bronx. Het was sommige avonden zo vochtig geweest dat we de deur met geweld moest dichtduwen. Kinderen op de negende verdieping mikten televisietoestellen op flatbewakers die beneden patrouilleerden. Luchtpost. De politie kwam meppend tussenbeide. Er klonken schoten vanaf het dak. Op de radio werd een liedje gedraaid over de revolutie die werd ingedamd tot getto. Brandstichting in de straten. Het was een stad met zijn vingers in het afval, een stad die van vuile borden at. Ik moest eruit. Het plan was om werk te zoeken, mijn eigen stek te vinden, misschien een toneelstuk te schrijven, of een baantje bij een of andere krant te krijgen. Er stonden advertenties in de gratis kranten voor barkeepers en obers, maar die kant wilde ik niet op, al die platte hoedjes en Ieren in hemdsmouwen. Ik vond thuiswerk als telefonisch verkoper, maar daar had ik een aparte lijn voor nodig in Corrigans woning en er was nergens een monteur te vinden die het woningcomplex wilde bezoeken: dit was niet het Amerika dat ik had verwacht.

Corrigan maakte een lijstje met bezienswaardigheden voor me, Chumley's bar in de Village, Brooklyn Bridge, Central Park bij daglicht. Maar ik had praktisch geen geld. Ik ging naar het raam en keek hoe het verhaal van de dag zich ontvouwde. De rotzooi klaagde me aan. De stank steeg al op naar de ramen van de vierde verdieping.

Corrigan werkte, dat was het ethos van zijn orde, en hij verdiende een paar dollar door met een busje bejaarden van het plaatselijke verzorgingstehuis te vervoeren. De bumper werd bij elkaar gehouden met roestig ijzerdraad. De ramen waren volgeplakt met zijn vredesstickers. De koplampen hingen los in de grille. Hij was het grootste deel van de dag op pad, belast met de zorg voor de minder validen. Wat voor anderen een beproeving was, zag hij als genade. Hij haalde ze tegen het eind van de ochtend op uit het verzorgingstehuis aan Cypress Avenue – voornamelijk Iers, Italiaans en een oude joodse man, bijgenaamd Albee, in een grijs pak met keppeltje. 'Komt van Albert,' zei hij, 'maar als je me Albert noemt, krijg je een schop voor je kont.' Ik ben een paar middagen met ze meegeweest, mannen en vrouwen – de meesten blank – die je net als hun rolstoelen zou kunnen opklappen. Corrigan reed met een slakkengangetje zodat ze niet heen en weer slingerden. 'Je rijdt als een mietje,' riep Albee van achteren. Corrigan legde zijn hoofd lachend op het stuur, maar hield zijn voet op de rem.

Achter ons toeterden auto's. Een hels kabaal van claxons. De lucht was verstikkend door de geur van verval. 'Rijden, man, rijden!' riep Albee. 'Rijden met die vervloekte bak!'

Corrigan haalde zijn voet van de rem en dirigeerde het busje voorzichtig naar de speeltuin in het parkje bij St. Mary's Street waar hij de bejaarden in hun stoelen naar de schaarse stukjes schaduw rolde die hij kon vinden. 'Frisse lucht,' zei hij. De mannen zaten er geworteld als gedichten van Larkin. De vrouwen leken onthutst, met hoofden knikkend in de wind keken ze naar de speeltuin. Kinderen, voor het merendeel zwart of Latijns-Amerikaans, zoefden van de glijbaan of zwaaiden aan de klimrekken.

Albee slaagde erin zelf naar de hoek te rijden waar hij vellen papier tevoorschijn haalde. Hij boog zich erover en zei geen woord meer, zat met een potlood op het papier krabbelen. Ik ging op mijn hurken bij hem zitten.

'Wat bent u aan het doen, vriend?'

'Gaat je geen reet aan.'

'Schaken, hè?'

'Speel jij?'

'Graag.'

'Geklasseerd?'

'Geklasseerd?'

'O, sodemieter maar op, jij bent ook al een mietje.'

Corrigan knipoogde naar me vanaf de rand van de speeltuin. Dit was zijn wereld en het was duidelijk dat hij ervan hield.

De lunch was voor hen in het verzorgingstehuis klaargemaakt, maar Corrigan stak de straat over naar de buurtwinkel om extra chips, sigaretten en een koud biertje voor Albee te kopen. Een gele luifel. Een kauwgumautomaat stond met drie kettingen aan het rol-

43

luik vast. Er lag een omgegooide vuilnisbak op de hoek. Eerder dat voorjaar had de gemeentereiniging gestaakt en nog niet alles was opgeruimd. Er renden ratten door de straatgoten. Opgeschoten jongens in mouwloze shirts stonden dreigend in de deuropeningen. Ze kenden Corrigan blijkbaar en bij het binnengaan begroette hij hen met een serie ingewikkelde handgebaren. Hij bleef er een hele tijd en kwam naar buiten met grote bruinpapieren zakken in zijn armen. Een van de rotjongens sloeg hem op de schouder, greep zijn hand en trok hem naar zich toe.

'Hoe doe je dat?' vroeg ik. 'Hoe krijg je ze zover dat ze met je praten?'

'Waarom niet?'

'Het lijkt me, ik weet niet, volgens mij is het tuig.'

'Voor hen ben ik gewoon een burgermannetje.'

'Ben je niet bang? Ik bedoel, voor een pistool, of zo, voor een knipmes?'

'Waarom zou ik?'

Samen hesen we de bejaarden weer in het busje. Hij liet de motor loeien en reed naar de kerk. De oudjes hadden erover gestemd, de kerk of de synagoge. Het roodbakstenen gebouw was beklad met graffiti – in wit, geel, rood, zilverkleur. TAGS 173. GRACO 76. De glas-in-loodramen waren met steentjes ingegooid. Zelfs het kruis bovenop was van een handtekening voorzien. 'De levende tempel,' zei Corrigan. De oude joodse man wilde de bus niet uit. Hij bleef met gebogen hoofd zwijgend de aantekeningen in zijn boek doornemen. Corrigan maakte de achterdeur open en stopte hem over de stoel heen nog een biertje toe.

'Hij is wel oké, onze Albee,' zei Corrigan terwijl hij van het busje wegwandelde. 'Hij is de hele dag alleen maar met die schaakproblemen bezig. Was ooit grootmeester of zo. Is vanuit Hongarije in de Bronx terechtgekomen. Hij stuurt zijn partijen per post ergens heen. Speelt een stuk of twintig partijen tegelijk. Hij kan blind schaken. Het is het enige wat hem op de been houdt.'

Hij hielp de anderen uit het busje en we duwden ze een voor een naar de ingang. 'Even de oprit halen.' Er waren daar een stel kapotte traptreden, maar Corrigan had om de hoek bij de sacristie twee lange stukken hout verborgen. Hij legde de planken evenwijdig aan elkaar en loodste de stoelen eroverheen. Het hout wipte op door het gewicht van de rolstoelen en even leek het alsof ze het luchtruim zouden kiezen. Corrigan duwde ze verder en de planken vielen met een klap weer terug. Hij maakte de indruk van iemand die volkomen op zijn gemak is. Een glinster in zijn ooghoeken. Je kon de vroegere jongen nog in hem herkennen, de negenjarige destijds in Sandymount.

Hij liet de bejaarden bij het doopvont wachten, totdat ze allemaal op een rij klaarzaten.

'Mijn fijnste moment van de dag, dit,' zei hij. Hij liep het koele donker van de kerk in.

Hij reed ze naar welke plek ze maar wilden. Sommigen naar de achterbanken, sommigen naar de zijbeuken. Een oude Ierse vrouw werd helemaal naar voren gereden, waar ze haar rozenkrans steeds op- en afwikkelde. Ze had een grote bos wit haar, bloeddoorlopen ooghoeken, een extatisch starre blik. 'Dit is Sheila,' zei Corrigan. Ze kon nauwelijks nog praten, bijna geen geluid meer uitbrengen. Een variététzangeres die haar stem grotendeels verloren had aan keelkanker. Ze was in Galway geboren maar vlak na de Eerste Wereldoorlog geëmigreerd. Ze was Corrigans oogappel en hij bleef bij haar, bad de voorgeschreven gebeden met haar mee: een tientje van de rozenkrans. Ik weet zeker dat ze geen idee had van zijn religieuze banden, maar ze straalde in die kerk een energie uit die ze daarbuiten niet had. Het was alsof ze samen met Corrigan bad voor een fikse regenbui.

Toen we weer op straat stonden, zat Albee op de voorbank te dommelen, een beetje kwijl liep over zijn kin. 'Godverdomme,' mopperde hij toen de motor hoestend tot leven kwam. 'Stelletje mietjes, jullie tweeën.'

Corrigan parkeerde aan het eind van de middag voor het verzorgingstehuis, zette mij daarna bij de flats af. Hij had nog een klusje te doen, zei hij, iemand die hij moest spreken.

'Het is een projectje waaraan ik werk,' zei hij over zijn schouder.

'Niks om je zorgen over te maken. Tot straks.'

Hij klom de bus in en voelde even in het handschoenkastje voor hij wegreed. 'Wacht maar niet op me,' riep hij. Ik keek hem na, de zwaaiende hand uit het raampje. Hij verzweeg iets, ik was ervan overtuigd.

Het was pikdonker toen ik hem eindelijk weer zag aankomen bij de hoeren onder de Major Deegan Expressway. Hij deelde ijskoffie uit uit een enorme zilveren ketel die hij achter in de bus had staan. De meisjes dromden om hem heen terwijl hij ijsklontjes in hun bekers schepte. Jazzlyn droeg een schreeuwerig, eendelig badpak. Ze trok aan het schouderbandje, liet het terugspringen, drong zich dicht tegen hem aan, deed een vluchtig buikdansje tegen zijn heup. Ze was lang, exotisch, zo ontzettend jong dat ze leek te fladderen. Speels duwde ze hem achteruit. Corrigan rende met hoog opge- trokken knieën om haar heen. Een gillende lach. Ze holde weg toen ze een auto hoorde toeteren. Rond Corrigans voeten lag een kring van lege kartonnen koffiebekertjes.

Even later kwam hij boven, mager, donkere kringen om zijn ogen, uitgeput.

'Hoe ging het met je afspraak?'

'O prima, ja,' zei hij, 'geen probleem.'

'Even uit je bol gegaan onder het psychedelische licht?'

'Och ja, de Copacabana, je kent me.'

Hij plofte op het bed maar was vroeg in de ochtend alweer op voor een snelle mok thee. Geen eten in huis. Alleen thee en suiker en melk. Hij deed zijn gebeden, raakte even het kruisbeeld aan, en begaf zich opnieuw naar de deur.

'Weer naar de meiden beneden?'

Hij keek naar de grond: 'Zoiets, ja.'

'Denk je dat ze je echt nodig hebben, Corr?'

'Weet ik niet,' zei hij. 'Ik hoop het.'

De deur zwaaide in zijn scharnieren.

Ik heb nooit de neiging gehad om de moraalridder uit te hangen. Ben ik niet voor in de positie. Niet mijn werk. Ieder het zijne. Je oogst wat je zaait. Corrigan had zijn redenen. Maar die vrouwen zaten me dwars. Ze stonden lichtjaren ver van alles wat ik ooit had gekend. De roes in hun ogen. Hun heroïnedrang. Hun badpakken. Sommigen hadden littekens van het spuiten aan de achterkant van hun knieën. Ze waren me meer dan vreemd.

Vanaf de binnenplaats nam ik de lange weg om de flatgebouwen heen, volgde de gebroken lijnen in het beton, enkel om ze te ontlopen.

Een paar dagen later werd er zacht op de deur geklopt. Een oudere man met een koffertje. Ook van de broederorde. Corrigan haastte zich om hem te omhelzen. 'Broeder Norbert.' Hij kwam uit Zwitserland. Norberts droevige bruine ogen maakten me blij. Hij keek de woning rond, slikte zwaar, zei iets over de Heer Jezus en een plek van grote geborgenheid. Op zijn tweede dag werd Norbert in de lift onder bedreiging van een vuurwapen beroofd. Hij zei dat hij ze blijmoedig alles had gegeven, zelfs zijn paspoort. Zijn ogen glommen van trots. De Zwitser zat twee volle dagen diep in gebed en zette geen stap buiten de deur. Corrigan bleef het grootste deel van de tijd op straat. Norbert was hem te formeel en te correct. 'Het is alsof hij kiespijn heeft en wil dat God hem ervanaf helpt,' zei Corrigan.

Norbert wilde niet op de bank, lag op de vloer. Hij verstijfde telkens als de deur openging en de hoeren binnenkwamen. Jazzlyn ging op zijn schoot zitten, streek met haar vingers over de rand van zijn oor, rommelde met zijn orthopedische schoenen, verstopte ze achter de bank. Ze zei dat ze zijn prinses kon zijn. Hij bloosde totdat hij bijna huilde. Toen ze eenmaal weg was, kregen zijn gebeden een schelle, panische toon. 'Het Dierbare Leven werd gespaard, maar de pijn bleef, het Dierbare Leven werd gespaard, maar de pijn bleef.' Hij barstte in tranen uit. Corrigan wist Norberts paspoort terug te krijgen en reed hem in het bruine busje naar de luchthaven om een vlucht naar Genève te regelen. Na een gezamenlijk gebed zond Corrigan hem weg. Hij keek mij aan alsof hij verwachtte dat ik ook zou vertrekken.

'Ik weet niet wat dat voor mensen zijn,' zei hij. 'Het zijn mijn broeders, maar ik weet eigenlijk niet wie ze zijn. Ik heb ze teleurgesteld.'

'Je moet weg uit deze troep, Corr.'

'Waarom zou ik weggaan? Hier heb ik mijn leven.'

'Zoek een plek met een straaltje zon. Wij samen. Ik heb lopen denken over Californië of iets dergelijks.'

'Ik ben hier geroepen.'

'Je kunt overal geroepen worden.'

'Maar ik ben hier.'

'Hoe heb je zijn paspoort teruggekregen?'

'O, ik heb gewoon wat rondgevraagd.'

'Hij werd onder bedreiging beroofd, Corr.'

'Weet ik.'

'Het loopt nog eens slecht met je af.'

'Ach, hou op.'

Ik ging naar de stoel bij het raam en keek hoe de grote trucks onder de snelweg stopten. De meiden verdrongen zich om er als eerste bij te zijn. In de verte knipperde een eenzame neonreclame: voor havermout.

'Het is hier de rand van de wereld,' zei Corrigan.

'Je zou thuis iets kunnen doen. In Ierland. In het noorden. Belfast. Iets voor ons. Je eigen volk.'

'Zou kunnen, ja.'

'Of een stel campesino's in Brazilië wakker schudden, of zoiets.'

'Ja.'

'Dus waarom zou je hier blijven?'

Hij glimlachte. Er zat nu iets onstuimigs in zijn blik. Ik had geen idee waarom. Hij hief zijn handen op tot vlakbij de ventilator, alsof hij ze er zo in wilde steken, rats in de snorrende bladen, en zijn handen daar houden, zien hoe ze verminkt werden.

Aan het eind van de nacht stond er steevast een lange rij meisjes langs het flatgebouw, maar die werd door het daglicht uitgedund. Na zijn ochtendgebeden ging Corrigan beneden bij de broodjeszaak op de hoek de *Catholic Worker* kopen. Het viaduct onderdoor, dan de weg over, onder de luifel. Oude mannen zaten in hun onderhemd naast de deur, duiven pikten de broodkruimels bij hun voeten weg. Corrigan kwam naar buiten met de krant onder zijn arm. Ik kon hem zien als hij weer de weg overstak, omlijst door het betonnen oog van het viaduct. Zodra hij uit de schaduw stapte en langs de hoeren kwam, begonnen ze zijn naam te scanderen. Toonladders van drie verschillende noten: Corr-i-gan. Cor-ri-gan. Caw-rig-gun.

Toen hij het spreekkoor achter zich had, klampte Jazzlyn hem aan, met haar duim onder het bandje van haar badpak gehaakt. Ze leek wel een ouderwetse diender in het verkeerde lichaam, terwijl ze de dunne, lindegroene bandjes tegen haar borsten liet springen. Ze boog zich weer dicht naar hem toe, zodat haar blote huid bijna zijn revers raakte. Hij deinsde niet terug. Zij kickte op die toer, dat zag ik wel. Dat overhangen van haar jonge lichaam. Het harde klappen van het bandje. Haar tepel tegen de stof. Haar hoofd dat steeds dichter naar hem overhelde.

Als er auto's langskwamen, keek ze om en volgde ze, dan werd haar ochtendschaduw langer. Het was alsof ze overal tegelijk wilde zijn. Ze leunde nog dichter naar mijn broer en fluisterde iets in zijn oor. Hij knikte, draaide zich om en liep weer naar de broodjeszaak, kwam terug met een blikje Coke. Jazzlyn klapte opgetogen in haar handen, pakte het aan, trok de ring eraf en slenterde weg. Er stond een rij achttienbanders langs de snelweg geparkeerd. Ze zette haar been op de zilveren grille en dronk uit het blikje, gooide toen ineens de drank op de grond en klom in de vrachtwagen.

Nog in de portieropening begon ze al haar badpak uit te trekken. Corrigan draaide zich om. De cola lag in een donker plasje in de goot beneden haar.

Zo ging het een paar keer achterelkaar, Jazzlyn vroeg hem om een blikje Coke en gooide het op de grond zodra ze een klant te pakken had.

Ik bedacht dat ik naar haar toe zou moeten gaan, een bedrag afspreken en mezelf trakteren op wat ze ook te bieden had, dan het haar op haar achterhoofd grijpen, haar gezicht naar dat van mij toe trekken – die zoete adem – en haar vervloeken en bespugen, omdat ze mijn broers goeiigheid misbruikte.

'Hé, laat de deur wel voor ze open, ja?' zei hij tegen me toen hij thuiskwam. Ik was ertoe overgegaan om 's middags de deur gesloten te houden, ook al bonsden ze nog zo hard.

'Waarom pissen ze niet in hun eigen huis, Corrigan?'

'Omdat ze geen huis hebben. Ze hebben een flatje.'

'Waarom pissen ze dan niet in hun eigen flatje?'

'Omdat ze familie hebben. Moeders en vaders en broers en zonen en dochters. Ze willen niet dat hun familie ze in hun werkkleding ziet.'

'Hebben ze kinderen?'

'Wat dacht je.'

'Jazz, heeft die kinderen?'

'Twee,' zei hij.

'O, man.'

'Tillie is haar moeder.'

Ik viel tegen hem uit. Ik wist hoe het klonk. Als je de sluizen openzet, is er geen houden meer aan – is er geen terug. Het kwam als een stortvloed naar buiten, hoe walgelijk ze waren, stuk voor stuk, om hem uit te zuigen tot hij uitgemergeld, droog en hulpeloos was, ze haalden het leven uit hem, als bloedzuigers, erger dan bloedzuigers, als luizen die achter het behang vandaan kropen, hij was niet goed bij zijn hoofd met die godsdienstigheid van hem, al dat vrome gelul sloeg nergens op, de wereld is wreed en daar moet je het mee doen, en hoop is niets meer of minder dan wat je met je eigen blote ogen kunt zien.

Hij trok aan een draadje op de mouw van zijn hemd, maar ik pakte hem bij zijn elleboog.

'Kom bij mij niet aan met je onzin over de Heer die ieder die valt overeind helpt en ieder die onderworpen wordt steunt. De Heer is veel te groot om in hun minirokjes te passen. Weet je wat het is, broer? Kijk nou eens naar ze. Kijk eens uit het raam. Hoe solidair je ook bent, dat verandert nooit. Gebruik je hersens. Je sust alleen maar je geweten, meer niet. God komt langs en verlost je van je schuld.'

Zijn lippen ontspanden iets. Ik wachtte, maar hij bleef zwijgen. We stonden zo dicht bij elkaar dat ik zijn tong achter zijn tanden zag bewegen, zenuwachtig op en neer zag schieten. Zijn blik was star, naar binnen gekeerd.

'Word eens volwassen, broer. Pak je biezen, ga ergens heen waar je iets betekent. Zij verdienen het niet. Het zijn geen Maria Magdalena's. Je bent hier gewoon een schooier onder de schooiers. Zoek je de arme mens vanbinnen? Waarom verneder je jezelf dan niet een keer aan de voeten van de rijken? Of houdt jouw God alleen van waardeloze mensen?'

Ik zag de kleine, rechthoekige weerspiegeling van de witte deur in zijn pupillen en ik moest er steeds aan denken dat een van zijn hoeren, een van zijn heilige stumpers, binnen zou lopen en ik haar in de flikkering weerspiegeld zou zien.

'Waarom maak je de rijken niet verlegen met je liefdadigheid? Ga je niet bij een rijke vrouw op de stoep zitten om haar tot God te brengen? Vertel eens – als de armen werkelijk het levende beeld van Jezus zijn, waarom zijn ze dan zo verdomde triest? Zeg me dat eens, Corrigan. Waarom staan ze daar buiten hun ellende uit te venten aan de rest van de wereld? Dat wil ik weleens weten. Het is gewoon ijdelheid, niet? Heb uw naaste lief als uzelf. Laat me niet lachen. Luister je? Waarom laat je al die hoeren van je niet in het koor zingen? De Kerk van de Verheven Visie. Waarom zet je ze niet in de voorste banken? Ik bedoel, jij gaat maar op je knieën voor al die zwervers en paria's en wrakken en junkies. Waarom doen zij nooit wat? Omdat ze je alleen maar willen uitzuigen, daarom.'

Doodmoe liet ik mijn hoofd op de vensterbank zakken.

Ik verwachtte nog steeds dat hij me een soort bittere zegen zou geven – iets over zwak zijn tegenover de krachtelozen, sterk tegenover de machtigen, er is geen vrede behalve in Jezus, dat vrijheid wordt gegeven, niet ontvangen, een allegaartje om me te sussen, maar hij liet het allemaal over zich heenkomen. Aan zijn gezicht was niets af te lezen. Hij krabde aan de binnenkant van zijn arm en knikte.

'Laat die deur nou maar open,' zei hij.

Hij nam de trap naar beneden, holle voetstappen, liep langs de muur van de binnenplaats, en verdween in de grauwheid.

Ik rende de gladde treden in het trappenhuis af. Enorme vette krullen graffiti op de muren. Vleugen hasjrook. Gebroken glas op de benedentrap. Stank van pis en kots. De binnenplaats over. Een man hield een pitbull aan een trainingslijn. Hij leerde hem bijten. De hond hapte naar zijn arm: de man had enorme metalen armbanden om zijn polsen. Het gegrom rolde over de binnenplaats. Corrigan reed zijn bruine bus, die langs de weg stond geparkeerd, achteruit. Ik sloeg tegen de ramen. Hij keek niet op of om. Misschien hoopte ik dat ik een beetje verstand in hem kon timmeren, maar in een oogwenk was de bus uit het zicht.

Achter me hapte de hond weer naar de arm van de man, maar de man stond me aan te staren alsof ik degene was die zijn polsen probeerde open te rijden. Er kroop een flauw glimlachje over zijn gezicht, puur boosaardig. Ik dacht: *Neger*. Ik kon er niks aan doen, maar dat dacht ik: *Neger*.

Ik zou hier kapotgaan: hoe hield Corrigan het uit?

Ik zwierf door de buurt, mijn handen diep in mijn zakken, niet op de stoep, maar langs de geparkeerde auto's, een ander perspectief. Taxi's zoefden voorbij, rakelings langs mijn heup. De wind blies de geur van de ondergrondse door het verkeer. Een rauwe, muffe vlaag.

Ik ging naar de oude kerk aan St. Anne's Avenue. De kapotte trappen op, het portaal in, langs het doopvont het donker in. Half en half verwachtte ik hem daar met gebogen hoofd te zien bidden, maar nee.

Achter in de kerk kon je rode elektrische kaarsjes laten branden. Ik gooide er een kwartje in en hoorde het diep in de leegte rammelen. Vanuit een ver verleden klonk mijn vaders stem: *Als je de waarheid niet wilt horen, moet je er niet naar vragen.*

Corrigan kwam die avond laat thuis in de flat. Ik had de deur niet afgesloten, maar hij kwam toch met een schroevendraaier binnen, begon alle schroeven uit de kettingen en sloten te draaien. 'Moest nog gebeuren.' Hij bewoog zich sloom, zijn ogen rolden door hun kassen en ik had het toen moeten weten, maar ik herkende het niet. Hij knielde op de grond, oog in oog met de deurknop. De onderkant van zijn sandalen was versleten. De zool was grotendeels verdwenen, een schijfje rubber. Zijn timmermansbroek was met een stuk touw om zijn middel gebonden. Anders bleef hij niet op zijn heupen hangen. Het hemd met lange mouwen dat hij droeg zat strak om zijn lijf en zijn ribbenkast zag eruit als een eigenaardig muziekinstrument.

Hij werkte geconcentreerd, maar gebruikte een platte schroevendraaier voor een kruiskopschroef en moest de schroevendraaier met een punt schuin in de spleten duwen.

Ik had mijn rugzak al gepakt en stond klaar om te vertrekken, een kamer te zoeken, een baantje in een bar te nemen, wat dan ook, als ik maar weg was. Ik trok de bank naar het midden van de kamer onder de plafondventilator, sloeg mijn armen over elkaar en wachtte. De rotorbladen kregen de hitte niet klein. Voor het eerst viel me op dat Corrigan op zijn kruin begon te kalen. Ik wilde een grap maken dat het wel iets monnikachtigs had, maar er was geen contact meer tussen ons, geen woorden of blikken. Hij ploeterde maar door met de sloten. Er vielen een paar schroeven op de grond. Ik zag de zweetdruppels langs zijn nek lopen.

Hij rolde verstrooid zijn mouw op en toen wist ik het.

Als je denkt dat je alle geheimen weet, denk je dat je alle remedies kent. Ik geloof niet dat ik er erg van opkeek dat Corrigan heroïne gebruikte: hij had altijd gedaan wat de minsten onder hen hadden gedaan. Het was de perverse mantra van wat hij geloofde. Hij wilde zijn eigen voetstappen horen als bewijs dat hij op de aarde wandelde. Het viel niet te ontkennen. Dit was wat hij ook in Dublin had gedaan, al was dat een andere bron van roekeloosheid. Hij stond op de smalle richel werkelijkheid die hem nog restte, maar volgens mij werd hij niet high, zocht hij alleen een gelijk niveau. Hij had een bepaalde affiniteit met pijn. Als hij die niet kon wegnemen, nam hij die over. Hij was heroïne gaan spuiten omdat hij het een onverdraaglijk idee vond dat anderen met die verschrikking alleen werden gelaten.

Hij liet zijn mouw nog ongeveer een uur opgerold terwijl hij met de sloten bezig was. De plekken aan de binnenkant van zijn arm waren donkerblauw. Toen hij klaar was, klikte de deur niet dicht, maar bleef scharnieren.

'Ziezo,' zei hij.

Hij ging de badkamer in en ik durfde te zweren dat ik hem daar een stuk elastiek om zijn arm hoorde binden. Hij kwam met lange mouwen weer naar buiten.

'En nou van die rotdeur afblijven,' zei hij.

Hij viel geruisloos in bed. Ik wist zeker dat ik niet zou slapen, maar ik werd wakker van het gebruikelijke geraas van de Deegan. De buitenwereld was betrouwbaar. Motorlawaai en zingende banden. Over sommige gaten in de weg lagen enorme metalen platen. Ze dreunden dof als er een vrachtwagen overheen reed.

De beslissing om te blijven was niet zo moeilijk: Corrigan zou me nooit hebben gevraagd om op te krassen. Ik stond de volgende morgen vroeg gekleed en geschoren klaar om hem op zijn ronde te vergezellen. Ik schudde hem uit de dekens. Hij had een lichte bloedneus gehad, het bloed zat donker in zijn stoppelbaard. Hij draaide zich van me af. 'Zet even theewater op.' Toen hij zich uitrekte tikte hij tegen het houten kruis op de muur. Het schommelde aan zijn spijker heen en weer. Er was een lichte plek waar de verf niet was verkleurd. De vage afdruk van het kruis. Hij strekte zijn arm om het stil te houden, mompelde iets over God die bereid was om opzij te gaan.

'Ga je vandaag?' vroeg hij

De rugzak lag gepakt op de grond.

'Ik dacht erover om nog een paar dagen te blijven.'

'Mij best, broer.'

Hij kamde zijn haar in het stuk spiegel, deed wat deodorant op. In elk geval hield hij de schone schijn op. We namen de lift in paats van de trap.

'Een wonder,' zei Corrigan toen de deur open zuchtte en de lichtmaantjes op het knoppenpaneel brandden. 'Hij doet het.'

Buiten staken we het grasveldje voor het flatgebouw over, tussen de kapotte flessen. Plotseling voelde het, voor het eerst in jaren, goed om bij hem te zijn. Die oude droom om een doel te hebben. Ik wist wat me te doen stond – hem op het lange pad naar een zinnig leven terugbrengen.

Ik voelde me gek genoeg aangesproken door de vroege tippelaarsters. Corr-gan. Corr-i-gun. Corry-gan. Het was per slot van rekening ook mijn achternaam. Vreemd om jezelf zo gerust te stellen. Hun lichamen hinderden me minder dan toen ik ze van veraf bekeek. Koket bedekten ze hun borsten met hun armen. Een had haar haar knalrood geverfd. Een ander had zilverglinsterende eyeliner op. Jazzlyn schoof het bandje van haar fluorescerende badpak over haar tepels. Ze nam een lange haal van haar sigaret en blies de rook met vakkundige stootjes uit mond en neus. Haar huid glansde. In een ander leven had ze een aristocrate kunnen zijn. Haar blik ging naar de grond alsof ze iets zocht wat ze had laten vallen. Ik voelde een vertedering voor haar, een begeerte.

Ze hielden steeds een grillige stroom van grappen en plagerijtjes gaande. Mijn broer staarde me grijnzend aan. Het was alsof Corrigan in mijn oor fluisterde om zijn goedkeuring te geven aan alles wat ik niet begreep.

Een paar auto's reden stapvoets langs. 'Opgedonderd,' zei Tillie. 'We hebben zaken af te handelen.' Ze zei het alsof het om een beurstransactie ging. Ze knikte naar Jazzlyn. Corrigan trok me de schaduw in.

'Spuiten ze allemaal?' vroeg ik.

'Sommigen, ja.'

'Rotspul.'

'De wereld stelt hen op de proef, biedt ze daarna een beetje plezier.'

'Wie regelt het voor ze? De heroïne?'

'Geen idee,' zei hij, terwijl hij een klein zilveren zakhorloge uit zijn timmermansbroek opviste. 'Hoezo?'

'Ik vroeg het me gewoon af.'

Boven ons denderden de auto's. Hij sloeg me op de schouder. We reden naar het verzorgingstehuis. Op de trap zat een jonge verpleegster te wachten. Ze stond op en zwaaide vrolijk toen het busje parkeerde. Ze leek me Zuid-Amerikaans, klein en mooi, met een dikke bos zwart haar en donkere ogen. Er schoot iets heftigs door de ruimte tussen hen. Hij ontdooide in haar bijzijn, bewoog zich soepe ler. Hij legde zijn hand op haar onderrug en ze verdwenen samen door de elektrische deur.

In het handschoenenkastje van de bus zocht ik naar bewijzen: spuiten, pakjes, drugsparafernalia, wat dan ook. Het was leeg, op een stukgelezen Bijbel na. Aan de binnenkant had Corrigan losse aantekeningen voor zichzelf gemaakt: *Het verlangen om de begeerte op te heffen. Passief staan tegenover de natuur. Ga achter hen aan en smeek hun om vergeving. Verzet ligt aan de basis van vrede.* Als jongen had hij zelden ook maar bladzijhoekjes van zijn Bijbel omgevouwen – hij hield hem altijd keurig netjes. Nu had de tijd hem ingehaald. Zijn handschrift was kriebelig en hij had zinnen met zwarte inkt onderstreept. Ik moest denken aan de fabel die ik ooit op de universiteit had gehoord – zesendertig stille heiligen op aarde, die allemaal nederig werk deden, als timmerman, schoenmaker, schaapherder. Ze droegen de zorgen van de wereld en hadden een verbindingslijn met God, allemaal op één na, de stille heilige die was vergeten. De vergetene moest in zijn eentje doorploeteren zonder verbindingslijn met datgene wat hij zo verschrikkelijk nodig had. Corrigan was zijn lijntje met God kwijtgeraakt: hij droeg de zorgen in zijn eentje, het verhaal der verhalen.

Ik keek hoe de kleine Spaanse verpleegster de rolstoelen over hellingplanken manoeuvreerde. Ze had een tatoeage onderop haar enkel. Het schoot door me heen dat zij misschien degene was die hem aan heroïne hielp, maar ze zag er zo vrolijk uit in de lage, warme zon.

'Adelita,' zei ze, toen ze me haar hand door het busraampje toestak. 'Corrigan heeft me alles over je verteld.'

'Hé, kom eens van je luie reet en help eens,' riep mijn broer opzij van de bus.

Hij had moeite om de oude vrouw uit Galway door de deur te krijgen. De aderen in zijn hals klopten. Sheila was net een lappenpop. Ik herinnerde me plotseling mijn moeder aan de piano. Corrigan ademde zwaar terwijl hij haar naar binnen hees en het lichaam van de vrouw met een stel banden vastzette.

'We moeten even praten,' zei ik tegen hem.

'Ja, best, maar laten we eerst die mensen in de bus zetten.'

Hij en de verpleegster keken elkaar over de stoelen heen aan. Ze had een zweetdruppeltje op haar bovenlip en veegde het af aan de korte mouw van haar uniform. Toen we wegreden, stak ze leunend tegen de hellingplanken een sigaret op.

'De liefelijke Adelita,' zei hij toen hij de bocht nam.

'Dat is niet waar ik het met je over wil hebben.'

'Nou, het is het enige waarover ik het wil hebben,' zei hij. Hij wierp een blik in de binnenspiegel en zei: 'Nietwaar, Sheila?' Hij gaf een tromroffeltje op het stuur.

Hij mompelde weer als vanouds voor zich uit. Ik vroeg me af of hij had gespoten toen hij in het verzorgingstehuis was: ik wist weinig van verslaving, maar wel dat niets te gek was. Maar hij was helder en opgewekt en vertoonde weinig kenmerken van heroïnegebruik, in elk geval niet hoe ik me die voorstelde. Hij reed met een arm uit het raampje, met de wind in zijn haren.

'Je bent een raadsel, jij.'

'Niks raadselachtigs aan, broer.'

Achterin liet Albee zich horen: 'Mietje!'

'Hou je d'r buiten,' zei Corrigan grijnzend met een licht door de Bronx gekleurd accent. Het enige wat hem interesseerde was het ogenblik waarin hij zich bevond, het absolute nu. Als we vochten, toen we klein waren, bleef hij gewoon staan om de klappen te incasseren – onze vechtpartijen duurden zolang als ik hem sloeg. Ik zou hem nu makkelijk een dreun kunnen verkopen, hem tegen het portier gooien, zijn zakken kunnen doorzoeken, de pakjes vergif die hem kapotmaakten eruithalen.

'We zouden eens een bezoekje aan thuis moeten brengen, Corr.'

'Ja,' zei hij afwezig.

'Aan Sandymount, bedoel ik. Gewoon voor een week of twee.'

'Is het huis niet verkocht?'

'Ja, maar we kunnen wel ergens logeren.'

'De palmbomen,' zei hij met een halve glimlach. 'Vreemdste bezienswaardigheid van Dublin. Ik probeer het de mensen hier te vertellen, maar ze geloven me gewoonweg niet.'

57

'Zou je terug willen?'

'Misschien, ooit. Wie weet neem ik dan een paar mensen mee,' zei hij.

'Tuurlijk.'

Hij keek even in de binnenspiegel. Ik kon me niet voorstellen dat hij de oude vrouw naar Ierland terug wilde brengen, maar ik was bereid Corrigan alle ruimte te geven die hij nodig had.

In het park duwde hij de rolstoelen naar de schaduw bij de muur. Het was een mooie dag, zonnig en drukkend. Albee haalde zijn pak papier tevoorschijn, prevelde de zetten voor zich uit terwijl hij aan zijn schaakproblemen werkte. Telkens als hij een mooie zet had gevonden, trok hij de rem van zijn rolstoel los en schommelde hij van pret heen en weer. Sheila droeg een strooien hoed met brede rand op haar lange witte haar. Corrigan depte met zijn zakdoek het zweet van haar voorhoofd. Er kwamen wat krassende geluiden uit haar keel. Ze had dat emigrantenverdriet – ze zou nooit meer naar haar oude land teruggaan, het was in meer dan één betekenis weg, maar toch staarde ze voor altijd naar huis.

Een paar kinderen in de buurt hadden een brandkraan opengedraaid en dansten in de straal. Eentje had thuis een dienblad gehaald en gebruikte het als surfplank. Hij zeilde over het water mee tot de klimrekken waar hij onbesuisd en lachend tegen het hek viel. Anderen schreeuwden om het blad te mogen gebruiken. Corrigan liep naar het hek en drukte zijn handen tegen het ruitjesgaas. Voorbij hem, verderop, dribbelden een paar bezwete basketballers naar de basket zonder net.

Het leek even of Corrigan gelijk had, er was hier iets, iets wat erkend en bewaard moest worden, iets van vreugde. Ik wilde hem zeggen dat ik het begon te begrijpen, op zijn minst een flauw idee had, maar hij riep me en zei dat hij even naar de winkel aan de overkant ging.

'Hou Sheila even in de gaten, wil je?' zei hij. 'Haar hoed staat scheef. Zorg dat ze niet verbrandt in de zon.'

Een met hoofddoeken en strakke spijkerbroeken uitgedoste bende jongeren hing bij het winkeltje rond. Ze gaven elkaar met gewichtige gebaren vuur. Ze deden het gebruikelijke handjeklap met Corrigan en verdwenen daarna met hem naar binnen. Ik wist het. Ik voelde het in me opwellen. Ik holde naar de overkant, mijn hart bonsde in mijn goedkope linnen hemd. Ik liep om de rotzooi heen die voor de winkel lag opgetast, drankflessen, opengescheurde wikkels. In de etalage stond een rij goudvissenkommen, waarin magere oranje lijfjes doelloos rondjes draaiden. Er klonk een bel. Binnen stond Motown aan op de stereo. Een paar kinderen, druipnat van de brandkraan, stonden bij de ijsjeskast. De ouderen, met hun rode hoofddoeken, waren bij de koelvitrines met bier. Corrigan stond voor de toonbank met een fles melk in zijn hand. Hij keek op, niet in het minst verstoord: 'Ik dacht dat jij op Sheila zou letten.'

'Is dat wat je dacht?'

Ik verwachtte schielijke handelingen, een pakje heroïne dat in zijn zak gleed, een steelse transactie over de toonbank, weer handjeklap met de bende, maar er gebeurde niets. 'Zet maar op mijn rekening,' zei Corrigan tegen de winkelier en op weg naar buiten tikte hij tegen een van de viskommen.

De winkelbel ging.

'Verkopen ze daar ook heroïne?' vroeg ik toen we tussen het verkeer door naar het park overstaken.

'Jij met je heroïne,' zei hij.

'Weet je het zeker, Corr?'

'Weet ik wat zeker?'

'Zeg het maar, broer. Je ziet er beroerd uit. Kijk eens in de spiegel.'

'Dit meen je niet, hè?' Hij wierp lachend zijn hoofd naar achteren. 'Ik?' zei hij. 'Heroïne spuiten?'

We kwamen bij het hek.

'Ik zou dat spul nog niet met een tang aanraken,' zei hij. Zijn handen klemden zich om het draad, de punt van zijn knokkels werd wit. 'Met alle respect voor de hemel, maar ik blijf liever hier.'

Hij keerde zich naar het rijtje rolstoelen dat langs het hek stond opgesteld. Nog steeds had hij iets fris, iets jongensachtigs zelfs. Op zijn zestiende had Corrigan aan de binnenkant van een sigarettendoosje geschreven dat je het echte evangelie van de wereld in zijn

geheel aan de binnenkant van een sigarettendoosje kon schrijven –
zo eenvoudig was het, je kon met anderen doen wat je hen met jou
zou laten doen, maar in die tijd rekende hij nog niet op andere complicaties.

'Heb jij weleens het gevoel dat er ergens iets in je verdwaald is?'
zei hij. 'Je weet niet wat het is, een bal of een steen, iets van ijzer of
katoen of gras, wat dan ook, maar het zit in je. Het is geen vuur of
woede of zo. Gewoon een grote bal. En dat je er met geen mogelijkheid bij kunt?' Hij onderbrak zichzelf, keek weg, klopte op de lin-
kerkant van zijn borst. 'Nou, hier zit het. Op deze plek.'

We weten zelden wat we horen als we iets voor het eerst horen,
maar één ding is zeker: we horen het zoals we het nooit meer zullen
horen. We keren naar dat moment terug om het te ervaren, neem ik
aan, maar we kunnen het nooit echt terugvinden, alleen de herinnering eraan, de vaagste indruk van wat het werkelijk was, van wat het
betekende.

'Je houdt me voor de gek, hè?'

'Was het maar waar,' zei hij.

'Kom nou…'

'Geloof je me niet?'

'Jazzlyn?' vroeg ik, verbijsterd. 'Je bent toch niet voor die hoer
gevallen, hè?'

Hij lachte hartelijk, maar het was een lach die wegvluchtte. Zijn
blik schoot over de speeltuin en hij streek met zijn vingers over het
hek.

'Nee,' zei hij, 'nee, niet Jazzlyn, nee.'

Corrigan reed me onder de opgevlamde hemel door de Zuid-Bronx.
De zonsondergang had de kleur van ontvelde spieren, roze doorre-
gen met grijs. Brandstichting. De eigenaren van de gebouwen, zei
hij, hielden zich met verzekeringsfraude bezig. Hele straten met
huurkazernes en pakhuizen ontruimd om te smeulen.

Jeugdbendes hingen op straathoeken rond. Verkeerslichten stonden permanent op rood. Bij brandkranen lagen grote plassen stin-
kend water. Een ingestort gebouw aan Willis Avenue lag half over

straat. Een stel zwerfhonden zocht zijn weg door het puin. Een verbrande neonreclame stond op zijn kant. Er kwamen brandweerwagens langs, en een paar politiewagens volgden elkaar alsof ze troost zochten. Af en toe dook er een gestalte uit het donker op, dakloze lieden achter winkelwagentjes volgestouwd met koperdraad. Ze zagen eruit als mannen op de grote trek naar het Westen, die hun wagens door donker Amerika voortduwden.

'Wie zijn dat?'

'Ze plunderen een gebouw, trekken de ingewanden uit de muren en verkopen dan het koperdraad,' zei hij. 'Ze krijgen een dubbeltje per pond of zo.'

Corrigan zette het busje voor een rij leegstaande, maar niet door brand getroffen huurkazernes, en trok de versnellingshendel aan de stuurkolom in de parkeerstand.

Er hing een waas over de straat. Je kon amper de top van de straatlantaarns zien. De ingangen waren met rood-witte tape afgezet, maar de deuren erachter waren ingetrapt. Hij trok zijn voeten op zijn stoel, zodat zijn sandalen bijna in zijn kruis lagen. Hij stak een sigaret aan, rookte die op tot aan het uiterste puntje en gooide de peuk uit het raam.

'Het punt is dat ik een milde vorm heb van iets dat TTP heet of zo,' zei hij uiteindelijk. 'Ik begon overal van die blauwe plekken te krijgen. Hier en hier. Het ergst op mijn benen. Die zijn helemaal bont. Ongeveer een jaar geleden. Het leek me aanvankelijk niks om me druk over te maken, eerlijk waar. Ik had een beetje koorts. Af en toe wat duizelingen.'

'En toen in februari was ik in het verzorgingstehuis. Hielp ze daar wat meubilair van de benedenetage naar tweehoog te verhuizen. Dingen die te groot waren voor de lift. En het was binnen zo warm als de hel. Ze zetten de verwarming daar zo hoog voor al die oudjes. Je hebt geen idee hoe heet het was, vooral in het trappenhuis, waar de buizen lopen. Alsof Dante het zo had bedacht. Zwaar werk. Dus ik trok mijn hemd uit. Liep in mijn nethemd. Weet je hoeveel jaar geleden het was dat ik in een nethemd heb gelopen? En ik was halverwege de trap met een paar jongens, toen een ervan naar me wees, naar mijn armen en schouders, en zei dat ik zeker een potje had geknokt. Nou was er inderdaad een vechtpartij geweest. De pooiers maakten me het leven zuur omdat ik de meiden de wc liet gebruiken. Ik had wat klappen opgelopen. Een paar hechtingen boven mijn oog. Een van hen droeg cowboylaarzen en had me flink geraakt. Maar ik had er geen moment bij stilgestaan tot we dat meubilair naar de tweede etage brachten, waar Adelita alles stond te regelen. 'Zet dit hier. Zet dat daar.' We sleepten dat grote bureau in een hoek. En de jongens bleven maar doorzeuren dat ik de enige blanke gast was die nog aan knokpartijen in de buurt meedeed. Alsof ik een geest uit het verleden was. Een soort Big Jack Doyle. Ze waren me allemaal aan het dollen: 'Kom op, Corrigan, dansen, man, de Ali-shuffle!' Ze zeiden dat ze met me naar Zaïre moesten, dat ik een wereldbokser was. Ze wisten niet dat ik in de orde zit. Niemand wist het. Toen in elk geval niet. Maar Adelita kwam naar me toe en duwde alleen even hard met haar vinger op een van die blauwe plekken en zei zoiets als: 'Je hebt TTP.' En ik maakte een grapje over DDT en ze zei: 'Nee, ik denk dat het weleens TTP kan zijn.' Het bleek dat ze 's avonds studeerde. Ze wil medicijnen gaan doen. Ze was in Guatemala verpleegster geweest in een paar deftige klinieken. Wilde altijd al dokter worden, had zelfs op de universiteit gezeten, maar de oorlog begon en daar kwam ze middenin. Ze verloor haar man. Daarom zit ze hier in de verpleging. Hier accepteren ze haar diploma's niet. Ze heeft twee kinderen. Die hebben nu een Amerikaans accent. Maar goed, ze zei iets over een tekort aan bloedplaatjes en bloedingen in de weefsels en dat ik ermee naar de dokter moest. Ze verbaasde me, broer.'

Corrigan draaide het raampje van de bus omlaag, strooide wat tabak op een dun vloeitje en stak op.

'Dus, goed, ik naar de dokter. En ze had de spijker op de kop geslagen. Ik heb iets waar ze maar weinig van afweten. Het is idiopathisch, hè, ze weten niet wat de oorzaak ervan is. Maar ze zeggen dat het best ernstig is, dat je er flink ziek van kunt worden. Ik bedoel, je moet je een keer laten behandelen anders kan het je dood worden. Dus ik ga 's avonds naar huis en roep God aan in het donker en ik zeg: "Bedankt, God, weer een zorg erbij." Maar het gekke is, God is er die keer, broer. Hij is er. In het volle licht. Het zou gemakkelijker zijn geweest als Hij er niet was. Dan kon ik doen alsof ik naar Hem zocht. Maar nee hoor, Hij is er, de schurk. Hij vertelt me allerlei logische dingen over ziek zijn en beter worden en ermee omgaan en op een nieuwe manier tegen de wereld aankijken, zoals Hij dat doet, zoals Hij tegen je hoort te praten, het Lichaam, de Ziel, het sacrament van het alleen-zijn, razend zijn over een doel, dat aanwenden voor het algemeen nut. Jezelf openstellen voor de belofte. Maar weet je, die logische God, daar ben ik helemaal niet zo gek op. Zelfs Zijn stem, Hij heeft een stem waar ik gewoon, nou ja, gewoon niet van kan houden. Ik begrijp het wel, maar daarom hoef ik er nog niet van te houden. Hij is buiten mijn bereik. Maar dat is niet erg. Ik heb Hem al vaak genoeg niet gemogen. Het is goed om met God overhoop te liggen. Er zijn genoeg prima mensen geweest die in mijn situatie zaten, of nog erger.

'Ik denk trouwens dat ziek zijn oud nieuws is en doodgaan nog ouder nieuws. Wat me nekt is die grote holle echo telkens als ik Hem uitprobeer. Want ik voelde elke keer alleen een leegte als ik met Hem probeerde te praten. Ik heb gedaan wat ik kon, broer. Mijn oprechte biecht, weet je, over het bewaren van mijn geloof en zo. Ik heb daar met pater Marek van de St. Ann kerk over gepraat. Een goede priester. We hebben wat afgeworsteld, hij en ik. Uren achter elkaar. En ook met Hem, met God, elk uur van de dag. Maar vroeger raakten die ruzies met Hem me tot diep in mijn ziel. Ik huilde in Zijn aanwezigheid. Maar Hij sloeg me steeds om de oren met al die zuivere logica van Hem. Toch wist ik dat het voorbij zou gaan. Ik wist dat ik er doorheen zou komen. Ik dacht toen zelfs niet aan Adelita. Daar was ik niet eens mee bezig. Wel met het verliezen van God. Het vooruitzicht om dat te verliezen. Rationeel gezien wist ik dat ik het zelf was – ik bedoel, ik was gewoon tegen mezelf aan het praten. Ik hield Hem af. Maar die rationele houding loste niks op. Je komt een rationele God tegen en je zegt: Nou, dat is nu even niet mijn ding, Hemelse Vader, ik kom wel terug op een geschikter moment.'

'Weet je, als je jong bent, tilt God je op. Hij houdt je daar vast. De kunst is om daar te blijven en te weten hoe je moet vallen. Al die dagen dat je het niet meer vast kunt houden. Dat je omlaag duikelt. De proef is om weer omhoog te kunnen klimmen. Dat probeer ik ook. Maar ik kwam niet omhoog. Ik kon het niet.'

'Nou goed, dus ik was op een vrijdagmiddag in het verzorgingstehuis en Adelita zat in het magazijn, was de voorraad hoestdrank aan het controleren. En ik ging op de lage ladder even met haar zitten kletsen. Ze vroeg of ik al voor een behandeling naar het ziekenhuis was geweest en ik hoor mezelf liegen, keihard liegen, ik zeg, ja natuurlijk, alles is in orde, er is niks met me aan de hand. "Mooi zo," zei ze, "want het is echt nodig dat je goed op jezelf past." Toen kwam ze naar me toe, trok een stoel bij en begon over de binnenkant van mijn arm te wrijven. Ze zei dat ik het bloed moest laten doorstromen. Ze drukte haar vingers in mijn arm hier. En het was net alsof ze haar handen diep in de aarde stak. Zo voelde het. Ik kreeg er kippenvel van, mijn bloed dat onder haar vingers bewoog. Met mijn andere hand greep ik de zijkant van de ladder. En een stem in me zei: "Wapen jezelf hiertegen, dit is een proef, wees er klaar voor, wees er klaar voor." Maar het is ook de stem waarvan ik niet hou. Ik kijk achter de sluier die de stem opwerpt, en het enige wat ik zie is die vrouw, het is een ramp, ik zak weg, zink als een onbeholpen zwemmer. En ik zeg, God, sta niet toe dat dit gebeurt. Laat het niet gebeuren. Ze tikte met haar nagel tegen de binnenkant van mijn arm, heel licht. Alstublieft, sta dit niet toe. Alstublieft. Maar het was zo fijn. Zo, zo ontzettend fijn. Ik wilde mijn ogen dichthouden en tegelijkertijd openwrikken. Het is niet na te vertellen, broer. Ik kon er niet tegen. Ik stond op en stormde de deur uit. Strompelde naar het busje.'

'Ik denk dat ik de hele nacht heb gereden. Ik bleef maar rijden. De witte strepen achterna. Ik raakte op bruggen de draad kwijt. Had geen idee waar ik heen ging. Algauw raakten de lichten van de stad uit het zicht. Ik dacht dat ik ergens in het binnenland zat, maar ik zat op het eiland, man, Long Island. Ik dacht dat ik naar het westen ging, de grote open ruimte in waar ik alles op een rijtje kon zetten, maar nee, in werkelijkheid ging ik naar het oosten over die grote snelweg. En ik reed maar door. Rijden, rijden. Auto's schoten langs me heen.

Ik moest tegen mezelf praten en lucifers aansteken, de zwavel ruiken, om wakker te blijven. Proberen te bidden. Zorgen dat twee plus
twee vijf werd. En toen hield de snelweg op, midden in het niets, leek
het, en ik volgde gewoon een kleinere weg. Door akkerland en langs
afgelegen huizen, kleine stippen licht. Montauk. Ik was er nog nooit
geweest. Het donker werd intenser, nergens meer een lichtje. En het
werd een smalle eenbaansweg. Zo kom je aan het eind van dit land,
man, over een lullig weggetje vol gaten dat doodloopt bij een vuurtoren. En ik dacht: Dit is goed, hier zal ik Hem vinden.'
    'Ik stapte uit en liep de duinen in, het strand langs. Ik banjerde
daar rond, schreeuwde naar Hem, onder de wolken. Geen ster die
scheen. Geen antwoord. Je zou op z'n minst een beetje maan ver-
wachten. Iets. Wat dan ook. Zelfs geen schip. Het was net alsof ik
door alles verlaten was. En ik voelde nog steeds haar aanraking hier,
aan de binnenkant van mijn arm. Alsof het diep zat en daar iets aan
het groeien was. En ik sta midden op een eindeloos strand met achter me een rondzwaaiende vuurtoren. Bedenk de stomste dingen. Je
kent het wel. Ik moet hier weg. Ik geef het allemaal op. Ik ga de orde
uit, ik ga terug naar Ierland, een andere armoede zoeken. Maar het
was allemaal onzin. Het eind van het land, man, maar geen openba-
ring.'
    'Na een tijdje kwam ik in die stilte tot mezelf en uiteindelijk ging
ik in het zand zitten en zei bij mezelf: "Nou, misschien maakt het mij
op den duur alleen maar beter voor Hem, ik moet me ertegen verzetten, het uitvechten, er mijn eigen voordeel mee doen, het is een
teken." Ik berustte erin. Wat je niet breekt, maakt je alleen, enz. Ik
had koorts. Ik ging van het strand af, terug naar de bus, kalmeerde
mezelf en zei de vuurtoren, het water, het oosten vaarwel, zei dat
alles goed zou komen, dat je wat heilig is nooit voor niks krijgt en ik
reed het hele stuk weer terug naar de flat, parkeerde de bus, viel de
lift in en sloot de deur. Ik viel zelfs in slaap in de lift. Werd pas wakker toen hij begon te bewegen. En ik keek opeens in het bange gezicht
van een zwarte vrouw. Ik joeg haar angst aan. Ik heb mezelf toen
twee dagen opgesloten. Zoiets als wachten tot het verband zwart
wordt, weet je? Wachten tot het overgaat. En ik had de ketting op de

deur gedaan. Niet te geloven, hè? Ik had de deur vergrendeld. Daar heb ik nou met jou zo'n stennis over gemaakt, broer, over die sloten.'

Hij grinnikte een beetje en een veeg koplamplicht vanaf de andere kant van de boulevard gleed over zijn gezicht.

'De meiden dachten dat ik dood was. Ze bonsden op de deur, wilden de badkamer gebruiken. En ik gaf geen sjoege. Ik lag daar maar, probeerde te bidden om een teken van een beetje genade. Maar in mijn hoofd bleef ik Adelita zien. Ogen dicht, ogen open, het maakte niet uit. Dingen waaraan ik niet hoorde te denken. Haar hals. Haar nek. Haar sleutelbeen. Haar gezicht van opzij in een streep licht. Ze was er, bezig me in te palmen. En ik wilde haar toeschreeuwen: Nee, nee, nee, je bent niks anders dan pure wellust, en ik heb een verbond met God gesloten om tegen wellust te vechten, laat me alsjeblieft met rust, ga alsjeblieft weg. Maar ze bleef gewoon staan, glimlachend, vol begrip. En dan fluisterde ik weer tegen haar: Ga weg, alsjeblieft. Maar ik wist dat het geen wellust was, het was zoveel meer dan wellust. Ik zocht naar een eenvoudig antwoord, zo'n antwoord dat we kinderen geven, je weet wel. En ik maar denken dat we ooit allemaal kinderen waren, misschien kon ik teruggaan. Dat maalde steeds door mijn hoofd. Word weer kind. Ren daar langs het strand. Tot voorbij de toren. Ren langs de zeemuur. Ik wilde dat soort plezier. Wilde het weer eenvoudig maken. Ik deed mijn best, echt mijn best, om te bidden, om van mijn wellust af te komen, terug te keren naar het goede, die onschuld opnieuw te ontdekken. Cirkels van cirkels. En als je in cirkels ronddraait, broer, dan is de wereld heel groot, maar als je rechtdoor ploetert, valt het best mee. Ik wilde langs de spaken naar het midden van de cirkel vallen, waar geen beweging was. Ik kan het je niet uitleggen, man. Het was alsof ik door naar het plafond te staren op het firmament lag te wachten. En ondertussen ging al dat gebonk op de deur maar door. Daarna uren stilte.'

'Op een gegeven moment hoorde ik Jazzlyn, hè, die stem van haar, man, alsof ze de Bronx heeft opgeslokt, tegen de deur leunen en door het sleutelgat gillen: "Oké, loop naar de hel, doorgedraaide witte armoelijer!" Het was de enige keer dat ik heb gelachen. Ze moest eens weten. "Loop naar de hel, doorgedraaide witte armoelijer, ik ga wel ergens anders pissen!"'

'Toen haalden ze er zelfs de politie bij, om de deur in te trappen. En ze komen binnengestormd, zwaaiend met hun penningen, pistool in de aanslag. Ze bleven verstomd staan. Staarden me aan, ik die op de bank lag met de Bijbel over mijn gezicht. En een agent zegt: "Wat gebeurt hier, man? Wat ís dit, in godsnaam? Hij is niet dood. Hij stinkt, maar hij is niet dood." Ik lag daar en ik rukte het Boek van mijn gezicht en hield mijn arm voor mijn ogen. En Jazz kwam achter hen binnenvallen en riep: "Ik moet nodig, ik moet nodig." Daarna Tillie met haar roze parasol. Even later kwamen ze met z'n tweeën de badkamer uit en begonnen te schreeuwen. "Waarom hou je de deur op slot, Corrie? Klootzak! Wat een rare rotstraf. Echt een witte ploertenstreek, man!" De politie stond er met open mond bij. Ze wisten niet wat ze zagen. Een van hen draaide een sliert kauwgum strak om zijn vinger. Hij bleef maar draaien, alsof hij me wilde wurgen. Ze zullen wel gedacht hebben dat ze het voor de kat z'n viool hadden gedaan, voor een stel tippelaarsters dat alleen maar wilde pissen. Ze waren er allesbehalve blij mee. Allesbehalve. Ze wilden me aanklagen omdat ik hun tijd had verspild, maar wisten niet op grond van welk artikel. Ik zei dat ze het misschien konden doen omdat ik van mijn geloof was gevallen en toen dachten ze helemaal dat ik kierewiet was. Een van hen zei tegen me: "Moet je dit krot eens zien – doe eens wat, man!" En het was precies zo eenvoudig als hij het zei, die jonge agent, recht in mijn gezicht: "Doe eens wat, man!" Hij schopte bij het weggaan de bloempot omver.'

'Tillie en Angie en Jazzlyn zetten een "toch-niet-dood" feestje voor me op touw. Ze kochten zelfs een taart voor me. Eén kaarsje. Ik moest het uitblazen. Ik moest het als een teken zien. Maar er waren geen tekenen. Ik ging weer naar het verzorgingstehuis en die avond vroeg ik Adelita of ze de bloedsomloop nog even wilde stimuleren, zo zei ik het: "Zou je de bloedsomloop nog even willen stimuleren?" Ze schonk me die brede, vrolijke glimlach en zei dat ze druk met haar ronden bezig was, maar dat ze er misschien later aan toe zou komen. Ik zat daar, bevend om God, om al mijn zorgen, muurvast vanbinnen. En ja hoor, na een tijdje kwam ze terug. Het was allemaal heel simpel. Ik staarde alleen maar naar haar donkere haar. Kon haar niet in de ogen kijken. Ze masseerde mijn schouder en mijn onderrug en zelfs mijn kuitspieren. Ik hoopte steeds dat er iemand binnen zou komen en ons zo aantrof, dat die enorme stennis zou maken, maar er kwam niemand. En ik gaf haar een zoen. En ze gaf mij een zoen terug. Ik bedoel, hoeveel mannen kunnen zeggen dat ze nergens anders op de wereld zouden willen zijn? Dat gevoel had ik. Dat moment. Dat ik alleen maar in het hier en nu wilde zijn en nergens anders. Op aarde zoals in de hemel. Dat ene moment. En na een paar dagen begon ik bij haar thuis te komen.'

'Ze heeft drie kinderen, zei je.'

'Twee. En een man die in Guatemala was gesneuveld. Hij vocht daar. Voor, ik weet niet meer, ene Carlos Arana Osorio of zoiets. Een of andere fascist. Ze haatte hem, die man – ze raakte jong in dat huwelijk verstrikt – maar ze heeft nog steeds zijn foto op de boekenkast. Zodat de kinderen weten dat hij bestaat, heeft bestaan, dat ze een vader hebben gehad. Als we daar zitten, kijkt hij naar ons. Ze praat niet over hem. Hij heeft zo'n starre blik. Ik zit in haar keuken en zij kookt wat en ik eet met lange tanden en we kletsen en dan masseert ze mijn schouders, terwijl haar kinderen in de andere kamer naar tekenfilms zitten te kijken. Ze weet dat ik bij de orde ben, ze kent de celibaatsverplichtingen, alles. Ik heb het verteld. Ze zegt dat als het mij niet uitmaakt, het haar ook niet uitmaakt. Ze is de liefste mens die ik ooit heb ontmoet. Ik kan het niet uitstaan. Ik weet niet wat ik ermee aanmoet. Ik zit daar en het is alsof er messen in mijn maag ronddraaien. De stem die ik thuis hoor is niet de stem die ik ooit eerder heb gehoord. Ik kan die oude niet vinden. Die is weg. Ik merk dat ik me 's nachts uitrek om hem te pakken te krijgen, maar Hij is er niet. Het enige wat ik krijg is slapeloosheid en walging. Noem het zoals je wilt. Noem het zelfs vreugde. Hoe kan ik bidden als dit in me zit? Hoe kan ik doen wat ik hoor te doen? Ik beoordeel mezelf niet eens naar mijn daden. Ik beoordeel mezelf naar wat er in mijn hart is. En het is slecht, want het wil iets bezitten, maar het is niet slecht, want zo voldaan ben ik nog nooit geweest, en zo voldaan is zij ook nog nooit geweest, als we daar zo samen zitten. We zijn gelukkig. En ik vraag me steeds maar af of we gelukkig horen te zijn. Ik ben niet met haar naar bed geweest, broer. Tenminste niet... We hebben eraan gedacht, ja, maar, ik bedoel...'

Zijn stem zakte weg.

'Je kent mijn geloften. Je weet wat ze betekenen. Ik dacht altijd dat er geen andere man, geen ander iemand in me zat, alleen ik, de toegewijde. Ik dacht dat ik alleen was en sterk, dat mijn geloften alles waren en ik niet in de verleiding zou komen. En het maalde maar door mijn hoofd. Wat gebeurt er als dit? Wat gebeurt er als dat? Misschien is het niet eens een kwestie van geloofsverlies. Ik sta in mijn eigen rotzooi. Het gaat tegen alles in wat ik ooit ben geweest, en plotseling zie ik het allemaal verdwijnen, en dan ook nog eens tegen haar liegen, zelfs over mijn behandeling.'

'Wat houdt die ziekte in? Die TTP?'

'Het houdt in dat ik gewoon beter móet worden.'

'Hoe?'

'Ik moet me laten behandelen. Vervangend plasma en dat soort dingen. Gaat ook gebeuren.'

'Pijnlijk?'

'Pijn is niets. Pijn is wat je geeft, niet wat je krijgt.'

Hij haalde een dun pakje vloei tevoorschijn en strooide de tabak in de vouw van een vloeitje.

'En zij? Adelita? Wat ga je doen?'

Hij verdeelde de kruimels, keek uit het raam.

'Haar kinderen hebben vakantie. Ze lopen rond. Massa's vrije tijd. Tot nu toe had ik het excuus dat ik ze met hun huiswerk ging helpen. Maar nu is het zomer, dus er is geen huiswerk meer. En wat denk je? Ik ga er nog steeds heen. Zonder goed excuus, afgezien van de waarheid: ik wil haar zien. En daar zitten we dan, Adelita en ik. Ik heb voor mezelf wel andere smoezen verzonnen. O, ze hebben iemand nodig om de rotzooi voor hun woning op te ruimen. Dat broodrooster van haar moet nodig gerepareerd worden. Ze heeft tijd nodig om in haar medische boeken te duiken. Van alles. Alleen kan ik niet doen alsof ik ze catechismusles kan geven want ze zijn luthers, man, lutheranen! Uit Guatemala. Heb ik weer, man! Ik vind de enige niet-katholieke vrouw uit Midden-Amerika. Briljant. Maar ze gelooft wel. Ze heeft een hart, zo groot en lief. Echt waar. Ze vertelt me verhalen over waar ze is opgegroeid. Ik grijp elke gelegenheid aan om bij haar langs te gaan. Ik wil het. Ik heb er behoefte aan. Daar verdween ik al die middagen steeds naartoe. Ik denk dat ik het voor iedereen verborgen wilde houden.'

'En al die tijd zit ik daar, in haar huis, te denken dat het de enige plek is waar ik niet zou moeten zijn. En ik vraag me af wat er nog zal zijn als ik mezelf uit de knoei haal. En dan komen haar kinderen weer binnen, die op de bank springen en tv kijken en yoghurt over de kussens morsen. Haar jongste, Eliana, ze is vijf, komt dromerig binnen met een dekentje achter zich aan en pakt mijn hand om me mee te nemen naar de huiskamer. Ik laat haar op mijn knie paardjerijden. Het zijn prachtige kinderen, allebei. Jacobo is net zeven. Ik zit daar te denken over hoeveel moed ervoor nodig is om een gewoon leven te leiden. Als *Tom and Jerry* is afgelopen, of *I Love Lucy*, of *The Brady Bunch*, hoe ironisch je het ook wilt hebben, zeg ik bij mezelf: Prima, dit is echt, dit is iets wat ik aankan, ik zit hier gewoon, ik doe niets slechts. En dan ga ik weg omdat ik de gespletenheid niet kan accepteren.'

'Ga dan uit de orde.'

Hij verstrengelde zijn handen.

'Of ga bij haar weg.'

Het wit van zijn knokkels.

'Ik kan het geen van beide,' zei hij. 'En ik kan het niet allebei.'

Hij bekeek de brandende punt van zijn sigaret.

'Weet je wat zo grappig is?' zei hij. 'Op zondag voel ik nog steeds de oude drang, de overgebleven gevoelens. Dan is het schuldgevoel het hevigst. Ik ga wandelen, bid stil het onzevader. Telkens opnieuw. Om het schuldgevoel te verzachten. Is dat niet belachelijk?'

Achter ons kwam langzaam een auto tot stilstand en een fel licht scheen door het achterraampje. De roodblauwe lichten flitsten aan, maar geen sirene. We wachtten zwijgend tot de agenten uit de auto zouden komen, maar ze zetten de megafoon aan: 'Doorrijden, flikkers, wegwezen!'

Corrigan liet een snuivend lachje horen toen hij de versnelling in de rijstand trok.

'Weet je, ik droom elke nacht dat ik met mijn lippen over haar ruggengraat strijk, als een skiff over een rivier.'

Hij stuurde de auto voorzichtig de weg op en zei niets meer tot hij vlakbij de woonkazernes parkeerde waar zijn tippelaarsters stonden. In plaats van naar ze toe te lopen, wuifde hij ze weg en nam hij me mee naar de overkant van de straat, waar een geel licht op een hoek knipperde. 'Wat ik moet doen is dronken worden.' Hij duwde de deur van een kroegje open, met zijn arm om mijn schouder.

'Ik koers al tien jaar recht door zee, en moet je me nu zien.'

Hij ging aan de bar zitten, stak twee vingers omhoog om bier te bestellen. Er zijn momenten waarnaar we terugkeren, nu en altijd. Familie is als water – het herinnert zich wat het ooit heeft gevuld en probeert altijd terug te komen naar de oorspronkelijke stroom. Ik lag weer in het benedenbed te luisteren naar zijn sluimerverzen. De klep van de brievenbus uit onze jeugd ging open. Opende de deur naar de stuivende zee.

'Je vraagt me of ik heroïne gebruik, man?' Hij lachte, maar keek door het kroegraam naar de spanten van de snelweg. 'Het is erger dan dat, broer, veel erger.'

Het was alsof alle klokken het ermee eens waren en de ijskast zoemde en de sirenes buiten klonken als fluiten. Hij had haar vrijgepraat. Hij hoefde haar naam maar te noemen en het was genoeg: hij werd nieuw.

De paar dagen erna zagen ze elkaar zoveel ze konden – voornamelijk in het verzorgingstehuis, waar ze van dienst ruilde, om maar bij hem te zijn. Maar Adelita kwam ook naar zijn flatje, klopte op de deur, ontkurkte een fles wijn en ging aan de andere kant van de tafel zitten. Ze droeg een ring aan haar rechterhand, zat er gedachteloos aan de draaien. Ze had iets lieftalligs en onverzettelijks, met elkaar vervlochten. Ze hadden me daar nodig. Ik mocht amper van tafel opstaan. 'Ga zitten, ga zitten.' Ik was nog de veilige grens tussen hen. Ze waren nog niet zo ver om zich helemaal te laten gaan. Een soort fatsoen weerhield hen, maar ze wekten de indruk dat ze graag iets van hun gezonde verstand wilden opgeven, op z'n minst voor een tijdje.

Ze was het type vrouw dat mooier werd naarmate je langer naar haar keek: het donkere haar, bijna blauw in het licht, de welving van haar hals, een moedervlek bij haar linkeroog, een volmaakt schoonheidsfoutje.

Ik neem aan dat mijn aanwezigheid in de loop van die avonden hun het gevoel gaf dat ze iemand moesten vermaken, dat ze daar samen verantwoordelijk voor waren, dat ze eerzamer alleen konden zijn door samen te zijn.

Ze sprak zachtjes tegen Corrigan, alsof ze hem naar zich toe wilde trekken. Hij keek naar haar alsof het zomaar zou kunnen dat hij haar nooit meer zou zien. Soms zat ze alleen maar met haar hoofd op zijn schouder. Ze staarde langs me heen. Buiten, de branden van de Bronx. Voor hen had het zonlicht door de viaductpijlers kunnen zijn. Ik sleepte mijn stoel mee over de vloer.

'Ga zitten, ga zitten.'

Adelita had een wilde kant die Corrigan leuk vond, maar waar hij maar moeilijk om kon grinniken. Op een avond droeg ze een wijde, witte schouderloze blouse en oranje hotpants. De blouse was keurig, maar het broekje zat strak om haar dijen. We dronken wat goedkope wijn en Adelita was een beetje uitgelaten. Ze pakte de punten van haar blouse en knoopte die van voren vast, waardoor je het bruin zag van haar buik, ietsje uitgerekt door zwangerschappen. Het kuiltje van haar navel. Corrigan werd verlegen van de nauwsluitende hotpants. 'Adie, toch,' zei hij met blozende kaken. Maar in plaats van te vragen om de blouse los te knopen en zich te bedekken, gaf hij haar met een hoop omhaal een hemd van zichzelf om over haar creatie heen te dragen. Alsof dat het tederste was wat hij kon doen. Hij hing het om haar schouders, kuste haar wang. Het was een van zijn oude zwarte, kraagloze hemden, dat over haar dijen, bijna tot op haar knieën viel. Hij hees het bij haar schouders op, half uit angst om voor preuts door te gaan, half geschokt door het onmetelijke dat hem overkwam.

Adelita paradeerde door de flat met hier en daar een hoelahoep-beweginkje.

'Ik kan zo wel de hemel in,' zei ze, terwijl ze het hemd nog lager trok.

'Laat haar toe, Heer,' zei Corrigan.

Ze lachten, maar er zat ook iets anders in, alsof Corrigan zijn leven weer zinvol wilde maken, alsof hij in ongenade was gevallen en alleen nog zijn oude roekeloosheid en verleidingen had en niet zeker wist of hij dat aan kon. Hij keek omhoog alsof het antwoord op het plafond stond geschreven. Wat zou er gebeuren als ze niet aan zijn dromen voldeed? Hoe diep zou hij zijn God haten als hij haar liet schieten? Hoe erg zou hij zichzelf verachten als hij bij zijn Heer bleef?

Hij bracht haar te voet naar huis, met zijn arm stijf om haar schouder. Toen hij uren later in de flat terugkwam, hing hij het hemd op de rand van de spiegel. 'Oranje hotpants,' zei hij. 'Niet te geloven.'

We zaten over de fles gebogen.

'Weet je wat jij moet doen?' zei Corrigan. 'In het verzorgingste-huis komen werken.'

'Je hebt een lijfwacht nodig, daarom?'

Hij glimlachte, maar ik wist wat hij zei. *Kom me helpen, ik ben nog steeds die onbeholpen zwemmer.* Hij wilde iemand uit het verleden om zich heen hebben om te zorgen dat het niet allemaal een kolossale illu-sie was. Hij kon niet alleen toeschouwer zijn: hij had een boodschap over te brengen. Het moest zin hebben, al was het maar voor mij. Maar ik nam een baantje in Queens, in zo'n Ierse kroeg waar ik zo tegenop zag. Een laag plafond. Acht krukken aan een formica tap. Zaagsel op de vloer. Bleek bier tappen en mijn eigen muntjes in de jukebox stop-pen om niet eeuwig naar dezelfde afgezaagde liedjes te hoeven luis-teren. In plaats van Tommy Makem, de Clancy Brothers en Donovan, probeerde ik wat Tom Waits. De monomane drinkers kreunden.

Ik had bedacht dat ik een toneelstuk zou kunnen schrijven dat in een kroeg speelde, alsof dat nog nooit was gedaan, alsof het een revolutionaire daad was, dus ik luisterde naar mijn landgenoten en maakte aantekeningen. Ze hadden hun eenzaamheid op eenzaamheid geplakt. Het viel me op dat verre steden juist zo zijn ontworpen dat je weet waar je vandaan komt. We nemen thuis mee wanneer we vertrekken. Soms wordt het schrijnender door het feit dat je bent vertrokken. Mijn accent werd zwaarder. Ik ging in andere ritmes praten. Ik deed alsof ik uit Carlow kwam. De meeste klanten kwamen uit Kerry en Limerick. Er was een advocaat bij, een lange, dikke man met rossig haar. Hij domineerde de anderen door rondjes weg te geven. Ze klonken met hem en noemden hem een *godvergeten rampenmelker* als hij naar de plee ging. Het was niet een term die ze thuis gebruikt zouden hebben – godvergeten rampenmelkers waren schaars in het oude land – maar ze zeiden het zo vaak als ze konden. Onder grote hilariteit verwerkten ze het in liedjes als de advocaat was vertrokken. In een van de liedjes trok een rampenmelker over de bergen van Cork en Kerry. In een ander zat een rampenmelker in de groene weiden van Frankrijk.

Het werd drukker in de zaak naarmate de avond vorderde. Ik tapte en leegde de fooienpot.

Ik sliep nog steeds bij Corrigan. Hij bracht een paar nachten bij Adelita door, maar daar vertelde hij me nooit iets over. Ik wilde weten of hij nu eindelijk een keer met een vrouw had geslapen, maar hij schudde alleen zijn hoofd, wilde niks zeggen, kon niks zeggen. Hij zat immers nog in de orde. Nog vast aan zijn geloften.

Op een avond in begin augustus, toen ik doodmoe met de ondergrondse naar huis ging, kon ik op de Concourse geen taxi krijgen. Ik zag ertegenop om op dat uur naar Corrigans flat terug te lopen. Er hadden in de Bronx matpartijen en willekeurige moorden plaatsgevonden. Beroofd worden was bijna een ritueel geworden. En je kon beter niet blank zijn. Het werd tijd om ergens anders een eigen kamer te zoeken, misschien in de Village of de East Side van Manhattan. Ik stopte mijn handen in mijn zakken, voelde het rolletje bankbiljetten van de kroeg. Ik begon net te lopen toen er vanaf de overkant van de Concourse werd gefloten. Tillie trok het bandje van haar zwempak omhoog. Ze was een auto uitgetrapt en had haar knieën geschaafd.

'Schattebout,' schreeuwde ze, terwijl ze met haar handtas boven haar hoofd zwaaiend naar me toe strompelde. Ze was haar parasol kwijtgeraakt. Ze haakte haar arm in de mijne. 'Al wie mij hier heeft gebracht, zal me naar huis moeten brengen.'

Het was, wist ik, een versregel van Roemi. Ik stond perplex. 'Wat is daar zo bijzonder aan?' zei ze schouderophalend. Ze trok me mee. Haar man, zei ze, had Perzische dichtkunst gestudeerd.

'Je man?'

Ik bleef haar op straat staan aangapen. Ooit had ik als tiener een stukje van mijn huid op een objectglaasje bekeken, er door een microscoop naar getuurd: onder mijn oog was een heel veld vol rimpelkanaaltjes aan het vechten: pure verbazing.

Mijn intense afkeer – zo voelbaar op andere dagen – sloeg ter plekke om in ontzag voor het feit dat het Tillie niets interesseerde. Ze liet haar borsten schudden en zei dat ik niet zo raar moest kijken. Het was trouwens haar ex-man. Ja, hij had Perzische dichtkunst gestudeerd. Nou en? Hij nam altijd een suite in het Sherry-Netherlands, zei ze. Ik nam aan dat ze high was. De wereld om haar heen leek kleiner te worden, te krimpen tot de grootte van haar ogen, paars en donker beschilderd met oogschaduw. Opeens wilde ik haar kussen. Mijn eigen wilde, positieve uitbarsting van Amerikaanse levensvreugde. Ik boog me naar haar toe en ze lachte, duwde me weg.

Een lange, opgepimpte Ford Falcon stopte aan de stoeprand en zonder zich om te draaien riep Tillie: 'Hij heeft al betaald, man.'

We liepen arm in arm verder door de straat. Onder de Deegan schurkte ze haar hoofd tegen mijn borst. 'Ja toch, schat?' zei ze. 'Je hebt toch al betaald voor 't lekkers?' Ze wreef me met haar hand en het voelde goed. Ik kan het niet anders zeggen. Zo voelde het. Goed.

'Noem me maar SweetCakes,' zei ze met een accent dat om haar heen hing.

'Je bent familie van Jazzlyn, hè?'

'Nou en?'

'Je bent toch haar moeder?''

'Geen praatjes, betalen,' zei ze, met haar hand op mijn wang. Even later was er het verrassende medeleven van haar warme adem in mijn hals.

De razzia begon vroeg in de ochtend, op een dinsdag in augustus. Nog donker. De politie stelde een rij arrestantenbusjes op in de schaduw tussen de straatlantaarns bij het viaduct. De meisjes schenen zich er lang niet zo druk om te maken als Corrigan. Een of twee lieten hun handtasje vallen en renden naar de kruising, met zwaaiende armen, maar daar stonden nog meer busjes met open deuren te wachten. De agenten klikten de handboeien dicht en dreven de meisjes het hol van de donkere voertuigen in. Pas toen werd er wat geschreeuwd – ze hingen naar buiten, waren hun lippenstift, of zonnebril of hoge hakken kwijt. 'Hé, ik heb mijn sleutelring laten vallen!' zei Jazzlyn. Zij werd door haar moeder het busje in geholpen. Tillie was kalm, alsof dit de gewoonste zaak van de wereld was, de zoveelste zonsopgang. Ze ving mijn blik op, gaf me een knipoogje.

Op straat stonden de smerissen koffie te drinken, sigaretten te roken, hun schouders op te halen. Ze noemden de meisjes bij hun naam en bijnaam. Foxy. Angie. Daisy. Raf. SweetCakes. Sugarpie. Ze kenden de meisjes goed en de strafcampagne was al even lusteloos als de dag. De meiden moeten er al lucht van hebben gehad, want ze hadden hun spuiten en elk ander drugsgerei weggemoffeld, in de goot gegooid. Er waren al eerder razzia's geweest, maar nooit zo'n grondige schoonveegactie.

'Ik wil weten wat er met hen gebeurt,' zei Corrigan, terwijl hij van de ene naar de andere agent liep. 'Waar gaan ze heen?' Woest draaide hij zich om. 'Waar arresteren jullie ze voor?'

'Luchtfietsen,' zei een agent, die Corrigan een schouderduw gaf.

Ik zag hoe een lange roze boa verstrikt raakte in de wielen van een patrouillewagen. Hij bedekte de wielbasis bijna liefdevol en plukken roze wervelden door de lucht.

Corrigan noteerde een aantal penningnummers. Een forse agente griste het notitieboekje uit zijn hand en scheurde het langzaam voor zijn neus aan stukken. 'Hoor eens, maffe Ier, ze zijn zo weer terug, oké?'

'Waar brengen jullie ze naartoe?'

'Wat gaat jou dat aan, jongen?'

'Waar gaan jullie met ze naartoe? Naar welk bureau?'

'Stapje terug, jij. Daar staan. Nu.'

'Volgens welk artikel?' zei Corrigan.

'Volgens artikel trap voor je hol als je niet luistert.'

'Ik wil alleen maar een antwoord.'

'Het antwoord is zeven,' zei de agente, die Corrigan aanstaarde tot hij zijn ogen neersloeg. 'Het antwoord is altijd zeven. Begrepen?'

'Nee.'

'Wat ben jij voor kerel, een nicht of zo?'

Een van de brigadiers kwam met veel poeha aanlopen en schreeuwde: 'Wil iemand Joris Goedbloed hier even helpen?' Corrigan werd naar de kant van de weg geduwd en moest op de stoep blijven staan. 'Nog één woord en we sluiten je op.'

Ik trok hem opzij. Zijn gezicht was rood, zijn vuisten gebald. Aderen klopten op zijn slaap. Er was een nieuwe vlek in zijn hals opgekomen. 'Kalm nou maar, Corr. We zoeken het later wel uit. Op een bureau zijn ze trouwens beter af. Zo leuk vind je het ook niet dat ze hier staan.'

'Daar gaat het niet om.'

'O jezus, kom op,' zei ik. 'Geloof me nou. We gaan er straks achteraan.'

De arrestantenbusjes hobbelden de stoepen af en op één na sloten alle patrouillewagens zich in de rij aan. Een paar omstanders stonden in groepjes bij elkaar. Kinderen draaiden op hun fiets rondjes om de lege plek, alsof ze een nieuw speelterrein hadden gevonden. Corrigan liep weg om een sleutelring uit de goot te rapen. Het was een goedkoop glazen ding met een fotootje van een kind in het midden. Aan de ommezijde zat een fotootje van nog een kind.

'Vandaar,' zei Corrigan, toen hij me de sleutelring toegooide. 'Het zijn de kinderen van Jazz.'

Al wie mij hier heeft gebracht, zal me naar huis moeten brengen. Tillie had me vijftien dollar gerekend voor ons rendez-vousje, me op de rug geklopt en gezegd dat de Ieren best trots op me konden zijn, met een flinke schep ironie in haar stem. *Noem me maar SweetCakes.* Ze tikte met een vinger tegen het tiendollarbiljet en zei dat ze ook wat van Kahil Gibran kende, ze kon wel een stukje opzeggen als ik dat wilde.

'Volgende keer,' zei ik. Ze rommelde in haar handtas. 'Heb je interesse in een beetje heroïne?' vroeg ze terwijl ze mijn knopen dichtmaakte. Ze zei dat ze wat van Angie kon krijgen. 'Niet mijn stijl,' zei ik. Ze giechelde en drukte zich dichter tegen me aan. 'Je stijl?' zei ze. Ze legde haar hand op mijn heup en lachte opnieuw. 'Je stijl!' Ik had het even Spaans benauwd toen ik dacht dat ze al mijn fooi rolde, maar dat was niet zo; ze had alleen mijn riem vastgemaakt en me een klap op mijn kont gegeven.

Ik was blij dat ik het niet met haar dochter had gedaan. Ik voelde me bijna deugdzaam, alsof ik helemaal niet in de verleiding was geweest. Tillies geur had nog een paar dagen om me heen gehangen en kwam weer boven nu ze was opgepakt en meegenomen.

'Is ze grootmoeder?'

'Dat heb ik je toch verteld?' zei Corrigan. Hij stormde naar de laatst overgebleven politiewagen, zwaaiend met de sleutelhanger van Jazz. 'Wat willen jullie hieraan doen?' schreeuwde hij. 'Huren jullie iemand in om voor haar kinderen te zorgen? Wilden jullie dat doen? Wie zorgt er voor haar kinderen? Laten jullie die buiten op straat staan? Jullie arresteren haar moeder en haar!'

'Makker,' zei de agent, 'nog één woord en...'

Ik trok Corrigan hard aan zijn elleboog en sleepte hem mee terug naar de flats. Een ogenblik lang leken de gebouwen onheilspellender zonder de hoeren buiten: de buurt was op slag veranderd, de oude mascottes waren verdwenen.

De lift was weer stuk. Corrigan stoof hijgend de trappen op. Eenmaal binnen, begon hij alle buurtgroepen die hij kende te bellen op zoek naar een advocaat en een oppas voor de kinderen van Jazzlyn. 'Ik weet niet eens waar ze naartoe zijn gebracht,' gilde hij door de telefoon. 'Ze wilden het niet zeggen. De vorige keer waren de cellen vol en werden ze naar Manhattan gestuurd.'

Nog een telefoontje. Hij draaide zijn rug naar me toe en schermde de hoorn met zijn hand af.

'Adelita?' zei hij.

Zijn greep knelde om de telefoon toen hij begon te fluisteren. Hij had de afgelopen paar middagen met haar in haar huis doorgebracht, en telkens als hij thuiskwam was het hetzelfde liedje: hij ijsbeerde door de kamer, trok aan de knopen van zijn hemd, mompelde in zichzelf, probeerde in zijn Bijbel te lezen, op zoek naar iets dat hem kon rechtvaardigen, of misschien op zoek naar een woord dat hem nog erger zou kwellen, naar een pijn die hem weer onder spanning zou zetten. Dat, en ook een soort geluk, een energie. Ik wist niet meer wat ik hem moest aanraden. Geef toe aan je vertwijfeling. Vraag overplaatsing aan. Vergeet haar. Ga verder met je leven. Met de hoeren had hij tenminste geen tijd om te goochelen met ideeën over liefde en verlies – beneden op straat was het louter nemen en nemen. Maar met Adelita was het anders – zij verkocht geen hebzucht of hoogtepunten. *Dit is mijn lichaam, dat voor jullie gegeven wordt.*

Later, rond het middaguur, trof ik Corrigan in de badkamer aan waar hij zich voor de spiegel stond te scheren. Hij was naar de districtsrechtbank van de Bronx geweest, waar de meeste hoeren al waren vrijgelaten vanwege straf gelijk aan voorarrest. Maar er stonden in Manhattan nog aanhoudingsbevelen open voor Tillie en Jazzlyn. Ze hadden samen een klant beroofd, het was een oude zaak. Toch zouden ze allebei naar Manhattan worden overgebracht. Hij trok een fris zwart hemd aan, een donkere broek en ging weer naar de spiegel, plakte zijn lange haar met water naar achteren. 'Nou ja,' zei hij. Hij zette een schaartje in zijn haar en knipte er een centimeter of tien vanaf. Zijn pony was in drie vlotte knippen weg.

'Ik ga erheen om ze te helpen,' zei hij.

'Waarheen?'

'Het paleis van justitie.'

Hij oogde ouder, vermoeider. De kale plek viel na het knippen sterker op.

'Ze noemen het de Tombs, het mausoleum. Ze moeten in Centre Street voorkomen. Luister eens, jij moet mijn dienst bij het verzorgingstehuis overnemen. Ik had Adelita net aan de lijn. Ze weet het al.'

'Ik? Wat moet ik met ze doen?'

'Weet ik veel. Neem ze mee naar het strand of zo.'

'Ik heb mijn baantje in Queens.'

'Doe het voor mij, broer, alsjeblieft ja? Ik bel je later wel.' Hij draaide zich bij de deur om. 'En pas ook goed op Adelita, ja?'

'Oké.'

'Beloof het.'

'Ja, doe ik – ga nou maar.'

Buiten hoorde ik het geluid van de kinderen die Corrigan lachend achterna holden op de trap. Pas toen de stilte in het appartement weer was neergedaald, schoot me te binnen dat hij de bruine bus had meegenomen.

Bij een verhuurbedrijf in Hunts Point gebruikte ik alles wat ik aan fooi had voor de borgsom op een busje. 'Airconditioning,' zei de baliebediende met een idiote grijns. Hij deed alsof hij wetenschappelijke uitleg gaf. Hij had zijn naamkaartje op zijn hart geplakt. 'Rijd er niet te hard mee, hij is gloednieuw.'

Het was zo'n dag dat de zomer op zijn plaats leek te zijn gevallen, niet te warm, bewolkt, een getemd zonnetje hoog aan de hemel. Op de radio zette een dj Marvin Gaye op. Ik zwenkte voorzichtig om een laag-bij-de-grondse Cadillac heen de snelweg op.

Adelita stond bij de hellingplanken van het tehuis te wachten. Ze had haar kinderen mee naar het werk genomen – twee donkere schoonheden. Toen de jongste aan haar uniformjurk trok, bukte Adelita tot op ooghoogte van het kind en kuste haar oogleden. Adelita's haar was van achteren met een lange, kleurige sjaal samengebonden en haar gezicht straalde.

Ik begreep op dat moment precies wat Corrigan wist: ze bezat een innerlijke discipline en ondanks al haar onverzettelijkheid, ook een schoonheid die makkelijk aan de oppervlakte kwam.

Ze glimlachte bij het idee om het strand eens uit te proberen. Ze zei dat het een ambitieus, maar onmogelijk plan was – geen verzekering en het was tegen de regels. Haar kinderen gilden naast haar, trokken aan haar uniform, grepen haar pols. '*No, m'ijo*,' zei ze streng tegen haar zoon. We werkten de procedure van het inladen van alle rolstoelen af en propten de kinderen tussen de stoelen. Er zat straatvuil op de hekken van het park geprikt. We parkeerden het busje in de schaduw van een gebouw. 'Ach, wat kan mij het ook schelen,' zei

Adelita. Ze schoof achter het stuur. Ik liep om langs de achterkant van het busje. Albee keek me door het raampje aan en met een grijns articuleerde hij geluidloos een woord. Ik hoefde niet te vragen welk. Adelita toeterde en ritste de bus het lichte zomerverkeer in. De kinderen juichten toen we de snelweg opreden. In de verte leek Manhattan iets wat opgebouwd was uit blokkendozen.

We kwamen in de verkeersfile naar Long Island terecht. Achter in de bus werd gezongen, de oudjes leerden de kinderen flarden van liedjes, die ze zich zelf niet meer goed herinnerden. *Raindrops keep Falling on my Head. When the Saints Go Marching In. You Should Never Shove your Granny off the Bus.*

Op het strand vlogen Adelita's kinderen naar het water en zetten wij de rolstoelen in de schaduw van het busje. De busschaduw werd kleiner naarmate de zon klom. Albee schoof zijn bretels van zijn schouders en maakte zijn overhemdsknoopjes los. Zijn armen en nek waren uitzonderlijk bruin, maar onder zijn overhemd was zijn huid doorzichtig wit. Het was alsof je naar een tweekleurig beeldhouwwerk keek, alsof hij zijn lichaam voor een schaakpartij wilde prepareren. 'Je broer mag die hoeren wel, hè?' zei hij. 'Als je het mij vraagt is het een stelletje oplichters.' Verder hield hij zijn mond en staarde hij naar de zee.

Sheila zat met haar ogen dicht te glimlachen, haar strooien hoed schuin over haar ogen geschoven. Een oude Italiaan wiens naam ik niet kende – een keurige man in feilloos geperste broek – zat voortdurend zuchtend zijn hoed op zijn knie in en uit te deuken. Schoenen gingen uit. Enkels kwamen bloot. De golven rolden het strand op en de dag glipte van ons weg, zand tussen onze vingers.

Radio's, strandparasols, de prik van zoute lucht.

Adelita liep naar het water waar haar kinderen uitgelaten in de lage branding aan het schoppen waren. Ze trok aandacht als een plotselinge tochtvlaag. Mannen volgden haar overal met hun blikken, de slanke welvingen van haar lichaam tegen het witte uniform. Ze kwam in het zand naast me zitten met haar knieën tegen haar borst gedrukt. Toen ze ging verzitten schoof haar rok iets omhoog: een rode striem op de enkel vlakbij haar tatoeage.

'Bedankt voor het huren van de bus.'

'Ja, is wel goed.'

'Je had het niet hoeven doen.'

'Geen punt.'

'Zit het in de familie?'

'Ik krijg het geld van Corrigan terug,' zei ik.

Er lag een brug tussen ons die bijna geheel uit mijn broer bestond. Ze beschaduwde haar donkere ogen en keek naar de zeerand, alsof Corrigan samen met haar kinderen in de branding had kunnen zijn, in plaats van in een donkere rechtbank om te pleiten voor een stel verloren zaken.

'Hij blijft daar vast dagen proberen om ze vrij te krijgen,' zei ze. 'Dat is al eens eerder gebeurd. Soms denk ik dat ze beter af zouden zijn als ze hun lesje leerden. Mensen worden wel voor minder opgesloten.'

Ik begon haar aardiger te vinden, maar wilde haar opjutten, zien hoe ver ze voor hem wilde gaan.

'Dan zou hij niks meer hebben om naartoe te gaan, hè?' vroeg ik. ''s Nachts. Niks meer om te werken.'

'Misschien wel, misschien niet.'

'Dan zou hij naar jou toe moeten, hè?'

'Ja, wie weet,' zei ze en een wolkje woede schoof over haar gezicht. 'Waarom vraag je me dat?'

'Ik zeg het alleen maar.'

'Ik weet niet wat je zegt,' zei ze.

'Als je hem maar niet aan het lijntje houdt.'

'Ik houd hem niet aan het lijntje,' zei ze. 'Waarom zou ik hem, zoals je dat noemt, aan het lijntje houden? *¿Por qué? Me dice que eso.*'

Haar accent was sterker geworden: het Spaans klonk scherp. Ze liet het zand tussen haar vingers lopen en keek me aan alsof ze me voor het eerst zag, maar de stilte kalmeerde haar en ten slotte zei ze: 'Ik weet echt niet wat ik moet doen. God is wreed, *no*?'

'Die van Corrigan wel, dat zeker. Van de jouwe weet ik het niet.'

'Die van mij staat vlak naast die van hem.'

De kinderen gooiden elkaar in de branding een frisbee toe. Ze

sprongen naar de vliegende schotel, ploften in het water en spetter-
den.

'Ik hou mijn hart vast, weet je,' zei ze. 'Ik mag hem zo graag. Veel
te graag. Hij weet niet wat hij zal doen, begrijp je? En ik wil hem niet
in de weg staan.'

'Ik weet wel wat ik zou doen. Als ik hem was.'

'Maar dat ben je niet, hè?' zei ze.

Ze keek weg en floot naar de kinderen. Ze kwamen door het zand
aangesjokt. Hun lijfjes waren bruin en lenig. Adelita trok Eliana
dicht tegen zich aan en blies voorzichtig het zand van haar oor. Op
een of andere manier, om een of andere reden, zag ik Corrigan in
beide kinderen. Het was alsof hij al door osmose in hen was getrokken. Jacobo kroop ook op haar schoot. Adelita beet zacht in zijn oor
en hij gilde van plezier.

Ze had zich veilig omringd met haar kinderen en ik vroeg me af
of ze dat ook deed met Corrigan, hem inpalmen tot hij voldoende
dichtbij was en zich dan afschermen, het vele binnenhalen tot het te
veel werd. Heel even haatte ik haar en de mate waarin ze het leven
van mijn broer had gecompliceerd en ik voelde een vreemde sym-
pathie voor de hoeren die hem hadden weggeroepen, naar een politiebureau, tussen het ergste uitschot, een verschrikkelijke cel met
ijzeren tralies, muf brood en smerige toiletten. Misschien zat hij zelfs
in het arrestantenhok naast hen. Misschien had hij zich laten arresteren om maar bij hen in de buurt te zijn. Het zou me niet hebben verbaasd.

Hij stond aan de oorsprong van dingen en ik dacht nu mijn broer
te begrijpen – hij was een spleet licht onder de deur en toch was die
deur voor hem gesloten. Alleen stukjes en beetjes van hem zouden
naar buiten lekken en uiteindelijk zou hij opgesloten zitten achter
datgene waarin hij was binnengedrongen. Misschien was het helemaal zijn eigen schuld. Misschien was hij blij met die complicaties:
had hij ze louter geschapen omdat hij ze nodig had om te overleven.

Ik wist toen dat het alleen maar slecht kon aflopen, met haar en
Corrigan, die kinderen. De een of de ander zou verscheurd raken. En
toch, waarom zouden ze niet verliefd zijn, al was het maar voor

even? Waarom zou Corrigan geen leven kunnen hebben in het lichaam dat hem pijn deed, dat het hier en daar liet afweten? Waarom zou hij geen ogenblik verlost mogen zijn van die God van hem? Het was voor hem een martelkamer, die zorgen over de wereld, met ingewikkelde dingen moeten omgaan, terwijl hij zelf eigenlijk gewoon wilde zijn en het eenvoudige wilde doen.

Maar niets was eenvoudig, en vereenvoudiging al helemaal niet. Armoede, kuisheid, gehoorzaamheid – hij was er zijn hele leven trouw aan geweest, maar had geen verweer toen die zich tegen hem keerden.

Ik keek hoe Adelita een elastiekje uit het haar van haar dochter losmaakte. Ze gaf een tikje op haar achterwerk en stuurde haar weer het strand op. In de verte braken de golven.

'Wat deed je man?' vroeg ik.

'Die zat in het leger.'

'Mis je hem?'

Ze keek me indringend aan.

'De tijd heelt niet alles,' zei ze, wegkijkend langs het strand, 'maar wel veel. Ik woon nu hier. Dit is mijn plek. Ik ga niet terug. Als dat je vraag was, ik ga niet terug.'

Het was een blik die deed vermoeden dat ze deel was van een mysterie dat ze niet wou loslaten. Hij was nu van haar. Ze had haar verklaring afgegeven. Er was absoluut geen weg terug meer. Ik herinnerde me Corrigan als jongen, toen alles zuiver en welomlijnd was, toen hij over het strand in Dublin liep, zich verbaasde over de ruwheid van een schelp, of het lawaai van een laag overkomend vliegtuig, of de dakrand van een kerk, de stukken en brokken van wat hij om zich heen als zekerheid zag, geschreven aan de binnenkant van dat sigarettendoosje.

Onze moeder begon haar verhalen altijd graag met een intrigerende zin: 'Er was eens, heel lang geleden, zo lang geleden zelfs dat ik er bij niet kon zijn geweest, en als ik er wel bij was geweest dan kon ik nu niet hier zijn, maar ik ben hier en ik was niet daar, maar ik zal het jullie toch vertellen: Er was eens, heel lang geleden…' waarop ze een verhaal begon van eigen makelij, sprookjes die mijn broer en mij naar verschillende oorden stuurden en als we dan 's morgens wakker werden vroegen we ons af of we verschillende delen van dezelfde droom hadden gedroomd, of van elkaar hadden overgenomen, of dat onze dromen elkaar in een vreemde wereld hadden overlapt en met elkaar van plaats hadden gewisseld, iets wat ik meteen zou hebben gedaan toen ik hoorde van Corrigans klap tegen de vangrail: *Leer me, broer, hoe ik moet leven.*

We hebben zulke dingen allemaal eerder gehoord. De liefdesbrief die aankomt als het theekopje valt. De gitaar die opklinkt als de laatste adem wordt uitgeblazen. Ik schrijf het niet toe aan God of aan gevoelens. Misschien is het toeval. Of misschien is toeval maar een van de manieren waarmee we onszelf willen overtuigen dat we van betekenis zijn.

Maar het feit ligt er dat het is gebeurd en dat we niets konden doen om het tegen te houden – Corrigan die, nadat hij de hele dag in de Tombs en de rechtszalen van Zuid-Manhattan had gezeten, achter het stuur van het busje over de F.D. Roosevelt Drive naar het noorden reed met Jazzlyn naast zich, met haar gele hoge hakken en haar fluorescerende badpak, haar sjaaltje strak rond haar hals, terwijl Tillie wegens beroving werd opgesloten, ze had de straf op zich genomen. Mijn broer bracht Jazzlyn terug naar haar kinderen, die meer waren dan een sleutelring, meer dan een opgegooid prulletje, en ze reden met hoge snelheid langs de East River, omsloten door de gebouwen en schaduwen, toen Corrigan van rijstrook veranderde, misschien had hij de richtingaanwijzer uit, misschien niet, misschien was hij duizelig of moe of niet lekker, misschien had hij een medicijn genomen dat hem trager maakte of zijn gezichtsveld waziger, misschien trapte hij even op de rem, misschien net te hard, misschien zat hij zachtjes een liedje te neuriën, wie weet, maar het verhaal was dat hij van achteren was aangetikt door een protserige auto, een oldtimer, niemand had de chauffeur gezien, een goudkleurig vehikel dat rondreed onder dagelijks applaus van zichzelf, dat de achterkant van zijn bus raakte, een klein duwtje gaf, maar daardoor maakte Corrigan een pirouette over drie rijstroken, als een log, bruin dansend ding dat heel even elegant was, en ik denk nu aan Corrigan die angstig het stuur greep met grote, zachte ogen, terwijl Jazzlyn naast hem gilde en haar lichaam verstijfde, haar nek spande en het allemaal in een flits voor zich zag – haar korte, wrede leven – aan de bus die over het droge wegdek verder schoof, een auto ramde, een krantenwagen ramde en toen frontaal tegen de vangrail langs de snelweg klapte, aan Jazzlyn die met haar hoofd door de voorruit schoot, geen veiligheidsgordel, een lichaam al op weg naar de hemel, aan Corrigan die naar achteren klapte door het stuur dat zijn romp indrukte en zijn borstbeen versplinterde, aan zijn hoofd dat bloederig terugstootte van het vergruisde glas, waarna hij met zo'n kracht in de stoel naar achteren sloeg dat het metalen stoelframe aan stukken brak, duizend pond bewegend staal, de bus nog tollend van de ene naar de andere kant van de weg, aan Jazzlyns lichaam dat, amper gekleed, in een boog door de lucht vloog, tachtig of negentig kilometer per uur en in een verfrommeld hoopje tegen de vangrail sloeg, met een voet omhooggebogen alsof ze een stap naar boven deed, of wilde doen, en het enige dat ze later van haar in de bus vonden was een gele stilettohak, met een Bijbel er schuin tegenaan, uit het handschoenenkastje gevallen, de ene bovenop de andere en allebei overdekt met glas, aan Corrigan, die nog ademend, zo op en neer werd geslingerd en opzij gedreund, dat hij met zijn verwrongen lichaam onderin de donkere kuip van het gas- en het rempedaal terechtkwam, en aan de motor die gierde alsof hij tegelijkertijd wilde versnellen en afremmen, met Corrigans volle gewicht op beide pedalen.

Ze waren er aanvankelijk zeker van dat hij dood was en hij werd samen met Jazzlyn in een ambulance getild. Een bloedhoest waarschuwde een ziekenbroeder. Hij werd naar een ziekenhuis in de East Side gebracht.

God mag weten waar wij waren, op de terugweg, in een ander deel van de stad, op een oprit, in een verkeersopstopping, bij de ingang van de tolweg, doet het ertoe? Er zat een belletje bloed op mijn broers mond. Wij reden verder, zachtjes zingend terwijl de kinderen op de stoelen achterin zaten te soezen. Albee had voor zichzelf een probleem opgelost. Hij noemde het een wederzijds schaakmat. Mijn broer werd in een ziekenwagen geschoven. We hadden niets kunnen doen om hem te redden. Geen woord had hem terug kunnen halen. Het was een zomer van sirenes geweest. Die van hem was er een van. De lichten zwaaiden. Ze brachten hem naar het Metropolitan Hospital, spoedafdeling. Sprintten met hem door de bleekgroene gangen naar binnen. Bloed op de grond achter hem. Twee dunne sporen van de achterste brancardwielen. Een heksen-ketel. Ik zette Adelita en haar kinderen af voor hun met planken beschoten huisje. Ze keek me over haar schouder na, zwaaide. Ze lachte. Ze was van hem. Ze zou bij hem passen. Ze was oké. Hij zou zijn God samen met haar vinden. Mijn broer werd een triagekamer binnengereden. Geschreeuw en gefluister. Een zuurstofmasker over zijn gezicht. Borstkas opengereten. Een ingeklapte long. Dikke slan-gen werden ingebracht om hem te laten ademen. Een zuster met een handbediende bloeddrukmanchet. Ik schoof achter het stuur van mijn bus en zag het licht in Adelita's huis aangaan. Ik zag haar gestalte tegen de vitrage tot de overgordijnen werden dichtgetrok-ken. Ik startte de motor. Ze hielden hem in extensie met contra-gewichten boven het bed. Een beademingsapparaat naast zijn bed. De vloer zo glibberig van het bloed dat de co-assistenten hun voeten moesten vegen.

Ik reed onwetend verder. Er zaten gaten en kuilen in de straten van de Bronx. Het oranje en grijs van brandstichting. Op de hoeken dansten kinderen. Onophoudelijk bewegende lijfjes. Alsof ze iets heel nieuws in zichzelf hadden ontdekt, schudden ze die als een soort geloof door elkaar. De kamer werd schoongemaakt terwijl ze röntgenfoto's namen. Ik zette mijn busje onder de brug waar ik het grootste deel van mijn zomer had doorgebracht. Hier en daar stond die avond een meisje dat de razzia had ontlopen. Een paar zwalu-wen zigzagden onder de viaductbalken vandaan. Bezaaiden de lucht. Ze riepen niet naar me. In het Metropolitan Hospital ademde mijn broer nog. Ik moest eigenlijk naar mijn werk in Queens, maar ik stak de weg over. Ik had geen idee van wat er aan het gebeuren was. Het bloed dat zijn longen vulde. Naar het kroegje. De jukebox schetterde. De Four Tops. Intraveneuze slangen. Martha and the

Vandellas. Zuurstofmaskers. Jimi Hendrix. De artsen droegen geen handschoenen. Ze stabiliseerden hem. Gaven hem een morfine-injectie. Rechtstreeks in zijn spier. Vroegen zich af wat die blauwe plekken aan de binnenkant van zijn arm waren. Hielden hem aanvankelijk voor een junk. Volgens de berichten was hij binnengebracht met een dode hoer. Ze vonden een scapuliermedaille in zijn broekzak. Ik verliet de kroeg en stak halfdronken de nachtelijke boulevard over.

Een vrouw riep me. Het was niet Tillie. Ik reageerde niet. Donkerte. Op de binnenplaats waren een paar kinderen high, ze speelden basketbal zonder bal. Iedereen werkte aan herstel. De eenzame lichtjes van de hartmachine piepten. Een zuster boog zich over hem heen. Hij fluisterde iets. Welke laatste woorden? *Maak deze wereld donker. Verlos me. Geef me liefde, Heer, maar nu nog niet.* Ze namen zijn masker af. Ik was eindelijk op de vierde verdieping van de flat. Buiten adem van de trappen. Corrigan lag op de ziekenkamer in de benauwde ruimte van zijn eigen gebed. Ik leunde tegen de deur van het appartement. Iemand had geprobeerd het goudkleurige telefoonslot open te wrikken. Er lagen hier en daar wat boeken op de vloer. Er viel niets te halen. Misschien zweefde hij weg en weer terug, weg en terug, weg en terug. Tests om te zien hoeveel bloed hij had verloren. Weg en terug. Weg en terug. De klop op de deur kwam om twee uur in de ochtend. Er waren er niet veel die klopten. Ik riep dat ze binnen konden komen. Ze duwde de deur langzaam open. De hartmachine van mijn broer in trage galop. Weg en terug. Ze had een lippenstift in haar hand. Dat herinner ik me. Geen meisje dat ik kende. Jazzlyn heeft een auto-ongeluk gehad, zei ze. Misschien haar vriendin. Geen hoer. Bijna terloops. Met een licht schouderophalen. Terwijl de lippenstift over haar mond ging. Een felrode jaap. De hartmachine van mijn broer knipperde. De lijn als water. Keerde niet naar enige eerdere plek terug. Ik stormde de deur uit. Langs de graffiti. De stad ging er nu in gekleed, in de wervelingen, de kronkels, de dampen van verse verf.

Ik stopte voor Adelita's huis. O jezus, zei ze. De schrik in haar ogen. Ze trok een jack over haar nachtpon aan. Ik neem de kinderen mee, zei ze. Ze duwde ze in mijn armen. De taxi scheurde weg, knipperlichten aan. In het ziekenhuis zaten haar kinderen in de wachtkamer. Tekenen met kleurpotlood. Op krantenpapier. We renden op zoek naar Corrigan. O, zei ze. O. O, God. Overal zwaaiden deuren open. En weer dicht. Het tl-licht boven ons. Corrigan lag in een kleine monnikachtige cel. Een dokter deed de deur voor onze neus dicht. Ik ben verpleegster, zei Adelita. Alstublieft, alstublieft, laat me bij hem, ik moet hem zien. De dokter draaide zich schouderophalend om. O God. O. We trokken twee eenvoudige houten stoelen bij zijn bed. Leer me wie ik zou kunnen zijn. Leer me wat ik kan worden. Leer me.

De dokter kwam binnen, klembord tegen zijn borst. Hij sprak zachtjes over inwendige kwetsuren. Een heel nieuwe traumataal. De elektrocardiograaf piepte. Adelita boog zich naar hem toe. Hij zei iets in zijn morfinewaas. Hij had iets moois gezien, fluisterde hij. Ze kuste zijn voorhoofd. Haar hand op zijn pols. De hartmonitor knipperde. Wat zegt hij? vroeg ik haar. Buiten het geklak van wielen op de gang. De gillen. De snikken. Het vreemde gelach van co-assistenten. Corrigan fluisterde weer iets tegen haar, met bloed borrelend op zijn mond. Ik tikte op haar onderarm. Wat zegt hij? Wartaal, zei ze, hij praat wartaal. Hij hallucineert. Haar oor nu tegen zijn mond. Wil hij een priester? Is dat wat hij wil? Ze keek me aan. Hij zegt dat hij iets moois heeft gezien. Wil hij een priester? schreeuwde ik. Corrigan tilde weer zijn hoofd iets op. Adelita boog zich naar hem toe. Haar bevochten kalmte. Ze huilde zachtjes. O, zei ze, zijn voorhoofd is koud. Zijn voorhoofd is heel koud.

Miró, Miró, aan de wand

Van buiten, de geluiden van Park Avenue. Rustig. Ordelijk. Beheerst. Toch gieren de zenuwen door haar keel. Straks zal ze de vrouwen ontvangen. Het vooruitzicht veroorzaakt een kleine knoop onderin haar ruggengraat. Ze brengt haar handen naar haar ellebogen, wiegt haar onderarmen. De wind speelt door de vitrage voor het raam. Alençonkant. Handgemaakt, frivolité met zijden garneersel. Ze nooit dol geweest op Franse kant. Had liever een gewone stof gehad, een lichte voile. De kant was Solomons idee, lang geleden. De essentie van een huwelijk. De goede lijm. Hij had haar vanochtend ontbijt gebracht, op het blad met de drie handgrepen. Croissant, lichtgeglaceerd. Kamillethee. Een schijfje citroen erbij. Hij was zelfs in zijn pak op bed komen liggen, had haar haar gestreeld. Haar gekust voor hij vertrok. Solomon, wijze Solomon, aktetas in zijn hand, op naar het centrum. Zijn licht schommelende gang. Het klakken van zijn gepoetste schoenen op de marmeren vloer. De diepe brom van zijn groet. Niet bot, gewoon schor. Soms is er ineens het besef: dat is mijn man. Daar gaat hij. Precies zoals hij al eenendertig jaar gaat. En dan viel er een soort stilte. Wegebbende geluiden, de klik van het slot, de doffe bel, de liftbediende – *Môge, meneer Soderberg!* – het janken van de deur, het ratelen van machinerie, het zachte zoemen van de afdaling, het kletterend stoppen in de benedenhal, de rondzang van opstijgende kabels.

Ze trekt de gordijnen opzij en tuurt weer uit het raam, ziet net de slip van Solomons grijze pak als hij in een taxi verdwijnt. Het kleine kale hoofd duikt. De klap van het gele portier. Het verkeer in en weg is hij.

Hij weet niet eens van de bezoeksters – ze zal het hem wel een keer vertellen, maar nog niet, kan geen kwaad. Misschien vanavond. Aan tafel. Kaarsen en wijn. *Raad eens, Sol.* Als hij in de stoel zit, vork in de aanslag. *Raad eens.* Zijn lichte zucht. *Zeg het maar, lieve Claire. Ik heb een lange dag achter de rug.*

Soepel uit haar nachtjapon. Haar lichaam in de lange spiegel. Een beetje bleek met rimpeltjes, maar die verdwijnen nog steeds met rekken. Ze gaapt, steekt haar handen ver omhoog. Lang, nog slank, gitzwart haar, één grijze dassenstreep op haar slaap. Tweeënvijftig jaar. Ze haalt een vochtige doek over haar haar en borstelt het met een houten kam. Houdt haar hoofd schuin en perst het haar in de lengte tussen haar handen. Het klit bij de gespleten punten. Moet nodig geknipt. Ze plukt de kam schoon en gooit de losse haren in de pedaalemmer. Ze zeggen dat het haar van de doden nog doorgroeit. Een eigen leven begint. Daar beneden, tussen al het andere afval: tissues, lippenstiften, tandpastadopjes, allergiepillen, eyeliner, hartmedicijn, jeugd, nagelknipsels, tandzijde, aspirine, verdriet.

Maar hoe kan het dat juist de grijze haren er nooit uitkomen? Achter in de twintig vond ze het vreselijk toen de dassenstreep plotseling opkwam en ze verfde hem, verhulde hem, knipte hem weg. Nu is hij kenmerkend voor haar, die elegante, vlotte strook grijs langs haar slaap.

Een weg in mijn haar. Niet inhalen.

Van alles te doen. Huphup. Toilet. Tandenpoetsen. Een vleugje make-up. Wat rouge. Beetje eyeliner en een tipje lippenstift. Nooit zo een geweest die uren aan haar make-up besteedde. Bij de kasten staat ze stil. Bh en slip in eenvoudig beige. Haar lievelingsjurk. Bleek blauwgroen schelpendessin in zijdezeefdruk. A-lijn. Mouwloos. Net boven de knie. Strikjes op de splitten. Rits op de rug. Modieus én feministisch. Niet te chique of opschepperig, maar eigentijds, bescheiden, goed.

Ze trekt de zoom iets op. Steekt haar voet naar voren. Benen die glanzen, zei Solomon jaren geleden. Ze had hem eens gezegd dat hij vree als een gehangene, stijf maar dood. Een grapje dat ze bij een voorstelling van Richard Pryor had gehoord. Ze was er in haar eentje binnengeglipt, met de perskaart van een vriendin. Voor één keertje. Vond de voorstelling noch te gewaagd noch vervelend. Maar Solomon mokte nog een week – drie dagen vanwege de grap, vier dagen omdat ze uitgerekend naar die voorstelling was gegaan. *Vrouwenemancipatie*, zei hij, *dat is je verstand met je bh weggooien*. Kleine lieverd. Verslingerd aan goede wijn en martini's. Het laatste schiereilandje haar op zijn hoofd. Heeft 's zomers zonblok nodig. Sproeten op zijn kale knikker. Zijn jongenszomers nog in zijn oogopslag. Toen ze elkaar op Yale leerden kennen had hij een flinke kuif, die blond en dik voor zijn oog hing. Als jonge advocaat wandelde hij over de smalle paden van Hartford, nota bene met Wallace Stevens, beide mannen in mouwloos shirt. *It did not give of bird or bush / Like nothing else in Tennessee*. Bij haar thuis bedreven ze de liefde in het hemelbed. Lagen ze op de lakens terwijl hij steeds gedichten in haar oor probeerde te fluisteren. Hij had de versregels maar zelden goed in zijn hoofd. Toch was het een sensueel wonder, zijn lippen tegen de punt van haar oor, de zijkant van haar hals, omlaag naar haar sleutelbeen, de gloed van enthousiasme die van hem uitging. Het bed bezweek op een nacht onder hun capriolen. Tegenwoordig gebeurt het niet vaak, maar vaak genoeg, en nog steeds grijpt ze zijn haar op zijn achterhoofd vast. Niet zo houterig meer. Het eind van het steeltje waar ooit de vrucht zat. De boeven in de rechtszaal houden zich koest totdat ze het vonnis horen, dan komt de mokerslag en schreeuwen ze moord en brand en schelden hem stampvoetend uit voor rotte vis. Ze gaat niet meer met hem mee naar de met donker hout gelambriseerde zaal om te kijken, waarom beledigingen verduren? *Hé Kojak! Who loves ya, baby*? In de raadkamer hangt een foto van haar, aan het strand met Joshua, een jongetje nog, tegen elkaar leunend, moeder en zoon, de hoofden samen, de eindeloze duinen achter hen met helm begroeid.

Ze voelt een klein geruis onder haar ribben, een prop lucht. Joshua. Geen naam voor een jongen in uniform.

De halsband met een fantoomhand. Soms gebeurt het. Voelt ze een kleine bloedstuwing naar de keel. Een klem om haar luchtpijp. Alsof iemand haar een moment de adem afknijpt. Ze keert zich naar de spiegel, zijwaarts, dan frontaal, weer zijwaarts. De amethist? De armbanden? Het dunne leren halssnoer dat ze van Joshua kreeg toen hij negen was? Hij had een rood lint op de bruine verpakking getekend. Met kleurpotlood. *Hier mammie*, zei hij, rende toen weg en verstopte zich. Ze heeft het jaren gedragen, voornamelijk in huis. Heeft het twee keer vast moeten stikken. Maar niet nu, niet vandaag, nee. Ze stopt het terug in de la. Te veel. Een halssnoer is sowieso te gekleed. Ze krijgt de kriebels van haar spiegelbeeld. Oliecrisis, gijzelingscrisis, halssnoercrisis. Ik zou liever een algoritmisch probleem oplossen. Dat was haar specialiteit. Studententijd. Een van de slechts drie vrouwen op de wiskundefaculteit. Ze werd aangezien voor de secretaresse als ze door de gangen liep. Moest met neergeslagen ogen verder. Een vrouw van twee schoenen. Kende de vloer goed. De eigenaardigheden van tegels. Waar de plinten stuk gingen.

We vinden, net als tussen oude juwelen, de vervlogen dagen van ons leven.

Oorbellen dan? Oorbellen. Een paar kleine schelpjes, twee zomers geleden in Mystic gekocht. Ze schuift het zilveren staafje in het gaatje. Keert zich naar de spiegel. Vreemd om haar gedraaide hals te zien. Niet van mij. Niet die hals. Tweeënvijftig jaar in datzelfde vel. Ze steekt haar kin naar voren en haar huid trekt strak. Zinloos maar beter. De oorbellen tegen haar jurk. Schelpen bij schelpen. Helpen, stelpen? Ze gooit ze in het juwelenkistje en rommelt verder. Werpt een blik op de toilettafelklok.

Vlug vlug.

Bijna tijd.

Ze is de afgelopen acht maanden naar vier woningen geweest. Allemaal eenvoudig, schoon, gewoon, prettig. Staten Island, de Bronx, twee in de Lower East Side. Nooit enige drukte. Gewoon een bijeenkomst van moeders. Meer niet. Maar hun mond viel open toen ze hun uiteindelijk haar adres vertelde. Ze had het een tijd weten te vermijden, totdat ze naar Gloria's flatje in de Bronx gingen. Een rij huurkazernes. Ze had nog nooit zoiets gezien. Brandplekken op de buitendeuren. De stank van boorzuur in het portaal. Naalden in de lift. Ze was doodsbenauwd. Ze ging omhoog naar de tiende verdieping. Een metalen deur met vijf sloten. Toen ze aanklopte, trilde de deur in zijn hengsels. Maar binnen blonk het flatje. Aan het plafond hingen twee enorme luchters, goedkoop maar alleraardigst. Het licht verjoeg de schaduwen uit de kamer. De andere vrouwen waren er al, ze lachten naar haar vanaf de diepe, bultige bank. Ze begroetten elkaar met luchtzoenen, allemaal, en de ochtend verliep ongemerkt. Ze vergaten zelfs waar ze waren. Gloria redderde, verwisselde onderzetters, verruilde servetten, zette voor de rokers ramen op een kier, liet hun de kamer van haar zoons zien. Ze had drie jongens verloren, stel je voor – drie! – arme Gloria. De fotoalbums puilden uit van herinneringen: haarmodes, hardloopwedstrijden, diploma-uitreikingen. De honkbalbekers gingen van hand tot hand de kamer door. Het was alles bij elkaar een fijne ochtend, en het ging vanzelf, vanzelf. En toen klikte de klok op de verwarming naar twaalf en kwam het gesprek op de volgende keer. *Nou, Claire, nu is het jouw beurt.* Ze kreeg het gevoel dat ze een mond vol krijt had. Ze slikte haar woorden bijna in toen ze begon. Alsof ze zich verontschuldigde. Keek al die tijd naar Gloria. *Nou, ik woon op Park, bij 76th Street.* Er viel een stilte. *Je neemt de zes.* Dat had ze gerepeteerd. En toen zei ze: *De trein.* En toen: *De ondergrondse.* En toen: *Bovenste verdieping.* Het kwam er allemaal nogal ongelukkig uit, zoals ze het zei, alsof de woorden niet goed op haar tong pasten. *Woon je op Park?* zei Jacqueline. Weer stilte. *Dat is niet gek*, zei Gloria, met een glinstertje op haar lippen waar ze had gelikt, alsof daar iets weggehaald moest worden. En Marcia, de ontwerpster uit Staten Island, sloeg haar handen in elkaar. *Thee bij de koningin!* zei ze, schertsend, absoluut niet hatelijk, maar het voelde toch even als een kloppende wond.

Claire had hun op hun eerste bijeenkomst verteld dat ze in de East Side woonde, meer niet, maar ze moeten het hebben geweten, ook al droeg ze een lange broek en sportschoenen, geen enkel sieraad, toch moeten ze allemaal hebben vermoed dat het de *Upper* East Side was, en toen boog Janet, de blondine, zich naar voren en deed ook een duit in het zakje: *Gut, we wisten niet dat je zó hoog woonde.*

Zó hoog. Alsof het om een beklimming ging. Alsof ze zich naar boven moesten werken om er te komen. Touwen en helmen en karabijnhaken.

Ze had zich ontzettend slap gevoeld. Alsof er lucht in haar knieholten zat. Alsof ze probeerde op te scheppen. Hun er met de neus op te drukken. Haar hele lichaam zwaaide. Ze hakkelde. *Ik ben in Florida opgegroeid. Het is eigenlijk heel klein. De leidingen zijn een ramp. Het dak is een grote bende.* Ze wilde net zeggen dat ze geen hulp had – niet *bedienden*, ze zou nooit *bedienden* hebben gezegd – toen Gloria, lieve Gloria, zei: *Jezusmina, Park Avenue, daar ben ik alleen een keer met Monopoly geweest!* En ze moesten allemaal lachen. Met hun hoofd achterover voluit schateren. Het gaf haar de gelegenheid om een slokje water te nemen. Er een glimlach uit te persen. Even adem te halen. Ze konden niet wachten. *Park Avenue! Lieve hemel, is dat niet paars?* Nou, het was niet paars. Park Place was paars, maar Claire hield haar mond, waarom zou ze opscheppen? Ze vertrokken gezamenlijk, behalve Gloria natuurlijk. Gloria zwaaide vanuit haar raam op de tiende. Haar bedrukte jurk tegen de raamstangen voor haar borst. Ze zag er zo verloren en lief uit daarboven. Het was de tijd van de vuilnismannenstaking. Ratten over het afval. Tippelaarsters onder het viaduct. In hotpants en topjes, zelfs in de sneeuwbuien. Stonden voor de kou te schuilen. Renden de weg op als er vrachtwagens aankwamen. Witte ademwolkjes uit hun mond. Vreselijke stripballoons. Claire wilde weer snel naar boven om Gloria mee te nemen, haar uit die afschuwelijke bende halen. Maar terug naar de tiende verdieping was uitgesloten. Wat kon ze zeggen? Kom, Gloria, je mag door, ontvang tweehonderd, verlaat de gevangenis zonder boete.

Ze liepen dicht opeen naar de ondergrondse, vier blanke vrouwen die hun handtas net iets te krampachtig vasthielden. Zouden maatschappelijk werksters kunnen zijn geweest. Stuk voor stuk keurig gekleed, maar niet té. Ze wachtten in glimlachend stilzwijgen op de trein. Janet tikte zenuwachtig met haar schoen. Marcia werkte haar mascara bij in een spiegeltje. Jacqueline schudde haar lange rode

95

haar naar achteren. De trein kwam, een stortvloed van kleur in grote, kolkende wervelingen, en ze schoten naar binnen. Het was zo'n wagon die van onder tot boven was bedekt met grafitti. Zelfs de ramen waren dichtgeklad. Niet bepaald een Picasso op wielen. Ze waren de enige blanke vrouwen in de coupé. Niet dat ze het erg vond om de ondergrondse te nemen. Ze was alleen niet van plan hun te vertellen dat het pas haar tweede keer was. Maar niemand zat naar hen te loeren, of zei iets vuils. Ze stapte bij 68th Street uit zodat ze kon lopen, een luchtje scheppen, alleen kon zijn. Wandelend over de avenue vroeg ze zich af waarom ze eigenlijk ooit met hen in zee was gegaan. Ze waren allemaal zo verschillend, hadden zo weinig met elkaar gemeen. Maar toch mocht ze hen allemaal graag, werkelijk waar. Vooral Gloria. Ze had niets tegen wie dan ook, waarom zou ze? Ze had een hekel aan die manier van praten. In Florida had haar vader een keer aan tafel gezegd: *Ik mag negers wel, absoluut, ik vind dat iedereen er een zou moeten aanschaffen.* Ze was van tafel gerend en twee dagen op haar kamer gebleven. Haar eten werd onder de deur door geschoven. Nou ja, niet eronderdoor. Aangegeven om een hoekje van de deur. Zeventien en op het punt naar de universiteit te gaan. *Zeg pappa dat ik niet beneden kom voordat hij zijn excuses heeft aangeboden.* En dat deed hij. Kloste de statige trap op. Hield haar in zijn grote ronde, zuidelijke armen en noemde haar modern.

Modern. Als een attribuut. Een schilderij. Een Miró.

Het is trouwens maar een appartement. Een appartement. Meer niet. Tafelzilver en porselein en ramen en lijstwerk en keukengerei. Dat is het. Meer niet. Praktisch. Eenvoudig genoeg. Wat zou het meer moeten zijn? Niets. Laat ik je zeggen, Gloria, de scheidsmuren tussen ons zijn maar heel dun. Een schreeuw en ze vallen allemaal om. Lege brievenbussen. Niemand schrijft me. De vereniging van eigenaren is een nachtmerrie. Hondenhaar in de wasmachines. Portier beneden met zijn witte handschoenen en gekreukte broek en epauletten, maar onder ons gezegd en gezwegen, hij gebruikt geen deodorant.

Een vluchtige rilling schiet door haar heen: de portier.

Zou hij ze te veel vragen stellen? Wie is het vandaag? Melvyn toch? De nieuwe? Woensdag. Melvyn, ja. Stel dat hij ze voor werksters aanziet? Dat hij ze de dienstlift wijst? Ik moet naar beneden bellen en hem waarschuwen. Oorbellen! Ja. Oorbellen. Opschieten nu. Onder in het kistje, een oud paar, eenvoudige zilveren knopjes, zelden gedragen. Het staafje ietsje roestig, maar vooruit. Ze bevochtigt de pinnetjes een voor een in haar mond. Ziet zichzelf weer in de spiegel. De jurk met schelpenmotief, het schouderlange haar, de dassenstreep. Ze werd een keer aangezien voor de moeder van een jonge intellectueel, die op de televisie over fotografie had gepraat: het gevangen moment, de provocerende kunst. Zij had ook zo'n dassenstreep. *Foto's houden de doden levend,* had die vrouw gezegd. Niet waar. Veel en veel meer dan foto's. Veel en veel meer.

Ogen al meteen een beetje vochtig. Niet goed. Kom op, Claire. Ze grijpt naar de tissues achter de glazen beeldjes op de toilettafel, droogt haar ogen. Rent naar de gang, pakt de oude telefoonhoorn op.

'Melvyn?'

Ze belt opnieuw. Misschien staat hij buiten te roken.

'Melvyn?!'

'Ja, mevrouw Soderberg?'

Zijn kalme, vlakke stem. Welsh of Schots, ze heeft het hem nooit gevraagd.

'Ik krijg vanmorgen een paar vriendinnen te dineren.'

'Ja, mevrouw.'

'Ze komen ontbijten, bedoel ik.'

'Ja, mevrouw Soderberg.'

Ze strijkt met haar vingers over de donkere lambrisering van de gang. *Dineren?* Zei ik werkelijk *Dineren?* Hoe kon ik *Dineren* zeggen?

'Zorg je dat je ze goed ontvangt?'

'Natuurlijk, mevrouw.'

'Er komen er vier.'

'Ja, mevrouw Soderberg.'

Geadem in de hoorn. Dat donsje rode snor boven zijn lip. Had moeten vragen waar hij vandaan kwam toen hij hier kwam werken. Onbeleefd zoiets niet te doen.

97

'Verder nog iets, mevrouw?'

Nog onbeleefder het nu te vragen.

'Melvyn? De goede lift.'

'Natuurlijk, mevrouw.'

'Dank je.'

Ze legt haar hoofd tegen de koele muur. Ze had helemaal niets moeten zeggen over een goede of verkeerde lift. Een *bushe*, een misser, zou Solomon hebben gezegd. Nu zit Melvyn daar als verstijfd beneden en dan zet hij ze in de verkeerde. *De lift rechts van u, dames. Stapt u maar in.* Ze voelt haar wangen gloeien van schaamte. Maar ze had wel het woord *Dineren* gebruikt, hè? Dat kan hij moeilijk misverstaan. *Dineren* in plaats van ontbijt. O, jee.

Het al te scrupuleuze leven, Claire, is geen leven.

Ze staat zichzelf een glimlach toe en loopt door de gang terug naar de woonkamer. De bloemen op hun plek. De zon weerkaatst op het witte meubilair. De Miró-prent boven de bank. De asbakken staan op strategische plekken. Hopen dat ze binnen niet roken. Solomon haat roken. Maar ze roken allemaal, zelfs zij. Het is de stank waar hij niet tegen kan. De peukenlucht. Nou ja. Misschien doet ze wel met ze mee, paft ze een eind weg, dat schoorsteentje, die kleine holocaust. Verschrikkelijk woord. Had het als kind nooit gehoord. Ze was presbyteriaans opgevoed. Een klein schandaal toen ze trouwde. Haar vaders bulderende stem. *Hij is een wat? Een jidje? Uit New England?* En de arme Solomon maar met zijn handen op zijn rug uit het raam staren, zijn das rechttrekken, rustig blijven, de beledigingen verduren. Maar toch namen ze Joshua elke zomer mee naar Florida, naar de randen van het Lochloosameer. Met z'n drieën wandelen door de mangoboomgaarden, hand in hand, Joshua in het midden, één, twéé, húpsakeeee.

Daar in het buitenhuis had Joshua piano leren spelen. Vijf jaar oud. Hij ging op de houten kruk zitten, liet zijn vingers heen en weer over de toetsen glijden. Toen ze in de stad terug waren regelden ze lessen in het souterrain van het Whitney. Recitals met een strikje om. Zijn blauwe blazertje met gouden knopen. Zijn haar met een scheiding rechts. Hij vond het geweldig om het gouden pedaal met zijn voet in te drukken. Zei dat hij met de piano het hele eind naar huis wilde rijden. Vroem vroem. Ze gaven hem op zijn verjaardag een Steinway en op zijn achtste speelde hij voor het eten Chopin. Met een cocktail in de hand zaten ze op de bank te luisteren.

Goede tijden, ze duiken uit de gekste hoeken op.

Ze pakt haar verstopte sigaretten onder het deksel van de piano-kruk vandaan en loopt naar de achterkant van het appartement, duwt met een zwaai de zware deur open. Was vroeger de dienst-meideningang. Lang geleden, toen dat nog bestond: dienstmeiden en gescheiden ingangen. De achtertrap op. Ze is de enige in het gebouw die ooit gebruikmaakt van het dak. Duwt de branddeur open. Geen alarm. De hitte slaat van de donkere dakbedekking af. De vereniging van eigenaren heeft jaren geprobeerd een terras op het dak te krijgen, maar Solomon had geprotesteerd. Wil geen voet-stappen boven zijn hoofd. Of rokers. Daar is hij mordicus tegen. Vindt de stank verschrikkelijk. Solomon. Goeie, lieve man. Zelfs in zijn dwangbuis.

Ze staat in de deuropening en neemt een lange trek, wappert een wolkje rook de lucht in. Het voordeel van een bovenetage. Ze wei-gert het een penthouse te noemen. Daar zit iets wellustigs in. Iets van glamour en woonbladen-poeha. Ze heeft een rijtje bloempotten op het zwarte teersteenslag van het dak gezet, in de schaduw van de muur. Meer gedoe dan ze soms waard zijn, maar ze houdt ervan om ze 's morgens te begroeten. Polyantha's en een paar verwilderde theerozen.

Ze buigt zich over de rij potten. Een geel vlekje op de bladeren. Ze ploeteren de zomer door. Ze tikt de as naast haar voeten af. Een aan-genaam windje uit het oosten. Een vleugje rivier. De televisie voor-spelde gisteren lichte kans op regen. Geen spoortje. Een paar wol-ken, meer niet. Hoe vullen die zich, de wolken? Zo'n klein wonder, regen. *Het regent op de levenden en de doden, mamma, alleen hebben de doden betere paraplu's.* Misschien kunnen we met z'n vieren, nee, vij-ven, onze stoelen naar boven sjouwen, ons gezicht naar de zon keren. In de zomerse rust. Gewoon er zijn. Joshua hield van de Beatles, luisterde er altijd naar op zijn kamer, je hoorde het lawaai zelfs door die grote koptelefoon waar hij gek op was. *Let it Be.* Mal liedje eigenlijk. Als je het laat zijn, komt het terug. Dat is de echte waarheid. Als je het laat zijn, sleurt het je omlaag. Als je het laat zijn, kruipt het langs je muren omhoog.

Ze neemt weer een trek van de sigaret en kijkt over de muur. Een moment van hoogtevrees. De sloot gele taxi's langs de straat, het kruipend groen in de middenberm van de avenue, de pas geplante jonge boompjes.

Weinig te beleven op Park. Iedereen is naar zijn zomerhuis. Is Solomon faliekant tegen. Stadsjongen. Houdt van de late uurtjes. Zelfs in de zomer. Zijn zoen van vanmorgen deed me goed. En zijn eau de colognegeur. Dezelfde als die van Joshua. O, de dag dat Joshua zich voor het eerst schoor. O, die dag! Zijn gezicht dik onder het schuim. Zo heel voorzichtig met het scheermes. Maakte een laan over zijn wang, maar sneed zich in zijn hals. Scheurde een stukje van zijn vaders *Wall Street Journal* af. Likte eraan en plakte het op de wond. Een beurspagina stolde zijn bloed. Liep een uurlang met het papiertje op zijn hals. Hij moest het nat maken om het eraf te krijgen. Ze had glimlachend bij de badkamerdeur gestaan. Mijn stoere grote jongen scheert zich. Lang geleden, lang geleden. De eenvoudige dingen keren naar ons terug. Ze wachten een tijdje onder je ribben en plotseling grijpen ze naar je hart en draaien het een slag terug.

Geen krant was groot genoeg om hem in Saigon weer aan elkaar te plakken.

Ze neemt nog een diepe haal, laat de rook in haar longen hangen – ze heeft ergens gehoord dat sigaretten goed zijn tegen verdriet. Een lange trek en je vergeet hoe je moet huilen. Het lichaam heeft het te druk met het vergif. Geen wonder dat ze ze gratis aan de soldaten uitdeelden. Lucky Strikes.

Ze ontdekt een zwarte vrouw op de hoek, die zich afwendt. Groot met zware boezem. In een bloemetjesjurk. Misschien Gloria wel. Maar helemaal alleen. Waarschijnlijk een huishoudhulp. Je weet het nooit. Ze zou dolgraag naar beneden rennen, naar de hoek lopen en haar oppakken, Gloria, haar favoriet van de vier, haar in haar armen nemen, mee terugbrengen, in een stoel zetten, koffie voor haar maken, met haar praten, lachen en fluisteren en bij haar horen, gewoon bij haar horen. Meer hoeft ze niet. Ons clubje. Ons kleine intermezzo. Lieve Gloria. Elke nacht en elke dag daarboven in haar torenflat. Hoe kon ze daar in hemelsnaam leven? Die rasterhekken. Die rondwaaiende rommel. Die vreselijke stank. Al die jonge meisjes die daarbuiten hun lichaam verkopen. Die eruitzien alsof ze zo achterover kunnen vallen en hun ruggengraat als matras gebruiken. En die branden tegen de lucht, ze zouden het Dresden moeten noemen en er een eind aan maken.

Misschien zou ze Gloria in dienst kunnen nemen. Haar binnenhalen. Allerlei klusjes in huis. De kleine dingetjes. Ze zouden dagen samen aan de keukentafel kunnen zitten, stiekem een paar gin-tonicjes maken en de uren gewoon laten vervliegen, zij en Gloria, genoeglijk en op hun gemak, ja, Gloria in excelsis deo.

Beneden op straat gaat de vrouw de hoek om en is verdwenen.

Claire trapt de sigaret uit en loopt onzeker naar de dakdeur terug. Een beetje duizelig. De wereld maakte even slagzij. De trap af met tollend hoofd. Joshua heeft nooit gerookt. Misschien heeft hij een sigaretje gevraagd op weg naar de hemel. Hier is mijn duim en hier is mijn been en hier is mijn keel en hier is mijn hart en hier is een long en, vooruit, laten we ze allemaal bij elkaar halen voor een allerlaatste Lucky Strike.

Weer door de dienstmeideningang terug in huis, hoort ze de klok in de woonkamer slaan.

Naar de keuken.

Licht in het hoofd, nu. Even ademhalen.

Wie heeft een doctoraal nodig om water te koken?

Ze loopt onvast door de gang terug naar de keuken. Marmeren aanrechtblad, kasten met gouden hengsels, een hoop witte apparaten. De anderen hadden bij het begin van de koffieochtenden een regel ingesteld: de bezoeksters brengen de bagels, cakejes, kaasbroodjes, vruchten, koekjes, krakelingen mee. De gastvrouw zorgt voor de thee en de koffie. Een mooie verdeling zo. Ze had overwogen om een heel blad lekkers te bestellen bij William Greenberg op Madison Avenue, petitfourtjes, en pecanringen en galletjes en croissants, maar dan zou ze baas boven baas, bazin, wat dan ook, spelen.

Ze draait de vlam onder het water hoog. Een kleine wereld van belletjes en vuur. Goed gebrande Franse koffie. Instantgenot. Moet je tegen de Vietcong zeggen.

Een rij theezakjes op het aanrecht. Vijf schoteltjes. Vijf kopjes. Vijf lepeltjes. Misschien de koetjesroomkan voor een vleugje humor. Nee, te veel. Te afwijkend. Maar mag ik niet lachen in hun bijzijn? Had dokter Tonnemann me niet gezegd dat ik moest lachen?

Doe dat vooral, alsjeblieft, lach.

Lachen, Claire. Gooi het eruit.

Een goede dokter. Hij wilde haar geen pillen geven. Probeer iedere dag een beetje te lachen, dat is een goed medicijn, had hij gezegd. Pillen konden altijd nog. Ik had ze moeten nemen. Nee. Beter proberen te lachen. Je doodlachen.

Ja, den strot des doods een wilden lach te ontpersen. Een goede dokter, zeker. Kon zelfs Shakespeare citeren. Een wilde lach ontpersen, zegt u dat wel.

Joshua had haar eens een brief over waterbuffels geschreven. Hij was er verbaasd over. Zo mooi. Hij had een eskadron een keer granaten zien gooien aan een rivier. Allemaal uitgelaten lachend. De strot van de dood, zegt u dat wel. Toen de waterbuffels op waren, zei hij, begonnen de militairen de felgekleurde vogels uit de bomen te schieten. Stel je voor dat ze die ook hadden moeten tellen. *Je kunt de doden tellen, maar niet de kosten. We hebben geen rekenmethode voor de hemel, mamma. Al het andere kan worden becijferd.* Die brief kon ze op laatst wel dromen. Er zit logica in elk levend ding. De patronen die er in bloemen zitten. In mensen. In waterbuffels. In de lucht. Hij verafschuwde de oorlog maar werd gevraagd te gaan toen hij in het Palo Alto Research Centre in California werkte. Nog wel beleefd gevraagd ook. De president wilde weten hoeveel doden er waren. Lyndon B. kwam er niet uit. Elke dag kwamen de adviseurs bij hem met feiten en cijfers die ze op zijn bureau deponeerden. Landmachtdoden. Marinedoden. Mariniersdoden. Burgerdoden. Diplomatendoden. Veldhospitaaldoden. Deltadoden. Geniedoden.

Nationalegardedoden. Maar de aantallen klopten niet. Ergens was iemand aan het knoeien. Alle journalisten en tv-zenders zaten LBJ op zijn nek en hij had de juiste informatie nodig. Hij kon een mens op de maan helpen zetten, maar niet de lijkenzakken tellen. Kon een satelliet laten rondcirkelen, maar er niet achterkomen hoeveel kruizen er de grond in moesten. Een topcomputereenheid. De nerdsbrigade. Korte rekrutentijd. Dien je land. Laat je haar knippen. *Mijn land, dat ik bezing, met de beste wapening.* Alleen de beste en intelligentste gingen. Van Stanford. MIT. Universiteit van Utah. Davis universiteit. Zijn vrienden van PARC. Degenen die de droom van het ARPANET aan het verwerkelijken waren. Uitgerust en weggezonden. Blanke mannen, stuk voor stuk. Er waren ook andere systemen – hoeveel suiker er werd gebruikt, hoeveel olie, hoeveel kogels, hoeveel sigaretten, hoeveel blikken cornedbeef, maar Joshua's toko was de doden.

Dien je land, Josh. Als je een schaakprogramma kunt schrijven, kun je ons zeker vertellen hoeveel er sneuvelen door de spleetogen. Geef me al jullie enen en nullen, knullen. Laat zien hoe we tellen wie er vielen door eigen vuur.

Ze konden nauwelijks uniformen vinden die smal genoeg waren voor zijn schouders of lang genoeg voor zijn benen. Hij stapte op het vliegtuig met zijn broek op hoog water. Ik had het toen moeten weten. Had hem gewoon terug moeten roepen. Maar hup, daar ging hij. Het vliegtuig steeg op en werd klein tegen de hemel. Er waren al barakken gebouwd in Tan Son Nhut. Op de luchtmachtbasis. Een kleine blaaskapel stond klaar om hen te verwelkomen, zei hij. Gasbetonblokken en bureaus van voorbewerkt hout. Een kamer vol PDP-10's en Honeywells. Ze liepen naar binnen en alles gonsde hun tegemoet. Een snoepwinkel, zei hij.

Ze had hem zoveel willen zeggen, op de startbaan, de dag van zijn vertrek. De wereld word geregeerd door wrede mannen en het beste bewijs daarvan zijn hun legers. Als ze je vragen om stil te staan, moet je dansen. Als ze je vragen om de vlag te verbranden, ermee zwaaien. Als ze je vragen om te moorden, moet je herscheppen. These, antithese, corollaire, anticorollaire. Twee keer onderstrepen. Het zit allemaal in de getallen. Luister naar je moeder. Luister naar me, Joshua. Kijk me aan. Ik heb je wat te vertellen.

Maar hij stond met zijn stekeltjeshaar en rode wangen voor haar en ze zei niets.

Zeg iets tegen hem. Die blos op zijn wangen. Zeg iets. Vertel het hem. Vertel het hem. Maar ze glimlachte alleen. Solomon drukte hem een davidster in zijn handen, keek weg en zei: *Moedig zijn.* Ze kuste zijn voorhoofd vaarwel. Het viel haar op dat de rug van zijn uniform volmaakt symmetrisch plooide en ontplooide, en ze wist, wist het gewoon op het ogenblik dat ze hem weg zag gaan, dat ze hem voor altijd zag gaan. *Hallo, Centrale, mag ik de hemel, ik denk dat mijn Joshua daar is.*

Mag nu niet toegeven aan neerslachtigheid. Nee. Schep de koffie op en leg de theezakjes klaar. Denk aan doorzetten. Daar zit logica in. Eraan denken en volhouden.

Hoe is het om dood te zijn, zoon, en zou het mij bevallen?

O. De deurzoemer. O. O. Lepel klettert op de vloer. O. Snel de gang door. Terugkomen en de lepel oprapen. Alles netjes nu, netjes, ja. Geef me zijn levende lichaam terug, meneer Nixon, dan krijgen we geen ruzie. Neem dit lijk, met zijn volle tweeënvijftig jaar, ruil het om; ik zal er geen spijt van krijgen, ik zal niet klagen. Geef hem alleen maar aan ons terug, weer helemaal opgelapt en knap.

Beheers je een beetje, Claire.

Ik stort niet in.

Nee.

Vlug nu. De deur. Naar de intercom. Haar hoofd, beseft ze, zou even in water gedoopt moeten worden. Een kleine golf kou, als die vaatjes achter in een katholieke kerk. Doop en gij zijt genezen.

'Ja?'

'Uw bezoek, mevrouw Soderberg.'

'O. Ja. Stuur ze naar boven.'

Te bot? Te snel? Had moeten zeggen: Fantastisch. Geweldig. Met een flink crescendo in mijn stem. In plaats van *Stuur ze naar boven.* Zelfs geen *alsjeblieft.* Als ingehuurde krachten. Loodgieters, behangers, soldaten. Ze drukt op de knop om mee te luisteren. Eigenaardige dingen, die oude intercoms. Zwak geruis en gezoem, wat gelach en sluitende deur.

'De lift recht voor u, dames.'

Nou, dat is tenminste iets. Hij heeft ze tenminste niet de dienstlift gewezen. Staan ze tenminste in de warme mahoniehouten kist. Nee, dat niet. De lift.

Vaag gemompel van stemmen. Ze zijn allemaal tegelijk gekomen. Hebben vast ergens afgesproken. Van tevoren geregeld. Niet aan gedacht. Niet aan willen denken. Wou dat ze dat niet hadden gedaan.

Hebben het misschien over mij gehad. Moet nodig naar een dokter. Vreselijke grijze lok in haar haar. Haar man is rechter. Draagt belachelijke sportschoenen. Kan maar moeilijk een lachje af. Woont in een penthouse, maar noemt het *bovenhuis*. Is doodnerveus. Denkt dat ze tof is, maar is eigenlijk een snob. Zal wel gaan huilen.

Hoe begroet ik ze? Handje? Luchtkus? Glimlach? De eerste keer omhelsden ze elkaar allemaal bij het weggaan, op Staten Island, voor de deur, terwijl de taxi toeterde, haar ogen wazig van tranen, armen om elkaar heen, allemaal gelukkig, voor het huis van Marcia, toen Janet naar een gele ballon wees die in een boomtop was blijven hangen: *O, laten we gauw weer afspreken!* En Gloria had in haar arm geknepen. Ze hadden de wangen tegen elkaar gedrukt. *Onze jongens, zouden die elkaar hebben gekend, Claire? Zouden ze bevriend zijn geweest?*

Oorlog. De walgelijke nabijheid ervan. Zijn lijflucht. Voortdurend zijn adem in haar nek, nu al twee jaar sinds de terugtrekking, tweeëneenhalf, vijf miljoen, maakt het uit? Niets is voorbij. De room wordt de melk. De eerste ster in de morgen is 's nachts de laatste. Zouden ze bevriend zijn geweest? *Nou, het had gekund, Gloria, het had zeker gekund.* Je moest ergens een begin maken, dus waarom niet in Vietnam? Ja, absoluut. Dr. King had een droom en die zou niet worden afgebrand aan de oevers van de Saigon. Toen de goede doctor was doodgeschoten had ze duizend dollar in briefjes van twintig naar zijn kerk in Atlanta gestuurd. Haar vader was des duivels. Noemde het schuldgeld. Ze trok zich er niets van aan. Er was genoeg om je schuldig over te voelen. Ze was modern, ja. Ze had haar hele erfenis moeten sturen. *Ik mag vaders wel, ik vind alleen dat iedereen er een zou moeten afschaffen.* Of je het leuk vindt of niet, paps, het gaat naar dr. King, en wat vind je nu van je negers en smouzen?

O, de mezoeza aan de deur. O, helemaal vergeten. Ze legt haar hand erop, gaat ervoor staan. Net groot genoeg om die te verbergen. Met haar kruin. Het gekletter van de lift. Vanwaar die schaamte? Maar het is geen schaamte, niet echt, toch? Waar zou je je in hemelsnaam voor moeten schamen? Solomon wilde het per se, jaren geleden. Dat is alles. Voor zijn moeder. Om haar gerust te stellen als ze op bezoek kwam. Om haar gelukkig te maken. Is dat niet voldoende? Ik hoef me nergens voor te verontschuldigen. Ik heb de hele ochtend rondgerend met samengeknepen lippen, bang om adem te halen. Een hoop lucht gehapt. Ik had met gretige klauw moeten dreggen. Wat zeggen jongeren ook alweer? Geen paniek. Gewoon doorgaan. Touwen, helmen en karabijnhaken.

Wat had ik nou niet tegen Josh gezegd?

Ze ziet de cijfers terwijl ze omhoogkomen. Gerammel vanuit de liftschacht en luid geklets. Ze voelen zich al op hun gemak. Wou dat ik ze wat eerder had ontmoet, in een koffietent of zo. Maar daar zijn ze, daar komen ze.

Wat was het nou?

'Hallo,' zegt ze, 'hallo hallo hallo, Marcia! Jacqueline! Kijk toch eens! Kom binnen, o wat een beeldige schoenen, Janet, deze kant op, deze kant. Gloria! O, hoi, o kijk toch, alsjeblieft ga binnen, wat heerlijk jullie weer te zien.'

Het enige wat je over oorlog moet weten, zoon, is: Niet gaan.

Het was alsof ze via elektriciteit kon reizen om hem te zien. Ze kon naar een willekeurig elektrisch apparaat kijken – televisie, radio, Solomons scheerapparaat – en het gevoel krijgen dat de stroom haar meevoerde. Vooral bij de ijskast. Vaak werd ze midden in de nacht wakker, drentelde door het appartement naar de keuken en leunde tegen de ijskast. Dan maakte ze de deur open en liet zich door kou overspoelen. Wat ze prettig vond was dat het lichtje niet aanging. Ze kon in een oogwenk van warm naar koud gaan en ze kon in het donker blijven zonder Solomon wakker te maken. Geen geluid, alleen een zachte plop van de rubbergerande opening, dan een golf kou over haar lichaam, en ze kon langs de draden, de kathoden, de half-geleiders, de handschakelaars door de ether turen, en dan zag ze hem, plotseling was ze in dezelfde kamer, vlak naast hem, kon ze haar hand uitsteken en op zijn onderarm leggen, hem troosten waar hij zat te werken onder het tl-licht te midden van lange rijen bureaus en matrassen.

Ze had een vaag idee, flauwe vermoedens hoe het allemaal werk-te. Ze was niet achterlijk. Ze had haar bul. Maar hoe bestond het, vroeg ze zich af, dat machines de doden beter konden tellen dan mensen? Hoe bestond het dat de ponskaarten het wisten? Hoe kon een reeks buizen en draden het verschil weten tussen levenden en doden?

Hij stuurde haar brieven. Hij noemde zich een hacker. Het klonk als een woord om bomen mee te vellen. Maar het betekende gewoon dat hij de machines programmeerde. Hij schiep de taal die de scha-kelaars overhaalde. Duizend microscopische hekjes klapten in een flits open. Ze zag het als het openzetten van een veld. Het ene hek voerde naar een volgend en weer een volgend, over de heuvel en algauw zat hij op een rivier en zakte met een vlot de draden af. Hij zei dat hij maar achter een computer hoefde te gaan zitten en hij voel-de een soort duizeling alsof hij langs de trapleuning omlaaggleed en ze vroeg zich af welke trapleuning hij bedoelde, want er waren geen trapleuningen in zijn jeugd geweest, maar ze nam het aan, en ze zag hem daar in de heuvels rond Saigon van de trapleuning af naar een betonnen kelder in een gasbetonnen gebouw glijden, naar zijn bureau lopen en de knoppen tot leven toetsen. Zag de kordate cur-sor voor zijn ogen knipperen. De frons op zijn voorhoofd. Zijn gespannen doorlezen van de uitdraai. Zijn lach om een grap die langs de rij bureaus klatert. De doorbraken. De hobbels. De borden met eten op de grond. De op de bureaus uitgestrooide maagtablet-ten. Het web van draden. De nesten met schakelaars. Het gezoem van de ventilatoren. Het werd zo warm in die ruimte, zei hij, dat ze elk halfuur naar buiten moesten. Daar hadden ze een tuinslang om zich mee af te koelen. Terug achter hun terminals waren ze in een mum weer droog. Ze noemden elkaar Mac. Mac zus, Mac zo. Hun favoriete woord. Meesterlijke alternatieve chemie. Mannen attaqueren computers. Maximaal aanspreekbare cognitie. Maniakken alias clowns. Moeilijk als collega. Mogelijk anuscomplex.

Alles wat ze deden draaide om hun apparatuur, zei hij. Ze splitsten, linkten, verknoopten, koppelden, wisten. Routeerden relais. Kraakten wachtwoorden. Wijzigden geheugenkaarten. Het was een soort zwarte magie. Ze kenden de inwendige geheimen van alle computers. Ze zaten de hele dag binnen. Werkten met ingevingen, mislukkingen, ondefinieerbaarheden. Als ze slaap nodig hadden, lieten ze zich gewoon onder hun bureau glijden, te moe om te dromen.

Het Dodenbestand was zijn kernproject. Hij moest de dossiers doornemen, alle namen intoetsen, de mannen als getallen optellen. Ze groeperen, merken, indexeren, coderen en wegschrijven. Het probleem was niet eens zozeer het sterven alswel de overlapping van doden. Degenen die dezelfde naam droegen – de Smiths en Rodriguez's en Sullivans en Johnsons. Vaders met dezelfde namen als hun zoons. De dode ooms met identieke voorletters als de dode neven. Degenen die gedeserteerd of vermist waren. De opgesplitste operaties. De verkeerd gerapporteerden. De fouten. De geheime eskaders, de flottieljes, de speciale eenheden, de verkenningsteams. Degenen die in plattelandsgehuchten waren getrouwd. Degenen die diep in de jungle achterbleven. Wie kon iets over hen zeggen? Maar hij paste hen zo goed als hij kon in zijn programma in. Schiep een ruimte voor hen zodat ze weer een beetje gingen leven. Hij boog zijn hoofd, pijnigde het af, stelde geen vragen. Het was, zei hij, wat je kon doen voor je vaderland. Wat hij het mooist vond was het moment van schepping, wanneer hij iets oploste wat niemand anders kon oplossen, wanneer de oplossing helder en elegant was.

Het was makkelijk genoeg om een programma te schrijven dat de doden zou ordenen, zei hij, maar eigenlijk wilde hij een programma schrijven dat de zin van het sterven kon verklaren. Dat was de verre toekomst. Ooit zouden de computers alle grote geesten bijeenbrengen. Over dertig, veertig, honderd jaar. Als we elkaar voor die tijd niet opblazen.

We zitten op het topje van de menselijke kennis, mamma, zei hij. Hij schreef over een droom van ver uiteengelegen faciliteiten die gezamenlijk putten uit speciale hulpbronnen. Over boodschappen die heen en weer konden gaan. Over afgelegen systemen die via telefoonlijnen bediend konden worden. Over computers die in staat waren hun eigen defecten te repareren. Over protocollen en wispotten en telexuitdraaien en geheugen en RAM, het onderste uit de kan halen op de Honeywell en het spelen op het prototype Alto dat over was gestuurd. Hij beschreef printplaten zoals sommigen ijspegels beschreven. Hij zei dat de Eskimo's vierenzestig woorden hadden voor sneeuw, maar dat het hem niet verbaasde; hij vond dat ze er meer moesten hebben – waarom niet? Het ging om het meest wezenlijke soort schoonheid, het product van de menselijke geest, gestempeld op een stuk silicium dat je op een goeie dag in je tas kon meesjouwen. Een gedicht in steen. Een stelling op een plakje rots. De programmeurs waren de ambachtslieden van de toekomst. Menselijke kennis is macht, mamma. De enige grenzen zitten in ons brein. Hij zei dat er niets was dat een computer niet kon, zelfs de meest ingewikkelde problemen, zoals de waarde van pi, de oorsprong van alle talen, de verste ster vinden. Het was krankzinnig hoe klein de wereld in wezen was. Je moet je er alleen voor openstellen. Wat je wilt is dat je computer iets terugzegt, mamma. Die moet bijna menselijk zijn. Zo moet je het zien. Het is als een gedicht van Walt Whitman: je kunt er uithalen wat je maar wilt.

Ze zat bij de ijskast zijn brieven te lezen en streek zijn haar glad, zei tegen hem dat het tijd was om te slapen, dat hij iets moest eten, schone kleren aantrekken, dat hij echt goed voor zichzelf moest zorgen. Ze wilde voorkomen dat hij wegzakte. Op een keer, tijdens een stroomstoring, zat ze tegen de keukenkastjes te huilen: ze kon geen contact met hem krijgen. Ze stak een potlood in het stopcontact aan de muur en wachtte. Toen de elektriciteit weer terugkwam schokte het potlood in haar vingers. Ze besefte hoe het eruit moest zien – een vrouw bij een ijskast die de deur open- en dichtdeed – maar het was een troost, en Solomon zou er niets achter zoeken. Ze kon doen alsof ze aan het koken was, of een glas melk haalde, of wachtte op het ontdooien van het vlees.

Solomon praatte niet over de oorlog. Zijn oplossing was stilte. In plaats daarvan kletste hij over zijn rechtszaken, de waanzinnige litanie van de stad, de moorden, verkrachtingen, oplichterijen, sjoemelpraktijken, steekpartijen, berovingen. Maar niet over de oorlog. Alleen de demonstranten kwamen op zijn terrein, hij vond ze zwak, naïef, laf. Gaf ze de strengst mogelijke straffen. Zes maanden voor het gieten van bloed over de dossiers van de dienstplichtcommissie. Acht maanden voor het ingooien van de ruiten van het wervingsbureau op Times Square. Zij wilde mee demonstreren, al die hippies, actievoerders en dienstplichtontduikers ontmoeten op Union Square, in Tompkins Square Park, steun betuigen aan de Negen van Catonsville. Maar ze kon het gewoon niet opbrengen. We moeten onze jongen steunen, zei Solomon. Onze lieve kleine vlasharige. Die nog niet zo heel lang geleden tussen ons in sliep, tegen ons aankroop. Die met treintjes speelde op het Perzische tapijt. Die uit zijn blauwe blazer groeide. Die visvork, slavork, eetvork kende; de algemene tanden van het leven.

En toen, vanuit het niets, stroomuitval, totale uitval, permanente uitval.

Joshua werd code.

Geschreven in zijn eigen getallen.

Ze lag twee maanden op bed. Bewoog zich nauwelijks. Solomon wilde een verpleegster in dienst nemen, maar dat weigerde ze. Ze zei dat ze er wel uit zou schieten. Maar *schieten* was niet het woord, het was eerder *glijden*. Een woord dat Joshua graag gebruikte. Ik glijd eruit. Ze begon door het huis te dwalen, door de eetkamer, de woonkamer rond, langs de ontbijthoek, weer naar de ijskast. Ze plakte Joshua's foto er middenop. Ze leunde ertegen en praatte met hem. En de ijskastdeur werd een verzamelplaats voor dingen die hij misschien aardig gevonden had. Eenvoudige dingen. Ze knipte ze uit en plakte ze op. Computerartikelen. Foto's van printplaten. Een foto van een nieuw gebouw van PARC. Een krantenartikel over een uitvinding om graphics mooier en sneller te maken. Het menu van Ray's Famous. Een advertentie uit *The Village Voice*.

Het viel haar ineens op dat haar ijskast er behaard begon uit te zien. Ze moest bijna lachen om het woord. Mijn behaarde ijskast.

Op een avond dwarrelden de knipsels op de grond en ze bukte zich om ze weer te lezen. ZOEK MOEDERS OM MEE TE PRATEN. VIET-NAMVETERANEN. POSTBUS 667. Ze had eigenlijk nooit aan hem gedacht als een veteraan, of iemand die in Vietnam was geweest – hij was een computerprogrammeur, was naar Azië gegaan. Maar haar vingers begonnen te jeuken van de advertentie. Ze nam hem mee naar de keukentafel, ging zitten, schreef snel een antwoord met potlood, trok het daarna over met inkt, sloop stil naar de deur, wipte de lift in. Ze had het meteen beneden in de hal op de bus kunnen doen, maar dat wilde ze niet, ze rende 's avonds laat naar buiten, Park Avenue op, een sneeuwbui in, de portier was stomverbaasd haar in nachtjapon en op sloffen de deur uit te zien gaan, *Mevrouw Soderberg, is er iets?*

Kan nu niet wachten. Brief in de hand. Moeder zoekt gebeente van zoon. Gevonden in opgeblazen café in ver land.

Ze rende naar Lexington Avenue, naar de brievenbus bij 74th Street. Haar witte adem waaide de lucht in. Tenen nat van de sneeuw. Ze wist dat als ze hem nu niet verstuurde, ze het nooit meer zou doen. De portier knikte verlegen toen ze terugkwam, wierp een snelle blik op haar borsten. *Welterusten, mevrouw Soderberg*, zei hij. O, ze had hem ter plekke kunnen zoenen. Op zijn voorhoofd. Bedank-je voor het gluren. Het deed haar goed. Wond haar een beetje op, om eerlijk te zijn. De stof trok strak over haar borst, toonde de contouren van alles, het voordeel van kou, een sneeuwvlok smolt precies midden over haar keel omlaag. Op elk ander moment had ze het onkies gevonden. Maar daar, in haar nachtjapon, in de warmte van de lift, was ze dankbaar. Ze had die nacht iets lichts over zich. Ze haalde alles van de ijskast af, behalve zijn foto. Maakte hem weer eenvoudig. Gaf hem een soort knipbeurt. Dacht aan haar brief die zijn weg zocht door het postbedrijf tot hij ten slotte iemand vond zoals zij. Wie zouden het zijn en hoe zouden ze eruitzien en zouden ze voorzichtig zijn en zouden ze aardig zijn? Dat wilde ze vooral: dat ze aardig waren.

Die nacht kroop ze in bed tegen de zachte warmte van Solomon aan. Legde haar hand op zijn onderrug. *Sol. Solly. Sollylief. Wakker worden.* Hij draaide zich om en zei dat ze koude voeten had. *Warm me dan, Solly.* Steunend op zijn elleboog boog hij zich naar haar over.

En na afloop viel ze in slaap. Voor het eerst in tijden. Ze was bijna vergeten wat het was om wakker te worden.'s Morgens deed ze naast hem haar ogen open en gaf hem weer een por, streek met haar vingers over de welving van zijn schouder. *Goh,* zei hij grijnzend, *wat is er schat, ben ik jarig?*

Daar komen ze. Ingetogen gekleed, behalve Jacqueline die een diepe keep in haar Laura Ashleyjurk heeft. Marcia vlak achter haar, een en al fladderende opwinding. Alsof ze net door een raam is binnengevlogen en tegen de muren moet petsen. Geen moment oog voor de mezoeza bij de deur. Godzijdank. Geen uitleg. Janet met gebogen hoofd. Een tikje van Gloria op de pols en een lieve brede glimlach. Ze haasten zich door de gang, nu met Marcia, die een bakkersdoos draagt, voorop. Langs Joshua's deur. Langs haar eigen slaapkamer. Langs het schilderij van Solomon, achttien jaar jonger met heel wat meer haar. De woonkamer in. Recht op de bank af.

Marcia zet de doos op de salontafel, laat zich in de diepe kussens vallen en wuift zich koelte toe. Misschien zijn het gewoon opvliegers, of misschien was ze opgehouden in de ondergrondse. Maar nee, ze is in alle staten en de anderen weten dat er iets aan de hand is.

In ieder geval, denkt ze, hebben ze niet van tevoren afgesproken. Hebben ze geen strategie voor Park Avenue bedacht. *Ga niet voorbij af. Ontvang geen tweehonderd.* Ze trekt de ottomane bij en loopt om de stoelen heen, brengt Gloria bij de arm naar de bank. Gloria met bloemen in haar hand, die ze nog angstvallig vasthoudt. Het zou onbeleefd zijn ze over te nemen, maar ze hebben gauw wat water nodig.

'O God,' zegt Marcia.

'Gaat het een beetje?'

'Wat is er?'

Met z'n allen om haar heen als om een kampvuur, buigen ze zich naar haar toe, nieuwsgierig naar sensatie.

'Je zal het niet geloven.'

Marcia's gezicht is hoogrood, ze heeft zweetdruppeltjes op haar voorhoofd. Ademt alsof er geen zuurstof meer is, alsof ze ergens op grote hoogte zitten. Touwen, helmen en karabijnhaken, ja hoor.

'Wat?' zegt Janet.

'Heeft iemand je wat gedaan?'

Marcia's borst gaat gierend op en neer, een vergulde beer wipt op haar borstbeen.

'Man in de lucht!'

'Wat?'

'Een man in de lucht, die daar liep.'

'Mijn hemel,' zegt Gloria.

Claire vraagt zich heel even af of Marcia misschien een tikje aangeschoten of zelfs high is – je weet het tegenwoordig niet, misschien heeft ze als ontbijt een paar paddenstoelen opgepeuzeld, of een wodkaatje naar binnen geslagen – maar ze ziet er volstrekt nuchter uit, zij het een beetje verhit, geen rode ogen, geen dikke tong.

'Downtown.'

Aangeschoten of niet, ze is blij met Marcia en dit scheutje hysterie. Het heeft ze zo allemaal vlug het appartement binnengeloodst. Een minimum aan gedoe. Geen tijd voor al die beleefdheden, de ohh's en de ahh's, de verlegenheden, wat een geweldige gordijnen en wat een pracht van een open haard is dat, en ja, in die van mij graag twee schepjes, en o wat ontzettend gezellig, echt waar Claire, ontzettend gezellig, wat een snoes van een vaas, en jeeminee is dat jouw man daar aan de muur? Je had het nooit kunnen plannen om hen zo soepel, zonder één hapering naar binnen te krijgen.

Ze moet iets doen, beseft ze, om te laten weten dat ze welkom zijn. Geef Marcia een zakdoek. Haal een groot glas koud water voor haar. Neem de bloemen van Gloria aan. Maak de bakkersdozen open en klap ze uit. Bewonder de bagels. Geeft niet wat, doe iets. Maar ze gaan nu helemaal mee met Marcia's deining, kijken naar haar zwoegende boezem.

'Glas water, Marcia?'

'Ja, alsjeblieft. O ja.'

'Een man waar?'

De stemmen verstommen. Dom van me. Naar de keuken, vlug-vlug. Ze wil geen woord missen. Het zachte gekabbel van een gesprek in de woonkamer. Naar de diepvriezer. De ijsbak. Had er vanmorgen verse bakjes in moeten zetten. Geen moment aan gedacht. Ze slaat ze op het marmeren werkblad. Drie, vier blokjes. Een paar splinters verspreiden zich over het blad. Oud ijs. Wazig in het midden. Een blokje zeilt weg over het blad alsof het de vrijheid kiest, valt op de grond. Zou ik? Ze kijkt even naar de woonkamer en raapt het blokje van de grond. In één vloeiende beweging staat ze bij de gootsteen. Laat de kraan even lopen, spoelt het blokje af, vult het glas. Ze zou wat citroen moeten snijden, had dat onder normale omstandigheden ook gedaan, maar ze haast zich de keuken uit, de woonkamer in en het tapijt over, met het water.

'Alsjeblieft.'

'O, heerlijk. Dank je.'

En een glimlach van Janet, nota bene.

'En de veerboot was afgeladen, weet je,' zegt Marcia.

Ze is een beetje gepikeerd dat Marcia niet met haar verhaal heeft gewacht, maar alla. Moet de veerboot van Staten Island zijn geweest.

'En ik stond helemaal voorop.'

Claire droogt haar hand aan de heup van haar jurk en vraagt zich nu af waar ze moet gaan zitten. Moet ze meteen de koe bij de hoorns vatten, op de bank gaan zitten? Maar dat is misschien een beetje veel, een beetje arrogant, pal naast Marcia, op wie alle ogen zijn gericht. Maar aan de buitenkant blijven staan zou ook opvallen, alsof ze er niet bij hoort, zich afzijdig wil houden. Maar ja, ze moet wel mobiel zijn, zich niet achter de salontafel insluiten, ze moet kunnen opstaan om hapjes te maken, het ontbijt klaar te zetten, wensen in te willigen, te zorgen dat iedereen zich thuis voelt. Oplos of bonen? Suiker of niet?

Ze lacht naar Gloria en schuifelt haar kant op, neemt de van riemen voorziene asbak van de leuning, zet hem met zacht gerinkel op de tafel, en gaat zitten, voelt de muis van Gloria's hand op haar rug, een geruststelling.

'Ga door, alsjeblieft, ga door. Neem me niet kwalijk.'

'En ik was net te laat om de zonsopgang te zien, maar ik dacht ik ga toch voorop staan. Het is zo mooi. De stad. Rond die tijd. Ik weet niet of je het ooit hebt gezien, maar het is mooi. En ik stond eigenlijk een beetje te dromen toen ik opkeek en een helikopter in de lucht zag en, nou ja, jullie weten het: ik en helikopters.'

Ze weten het inderdaad en een ogenblik versombert de sfeer, maar Marcia schijnt het niet te merken en kucht ter onderbreking, een seconde stilte, eerbied eigenlijk.

'Dus ik kijk naar die helikopter en die blijft in de lucht hangen, bijna alsof hij nog eens goed wil kijken. In de hoogte, maar een beetje knullig. Alsof hij twijfelt. Maar hij schommelt heen en weer.'

'Mijn hemel.'

'En ik bedenk net dat Mike Junior dat stilhangen veel beter zou doen, dat hij dat toestel veel beter in de hand zou hebben, ik bedoel hij was de Evel Knievel van de helikopters, zo noemde zijn sergeant hem. En ik dacht dat er misschien iets mis mee was, weet je? Die angst had ik. Van dat hangen daar.

'O nee,' zegt Jaqueline.

'Ik kon de motor niet horen, dus ik wist het eigenlijk niet. En toen ineens, achter die helikopter, zag ik dat stipje. Niet groter dan een vlieg, ik zweer het. Maar het was een man.'

'Een man?'

'Iets als een engel?' zegt Gloria.

'Een vlieger?'

'Wat voor man?'

'Vloog hij?'

'Waar?'

'Ik krijg er de zenuwen van.'

'Het was een vent,' zegt Marcia, 'op een draad. Dat wist ik natuurlijk niet meteen, ik had het niet meteen door, maar dat was het, er stond daar een vent op een draad.'

'Waar?'

'Ssst, ssst,' zegt Janet.

'Daarboven. Tussen de torens. Kilometers hoog. We konden hem maar net zien.'

'Wat deed hij daar?'

'Koorddansen!'

'Voltigeren.'

'Wat?'

'O, mijn God.'

'Valt hij?'

'Ssst.'

'Zeg niet dat hij valt.'

'Sst!'

'Zeg alsjeblieft niet dat hij valt.'

'Stil nou toch,' zegt Janet tegen Jacqueline.

'Dus ik tik op de schouder van die jonge vent naast me. Zo eentje met een paardenstaart. En hij doet van, Wat mot je, mens? Hoogst geïrriteerd dat ik hem stoorde in zijn slaapje of droom of wat hij daar voorop de boot ook stond te doen. En ik zei, Kijk. En hij zei, Wat nou?'

'Goeie genade.'

'En ik wees hem aan, die kleine vliegenman en toen vloekte hij, neem me niet kwalijk, Claire, in jouw huis, maar hij zei godskolere.'

En Claire wil zeggen: Nou, ik zou ook godskolere zeggen als ik hem was. Ik zou het van voor naar achteren en terug zeggen, godskolere hier en godskolere daar en godskolere drie keer in de rondte. Maar ze glimlacht alleen naar Marcia en geeft haar een knikje, waarmee ze hoopt duidelijk te maken dat het absoluut geen probleem is om op Park Avenue, op een woensdag tijdens een koffieuurtje, godskolere te zeggen, dat je gezien de omstandigheden zelfs niets beters kon zeggen, dat ze het misschien allemaal in koor zouden moeten roepen, er een yell van maken.

'En toen,' zegt Marcia, 'begon iedereen om ons heen omhoog te kijken en voor ik het wist stond zelfs de kapitein van de veerboot buiten en hij had een verrekijker bij zich en hij zei, die vent loopt op een draad.'

'Echt waar?'

'Moet je je voorstellen. Het hele dek vol mensen. De ochtend-forenzen. Mannetje aan mannetje. En iemand loopt daar over een draad. Tussen die nieuwe gebouwen, de World Towery-dinges.'

'Trade.'

'Center'

'O, die?'

'Luister nou.'

'Die monsterlijke dingen,' zegt Claire.

'En die jonge vent, met die paardenstaart...'

'Die godskolerevent?' zegt Janet half giechelend.

'Ja, nou, die begint te zeggen dat-ie zeker weet, bloedzeker, vijf-honderdvijftig procent, dat het een projectie is, dat iemand het tegen de lucht projecteert, en misschien is het wel een gigantisch wit doek en komt dat beeld uit de helikopter, wordt het overgestraald door een of ander soort camera of zo, hij gebruikte allemaal van die tech-nische termen.'

'Een projectie?'

'Iets tv-achtigs?' zegt Jacqueline.

'Circus, misschien.'

'En ik zeg, dat kunnen ze niet vanuit een helikopter. En hij kijkt me aan, zo van, ach, mens. En ik zeg het nog een keer: Dat kunnen ze niet. En hij zegt: En wat weet jij nou van helikopters, mens?'

'Nee, toch!'

'En ik zeg dat ik toevallig verdraaid veel van heli's weet.'

En dat is zo. Marcia weet verdraaid en verdraaid en verdraaid veel van haar heli's, haar verdraaid helse heli's.

Ze heeft hun in haar eigen huis op Staten Island verteld dat Mike Junior aan zijn derde detachering bezig was, routinevluchten uit-voeren boven de kust bij Qui Nhon, toen hij sigaren moest brengen naar een of andere generaal, in een Huey van het 57ste Medische Detachement – sigaren, moet je nagaan, en waarom vloog een ambu-lanceheli in godsnaam met sigaren? – en het was een goede heli-kopter, topsnelheid 90 knopen, zei ze. De getallen waren van haar tong gerold. Er was iets mis met de stuurinrichting, had ze gezegd,

en ze had uitgebreid verteld over de motor en de versnellingsver-
houding en de lengte van de tweebladige metalen staartrotor, maar
waar het allemaal om ging, het enige waar het echt om ging, was dat
Mike Junior de lat van een doel had geraakt, een voetbaldoel, god-
betere, amper twee meter van de grond – en welke gek voetbalt er
nou in Vietnam? – waardoor de wentelwiek aan het tollen ging en
ongelukkig neerkwam, op zijn kant, en hij ongelukkig zijn hoofd
stootte, zijn nek brak, zelfs geen vlammen, gewoon een domme val,
de helikopter was nog heel, ze had het duizenden keren voor haar
geestesoog afgedraaid, en dat was het, en nu werd Marcia 's nachts
wakker uit een droom over een landmachtgeneraal die telkens maar
weer de sigarendozen openmaakte en daarin de stukken en brokken
van haar zoon vond.

Nou en of ze haar helikopters kent, en des te erger.

'Dus goed, ik zei tegen hem, bemoei je verdorie met je eigen
zaken.'

'Zo is het,' zegt Gloria.

'En ja hoor, de veerbootkapitein kijkt door de verrekijker en zegt
tegen iedereen: dat is geen projectie.'

'Amen.'

'Maar het enige waar ik aan kon denken was: misschien is het mijn
jongen die even gedag komt zeggen.'

'O nee, toch.'

'Ooh.'

'Ach, god.'

Haar hart loopt over voor Marcia.

'Man in de lucht.'

'Stel je voor.'

'Wat moedig.'

'Precies. Daarom dacht ik aan Mike Junior.'

'Natuurlijk.'

'En viel hij?' vraagt Jacqueline.

'Ssst, sst,' zegt Janet, 'laat haar uitpraten.'

'Ik vraag het alleen.'

'En de kapitein laat de veerboot zwenken, zodat we het beter kunnen zien en legt dan de boot aan de steiger. Je weet wel, met zo'n bonk tegen de kademuur. Vandaar kon ik niets zien. De verkeerde hoek. Ons uitzicht was belemmerd. De noordelijke toren, of de zuidelijke, ik weet niet welke, maar we konden niet zien wat er gebeurde. En ik heb geen woord meer gezegd tegen de vent met die paardenstaart. Ik draaide me subiet om. Ik was als allereerste van de boot af. Ik wilde hollen om mijn jongen te zien.'

'Natuurlijk,' zegt Janet. 'Kalm, kalm maar.'

'Sst,' zegt Jacqueline.

Drukkend nu in de kamer. Nog iets meer spanning en de hele boel kon ontploffen. Janet staart naar Jacqueline, die haar lange rode haar wegtikt, alsof ze een vlieg, of zelfs een vliegenman verjaagt, en Claire kijkt van de een naar de ander, voorziet een omgegooide tafel, een gebroken vaas. En ze denkt: ik moet iets doen, iets zeggen, de uitlaatklep openzetten, op de veiligheidsknop drukken, en ze buigt zich naar Gloria om de bloemen van haar over te nemen, petunia's, prachtige petunia's, schitterend groene stelen, keurig onderaan afgeknipt.

'Ik zou deze in het water moeten zetten.'

'Ja, ja,' zegt Marcia, opgelucht.

'Het is in een mum gebeurd.'

'Rennen, Claire.'

'Gauw terugkomen.'

Goede beslissing. Absoluut, geen twijfel aan. Ze gaat op haar tenen naar de keuken maar blijft bij de louvredeur staan. Nog iets verder en ze kan het niet meer horen. Wat stom om te zeggen dat ik ze in het water zal zetten. Had het nog even moeten uitstellen, nog wat tijd moeten winnen. Ze leunt met gespitste oren tegen de jaloezielatten.

'...dus ik ren door die doolhof van oude zijstraten. Langs de veilinghuizen en goedkope elektronicazaken en stoffenwinkels en huuretages. Je zou toch zeggen dat je vandaar die hoge torens moest kunnen zien. Ik bedoel, ze zijn gigantisch.'

'Honderd verdiepingen.'

'Honderdtien.'

'Ssst.'

'Maar ze zijn niet te zien. Ik zag er af en toe iets van, maar nooit uit de goede hoek. Ik wilde de kortste weg nemen. Ik had gewoon langs het water moeten gaan. Dus ik maar rennen en rennen. Dat is mijn jongen daarboven die gedag komt zeggen.'

Iedereen stil, zelfs Janet.

'Ik stoof de ene na de andere hoek om om beter zicht te krijgen. Boog me alle kanten op. Steeds maar naar boven kijken. Maar niks te zien, geen helikopter, geen draadloper. Ik heb sinds de middelbare school niet meer zo hard gerend. Ik, met mijn wippende tieten.'

'Marcia!'

'Meestal vergeet ik dat ik ze nog heb.'

'Dat probleem heb ik niet,' zegt Gloria, terwijl ze haar boezem ophijst.

Er rimpelt een golfje van gelach door de kamer en op dat luchthartige moment loopt Claire terug over het tapijt, nog steeds met Gloria's bloemen in haar hand, maar dat heeft niemand in de gaten. Het gelach kabbelt rond, als een verzoeningsliedje dat hen allemaal omvat, dat een ererondje maakt en zich weer aan Marcia's voeten nestelt.

'En ineens hield ik op met rennen,' zegt Marcia.

Claire zet zich weer op de leuning van de bank. Doet er niet toe dat ze de bloemen niet heeft verzorgd. Doet er niet toe dat het water van de kook is. Doet er niet toe dat ze geen vaas in haar handen heeft. Ze buigt zich samen met de rest naar voren.

Marcia's lip bibbert nu een beetje, een kleine trilling als voorbode.

'Ik bleef als een blok staan,' zegt Marcia. 'Zomaar midden op straat. Ik werd bijna overreden door een vuilniswagen. En ik stond daar maar, met mijn handen op mijn knieën, mijn ogen naar de grond, naar adem te snakken. En weet je waarom? Ik zal je zeggen waarom.'

Zwijgt weer even.

Ze buigen zich allemaal naar voren.

'Omdat ik niet wilde weten of die arme jongen viel.'

'Ah-huh,' zegt Gloria.

'Ik wilde gewoon niet horen dat hij dood was.'

'Ik geloof je, ah-huh.'

De stem van Gloria, alsof ze in een kerkdienst zit. De anderen knikken langzaam terwijl de klok op de schoorsteenmantel tikt.

'Ik moest er niet aan denken.'

'Nee, mens.'

'En als hij niet viel…'

'Als hij niet, nee…?'

'Ik wilde het niet weten.'

'Ah-huh, zo is het.'

'Want op een of andere manier, of hij nu daarboven bleef, of veilig beneden kwam, het deed er niet toe. Dus ik stopte en draaide me om en nam de ondergrondse en kwam hiernaartoe zonder ook maar één keer om te kijken.'

'Godlof.'

'Want als hij leefde kon het onmogelijk Mike Junior zijn.'

Dat allemaal als een dreun op de maag. Zo direct. Op al hun koffieochtendjes was het steeds op afstand gebleven, hoorde het allemaal bij een andere tijd, het praten, de herinnering, het terugroepen, de verhalen, een ver land, maar dit was nu en echt, en het ergste was dat ze niet wisten hoe het met de koorddanser was afgelopen, niet wisten of hij was gesprongen of was gevallen of veilig beneden was gekomen, of daarboven nog aan zijn wandelingetje bezig was, of hij er eigenlijk ooit was geweest, of het niet een verhaal was of inderdaad een projectie, of dat ze het allemaal had verzonnen om indruk te maken, ze hadden geen idee, misschien wilde de man zich van kant maken, of misschien had de helikopter hem aan een haak om hem op te vangen als hij viel, of misschien zat er een beugel aan die draad om hem op te vangen, of misschien misschien misschien was er misschien nog een misschien.

Claire staat op, een beetje trillerig in haar knieën. Gedesoriënteerd. De stemmen om haar heen zijn nu vaag. Ze wordt zich bewust van haar voeten op het diepe tapijt. De klok loopt maar is niet meer te horen.

'Ik zal deze nu maar in het water zetten,' zegt ze.

Hij schreef haar brieven over de nachtelijke krakersoorlogen. Als hij om vier uur in de morgen aan zijn terminal onder het witte tl-licht aan een programma zat te schaven, flitste er soms een boodschap op. De meeste van de inbraken kwamen van leden van zijn eigen team, een paar bureaus verder ingelogd, die aan andere programma's werkten, de scores van de oorlog, en het was gewoon iets om de tijd te doden om andermans wachtwoord te kraken, om te testen hoe sterk hij was, zijn zwakke punten te ontdekken. Onschuldig, in feite, zei Joshua.

Charlie had geen computers. En de Vietcong zou niet langs de kathodestraalbuizen en transistors binnenglippen. Maar de telefoonlijnen waren verbonden met PARC en Washington DC en enkele universiteiten, dus af en toe was het mogelijk dat een glijder – hij noemde ze glijders, ze had geen idee waarom – van elders binnenkwam en een ravage aanrichtte, en een of twee keer hadden ze hem overrompeld. Het kon zijn omdat hij op een overlaplijn werkte, zei hij, of aan een code voor de vermisten. En dan was hij bloedscherp. Dan had hij inderdaad het gevoel dat hij van de trapleuning gleed. Dan ging het om snelheid en brute kracht. De wereld was rustig en een en al eenvoud. Hij was een testpiloot van een nieuwe wereld. Alles was mogelijk. Het had zelfs jazz kunnen zijn, van het ene akkoord op het andere. Niks dan vingertoppen. Hij kon zijn vingers uitstrekken en er was plotseling een nieuw akkoord. En dan, zonder enige waarschuwing, begon het voor zijn ogen te verdwijnen. *Ik wil een cookie!* Of: *Zeg me na: Bye-Bye Blackbird*. Of: *Kijk mij lachen*. Hij zei dat het zoiets was als Beethoven nadat hij de Negende had opgekrabbeld. Hij maakt even een heerlijk wandelingetje in de vrije natuur en plotseling waait alle bladmuziek weg in de wind. Dan zat hij aan de stoel gekleefd naar zijn machine te staren. Het knipperende cursortje knaagde aan waar hij mee bezig was. Zijn code werd opgevreten. Niet tegen te houden. Al die angst die hem naar de keel vloog. Hij keek hoe het de heuvels over klom en in de ondergaande zon verdween. *Kom terug, kom terug, kom terug, ik heb je nog niet gehoord.*

Wat een rare gedachte dat er iemand anders aan het andere eind van de bedrading zat. Alsof een inbreker zijn huis was ingeslopen en zijn pantoffels aan het passen was. Erger nog. *Iemand die onder mijn huid kruipt, mamma, mijn geheugen probeert over te nemen.* Regelrecht bij hem naar binnen kruipt, langs zijn ruggengraat omhoog, naar zijn hoofd, diep in de schedel, over zijn synapsen zijn hersencellen binnenloopt. Ze kon zich voorstellen hoe hij voorovergebogen zat, zijn mond bijna tegen het scherm, statische elektriciteit op zijn lippen. *Wie ben jij?* Hij voelde de indringers onder zijn vingers. Duimen op zijn ruggengraat trommelen. Wijsvingers in zijn nek. Hij wist dat het Amerikanen waren, de indringers, maar hij zag hen als Vietnamezen, hij kon niet anders, gaf ze schuine, bruine ogen. Het was hij en zijn computer tegen die andere computer. *Goed, oké, gefeliciteerd, je hebt me te grazen, maar nu ga ik jou verpletteren.* En dan stortte hij zich meteen in de strijd.

En zij ging dan naar de ijskast om zijn brieven te lezen, en soms zette ze het vriesvak open om hem daarmee wat af te koelen. *Geeft niet, schat, je krijgt het allemaal weer terug.*

En dat gebeurde ook. Joshua kreeg het altijd terug. Hij belde haar op de gekste tijden, wanneer hij opgetogen was, wanneer hij een van de krakersoorlogen had gewonnen. Lange gesprekken via veel tussenstations, met een echo erin. Kostte hem geen cent, zei hij. De sectie had een centrale met veel lijnen. Hij zei dat hij op de lijnen had ingestoken, ze had omgeleid naar het legerwervingsnummer, puur voor de lol. *Het gaat goed met me, mamma, het valt wel mee, ze behandelen ons prima, zeg tegen pappa dat ze hier zelfs kosjer eten hebben.* Ze luisterde scherp naar de stem. Als de opgetogenheid verflauwde klonk hij vermoeid, afstandelijk zelfs, sloop er een nieuw woordgebruik in. *Hoor eens, mamma, ik ben oké, niet gaan freaken.* Sinds wanneer had hij het over freaken? Hij was altijd zorgvuldig met zijn taal geweest. Verpakte die in de pittige bondigheid van Park Avenue. Nooit slordig of neuzelig. Maar nu was de taal verruwd en zijn accent verslonsd. *Ik laat me niet opnaaien maar het lijkt erop dat ik in andermans lijkwagen rijd.*

Zorgde hij goed voor zichzelf? Had hij genoeg te eten? Hield hij zijn kleren schoon? Werd hij mager? Alles deed haar eraan denken.

Ze dekte de eettafel zelfs een keer met een bord extra, voor Joshua. Solomon zei er niets over. Dat en haar ijskast, haar kleine eigenaardigheden.

Ze probeerde niet te tobben toen zijn brieven schaarser werden. Hij belde soms een dag of twee niet. Of drie. Dan zat ze naar de telefoon te staren om hem te laten bellen. Als ze opstond kreunden de vloerdelen een beetje. Hij had het druk, zei hij. Er had zich een nieuwe ontwikkeling voorgedaan in elektronische postverzending. Er waren meer knooppunten in het elektronische net. Hij zei dat je het als een magisch schoolbord moest zien. De wereld was zowel groter als kleiner. Iemand had hun computer gekraakt en delen van hun programma opgeslokt. Het was een vechtpartij, een bokswedstrijd, een middeleeuws steekspel. *Ik sta in de frontlinie, mamma, ik zit in de loopgraven.* Op een goeie dag, zei hij, zouden de computers de wereld radicaal veranderen. Hij was andere programmeurs aan het helpen. Ze logden in op de consoles en bleven ingelogd. Er was een strijd gaande met de vredesdemonstranten die in hun computers probeerden in te breken. Maar het kwaad zat niet in de computers, zei hij, maar in de hoofden van de hoge omes erachter. Een computer kon niet slechter zijn dan een viool, een camera of een pen. Wat de indringers niet begrepen is dat ze op de verkeerde plek binnenkwamen. Ze moesten niet de technologie bestoken, maar de menselijke geest, de manier waarop die faalde, hoe die tekortschoot.

Ze bespeurde een nieuwe diepte in hem, hij werd opener. De oorlog ging om ijdelheid, zei hij. Ging om oude mannen die niet meer in de spiegel konden kijken en daarom de jongeren de dood in stuurden. Oorlog was een onderonsje van ijdelen. Die wilden het simpel houden – je vijand haten, niets van hem weten. Het was, beweerde hij, de meest on-Amerikaanse oorlog van allemaal, er zat geen idealisme achter, het ging alleen om nederlaag. Er waren er nu meer dan veertigduizend te verantwoorden in zijn Dodentoko, en de cijfers bleven stijgen. Soms draaide hij de namen uit. Hij kon ze op en neer uitrollen langs de trap. Soms wou hij dat iemand van buiten zijn programma zou kraken, het zou opvreten, allemaal weer uitspugen, al die jongens weer een leven teruggeven, de Smiths en de Sullivans en de broers Rodriguez, die vaders en ooms en neven, en dan zou hij een programma voor Charlie moeten schrijven, een heel nieuw alfabet van stervenden, Ngo, Ho, Nguyen – zou dat niet een klus zijn?

'Gaat het, Claire?'

Een hand op haar elleboog. Gloria.

'Hulp?'

'Sorry?'

'Heb je daar hulp bij nodig?'

'O, nee. Ik bedoel, ja. Graag.'

Gloria. Gloria. Zo'n lief rond gezicht. Donkere ogen, bijna vochtig. Een doorleefd gezicht. Vol gulheid. Maar een beetje in verwarring. Kijkt naar me. Ziet mij kijken naar haar. Op heterdaad betrapt. Was aan het dagdromen. Húlp? Ze dacht bijna even dat Gloria de hulp wilde zíjn. Arrogant. Tweevijfenzeventig per uur, Gloria. Afwassen. Vloer aandweilen. Huilen om onze jongens. Voorwaar een klus.

Ze reikt hoog in de bovenkast en haalt er het Waterford kristal uit. Kunstig gegraveerd. Mannen van ver doen dat. Er zijn erbij die geen barbaren zijn. Ja, die is perfect. Ze geeft hem aan Gloria, die hem glimlachend vult.

'Weet je wat je moet doen, Claire?'

'Nou?'

'Wat suiker onderin. Dan houd je de bloemen langer.'

Daar heeft ze nog nooit van gehoord. Maar het klinkt logisch. Suiker. Om ze levend te houden. Vul onze jongens met suiker. Charlie en Zijn Chocoladefabriek. En wie was het trouwens die de Vietnamezen Charlie noemde? Waar kwam dat vandaan? Waarschijnlijk radiojargon. Charlie Delta Epsilon. Oproep, oproep, oproep.

'En nog beter als je eerst een stukje van de onderkant afsnijdt,' zegt Gloria.

Gloria pakt de bloemen uit en legt ze op het afdruiprek, pakt een mesje van het keukenblad en snijdt van elk een piepklein stukje af, veegt de steeltjes in de palm van haar hand, twaalf groene dingetjes.

'Ongelooflijk eigenlijk, hè?'

'Wat?'

'Die man in de lucht.'

Claire leunt tegen het aanrecht. Haalt diep adem. Haar hoofd duizelt. Ze weet het nog zo net niet, helemaal niet. Er zit ook iets van een knagende onvrede in hem. Iets in zijn optreden is zwaar en verwarrend.

'Ongelooflijk,' zegt ze. 'Ja, ongelooflijk.'

Maar wat staat haar niet aan in dat idee? Ongelooflijk, inderdaad, ja. En een poging tot schoonheid. Een man en de stad die elkaar kruisen, de plotseling herschapen, opnieuw toegeëigende openbare ruimte, de stad als kunst. Loop daarboven en maak het nieuw. Maak er een andere ruimte van. Maar er zit nog iets anders in wat haar stoort. Ze zou het niet willen voelen, maar kan het niet van zich afzetten, het idee dat de man daar neergestreken zou zijn als engel of duivel. Maar wat is er verkeerd aan om in een engel of een duivel te geloven, waarom zou Marcia dat niet zo mogen voelen, waarom zou niet elke man in de lucht haar zoon kunnen zijn? Waarom zou Mike Junior niet op die draad verschijnen? Wat is daar verkeerd aan? Waarom zou Marcia het daar niet bij mogen laten, haar jongen die is teruggekomen?

Toch zit het haar niet lekker.

'Verder nog iets, Claire?'

'Nee, nee, we zijn er.'

'Okido, dan. Klaar.'

Gloria glimlacht, tilt de vaas op, loopt naar de louvredeur en duwt die met haar royale omvang open.

'Ik kom eraan,' zegt Claire.

De deur zwaait weer dicht.

Ze verschuift de laatste kopjes, schoteltjes, lepeltjes. Zet ze netjes recht. Wat is het? Die draadloper? Er is iets banaals aan die hele geschiedenis. Of misschien niet banaal. Iets goedkoops. Of misschien niet echt goedkoop. Ze weet niet goed wat het is. Wat bekrompen om zo te denken. Ronduit egoïstisch. Ze weet best dat ze de hele ochtend heeft om te doen wat zij op andere ochtenden hebben gedaan – de foto's tevoorschijn halen, de piano laten zien waarop Joshua altijd speelde, de plakboeken openslaan, hen allemaal mee naar zijn kamer nemen, zijn boekenplanken laten zien, hem in het jaarboek van school aanwijzen. Dat is wat ze steeds hebben gedaan bij Gloria, Marcia, Jacqueline en zelfs Janet thuis, vooral bij Janet, waar ze een hele diavoorstelling kregen en later allemaal huilden bij een stukgelezen exemplaar van *Casey at the Bat*.

Haar handen wijd op het keukenblad. Vingers gespreid. Omlaag gedrukt.

Joshua. Is dat het wat haar stoort? Dat ze zijn naam nog niet hebben genoemd? Dat hij vanmorgen nog geen onderwerp van gesprek is geweest? Dat ze hem tot nog toe hebben genegeerd, maar nee, dat is het niet, maar wat dan?

Hou op. Hou op. Pak het blad op. Verknoei het nu niet. Zo aardig. Die glimlach van Gloria. Die mooie bloemen.

Naar binnen.

Nu.

Lopen.

Ze stapt de woonkamer in en blijft verstijfd staan. Ze zijn weg, allemaal weg. Ze laat bijna het blad vallen. Gerinkel van de lepeltjes die tegen de rand glijden. Geen mens meer binnen, zelfs Gloria niet. Hoe kan dat? Hoe kunnen ze zo snel verdwenen zijn? Net een flauwe kindergrap, alsof ze elk moment uit de kasten kunnen springen, of vanachter de bank opduiken, als een rij kermisgezichten waar je waterballonnen naar gooit.

Het lijkt een ogenblik alsof ze hen heeft gedroomd. Dat ze ongenood bij haar op zijn gekomen en daarna weer zijn weggeslopen.

Ze zet het blad op de tafel. De theepot schuift en er gutst een golfje thee uit. De handtassen zijn er wel en er ligt nog een sigaret te smeulen in de asbak.

Op dat moment hoort ze de stemmen en ze vloekt op zichzelf. Natuurlijk. Wat suf van me. Het klappen van de achterdeur en daarna van de dakdeur in de wind. Ze moet ze open hebben laten staan en zij moeten de tocht hebben gevoeld.

De gang door. De schimmen bij de bovendeur. Ze neemt de laatste paar treden, komt het dak op, waar ze allemaal over de muur heen leunen en naar het zuiden kijken. Niets te zien, natuurlijk, alleen nevel en de koepel op het gebouw van de New York General.

'Niets te zien?'

Ze weet natuurlijk dat het niet kan, zelfs niet op een klaarheldere dag, maar het is wel fijn dat de vrouwen zich tegelijk naar haar omkeren en hun hoofd schudden, nee.

'We kunnen de radio proberen,' zegt ze, terwijl ze zich achter hen aansluit. 'Misschien is het op het nieuws.'

'Goed idee,' zegt Jacqueline.

'O, nee,' zegt Janet, 'liever niet.'

'Ik ook niet,' zegt Marcia.

'Het zal wel niet op het nieuws zijn.'

'Nog niet, in ieder geval.'

'Denk ik ook niet.'

Ze blijven nog een ogenblik naar het zuiden kijken, alsof ze hem toch nog tevoorschijn zouden kunnen toveren.

'Koffie, dames? Een kopje thee?'

'Hemel,' zegt Gloria met een knipoog, 'ik dacht dat je het nooit zou vragen.'

'Iets te knabbelen, ja.'

'Om de zenuwen te bedaren?'

'Ja, ja.'

'Oké, Marcia?'

'Naar beneden?'

'Godlof, ja. Het is hierboven heter dan een julibruid.'

De vrouwen helpen Marica terug langs de binnentrap, door de dienstmeidendeur en weer de woonkamer in, met Janet aan de ene arm en Jacqueline aan de andere, Gloria erachter.

In de armleuningasbak is de sigaret tot op het filter opgebrand, als een man die op het punt staat te breken en te vallen. Claire maakt hem uit. Ze kijkt hoe de vrouwen dicht tegen elkaar op de bank gaan zitten, met hun armen om elkaar. Genoeg stoelen? Hoe kon ze zo dom zijn geweest? Moet ze die zitzak uit Joshua's kamer halen? Hem op de grond zetten zodat haar lichaam kan uitzakken in zijn oude afdruk?

128

Die koorddanser, ze kan het niet van zich afzetten. Het gesputter van onvrede in haar hoofd. Ze is niet ruimhartig, beseft ze, maar ze raakt het maar niet kwijt. Stel dat hij iemand beneden treft? Ze heeft gehoord dat er 's nachts hele kolonies vogels tegen de gebouwen van het WTC vliegen, hun glazen spiegelbeeld. De klap en de val. Zal de danser met ze mee dreunen?

Erbij blijven. Ophouden.

Zet je gedachten op een rij. Raap alle veren op. Til ze zachtjes weer de lucht in.

'De bagels zitten in die zak daar, Claire. En er zijn ook donuts.'

'Heerlijk. Dank je.'

De kleine genoegens.

'Grote genade, kijk toch eens aan!'

'Och, hemel.'

'Ik ben al zo dik.'

'Ach, schei uit. Ik wou dat ik jouw figuur had.'

'Je mag het hebben,' zegt Gloria. 'Maar niet klagen als het tegenvalt!'

'Nee, nee, je hebt een geweldig figuur. Fantastisch.'

'Kom nou!'

'Kan niet anders zeggen, echt.'

En het wordt even stil in de kamer vanwege het goedbedoelde leugentje. Bedenkingen tegen het eten. Ze kijken elkaar aan. Seconden rekken zich. Buiten klinkt een sirene. De aarzeling wordt doorbroken en gedachten nemen in hun hoofd vorm aan als water in een kan.

'Dus,' zegt Janet, terwijl ze een bagel pakt. 'Niet om morbide te zijn of zo…'

'Janet!'

'…ik wil niet morbide zijn…'

'Janet McIniff…!

'…maar denk je dat hij is gevallen?'

'O, God bewaar me! Waarom doe je nou zo bot?'

'Bot? Ik hoor net die sirene en ik…'

'Geeft niet,' zegt Marcia. 'Ik kan het wel hebben. Echt. Maak je over mij geen zorgen.'

129

'Mijn God !' zegt Jacqueline.

'Het is maar een vraag.'

'Nee, echt,' zegt Marcia. 'Ik vraag het me eigenlijk ook af.'

'O, mijn God,' zegt Jacqueline, de woorden nu uitrekkend als een elastiekje. 'Hoe bestaat het dat je dat zegt.'

Claire zou nu willen dat ze werd afgevoerd naar ergens ver weg, een strand, een rivieroever, een diepe golf gelukzaligheid, een Joshua-plek, een verborgen ogenblikje, een streling van Solomons hand.

Ze zit daar, maar niet bij hen. Laat hen de kring sluiten.

Misschien, ja, is het gewoon puur egoïsme. Ze hebben niet de mezoeza bij de deur opgemerkt, niet Solomons schilderij, ze hebben niets gezegd over het appartement, stormden zomaar naar binnen en zijn begonnen. Ze liepen zelfs naar het dak zonder iets te vragen. Misschien is dat hun manier, of misschien zijn ze overdonderd door de schilderijen, het zilverwerk, de tapijten. Er zijn toch wel meer welgestelde jongens de oorlog ingestuurd? Ze hadden niet allemaal platvoeten. Misschien moet ze andere vrouwen zoeken, meer eigen. Maar meer eigen aan wat? De dood, de grootste democratie van allemaal. 's Werelds oudste klacht. Overkomt ons allemaal. Rijk en arm. Dik en dun. Vaders en dochters. Moeders en zoons. Ze voelt een steek, een nieuwe aanval. *Lieve moeder, ik schrijf je alleen om te zeggen dat ik goed ben aangekomen*, begon de eerste. En toen op het eind schreef hij, *Mamma, deze plek is een niks-plek, neem alle plekken en geef mij maar niks*. O, o. Lees alle brieven van de wereld, liefdesbrieven of scheldbrieven of juichbrieven, leg ze achter elkaar, Whitman en Wilde en Wittgenstein en wie nog meer, maakt niet uit, het is geen vergelijk. Wat hij vaak allemaal zei! Wat hij allemaal nog wist! Waar hij allemaal de vinger op kon leggen!

Dat is wat zoons doen: hun moeders schrijven over herinneringen, zichzelf over het verleden vertellen tot ze gaan beseffen dat zij het verleden *zijn*.

Maar nee, niet verleden, hij niet, nooit.

Vergeet de brieven. Laat onze computers vechten. Hoor je? Laat ze erop losgaan. Laat ze elkaar via de lijnen tot opgeven dwingen.

130

Laat de jongens thuisblijven.

Laat mijn jongen thuisblijven. Ook die van Gloria. En van Marcia. Laat hem over een koord dansen als hij wil. Laat hem een engel worden. Die van Jacqueline ook. En van Wilma. Nee, niet Wilma. Er is nooit een Wilma geweest. Janet. Vast ook een Wilma. Misschien wel duizend Wilma's in het hele land.

Geef me alleen mijn jongen terug. Dat is het enige wat ik wil. Geef hem terug. Draag hem over. Nu meteen. Laat hem de deur openmaken en langs de mezoeza rennen en laat hem hier op de piano hameren. Herstel al die knappe gezichten van de jeugd. Geen geschreeuw, geen gegil, geen gemekker. Breng ze nu hier. Waarom zouden onze zoons niet allemaal samen in de kamer zijn? Haal alle grenzen omver. Waarom zouden ze niet samen zitten? Baret op de knieën. Hun lichte verlegenheid. Hun gekreukte uniformen. Jullie hebben voor ons land gevochten, waarom zou je dat niet op Park Avenue vieren? Koffie of thee, jongens? Een schepje suiker helpt bij het innemen van het medicijn.

Al dat gepraat over vrijheid. Werkelijk onzin. Vrijheid kun je niet geven, je moet het ontvangen.

Ik neem deze pot met as niet aan.

Horen jullie?

Die pot met as is niet wat mijn zoon is.

'Wat is er nu, Claire?'

En het is opnieuw alsof ze uit een dagdroom bijkomt. Ze heeft naar hen gekeken, naar hun bewegende monden, hun beweeglijke gezichten, maar niets gehoord van wat ze zeiden, een of ander meningsverschil over de koorddanser, of de draad vastzat of niet, en haar gedachten dwaalden af. Vastzat aan wat? Zijn schoen? De helikopter? De lucht? Ze strekt en vouwt haar handen, hoort haar vingers knakken als ze ze uit elkaar trekt.

Je hebt meer kalk in je botten nodig, zei de goede dokter Tonneman. Kalk, ja. Drink meer melk, dan verlies je je kinderen niet.

'Gaat het, lieverd?' zegt Gloria.

'O, prima,' zegt ze, 'alleen een beetje dromerig.'

'Ik ken het gevoel.'

131

'Dat heb ik nu soms ook,' zegt Jacqueline.

'Ik ook,' zegt Janet.

'Elke morgen, zo gauw ik opsta,' zegt Gloria, 'begin ik te dromen. Kan het niet 's nachts. Ik droomde vroeger de hele tijd. Nu kan ik alleen nog overdag dromen.'

'Je zou er iets voor moeten innemen,' zegt Janet.

Claire weet niet meer wat ze heeft gezegd – heeft ze hen in verlegenheid gebracht, iets sufs gezegd, iets ongepasts? Die opmerking van Janet, dat ze aan de medicijnen zou moeten. Of was dat voor Gloria bestemd? Hier, neem honderd pillen, daar gaat uw verdriet van over. Nee. Dat heeft ze nooit gewild. Ze wil het uitzieken als koorts. Maar wat heeft ze nu gezegd? Iets over die koorddanser? Heeft ze het hardop gezegd? Dat hij op een of andere manier ordinair was? Iets over as? Hoe het was? Over draden?

'Wat is er, Claire?'

'Ik zit alleen aan die arme man te denken,' zegt ze.

Ze kan zich wel wat doen dat ze het zegt, dat ze weer over hem begint. Net toen ze het gevoel kreeg dat ze ervanaf waren, dat de ochtend weer op de rails zou komen, dat ze hen over Joshua kon vertellen en dat hij, thuisgekomen uit school, altijd boterhammen met tomaat at, z'n lievelingskostje, of dat hij de tandpasta nooit goed uitkneep, of dat hij altijd twee sokken in een schoen stopte, of een speeltuinverhaal, of een pianoloopje, of wat dan ook, alleen maar om de ochtend weer in balans te brengen, maar nee, ze heeft dat weer op een zijspoor gezet en opnieuw opgerakeld.

'Welke man?' zegt Gloria.

'O, de man die hier kwam,' zegt ze plotseling.

'Wie bedoel je?'

Ze pakt een bagel uit de zonnebloemschaal. Kijkt op naar de vrouwen. Ze wacht even, snijdt het dikke brood door, trekt de rest van de bagel met haar vingers uit elkaar.

'Bedoel je dat die koorddanser hier geweest is?'

'Nee, nee.'

'Welke man, Claire?'

Ze buigt zich naar voren en schenkt thee. Damp stijgt op. Ze is vergeten de citroenschijfjes klaar te zetten. Weer een misser.

'De man die het kwam vertellen.'

'Welke man?'

'De man die je wat vertelde, Claire?'

'Je weet wel. Die man.'

En opeens begint het hen te dagen. Ze ziet het aan de gezichten. Stiller dan regen. Stiller dan bladeren.

'Uh huhn,' zegt Gloria.

En dan beginnen de gezichten van de anderen te ontspannen.

'Die van mij was op donderdag.'

'Die van Mike Junior maandag.'

'Mijn Clarence was ook 's maandags. Jason was 's zaterdags. En Brandon was op een dinsdag.'

'Ik kreeg een luizig telegram, Dertien minuten over zes. Twaalf juli. Voor Pete.'

Voor Pete. Piet Snot.

Ze sluiten nu de rijen en dat doet goed, zou ze willen zeggen; ze houdt de bagel bij haar mond maar eet niet, ze heeft hen weer op het spoor gezet, ze keren samen weer terug naar de vertrouwde ochtenden, ze wijken hier niet meer vanaf, zo wil ze het, en ja ze zijn op hun gemak, en zelfs Gloria pakt nu een van de donuts, wit geglaceerd, en neemt een klein, beleefd hapje en knikt naar Claire, alsof ze wil zeggen: *Ga je gang, vertel maar.*

'We kregen het telefoontje van beneden. Solomon en ik. We zaten te eten. Al het licht was uit. Hij is joods, begrijp je...'

Blij dat ze dat heeft gehad.

'...en hij had overal kaarsen neergezet. Hij is niet orthodox, maar soms houdt hij van kleine rituelen. Hij noemt me soms zijn prijskonijntje. Dat begon na een ruzie toen hij me een ijskonijn had genoemd. Krankzinnig, hè?'

Het kwam allemaal naar buiten, als dankbare lucht uit haar longen. Iedereen glimlachte, onzeker, maar het bleef toch stil.

'En ik deed de deur open. Het was een sergeant. Hij was heel respectvol. Ik bedoel, aardig tegen me. Ik wist het meteen, toen ik zijn gezicht zag. Net zo'n masker als je tegenwoordig wel vaker ziet.

133

Van die goedkope plastic dingen. Zijn gezicht erin verstard. Harde bruine ogen en een brede snor. Ik zei: komt u binnen. En hij nam zijn pet af. Je kent het wel, zo'n kapsel: kort, met een scheiding in het midden. Een kleine strook grijs over zijn schedel. Hij zat daar.'

Ze knikt in de richting van Gloria en wou dat ze het niet had gezegd, maar het valt niet terug te halen.

Gloria veegt over de bank alsof ze de vlek van de man probeert weg te krijgen. Een flintertje donutglazuur blijft achter.

'Alles was zo puur dat ik dacht dat ik in een schilderij stond.'

'Ja, ja.'

'Hij bleef maar spelen met zijn pet op zijn knie.'

'Ja, die van mij ook.'

'Sssst.'

'En toen zei hij enkel: uw zoon is heengegaan, mevrouw. En ik dacht: heengegaan? Waarheen gegaan? Wat bedoelt u, sergeant, met: hij is heengegaan? Hij heeft me niet verteld dat hij wegging.'

'O, hemel.'

'Ik glimlachte naar hem. Ik kon niets anders met mijn gezicht.'

'Nou, ik huilde gewoon mijn hart uit mijn lijf,' zegt Janet.

'Sssst,' zegt Jacqueline.

'Ik had het gevoel dat er stoom in me omhoogspoot, zo langs mijn ruggengraat. Ik voelde het sissen in mijn hersens.'

'Precies.'

'Maar ik zei alleen maar: ja. Meer zei ik niet. Nog steeds met die glimlach. Terwijl de stoom siste en brandde. Ik zei: ja sergeant. En bedankt.'

'O, hemel.'

'Hij dronk zijn thee uit.'

Ze keken allemaal naar hun kopjes.

'En ik bracht hem naar de deur. En dat was het.'

'Ja.'

'En Solomon ging met hem in de lift naar beneden. En ik heb dit verhaal nog nooit aan iemand verteld. Naderhand deed mijn gezicht pijn van al het glimlachen. Is het niet vreselijk?'

'Nee nee.'

'Natuurlijk niet.'

'Ik heb het gevoel dat ik een heel leven heb gewacht om dit verhaal te vertellen.'

'O, Claire.'

'Ik kan er gewoon niet bij dat ik zo glimlachte.'

Ze weet dat ze bepaalde dingen niet heeft verteld, dat de intercom had gezoemd, dat de portier had gestotterd, dat ze als verdoofd had gewacht, dat zijn klop op de deur had geklonken als de klop op het deksel van een doodkist, dat hij zijn pet had afnomen en gezegd: mevrouw en daarna: meneer, en dat zij hadden gezegd: komt u binnen, komt u binnen, dat de sergeant nog nooit zo'n appartement had gezien – alleen al aan de manier waarop hij naar het meubilair keek was te merken dat hij zenuwachtig was, maar ook overdonderd.

Op een ander moment had hij het misschien allemaal fascinerend gevonden, Park Avenue, chique kunst, kaarsen, rituelen. Ze had gezien dat hij een glimp van zichzelf in een spiegel opving, maar zich er meteen van afwendde, en ze had hem toen misschien zelfs aardig kunnen vinden, zoals hij in de holte van zijn vuist kuchte, zo voorzichtig. Hij hield zijn hand voor zijn mond en was net een goochelaar die er een droevige sjaal uit gaat trekken. Hij keek om zich heen, alsof hij weg wilde, alsof er misschien allerlei uitgangen waren, maar ze vroeg hem weer te gaan zitten. Ze ging naar de keuken en haalde een plak vruchtencake voor hem. Om de spanning te breken. Hij at hem op met een sprankje schuldgevoel in zijn ogen. De kruimeltjes op de grond. Ze kon zich er naderhand nauwelijks toe brengen om ze op te zuigen.

Solomon wilde weten wat er was gebeurd. De sergeant zei dat hij niet de vrijheid had dat te zeggen, maar Solomon drong aan en zei *Niemand van ons heeft die vrijheid toch? Ik bedoel, als je er goed over nadenkt, sergeant, is niemand van ons vrij.* En de pet begon weer op de soldatenknie te wippen. *Vertel op,* zei Solomon en zijn stem trilde een beetje, *Vertel op of ga anders mijn huis uit.*

De sergeant kuchte in een gesloten vuist. Een leugenaarsgebaar. Ze waren de feiten nog aan het verzamelen, zei de sergeant, maar

Joshua was naar een café geweest. Zat binnen. Ze waren gewaarschuwd voor de cafés, net als alle manschappen. Hij was met een groep officieren. Ze waren de nacht ervoor naar een club geweest. Moesten kennelijk wat stoom afblazen. Ze kon zich dat niet voorstellen, maar ze zei niets – haar Joshua in een nachtclub? Het was onmogelijk, maar ze liet het van zich afglijden, ja, dat was het woord, *afglijden*. Het was vroeg in de ochtend, zei de sergeant, Saigon-tijd. Helderblauwe luchten. Vier granaten rolden naar binnen voor hun voeten. Hij is als een held gestorven, zei de sergeant. Nu was Solomon degene die kuchte. *Je sterft godverdomme niet als een held, man.* Ze had Solomon nog nooit horen vloeken, niet tegen vreemden. De sergeant verschoof de pet op zijn knie. Alsof zijn been het verhaal nu maar moest vertellen. Hij keek op naar de prenten boven de bank. Miró, Miró, aan de wand, wie is het doodste van het land?

Hij haalde diep adem. Zijn keel leek te rimpelen. *Het spijt me ten zeerste van uw verlies*, zei hij nog eens.

Toen hij weg was, toen de avond stil was, hadden ze daar in de kamer naar elkaar staan kijken, Solomon en Claire, en had hij gezegd dat ze niet zouden breken, wat niet was gebeurd, wat zij niet zou laten gebeuren, nee, ze zouden elkaar geen verwijten maken, ze zouden niet verbitteren, ze zouden zich erdoorheen slaan, het overleven, ze zouden niet toestaan dat het een wig tussen hen dreef.

'En al die tijd glimlachte ik maar, weet je.'

'Arme schat.'

'Wat vreselijk.'

'Maar wel begrijpelijk, Claire, echt.'

'Vind je?'

'Kun je niks aan doen. Echt niet.'

'Ik glimlachte alleen zo veel,' zegt ze.

'Ik heb ook geglimlacht, Claire.'

'Werkelijk?'

'Dat doe je nu eenmaal, je houdt je tranen in, zo waar als God leeft.'

En opeens weet ze wat het is met die koorddanser. Het treft haar diep en hard en beangstigend. Het heeft niets te maken met engelen of duivels. Niets te maken met kunst of herschepping, of een man en

136

een kracht die elkaar kruisen, de mens de natuur voorbij. Niets van dat alles.

Hij was daarboven uit een soort eenzaamheid. Wat zijn geest was, wat zijn lichaam was: een soort eenzaamheid. Zonder enige gedachte aan de dood.

Dood door verdrinking, dood door slangenbeet, dood door mortiervuur, dood door schotwond, dood door houten staak, dood door tunnelrat, dood door bazooka, dood door pijlgif, dood door buisbom, dood door piranha, dood door voedselvergiftiging, dood door kalasjnikov, dood door fantasierollenspel, dood door boezemvriend, dood door syfilis, dood door verdriet, dood door onderkoeling, dood door drijfzand, dood door lichtspoorkogel, dood door trombose, dood door watermarteling, dood door struikeldraad, dood door biljartkeu, dood door Russische roulette, dood door bamboeval, dood door opiaat, dood door machete, dood door motorfiets, dood door vuurpeloton, dood door gangreen, dood door voetwond, dood door verlamming, dood door geheugenverlies, dood door landmijn, dood door schorpioen, dood door inzinking, dood door Agent Orange, dood door hoerenjongen, dood door harpoen, dood door gummiknuppel, dood door vuuroffer, dood door krokodil, dood door elektrocutie, dood door kwik, dood door wurging, dood door bowiemes, dood door mescaline, dood door paddenstoel, dood door lyserginezuur, dood door jeepongeluk, dood door granaatvalstrik, dood door verveling, dood door hartzeer, dood door sluipschutter, dood door papiersneden, dood door hoerenmes, dood door pokerspel, dood door nummers, dood door bureaucratie, dood door onvoorzichtigheid, dood door uitstel, dood door ontwijking, dood door concessie, dood door berekening, dood door doorslag, dood door vlakgum, dood door registratiefout, dood door pennenstreek, dood door onderdrukking, dood door gezag, door door isolering, door door gevangenschap, dood door broedermoord, dood door zelfmoord, dood door volkerenmoord, dood door Kennedy, dood door LBJ, dood door Nixon, dood door Kissinger, dood door Uncle Sam, dood door Charlie, dood door handtekening, dood door verzwijging, dood door natuurlijke oorzaken.

Een stompzinnig, eindeloos menu van de dood.

Maar dood door het strakke koord?

Dood door optreden?

Daar kwam het op neer. Hij gaat zo schaamteloos om met zijn lichaam. Maakt het zo goedkoop. Al die poppenkast. Zijn Charlie Chaplinloopje, dat als een hack haar ochtend binnendringt. Hoe durft hij dat met zijn lichaam te doen? Zijn leven in ieders gezicht te duwen? Haar eigen zoon zo goedkoop te maken? Ja, hij heeft haar koffieochtend gekraakt als haar wachtwoord door een hack. Met zijn hoogstandjes boven de stad. Koffie met *cookies* en een man die daar in de lucht loopt, die wegvreet wat er had moeten zijn.

'Zal ik jullie eens wat zeggen?' zegt ze, terwijl ze zich in de dameskring buigt.

'Nou?'

Ze wacht even, vraagt zich af wat ze moet zeggen. Er gaat een trilling diep door haar lichaam.

'Ik mag jullie allemaal zo graag.'

Ze kijkt naar Gloria als ze het zegt, maar ze bedoelt het voor allemaal, ze meent het oprecht. Een kleine hapering in haar keel. Haar blik gaat langs de rij gezichten. Vriendelijkheid en voorkomendheid. Allemaal glimlachen ze naar haar. Kom, dames. Kom. Laten we nu van onze ochtend genieten. Laat hem verglijden. Laten we de koorddansers vergeten. Laat ze maar hoog in de lucht blijven. Laten wij onze koffie drinken en dankbaar zijn. Het is zo eenvoudig. Laten we de gordijnen opentrekken en het licht toelaten. Laat dit de eerste van nog vele zijn. Er zal niemand anders binnendringen. Wij hebben onze jongens. Die zijn samengebracht. Zelfs hier. Op Park Avenue. We hebben pijn en hebben elkaar om die te genezen.

Met trillende handen reikt ze naar de theepot. De onregelmatige geluiden in de kamer, de ontbrekende rust, het geritsel van bagelzakken, en het afpellen van cakebakjes.

Ze pakt haar kopje en drinkt het leeg. Veegt met een knokkel over haar mondhoek.

Gloria's bloemen op de tafel, die al opengaan. Janet, die een kruimel van haar bordje oppikt. Jacqueline met haar knie, die ritmisch op en neer gaat. Marcia, die in de ruimte wegkijkt. Dat is mijn jongen daarboven die me goeiendag komt zeggen.

Claire staat op, absoluut niet wankel, geen beetje, niet meer.

'Kom,' zegt ze, 'kom, laten we de kamer van Joshua bekijken.'

Een angst voor liefde

Het was in de auto, toen die de achterkant van de minibus aantikte, alsof we in een lichaam zaten dat we niet kenden. Het beeld dat we niet van onszelf willen zien. Dat ben ik niet, dat moet iemand anders zijn.

Onder elke andere omstandigheid waren we waarschijnlijk aan de kant van de weg gestopt, hadden kentekens uitgewisseld, misschien wat geruzied om een paar dollar, waren we zelfs meteen naar een plaatwerkerij gegaan om de schade te laten herstellen, maar zo ging het niet. Het was maar een heel licht tikje. Wat gepiep van de banden. We bedachten naderhand dat de bestuurder zijn voet op de rem moest hebben gezet of dat zijn remlichten niet werkten of dat hij misschien al langer aan het remmen was, maar we door de zon zijn lichten niet hadden gezien. Het was een grote, luie minibus. De achterbumper zat met ijzerdraad en touw vast. Ik weet nog dat het me deed denken aan een oud paard uit mijn jeugd, zo'n sjokkende, kribbige knol die koppig was geworden door alle klappen op zijn kont. De achterwielen begonnen het eerst te schuiven. De chauffeur probeerde bij te sturen. Zijn elleboog schoot weg uit het raampje. De bus slipte zijwaarts naar rechts omdat hij opnieuw probeerde te corrigeren, maar te hard aan het stuur trok en we voelden een tweede schok, als van botsautootjes op de kermis, alleen gingen wij niet in de slip, onze auto bleef stevig en recht op de weg.

Blaine had net een joint aangestoken. Die lag tussen ons in te smeulen op de rand van een leeg colablikje. Hij had nauwelijks nog gerookt, een of twee haaltjes, toen de bus, bruin en paardachtig begon te tollen: de vredesstickers op de achterruit, de gedeukte zijkanten, de raampjes die op een kier stonden. Hij bleef maar tollen.

Er gebeurt iets met je geest in een ogenblik van doodsangst, misschien denken we dat dit ons laatste is en slaan we het op voor de rest van onze lange reis. We nemen de scherpste kiekjes, een album om bij te wanhopen. We knippen de randen weg en bewaren ze achter plastic. We stoppen het plakboek weg om het in onze verwoeste dagen te voorschijn te halen.

De bestuurder had een knap gezicht en zijn haar was peper-en-zoutkleurig. Hij had dikke, donkere wallen onder zijn ogen. Hij was ongeschoren en droeg een hemd met een arrogante open hals, het type man van wie je verwacht dat hij meestal kalm is, maar nu gleed het stuur door zijn handen en stond zijn mond wijd open. Hij keek vanuit de hoogte van de bus op ons neer alsof hij onze gezichten ook in zijn geheugen prentte. De O van zijn mond rekte verder en zijn ogen werden groot. Ik vraag me nu af hoe hij mij zag, in mijn jurk met franjes, met mijn kralensnoeren, mijn pagekopje, mijn koningsblauwe oogschaduw, mijn ogen wazig door slaapgebrek.

Er lagen doeken op onze achterbank. We hadden de vorige avond geprobeerd ze te verpatsen bij Max's Kansas City, maar het was niet gelukt. Schilderijen die niemand wilde. Toch hadden we ze weer zorgvuldig ingeladen, om ze niet te beschadigen. We hadden er zelfs stukken piepschuim tussen gedaan om te voorkomen dat ze tegen elkaar schuurden.

Waren we maar zo zorgvuldig met onszelf geweest.

Blaine was tweeëndertig. Ik achtentwintig. We waren twee jaar getrouwd. Onze auto, een antieke Pontiac Landau uit 1927, goud met zilver plaatwerk, was bijna ouder dan wij tweeën bij elkaar. We hadden er een achtsporen-recorder ingebouwd, verborgen onder het dashboard. We draaiden jarentwintigjazz. De muziek lekte weg over de East River. Zelfs rond die tijd joeg er nog zoveel cocaïne door ons lijf, dat we het gevoel hadden dat er nog ergens hoop was.

De bus tolde verder. Even bijna frontaal op ons af. Aan de passagierskant kon ik alleen een paar blote voeten op het dashboard zien, die in slow motion van elkaar gingen. De zolen van haar voeten waren zo wit aan de randen en zo donker in hun holten dat ze alleen van een zwarte vrouw konden zijn. Ze haakte haar enkels los. De pirouette ging niet eens zo snel. Ik zag net de bovenkant van haar lijf. Ze was kalm. Alsof ze nam wat er kwam. Haar haar zat strak naar achteren, uit haar gezicht, en kleurige prulsieraden dansten rond haar hals. Als ik haar een ogenblik later niet nog eens had gezien, nadat ze door de voorruit was geslingerd, had ik misschien gedacht dat ze naakt was, door de hoek van waaruit ik keek. Jonger dan ik, een schoonheid. Haar ogen schoven langs de mijne alsof ze vroegen: wat doe je nou, gebruind blond kreng in je pofblouse en je patserige Cotton Clubkar?

En weg was ze. De bus maakte een wijdere pirouette en onze auto bleef rechtdoor rijden. We kwamen erlangs. De weg viel als een gespleten perzik open. Ik hoor nog de eerste klap achter ons, een andere auto die de bus raakte, daarna het gekletter van een grille die op de grond viel, en achteraf, toen we het allemaal de revue lieten passeren, Blaine en ik, hoorden we weer de dreun van de kranten-truck die de vangrail ramde, een grote vierkante vrachtwagen met de chauffeursdeur open en blèrende radio. Hij knalde er met brute kracht bovenop. Ze hadden met geen mogelijkheid kunnen ontko-men.

Blaine keek over zijn schouder en gaf meteen plankgas, tot ik hem toeschreeuwde dat hij moest stoppen, stoppen, alsjeblieft, alsjeblieft. Niets overzichtelijkers dan zulke momenten. Volmaakte helderheid in ons leven. Je moet uitstappen. Je verantwoordelijkheid nemen. Teruglopen naar het ongeluk. Het meisje mond-op-mondbeade-ming geven. Haar bloedende hoofd vasthouden. In haar oor fluiste-ren. Het wit van haar voeten warmen. Naar een telefoon rennen. De beknelde man redden.

Blaine stopte op de vluchtstrook van de FDR en we stapten uit. Het gekrijs van meeuwen boven de rivier, optornend tegen de wind. De vlekken licht op het water. De deinende stromingen, hun wervelen-de bewegingen. Blaine hield zijn handen boven zijn ogen tegen de zon. Hij zag eruit als de klassieke ontdekkingsreiziger. Midden op de weg waren een paar auto's gestopt en de krantenwagen was dwars tot stilstand gekomen, maar het was niet zo'n massale ravage waarover je soms in rocknummers hoort, een en al bloed en botbreuk en Amerikaanse snelweg, het was eerder kalm met alleen wat glinsterend glas verspreid over de rijstroken en een paar uiteengereten pakken kranten op de grond, op afstand van het lichaam van het jonge meisje dat zich kenbaar maakte in een uitdijende plas bloed. De motor brulde en stoom spoot uit de bus. De voet van de bestuurder moet nog op het pedaal hebben gedrukt. Er klonk onophoudelijk een gierend hoge toon. Hier en daar gingen er portieren open in de gestrande auto's erachter en een paar andere automobilisten hadden hun hand al op de claxon, het koor van New York, vol ongeduld om weer door te rijden, het schrille sodemieter-op-daar. Wij stonden in ons eentje, tweehonderd meter voorbij de herrie. Het wegdek was kurkdroog, maar hier en daar lagen plasjes dampend teer. Zonlicht door de wegpijlers. Meeuwen boven het water.

Ik keek naar Blaine. Hij droeg zijn kamgaren jasje met zijn strikje. Hij zag er belachelijk en triest uit, met zijn wapperende haar voor zijn ogen, zijn hele wezen vastgeklonken aan het verleden.

'Zeg dat het niet is gebeurd,' zei hij.

Ik herinner me nog het moment dat hij zich omdraaide om de voorkant van de auto te bekijken en ik dacht dat we er nooit overheen zouden komen, niet zozeer over het ongeluk, of zelfs de dood van het jonge meisje – ze lag zo duidelijk dood, in een bloederig hoopje op de weg – of de man die tegen het stuur was geslagen, bijna zeker dodelijk gewond, met zijn borst tegen het dashboard geramd, maar over het feit dat Blaine omliep om te zien wat voor schade er aan onze auto was, de gebroken koplamp, het verwrongen spatbord, net als onze jaren samen, er was iets kapot, terwijl we achter ons de sirenes al hoorden aankomen. Hij liet een zachte kreun van wanhoop horen en ik wist dat het vanwege de auto was, onze onverkochte doeken en wat er straks met ons ging gebeuren, en ik zei tegen hem: kom op, laten we gaan, vlug, stap in Blaine, vlug, schiet op.

In '73 hadden Blaine en ik ons leven in de Village verruild voor een totaal ander leven en gingen in een blokhut ver buiten New York wonen. We waren bijna een jaar van de drugs af, zelfs een paar maanden van de drank, tot de nacht voor het ongeluk. Even één nachtje uitspatten. We hadden die ochtend uitgeslapen, in het Chelsea Hotel, en we gingen terug naar het oude oma-idee om op de schommelbank op de veranda te zitten kijken hoe het gif uit ons lichaam verdween.

Op weg naar huis was stilte het enige wat we hadden. We sloegen aan het eind van de FDR over de Willis Avenue Bridge naar het noorden af, de Bronx in, van de snelweg af, de tweebaansweg op, langs het meer, over het modderpad naar huis. De hut was anderhalf uur rijden van New York City. Hij stond achter een groep bomen aan de rand van een tweede, kleiner meer. Eigenlijk een vijver. Waterlelies en rivierplanten. De blokhut was vijftig jaar eerder gebouwd, in de jaren twintig, van rood cederhout. Geen elektriciteit. Water uit een bron. Een houtkachel, een gammele buitenplee, een op zwaartekracht werkende douche, een schuur die we als garage gebruikten. Frambozenstruiken groeiden onder en rond de achtterramen. Als je ze openschoof hoorde je vogels fluiten. De wind liet het riet roddelen.

Het was het soort plek waar je gemakkelijk kon leren te vergeten dat we zojuist een meisje hadden zien omkomen bij een verkeersongeval, misschien ook nog een man, dat wisten we niet.

Het werd al avond toen we aankwamen. De zon raakte de toppen van de bomen. We zagen een bandijsvogel een vis tegen de steiger kletsen. Hij verorberde zijn prooi en daarna zaten we te kijken hoe hij cirkelend wegvloog – het had zoiets moois. Ik stond op en liep de steiger langs. Blaine haalde de schilderijen van de achterbank, zette ze tegen de zijkant van de schuur, trok de grote houten deuren open waar we de Pontiac stalden. Hij zette de auto binnen en sloot de schuur met een hangslot af, begon daarna de bandensporen met een bezem uit te wissen. Halverwege het vegen keek hij op en zwaaide even naar me – het kon ook een half schouderophalen zijn – en ging door met vegen. Na een tijdje was er nergens meer een spoor dat we de hut zelfs maar verlaten hadden.

De avond was koel. Een vlaag van kou had de insecten tot zwijgen gebracht.

Blaine kwam naast me op de steiger zitten, schopte zijn schoenen uit, liet zijn voeten boven het water bungelen en zocht in de zakken van zijn plooibandbroek. De uitgebrande schaduwen van zijn ogen. Hij had van de afgelopen nacht nog een zakje cocaïne over, voor driekwart vol. Nog veertig, vijftig dollar waard. Hij maakte het open en schoof de lange, dunne hangslotsleutel in de coke, schepte wat poeder op. Hij kromde zijn handen rond de sleutel en hield die onder mijn neusgat. Ik schudde van nee.

'Maar één shotje. Voor de schrik.'

Het was de eerste snuif sinds de vorige nacht – wat we vroeger de remedie, de oplosser, de terpentijn noemden, naar het spul dat onze kwasten schoonmaakte. Het hakte erin en brandde regelrecht door naar mijn keel. Alsof ik een stap in sneeuwwater zette. Hij schepte in het zakje en nam zelf drie lange snuiven, wierp zijn hoofd naar achteren, schudde zich, slaakte een lange zucht. Legde zijn arm om mijn schouder. Ik rook het ongeluk bijna op mijn kleren, alsof ik net deuken in mijn spatbord had gereden, mezelf aan het tollen had gebracht, op het punt stond tegen de vangrail te klappen.

'Het was niet onze schuld, schatje,' zei hij.

'Ze was zo jong.'

'Niet onze schuld, liefje, hoor je dat?'

'Heb jij haar op de grond zien liggen?'

'Ik zweer het,' zei Blaine, 'die gek trapte op zijn rem. Heb jij hem gezien? Ik bedoel, zijn remlichten werkten niet eens. Ik kon geen kant op. Ik bedoel, wat had ik godver moeten doen? Hij reed als een gek.'

'Haar voeten waren zo wit. Van onderen.'

'Pech is een trip die ik niet neem, schat.'

'Jezus, Blaine, er lag overal bloed.'

'Je moet het vergeten.'

'Ze lag daar maar.'

'Je hebt geen zak gezien. Hoor je me? We hebben niks gezien.'

'We hebben een Pontiac uit '27. Dacht je dat niemand ons heeft gezien?'

'Niet onze schuld,' zei hij weer. 'Vergeet het nou maar. Wat konden we? Hij trapte godverdomme op de rem. Ik zweer het, hij bestuurde dat ding godverdomme alsof het een boot was.'

'Denk je dat hij ook dood is? De bestuurder? Denk je dat hij dood is?'

'Neem een snuifje, mop.'

'Wat?'

'Je moet vergeten dat het is gebeurd, er is niks gebeurd, geen ene moer.'

Hij stopte het plastic builtje in zijn binnenzak en stak zijn vingers onder de schouder van zijn vest. We droegen allebei al bijna een jaar ouderwetse kleren. Het hoorde bij onze terug-naar-de jaren-twintig-trip. Het deed nu zo belachelijk aan. Figuranten in een slecht stuk. Er waren twee andere kunstenaars in New York geweest, Brett en Delaney, die terug hadden gegrepen op de jaren veertig, in leefstijl en kleren, en ze hadden er waanzinnig succes mee gehad, waren beroemd geworden, hadden zelfs de modepagina's van de *New York Times* gehaald.

Wij gingen verder dan Brett en Delaney, trokken de stad uit, hielden wel onze unieke auto – onze enige concessie – en leefden zonder elektriciteit, lazen boeken uit andere perioden, werkten onze schilderijen in de stijl van die tijd af, hielden onszelf verborgen, zagen onszelf als kluizenaars, voorlopers, theoretici. In ons hart wisten zelfs wij dat we niet origineel waren. De vorige avond bij Max's – vol van onszelf – waren we tegengehouden door de uitsmijters die ons niet herkenden. Ze wilden ons niet in de *viproom* laten. Een serveerster trok een gordijn dicht. Ze genoot van haar weigering. Geen van onze oude vrienden waren er. We maakten rechtsomkeer, liepen naar de bar, met de doeken onder ons arm. Blaine kocht een zakje coke van de barkeeper, de enige die een complimentje over ons werk maakte. Hij boog zich over de tap en tuurde naar de doeken, tien seconden op zijn hoogst. Wauw, zei hij. Wauw. Dat is dan zestig ballen, man. Wauw. Als je nog wat rode Panama wilt hebben, man, dat heb ik ook. Wat woeste wiet. Wauw. Je zegt het maar. Wauw.

'Doe die coke weg,' zei ik tegen Blaine. 'Gooi maar in het water.'

'Straks, schatje.'

'Gooi het weg, alsjeblieft.'

'Straks, liefje, oké? Ik ben nu aan het trippen. Ik bedoel, die kerel, hou toch op! Die kon niet rijden. Ik bedoel welke godvergeten gek gaat er nu midden op de FDR op zijn remmen staan? En heb je haar gezien? Ze had niet eens kleren aan. Ik bedoel, misschien zat ze hem wel te pijpen of zo. Dat zal het geweest zijn. Ze was hem aan het afzuigen.'

'Ze lag in een plas bloed, Blaine.'

'Niet mijn schuld.'

'Er was niks meer van haar heel. En die man. Die hing daar maar tegen het stuur.'

'Jij was degene die zei dat ik daar weg moest. Jij was degene die zei: Laten we gaan. Vergeet het niet, dat was jij, jij hebt die beslissing genomen!'

Ik sloeg hem zo hard in zijn gezicht, dat de pijn in mijn hand me verraste. Ik stond van de steiger op. De houten planken kraakten. De steiger was oud en nutteloos, stak als een aanfluiting over de vijver uit. Ik liep over de harde modder naar de hut. Op de veranda duwde ik de deur open, bleef midden in de kamer staan. Het rook ontzettend muf binnen. Naar maanden van slecht koken.

Dit is niet mijn leven. Dit is niet mijn spinrag. Dit is niet het donker waarvoor ik in de wieg ben gelegd.

We waren gelukkig geweest, Blaine en ik, dat afgelopen jaar in de hut. We hadden de drugs uit ons lijf gejaagd. Waren elke morgen met een fris hoofd opgestaan. Hadden gewerkt en geschilderd. Met veel moeite een leven in stilte opgebouwd. Dat was nu weg. Het was gewoon een ongeluk, hield ik mezelf voor. We hadden gedaan wat goed was. Zeker, we waren doorgereden, maar anders hadden ze ons misschien gecontroleerd, de coke, de wiet ontdekt, misschien hadden ze Blaine de schuld in de schoenen geschoven, of mijn achternaam opgespoord, die breed uitgemeten in alle kranten gezet.

Ik keek uit het raam. Een dunne streep maan gleed over het water. De sterren boven waren speldenknopjes licht. Hoe langer ik keek, hoe meer ze op klauwensporen leken. Blaine was nog op de steiger,

147

maar lag languit, bijna in de vorm van een zeehond, koud en zwart, alsof hij elk moment van de steiger af kon glijden.

Ik schuifelde door het donker naar de petroleumlamp. De lucifers op tafel. Ik streek de lamp tot leven. Keerde de spiegel om. Ik wilde mijn gezicht niet zien. De cocaïne joeg nog door me heen. Ik draaide de lamp hoger en voelde de warmte toenemen. Een zweetdruppeltje op mijn voorhoofd. Ik liet de jurk op een slordig hoopje liggen, liep naar het bed. Ik viel op de zachte matras, ging op mijn buik liggen, naakt onder de lakens.

Ik zag haar nog steeds voor me. Vooral de onderkant van haar voeten, ik had geen idee waarom, ik zag ze daar, tegen het donker van het asfalt. Waardoor waren ze zo ontzettend wit geworden? Een oud liedje schoot me te binnen, mijn overleden grootvader die zong over lemen voeten. Ik drukte mijn gezicht dieper in het kussen.

De klink op de deur klakte. Ik lag stil en beefde – het scheen mogelijk dat tegelijk te doen. Blaines voetstappen klonken op de vloer. Hij ademde snel. Ik hoorde dat hij zijn schoenen bij de kachel gooide. Hij draaide de petroleumlamp laag. De pit sputterde. De randen van de wereld werden wat donkerder. De vlam beefde en richtte zich op.

'Lara,' zei hij. 'Liefje.'

'Wat is er?'

'Luister, het was niet mijn bedoeling om zo te schreeuwen. Echt niet.'

Hij kwam naar het bed en boog zich over me heen. Ik voelde zijn adem in mijn nek. Het voelde koel aan, als de achterkant van een kussen. 'Ik heb iets voor ons,' zei hij. Hij trok het laken tot aan mijn dijen terug. Ik voelde dat de cocaïne op mijn rug werd gesprenkeld. Zo hadden we dat jaren geleden gedaan. Ik verroerde me niet. Zijn kin in de holte onderaan mijn rug. De stoppels waar hij zich niet had geschoren. Zijn arm lag tegen mijn ribbenkast en zijn mond midden op mijn rug. Ik voelde zijn gezicht langs de achterkant van mijn lichaam omlaag gaan en de aanraking van zijn lippen, afstandelijk, er los van. Hij sprenkelde opnieuw poeder, in een grove lijn die hij met zijn tong oplikte.

Hij werd nu wild en trok het laken helemaal van me af. We had-

148

den een paar dagen niet gevreeën, zelfs niet in het Chelsea Hotel. Hij draaide me op mijn rug en zei dat ik niet mocht zweten, dan zou de cocaïne klonteren.

'Sorry,' zei hij weer, terwijl hij de coke op mijn onderbuik strooide, 'ik had niet zo moeten schreeuwen.'

Ik trok hem aan zijn haar omlaag. Over zijn schouders heen zagen de knoesten in het plafondhout eruit als sleutelgaten.

Blaine fluisterde in mijn oor, 'Sorry, sorry, sorry.'

In het begin hadden we veel geld verdiend in New York City, Blaine en ik. Eind jaren zestig had hij vier zwart-wit kunstfilms geregisseerd. Zijn beroemdste, *Antiochië*, was een portret van een oud gebouw dat in het havengebied werd gesloopt. Mooie, geduldige opnamen van kranen, gigantische vrachtwagens en zwaaiende sloopkogels vastgelegd op 16 millimeter. De film liep vooruit op veel van de kunst die erna kwam – licht dat binnenschemerde door gebroken pakhuisramen, raamlijsten die over plassen lagen, nieuwe architecturale ruimten die door afbraak ontstonden. De film werd gekocht door een bekende verzamelaar. Naderhand publiceerde Blaine een essay over het onanisme van filmmakers: films, zei hij, schiepen een vorm van leven waar het leven naar moest streven, uitsluitend een verlangen naar zichzelf. Het essay eindigde midden in een zin. Het verscheen in een obscuur kunsttijdschrift, maar hij werd er wel door opgemerkt in kringen waar hij gezien wilde worden. Hij was een dynamo van ambitie. In een andere film, *Calypso*, zat Blaine te ontbijten op het dak van de Clocktower, met de langzaam tikkende klok achter hem. Op de enorme wijzers had hij foto's van Vietnam geplakt, op de secondenwijzer die van een brandende monnik die almaar ronddraaide op de wijzerplaat.

De films waren een tijdje een rage. De telefoon ging onophoudelijk. Er werden feesten gegeven. Kunsthandelaars lagen bij ons voor de deur. *Vogue* publiceerde een profiel van hem. Hun fotograaf liet hem poseren met niets anders aan dan een lange, strategische das. We dronken alle loftuitingen in, maar als je te lang in dezelfde rivier staat, sijpelen zelfs de oevers je voorbij. Hij kreeg een Guggenheimbeurs maar na een tijdje ging het merendeel van het geld op aan onze verslaving. Coke, speed, valium, black beauty's, sensimilla, quaaludes, Tuinals, benzo's: wat we maar te pakken konden krijgen. Er waren weken dat Blaine en ik nauwelijks sliepen. We bewogen ons tussen de luidruchtige zondaren van de Village. Wilde danceparty's waarop we door de dreunende muziek liepen en elkaar een uur, twee uur, drie uur achtereen kwijt waren. We zaten er niet mee als we elkaar in de armen van een ander aantroffen: we lachten en liepen door. Seksfeesten. Partnerruilfeesten. Speedfeesten. In Studio 54 inhaleerden we poppers en slempten we champagne. Dit is geluk, schreeuwden we elkaar over de dansvloer toe.

Een modeontwerper had een paarse jurk voor me gemaakt met gele knopen van amfetamine. Blaine beet de knopen er onder het dansen een voor een af. Hoe stoneder hij werd, hoe verder mijn jurk openviel.

We kwamen binnen via uitgangen en vertrokken via ingangen. De nacht was niet meer zomaar iets donkers, die had in feite het ochtendlicht ingelijfd – we vonden het normaal dat de nacht een zonsopgang inhield of een wekker rond het middaguur. We reden vaak helemaal naar Park Avenue, alleen maar om de slaperige portiers uit te lachen. We pakten vroege films in de 24-uurs bioscopen op Times Square. *Two-Trouser Sister. Panty Raid. Girls on Fire.* We begroetten de opkomende zon op de teerstranden van Manhattans daken. We pikten onze vrienden op bij het psychiatrisch paviljoen in Bellevue en reden regelrecht met ze naar Trader Vic's restaurant.

Alles was fabelachtig, zelfs onze inzinkingen.

Ik kreeg een tic aan mijn linkeroog. Ik probeerde het te negeren, maar het was alsof een van Blaines klokwijzers de tijd rond mijn gezicht verzette. Ik was vroeger een schoonheid, Lara Liveman, midwesters meisje, bevoorrecht blond kind: vader eigenaar van een autoimperium, moeder een Noors fotomodel. Ik durf het best te zeggen – ik was zo mooi dat taxichauffeurs om me vochten. Maar ik voelde dat de lange nachten me uitputten. Mijn tanden werden een tintje donkerder van alle benzedrine. Mijn ogen stonden dof. Soms leek het of zelfs mijn haarkleur eraanging. Een vreemde sensatie, het leven dat via de haarzakjes verdween, een soort getintel.

In plaats van aan mijn kunst te werken, ging ik naar de kapster, twee tot drie keer per week. Vijfentwintig dollar per keer. Ik gaf haar nog eens vijftien dollar fooi en liep huilend de avenue op. Ik zou weer gaan schilderen. Ik wist het zeker. Ik had alleen nog een dag nodig. Nog een uur.

Hoe minder werk we maakten, hoe meer betekenis we meenden te hebben. Ik was bezig geweest met abstracte stedelijke landschappen. Een paar verzamelaars keken nog de kat uit de boom. Ik moest alleen de fut vinden om ze af te maken. Maar in plaats van naar mijn atelier, liep ik vanuit het zonlicht op Union Square het behaaglijke donker van Max's in. Alle uitsmijters kenden me. Er werd een cocktail op tafel gezet: eerst een Manhattan, weggespoeld met een White Russian. Binnen een paar minuten was ik los van de grond. Liep ik kletsend, flirtend, lachend rond. Rocksterren zaten in de viproom, kunstenaars ervoor. Mannen op het damestoilet. Vrouwen op dat van de heren, om te roken, praten, zoenen, neuken. Bladen met hasjcake gingen rond. Mannen snoven lijntjes coke door pennenhulzen. De tijd was zijn leven niet zeker wanneer ik in Max's was. Mensen droegen hun horloge met de wijzerplaat naar hun huid gekeerd. Als het eenmaal dinertijd was, kon het net zo goed de volgende dag zijn. Soms kwam ik pas drie dagen later naar buiten. Het licht deed pijn aan mijn ogen als ik de deur naar Park Avenue South en 17th Street opendeed. Af en toe was ik met Blaine, meestal niet, en er waren heel eerlijk gezegd keren dat ik het niet zeker wist.

De feesten dreven aan als regenbuien. In de Village stond de deur van onze dealer, Billy Lee, altijd open. Hij was een lange, magere, knappe man. Hij had een stel dobbelstenen dat we voor seksspelletjes gebruikten. Er ging een grap rond dat mensen bij Billy kwamen en gingen, maar meestal kwamen. Overal in zijn appartement lagen gestolen artsenblocnotes, ieder recept in drievoud met een apart nummer van het Narcoticabureau. Hij had ze gestolen uit doktersspreekkamers in de Upper East Side; hij ging de spreekkamers op de begane grond langs op Park en Madison, trapte de airconditioners in en kroop door het open raam. We kenden een dokter in de Lower

East Side die de recepten uitschreef. Billy slikte twintig pillen per dag. Hij zei dat zijn hart soms aanvoelde alsof het zich om zijn tong wond. Hij had een zwak voor de serveersters bij Max's. De enige die aan hem ontkwam was een blonde die Debbie heette. Soms viel ik in als een serveerster eens niet kon. Billy citeerde passages uit *Finnigans Wake* in mijn oor. *De vader aller vreemdgangers.* Hij had twintig pagina's uit zijn hoofd geleerd. Het klonk als een soort jazz. Later tuitte mijn oor nog van zijn stem.

In het appartement van Blaine en mij was het weleens tot dagvaardingen voor harde muziek, en ooit tot een aanhouding vanwege verdovende middelen gekomen, maar we liepen uiteindelijk stuk op een politie-inval. Een stormloop op de deur. De agenten zwermden door het huis. *Opstaan.* Een van hen mepte met zijn knuppel op mijn enkel. Ik was te bang om te gillen. Het was geen gewone inval. Billy werd van onze zitbank gelicht, tegen de grond geschopt en voor onze ogen gevisiteerd. Hij werd in handboeien afgevoerd, onderdeel van een undercoveroperatie van het Federale Narcoticabureau. Wij kwamen ervanaf met een waarschuwing: ze hielden ons in de gaten, zeiden ze.

Blaine en ik kropen door de stad op zoek naar een niffie. Niemand die we kenden wilde verkopen. Max's was die nacht dicht. De vals kijkende flikkers in Little 12th Street lieten ons niet in hun clubs toe. Er lag een deken over Manhattan. We kochten een zakje op Staten Island, maar het bleek bakpoeder te zijn. Toch stopten we het in ons neus voor het geval er een greintje coke in zat. We liepen naar de Bowery tussen de lallende drinkebroers, werden tegen het tralie-werk van een kruidenierszaak gesmeten en onder bedreiging van een mes beroofd door drie Filippijnse jongens in honkbaljacks.

We zegen neer in het portiek van een apotheek in de East Side. *Kijk nu eens hoever we het hebben laten komen,* zei Blaine. De voorkant van zijn overhemd zat onder het bloed. Ik kon het knipperen van mijn oog niet stoppen. Ik lag daar, terwijl het vocht van de grond in mijn botten drong. Zelfs niet genoeg lust om te huilen.

Een vroege gastarbeider gooide een kwartje voor onze voeten. *E pluribus unum.*

Ik wist dat dit een van die momenten was vanwaar geen terugkeer mogelijk zou zijn. Er komt een punt waarop je, het verliezen beu, besluit jezelf niet meer teleur te stellen, of dat in ieder geval te proberen, of het laatste noodsignaal af te vuren, de allerlaatste kans. We verkochten de loft die we in Soho hadden en kochten de blokhut zo ver van New York vandaan dat het een lange wandeling zou worden als we ooit nog naar Max's terug wilden.

Wat Blaine wou was een jaar of twee, misschien langer, op de hei zitten. Geen afleiding. Terugkeren naar het punt van radicale onschuld. Schilderen. Doeken spannen. Het moment van oorspronkelijkheid vinden. Het was geen hippie-idee. We hadden allebei altijd een gruwelijke hekel aan de hippies gehad, aan hun bloemen, hun gedichten, hun enige idee. We hadden niet verder van de hippies af kunnen staan. Wij waren het grensvlak, de benoemers. We werkten ons idee uit om in de jaren twintig te leven, een Scott en Zelda zonder verslaving. We hielden onze oldtimer, lieten hem zelfs opknappen, de zittingen opnieuw bekleden, het dashboard lakken. Ik liet mijn haar in pagemodel knippen. We sloegen provisie in: eieren, meel, suiker, zout, honing, oregano, chilipeper en ribstukken gezouten vlees, die we aan een spijker in het plafond hingen. We veegden het spinrag weg en vulden de kasten met rijst, tarwe, jam, marshmallows – zo puur meenden we uiteindelijk te worden. Blaine vond het tijd om terug te gaan naar het linnen, om in de stijl van Thomas Benton, of John Steuart Curry te schilderen. Hij zocht dat moment van zuiverheid, regionalisme. Hij was doodziek van de collega's met wie hij op Cornell had gezeten, de Smithsons en de Turleys en de Matta-Clarkes. Ze hadden alles gedaan wat ze mogelijkerwijs konden doen, zei hij, er was voor hen geen perspectief meer. Hun spiraalvormige pieren en doorgesneden huizen en geplunderde vuilnisbakken waren passé.

Ik had ook een beslissing genomen: ik wilde het ritme van de bomen, de gang van het gras, wat aarde in mijn werk hebben. Ik dacht misschien in staat te zijn om water op een nieuwe, opzienbarende manier vast te leggen.

We schilderden de nieuwe landschappen apart van elkaar – de vijver, de ijsvogel, de stilte, de maan gezeten op het zadel van de bomen, de striemen koperwiek tussen de bladeren. We zwoeren de drugs af. We vreeën. Het ging allemaal zo goed, zo ontzettend goed, tot onze reis terug naar Manhattan.

Een blauwe dageraad kroop de kamer in. Blaine lag erbij als een aangespoeld voorwerp, helemaal dwars over het bed. Niet wakker te krijgen. Knarsetandde in zijn slaap. Hij was aan de magere kant, had te geprononceerde jukbeenderen, maar was niet onknap: er waren momenten dat hij me nog steeds aan een polospeler deed denken.

Ik liet hem slapen en ging naar buiten, de veranda op. Het was net voor zonsopgang en door de warmte was de nachtregen al van het gras gestoomd. Een milde wind rimpelde het oppervlak van het meertje. Heel vaag hoorde ik het verkeer op de snelweg een paar kilometer verderop, een zacht gemurmel.

Een condensatiestreep sneed door de lucht als een lijn vervliegende coke.

Mijn hoofd bonsde, mijn keel was droog. Het duurde even voor het besef doordrong dat de afgelopen twee dagen werkelijk hadden plaatsgevonden: onze trip naar Manhattan, de vernedering bij Max's, het auto-ongeluk, een nacht seks. Wat een stil leven was geweest had weer zijn kabaal gekregen.

Ik keek naar de schuur waarin Blaine de Pontiac had verborgen. We waren de schilderijen vergeten. Hadden ze in de regen laten staan, niet eens met plastic afgedekt. Ze stonden, bedorven, tegen de zijkant van de schuur, naast een stel oude karrenwielen. Ik bukte me en nam ze door. Een heel jaar werk. Water en verf waren op het gras gedropen. De lijsten zouden algauw kromtrekken. Fantastische ironie. Al dat vergeefse werk. Doeken op maat gesneden. Haartjes uit de kwasten gepeuterd. Maanden en maanden geschilderd.

Je tikt een busje aan en zienderogen verdwijnt je leven.

Ik liet Blaine met rust, vertelde het hem niet, ging hem de hele dag uit de weg. Ik liep het bos in, het meertje rond, de zandwegen over. Verzamel overal de dingen om je heen waarvan je houdt, dacht ik, en bereid je erop voor ze te verliezen. Ik ging zitten, trok klimop van bomen: alsof dat het enige nuttige was wat ik kon doen. Toen ik die nacht naar bed ging, zat Blaine naar het water te staren, terwijl hij het laatste stof van de coke uit de binnenkant van het plastic zakje likte.

De volgende ochtend – de schilderijen stonden nog tegen de garage – liep ik naar het dorp. In een bepaald stadium kan alles een teken worden. Halverwege vloog een groep spreeuwen op van een stapel afgedankte autoaccu's.

De Trophy Cafetaria was aan het eind van de hoofdstraat, in de schaduw van de kerktoren. Buiten stond een rij pick-uptrucks met lege geweerrekken tegen de achterruit. Een paar stationcars stonden op het kerkplein geparkeerd. Onkruid drong door het plaveisel bij de deur. Het belletje rinkelde. De dorpelingen op de draaikrukken keerden zich om en bekeken me. Het waren er meer dan gewoonlijk. Honkbalpetjes en sigaretten. Ze wendden zich snel weer af, kletsten verder met de koppen bij elkaar. Ik maakte me er niet druk om. Ze schonken trouwens nooit veel aandacht aan me.

Ik glimlachte naar de serveerster, maar ze reageerde niet. Ik nam een van de rode tafeltjes onder een schilderij van een vlucht eenden. Hier en daar op de tafel lagen wat suikerzakjes, rietjes en servetten. Ik veegde de formicatafel schoon, maakte een figuur van tandenstokers.

De mannen op de krukken waren luidruchtig en opgewonden, maar ik kon niet verstaan wat ze zeiden. Ik was even in paniek, dacht dat ze op de een of andere manier van het ongeluk afwisten, maar dat leek me logisch gezien onmogelijk.

Rustig nou. Blijven zitten. Neem een ontbijtje. Kijk hoe de wereld voorbijglijdt.

Eindelijk kwam de serveerster om het menu over tafel te schuiven en ongevraagd een koffie voor me neer te zetten. Lusteloosheid was haar handelsmerk, maar nu had ze iets kwieks over zich zoals ze haastig naar de bar terugging en zich weer tussen de mannen nestelde.

Er zaten kleine druipstrepen op de witte koffiemok, die niet goed was afgewassen. Ik veegde ze met een papieren servetje weg. Op de grond onder mij lag een opgevouwen krant met eivlekken erop. *The New York Times.* Ik had bijna een jaar geen krant gelezen. In de hut hadden we een radio met een slinger eraan, die we rond moesten draaien als we naar de buitenwereld wilden luisteren. Ik schopte de krant naar de andere kant van de tafel. Het vooruitzicht van nieuws trok me niet na het ongeluk en de schilderijen die we daardoor hadden verloren. Een heel jaar werk naar de knoppen. Ik vroeg me af wat er zou gebeuren als Blaine het ontdekte. Ik zag hem al uit bed komen met verward hoofd, in onderhemd, zich krabben, het manlijke kruis ordenen, naar buiten lopen en naar de schuur kijken, zich wakker schudden, door het lange gras rennen dat zich achter hem weer zou sluiten.

Hij was niet zo'n driftkop – iets wat ik nog steeds heerlijk aan hem vond – maar ik voorzag dat de blokhut bezaaid zou liggen met de resten van stukgeslagen lijsten.

Je wilt de klokken stoppen, alles een halve seconde lang stilzetten, jezelf een kans geven om het over te doen, het leven terug te spoelen: de botsing ongedaan maken, de auto achteruit laten rijden, haar op miraculeuze wijze terug tillen door de voorruit, het glas ontsplinteren, onaangetast je dag vervolgen in een oude, verloren zoetsmakende tijd.

Maar daar had je het weer, de uitdijende bloedvlek van het meisje.

Ik probeerde de aandacht van de serveerster te trekken. Ze leunde met haar ellebogen op de bar, kletsend met de mannen. De intensiteit waarmee ze spraken trilde door de ruimte. Ik kuchte luid en glimlachte weer naar haar. Ze zuchtte alsof ze wilde zeggen dat ze zo zou komen, in godsnaam, jaag me niet op. Ze liep om de bar heen, maar bleef midden in de zaak weer staan, lachte om een dubbelzinnig grapje.

Een van de mannen sloeg zijn krant open. Even kwam de voorpagina met Nixons gezicht erop voorbij. Gelikt, gemaakt en gulzig. Ik had altijd al een hekel aan Nixon, niet alleen om voor de hand liggende redenen, maar hij gaf me ook het idee dat hij niet alleen had geleerd te verwoesten wat achtergelaten was, maar ook om te vergiftigen wat nog zou komen. Mijn vader was mede-eigenaar geweest van een auto-onderneming in Detroit en dat hele onmetelijke familiekapitaal van ons was in de afgelopen paar jaar teloorgegaan. Niet dat ik de erfenis wilde – die hoefde ik helemaal niet – maar ik zag mijn jeugd voor mijn ogen verdwijnen, die mooie momenten dat mijn vader me op zijn schouders droeg en mijn oksels kietelde en me zelfs in bed stopte met een zoen op mijn wang, die tijd was nu weg, door veranderingen steeds meer vervreemd.

'Wat is er aan de hand?'

Mijn stem zo nochalant mogelijk. De serveerster met haar pen wachtend boven haar blocnote.

'Heb je het niet gehoord? Nixon is er niet meer.'

'Vermoord?'

'God, nee. Afgetreden.'

'Vandaag?'

'Nee, morgen, schat. Volgende week. Met kerst.'

'Sorry?'

Ze tikte met haar pen tegen het puntje van haar kin.

'Wat wil je?'

Ik stamelde een bestelling voor een uitsmijter ham en nam een slokje water uit het hardplastic glas.

Er schoot een beeld door mijn hoofd. Voor ik Blaine leerde kennen – vóór de drugs en de kunst en de Village – was ik verliefd op een jongen uit Dearborne. Hij was als vrijwilliger naar Vietnam gegaan en thuisgekomen met de kilometers verre blik en een perfect in zijn ruggengraat vastzittend stuk kogel. Ik was geschokt toen hij in '68 in zijn rolstoel het centrum rondreed om stemmen voor Nixon te werven, en nog steeds achter alles stond wat hij niet kon begrijpen. We waren uit elkaar gegaan vanwege de campagne. Ik dacht dat ik wist wat Vietnam was, we zouden er een bloeddoordrenkte puinhoop achterlaten. Herhaalde leugens worden geschiedenis, maar niet noodzakelijkerwijs de waarheid. Hij had ze allemaal geslikt, zijn rolstoel zelfs volgeplakt met stickers. NIXON HOUDT VAN JEZUS. Hij bezorgde huis aan huis geruchten over Hubert Humphrey. Hij kocht zelfs een kettinkje voor me met een republikeinse olifant. Ik droeg het om hem een plezier te doen, om hem zijn benen terug te geven, maar het was alsof de gloed aan de binnenkant van zijn oogleden was gedoofd en zijn geest in een laatje was weggestopt. Ik vroeg me nog steeds af wat er gebeurd zou zijn als ik bij hem was gebleven en had geleerd om onwetendheid toe te juichen. Hij had me geschreven dat hij Blaines Clocktower-film had gezien en er zo hard om had moeten lachen dat hij uit zijn stoel was gevallen, hij kon er niet meer in komen, nu moest hij kruipen, kon ik hem niet overeind helpen? Aan het eind van de brief zei hij, *Krijg de tyfus, harteloos kreng, je hebt mijn hart ingepalmd en uitgeknepen.* Toch zag ik hem, als ik aan hem terugdacht, altijd op me wachten onder de zilverkleurige tribune van het schoolsportveld met een glimlach op zijn gezicht en tweeëndertig volmaakt glanzende witte tanden.

De geest maakt zijn lukrake sprongen: stop ze weg, ja, in een la.

Ik zag weer het meisje van het ongeluk, haar gezicht verscheen boven zijn schouder. Het was nu niet het wit van haar voeten. Ze was volslank en mooi. Geen oogschaduw, geen make-up, geen aanstellerij. Ze glimlachte naar me en vroeg waarom ik was weggereden, wilde ik niet met haar praten, waarom was ik niet gestopt, kom, kom, alsjeblieft, wilde ik niet het stuk metaal zien dat haar rug had opengereten, of anders het wegdek dat ze met 90 kilometer per uur had gestreeld?

'Alles goed?' vroeg de serveerster toen ze het bord met eten over de tafel schoof.

'Prima, ja.'

Ze gluurde in de volle kop en zei: 'Mankeert er iets aan?'

'Gewoon geen zin in.'

Ze keek me aan alsof ik een buitenaards wezen kon zijn. Geen koffie? Bel het Huis van On-Amerikaanse activiteiten.

Rot op, dacht ik. Laat me met rust. Ga terug naar je ongewassen kopjes.

Ik zweeg en glimlachte naar haar. De omelet was nat en slap. Ik nam één hapje en voelde het vet in mijn maag opspelen. Ik bukte me en strekte mijn voet uit onder de tafel, trok de krant van gisteren naar me toe, raapte hem op. Hij lag opengevouwen bij een artikel over een man die over een kabel tussen de torens van het World Trade Center had gelopen. Hij had het gebouw naar het scheen zes jaar lang verkend en had er uiteindelijk niet alleen over gelopen, maar ook over gedanst, was zelfs op de kabel gaan liggen. Hij zei dat hij wilde jongleren als hij sinaasappels zag en als hij wolkenkrabbers zag wilde hij ertussen lopen. Ik vroeg me af wat hij zou doen als hij deze cafetaria binnenliep en mij daar in stukken zag liggen, te veel om mee te jongleren.

Ik bladerde de rest van de pagina's door. Iets over Cyprus, iets over waterzuivering, een moord in Brooklyn, maar vooral over Nixon en Ford en Watergate. Ik wist weinig van het schandaal. Het was niet iets wat Blaine en ik hadden gevolgd: de heersende politiek op zijn koudst. Een ander soort napalm dat nu binnenslands neerdaalde. Ik was blij om Nixon te zien aftreden, maar het zou nooit een revolutie inluiden. Er zou niet veel meer gebeuren dan dat Ford misschien honderd dagen zou krijgen en dan ook een bevel voor meer bommen moest tekenen. Ik had het idee dat er niet veel goeds was gebeurd sinds de dag dat Sirhan Sirhan de onheilbrengende trekker had overgehaald. De idylle was voorbij. Vrijheid was een woord dat iedereen in de mond nam, maar dat niemand van ons kende. Er was voor niemand nog veel om voor te sterven, behalve het recht om eigenaardig te blijven.

Geen bericht in de krant over een ongeval op de Franklin Delano Roosevelt Drive, zelfs geen regeltje weggestopt onder de vouw.

Maar zij was er wel en ze keek me nog steeds aan. Het was niet de bestuurder die me zo bezighield, ik wist niet waarom, het was steeds zij, alleen zij. Ik ploeterde door de nevels naar haar toe. De automotor gierde nog steeds en ze had een aureool van gebroken glas om zich heen. Hoe machtig bent u, God? Red haar. Til haar van het wegdek en veeg het glas uit haar haar. Was het namaakbloed van de grond. Red haar hier ter plekke, maak haar kapotte lichaam weer heel.

Ik had hoofdpijn. Mijn duizelende hoofd. Ik kon mezelf bijna voelen zwaaien aan mijn tafel. Misschien waren het de drugs die uit mijn lijf spoelden. Ik pakte een stukje toast en hield het tegen mijn lippen, maar zelfs de geur van de boter maakte me misselijk.

Door het raam zag ik een oldtimer met witte banden voor het trottoir parkeren. Het duurde even voor ik besefte dat het geen hallucinatie, geen uit het geheugen opgediept filmpje was. Het portier ging open en een schoen raakte de grond. Blaine stapte uit en hield een hand boven zijn ogen. Bijna exact hetzelfde gebaar als twee dagen eerder op de snelweg. Hij had een houthakkersshirt en spijkerbroek aan. Geen ouderwetse kleren. Hij zag eruit alsof hij hier hoorde. Hij veegde het haar uit zijn ogen. Toen hij de straat overstak, hield het dorpsverkeer voor hem in. Met zijn handen diep in zijn zakken wandelde hij langs de ramen van de cafetaria en wierp me een glimlach toe. Hij liep met een raadselachtig montere tred, zijn bovenlijf net een graadje naar achteren gekanteld. Hij leek wel een reclamejongen, zo overduidelijk fout. Ik kon me hem plotseling voorstellen in een blauwgestreept linnen pak. Hij lachte nog eens. Misschien had hij over Nixon gehoord. Waarschijnlijker was dat hij de onherstelbaar beschadigde schilderijen nog niet had gezien.

De deurbel ging en ik zag hem naar de serveerster zwaaien en de mannen toeknikken. Er stak een paletmes uit de borstzak van zijn shirt.

'Wat zie je pips, schat.'

'Nixon is afgetreden,' zei ik.

Met een brede glimlach boog hij zich over de tafel om me te kussen.

'Dickey Nixon, de grote lul. Wat denk je wat? Ik heb de schilderijen gevonden.'

Ik huiverde.

'Helemaal te gek,' zei hij.

'Wat?'

'Ze zijn eergisternacht in de regen blijven staan.'

'Dat heb ik gezien.'

'Totaal veranderd.'

'Het spijt me.'

'Het spijt je?'

'Ja, het spijt me, Blaine, het spijt me.'

'Ho, ho, even.'

'Ho wat, Blaine?'

'Snap je het niet?' zei hij. 'Je geeft er een andere draai aan. Het wordt iets nieuws. Zie je dat niet?'

Ik draaide mijn gezicht naar hem toe, keek hem recht in de ogen en zei, Nee, ik zag het niet. Ik kon niets zien, geen ene moer.

'Dat meisje was dood,' zei ik.

'O, christus, begin je weer?'

'Weer? Het was eergisteren, Blaine.'

'Hoe vaak moet ik het je nog zeggen? Niet onze schuld. Doe niet zo somber. En zet verdomme niet zo'n stem op, Lara, in godsnaam niet hier.'

Over de tafel heen pakte hij mijn hand, keek me met half samen-geknepen, dwingende ogen aan: 'Niet onze schuld, niet onze schuld, niet onze schuld.'

Hij had niet te hard gereden, zei hij, ook niet geprobeerd om een klootzak die niet kon rijden een zetje te geven. Dingen gebeuren. Dingen botsen.

Hij spieste een stuk van mijn omelet. Hij hield de vork omhoog, half naar mij wijzend. Hij sloeg zijn ogen neer, nam een hap en kauw-de langzaam.

'Ik heb net een ontdekking gedaan en je luistert niet.'

Het was alsof hij me met een lullig grapje wilde opporren.

'Een moment van lichtend inzicht,' zei hij.

'Gaat het over haar?'

'Nu moet je ophouden, Lara. Beheers je nou eens. Luister naar me.'

'Over Nixon?'

'Nee, het gaat niet over Nixon. Schijt aan Nixon. De geschiedenis rekent wel af met Nixon. Luister nou eens naar me. Je gedraagt je als een idioot.'

'Er was een dood meisje.'

'Genoeg. Doe godver niet zo somber.'

'Wie weet is hij ook dood, die vent.'

'Hou. God. Ver. Op. Het was maar een tikje, dat was alles, meer niet. Zijn remlichten deden het niet.'

Op dat moment kwam de serveerster aanlopen en liet Blaine mijn hand los. Hij bestelde een Trophy speciaal met eieren, extra bacon en wildbraadworst. De serveerster trok zich terug, glimlachend keek hij haar na, haar wiegende gang.

'Luister,' zei hij, 'het gaat over tijd. Uiteindelijk. Ze gaan over de tijd.'

'Wat gaat over tijd?'

'De schilderijen. Ze zijn een commentaar op de tijd.'

'O, jezus, Blaine.'

Hij had een glinstering in zijn ogen, heel anders dan ik in lange tijd had gezien. Hij scheurde een paar suikerzakjes open, stortte ze in zijn koffie uit. Een paar korrels rolden weg over tafel.

'Kijk. We hebben onze jarentwintigschilderijen gemaakt, niet? En we hebben in die tijd geleefd, niet? Er zit een zeker meesterschap in, ik bedoel, ze hadden een stevige basis, de schilderijen, dat heb je zelf gezegd. En ze verwezen naar die tijd, niet? Ze bleven binnen hun vormentaal. Ze hadden een stilistisch pantser, niet? Een zekere monotonie zelfs. Ze ontstonden doelbewust. We hebben ze gecultiveerd. Maar heb je gezien wat het weer ermee heeft gedaan?'

'Dat heb ik gezien, ja.'

'Nou, toen ik er vanmorgen naartoe liep was ik helemaal van de kaart door die krengen. Maar toen begon ik ze een voor een bekijken. En ze waren mooi en bedorven. Snap je?'

'Nee.'

'Wat gebeurt er als we een serie schilderijen maken en we zetten die in weer en wind buiten? We laten het heden inwerken op het verleden. We kunnen er een radicaal statement mee maken. De formele schilderijen in de stijl van het verleden opzetten en door het heden laten verwoesten. Je laat de elementen een creatieve kracht worden. De concrete wereld werkt aan je kunst. Dus je geeft er een nieuwe afronding aan. En dan een nieuwe interpretatie. Perfect, toch?'

'Het meisje is verongelukt, Blaine.'

'Nu stoppen.'

'Nee, ik stop niet.'

Hij zwaaide zijn handen omhoog en sloeg op de tafel. De gemorste suikerkorrels sprongen op. Een paar mannen aan de bar draaiden zich om en wierpen ons een snelle blik toe.

'O, kut,' antwoordde hij, 'het heeft geen zin om met jou te praten.'

Zijn ontbijt arriveerde en hij begon nors te eten. Telkens keek hij naar me op. Alsof ik plotseling zou veranderen, de schoonheid zou worden met wie hij ooit getrouwd was, maar zijn ogen stonden droevig en vol verwijt. Hij at het worstje met een soort agressie, prikte erin alsof het hem kwaad maakte, dat ding dat ooit geleefd had. Een stukje ei bleef naast zijn mond hangen waar hij zich niet goed had geschoren. Hij probeerde over zijn nieuwe project te praten, dat iemand overal betekenis in kon vinden. Zijn stem zoemde als een benarde vlieg. Zijn drang naar zekerheid, naar betekenis. Hij had mij nodig als onderdeel van zijn constructies. Ik had zin om Blaine te vertellen dat ik in wezen mijn hele leven eigenlijk van de Nixon-jongen in de rolstoel had gehouden en dat het sindsdien allemaal gekeutel was geweest, puberachtig, zinloos en vermoeiend, al die kunst, al die projecten, al die mislukkingen van ons, het was louter wegwerpwerk, niets ervan was belangrijk, maar ik bleef domweg zitten, hield mijn mond, luisterde naar het vage geroezemoes van stemmen aan de bar en het gekletter van vorken op borden.

'We zijn hier klaar,' zei hij.

Blaine knipte met zijn vingers en de serveerster kwam aangerend. Hij liet een buitensporige fooi achter en we liepen naar buiten, de zon in. Blaine liet een reusachtige zonnebril voor zijn ogen zakken, versnelde zijn pas en beende naar de garage aan het eind van de hoofdstraat. Ik volgde een paar stappen achter hem. Hij draaide zich niet om, wachtte niet.

'Hé makker, kun je wat bijzonders voor me op de kop tikken?' zei hij tegen een paar benen dat onder een auto uitstak.

De monteur rolde zich tevoorschijn, keek omhoog, knipperde met zijn ogen.

'Zeg het maar, kerel.

'Een koplamp van een Pontiac 1927. En een voorspatbord.'

163

'Een wat?'

'Kun je die vinden of niet?'

'Dit is Amerika, chef.'

'Regel dat dan.'

'Dat kost tijd, man. En geld.'

'Geen punt,' zei Blaine, 'ik heb het allebei.'

De monteur pulkte aan zijn tanden en grinnikte. Hij sjokte naar een rommelig bureautje: mappen en potloodslijpsel en meisjes van pin-upkalenders. Blaines handen beefden, maar dat deerde hem niet, hij was alleen maar bezig met zichzelf en wat hij met de schilderijen zou doen als de auto eenmaal was gemaakt. Zodra de lamp en het spatbord konden worden gerepareerd zou de hele kwestie vergeten zijn en kon hij aan de slag. Ik had geen idee hoe lang zijn nieuwe obsessie zou duren – een uur, nog een jaar, een leven lang?

'Ga je mee?' zei Blaine toen we de garage uitliepen.

'Ik loop liever.'

'We zouden het moeten filmen, weet je,' zei hij. 'Hoe deze nieuwe serie wordt geschilderd en zo. Alles vanaf het eerste begin. Er een documentaire van maken, vind je niet?'

Voor het Memorial Hospital op de hoek van 98th Street en First Avenue, stond een rijtje rokers. Ze zagen er stuk voor stuk uit als hun laatste sigaret, asgrauw en op het punt van vallen. Achter de zwaaideuren was de tjokvolle ontvangsthal. Weer een wolk rook naar binnen. Bloedvlekken op de grond. Junkies uitgeteld op de banken. Het was het soort ziekenhuis dat eruitzag alsof het een ziekenhuis nodig had.

Ik baande me een weg door de drukte. Het was de vijfde ontvangsthal die ik bezocht en ik begon te geloven dat de bestuurder en de jonge vrouw misschien allebei ter plekke waren omgekomen en onmiddellijk naar een lijkenhuis waren gebracht.

Een bewaker verwees me naar een informatieloket. Er was een raam uitgehakt in de wand van een anonieme kamer aan het eind van de gang. Het omlijstte een corpulente vrouw. Van een afstand leek het alsof ze in een televisietoestel zat. Haar bril bungelde aan haar nek. Ik liep schuchter naar het raam en vroeg fluisterend of er een man en een vrouw waren binnengebracht na een auto-ongeluk op woensdagmiddag.

'O, u bent familie?' zei ze, zonder ook maar naar me op te kijken.

'Ja,' stamelde ik. 'Een nicht.'

'En u komt hier voor zijn spullen?'

'Zijn wat?'

Ze nam me vluchtig op.

'Zijn spullen?'

'Ja.'

'U moet er wel voor tekenen.'

Binnen een kwartier stond ik weer buiten met een doos bezittingen van wijlen John A. Corrigan. Er zat een zwarte broek in, die met een ziekenhuisschaar aan de zijkant was opengeknipt, verder een zwart hemd, een bevlekt wit onderhemd, ondergoed en sokken in een plastic zak, een religieuze medaille, een paar donkere sportschoenen met doorgesleten zolen, zijn rijbewijs, een bekeuring voor fout parkeren in John Street om 07.44 uur op woensdagochtend 7 augustus, een pakje shag, wat vloeitjes, een paar dollar en, vreemd genoeg, een sleutelhanger met een fotootje van twee jonge zwarte kinderen erop. Er zat ook een babyroze aansteker bij, die uit de toon viel bij al die andere zaken. Ik wilde die doos niet. Ik had hem puur uit schaamte meegenomen, uit plichtsgevoel tegenover mijn leugen, uit noodzaak om mijn gezicht en misschien zelfs mijn huid te redden. Ik was gaan denken dat weggaan van de plek van de misdaad misschien wel doodslag was, of op zijn minst een zwaar soort misdrijf, en nu was er een tweede misdaad, nauwelijks ernstig te noemen, maar het vervulde me met afschuw. Ik wilde de doos op de trap van het ziekenhuis achterlaten en voor mezelf op de loop gaan. Ik had dit allemaal aan het rollen gebracht en het enige wat het me opleverde was een handvol spullen van de dode man. Ik was duidelijk te ver gegaan. Nu moest ik naar huis, maar ik had de met bloed besmeurde bagage van die man aangenomen. Ik staarde naar het rijbewijs. Hij zag er jonger uit dan mijn geheugenbeelden hem hadden gemaakt. Een paar vreemd bange ogen, die een eind voorbij de camera keken.

'En het meisje?'

'Een D.B.A., dood bij aankomst,' zei de vrouw alsof het een verkeersteken was.

Ze keek naar me op en duwde de bril op haar neus recht.

'Verder nog iets?'

'Nee, bedankt,' stamelde ik.

De enige stukjes die ik werkelijk aan elkaar kon passen waren dat John A. Corrigan – geboren 15 januari 1943, 1,78m, 70,5 kg, blauwe ogen – vermoedelijk de vader was van twee jonge zwarte kinderen in de Bronx. Misschien was hij getrouwd met het meisje dat door de voorruit was geslingerd. Misschien waren de meisjes op de sleutelhanger zijn inmiddels groot geworden dochters. Of misschien was het iets stiekems, zoals Blaine had vermoed, en had hij een verhouding gehad met de dode vrouw.

Onderin de doos lag een gevouwen fotokopie met wat medische informatie: zijn ontslagverklaring van het ziekenhuis. De hanenpoot was bijna onleesbaar. *Harttamponnade. Clindamycin 300 mg.* Een ogenblik lang zat ik weer op de snelweg. Het spatbord raakte de achterkant van zijn minibus en ik tolde nu rond in zijn grote bruine bus. Muren, water, vangrails.

De geur van zijn hemd steeg op toen ik de frisse buitenlucht in liep. Ik had de vreemde neiging om zijn tabak uit te delen aan de rokers die buiten rondhingen.

Een stel opgeschoten Porto Ricaanse knapen hing bij de Pontiac rond. Ze droegen kleurige sportschoenen en broeken met wijd uitlopende pijpen en hadden sigarettenpakjes in mouwen van hun T-shirts geschoven. Ze roken mijn zenuwen toen ik me tussen hen door wurmde. Een grote magere jongen deed een graai over mijn schouder en trok de plastic zak met Corrigans ondergoed weg, gaf een gemaakt gilletje en liet hem op de grond vallen. De anderen lachten de lach van een meute. Ik bukte me om de zak op te rapen, maar voelde een hand over mijn borst strijken.

Ik maakte me zo groot als ik kon en keek de jongen strak aan.

'Waag het niet.'

Ik voelde me zoveel ouder dan mijn achtentwintig jaar, alsof er in de afgelopen dagen tientallen jaren bijgekomen waren. Hij deed twee stappen terug.

'Mag toch kijken?'

'Ook niet.'

'Ritje maken?'

'In de Pontiac?' schreeuwde een jongen. 'Of...?'

Nog meer gegrinnik.

'Eentje maar, dame.'

Over zijn schouder zag ik een bewaker van het ziekenhuis op ons afkomen. Hij droeg een Afrikaanse muts en liep, al pratend in een walkietalkie, met lange stappen naar ons toe. De knapen vlogen uiteen en renden joelend de straat uit.

'Alles in orde, mevrouw?' zei de bewaker.

Ik klungelde met de sleutels aan het portier van de auto. Ik was bang dat de bewaker naar de voorkant zou lopen, de kapotte koplamp zou zien en dat hem een licht zou opgaan, maar hij hielp me alleen met invoegen in het verkeer. In de binnenspiegel zag ik hem de plastic zak met ondergoed oprapen die ik op de stoep had laten liggen. Hij hield hem een ogenblik omhoog, haalde toen zijn schouders op en gooide hem in de vuilnisbak aan de kant van de weg.

Huilend nam ik de bocht naar Second Avenue.

Ik was zogenaamd naar de stad gegaan om zo'n moderne videocamera voor Blaine te kopen, om de ontwikkeling van zijn nieuwe schilderijen mee vast te leggen. Maar de enige winkels die ik kende waren helemaal in de 14th Street, vlakbij mijn oude buurt. Wie had ook weer gezegd dat je niet meer thuis kunt komen? En onwillekeurig reed ik door, naar de westkant van de stad. Naar een klein parkeerterrein in Riverside Park, langs het water. De kartonnen doos stond naast me op de passagiersstoel. Het leven van een onbekende man. Ik had nog nooit zoiets gedaan. Blootgesteld aan de wereld waren mijn bedoelingen brandgevaarlijk geworden. De doos was me veel te makkelijk meegegeven, alleen een simpele handtekening en een bedankje. Ik overwoog de hele boel in de Hudson te gooien, maar er zijn bepaalde dingen waartoe we onszelf gewoon niet kunnen zetten. Ik staarde weer naar zijn foto. Niet hij was degene voor wie ik hier naartoe was gekomen, maar het meisje. Van haar wist ik nog steeds niets. Het was onzinnig. Wat moest ik doen? Een nieuwe vorm van verrijzenis beoefenen?

Ik stapte de auto uit, zocht in de dichtstbijzijnde afvalbak naar een krant en bladerde die door om te zien of ik een rouwadvertentie of overlijdensbericht kon vinden. Er was er een, een hoofdartikel, maar dat was voor het Amerika van Nixon, niet voor een jonge zwarte vrouw, het slachtoffer van een wegpiraat.

Ik schraapte mijn moed bij elkaar en reed naar de Bronx, naar het adres op het rijbewijs. Hele blokken lagen braak. Rasterhekken met een bovenrand van gescheurde plastic zakken. Armetierige catalpabomen gebogen door de wind. Carrosseriebedrijfjes. Nieuw en tweedehands. De stank van brandend rubber en baksteen. Op een muurtje had iemand geschreven: DANTE IS AL WEG.

Het duurde een eeuwigheid om het adres te vinden. Er stonden een paar politiewagens onder de Major Deegan. Twee agenten hadden een doos donuts tussen hen in op het dashboard staan, als in een derderangs tv-serie. Ze staarden me met open mond aan toen ik met de auto naast hen stilhield. Mijn angstgevoel was helemaal verdwenen. Als ze me wilden arresteren voor doorrijden na een ongeval, dan deden ze het maar.

'Dit is een linke buurt, moppie,' zei een van hen in nasaal New Yorks. 'Zo'n karretje kan mensen op ideeën brengen.'

'Wat kunnen we voor je doen, mop?' zei de andere.

'Me misschien niet mop noemen?'

'Lange teentjes?'

'Wat wilt u, dame? Niks dan rottigheid hier.'

Als om dit te bevestigen, minderde een enorme koelwagen vaart toen hij door de verkeerslichten was. De chauffeur draaide het raampje omlaag en zwenkte naar de stoep, keek naar buiten en gaf abrupt gas toen hij de politiewagen opmerkte.

'Vandaag geen zwartwippen,' schreeuwde de agent naar de passerende truck.

De kleinste van de twee verschoot een beetje van kleur toen hij weer naar mij keek en produceerde een flauw glimlachje dat zijn oogleden plooide. Hij liet zijn handen over een band vet gaan die om zijn middel puilde.

'Geen handel vandaag,' zei hij bijna verontschuldigend.

'Nou, wat kunnen we voor u doen, mevrouw? zei de ander.

'Ik wil iets terugbrengen.'

'O ja?'

'Ik heb deze spullen bij me. In mijn auto.'

'Waar hebt u die vandaan? Wat is het? Een negentiende-eeuwer?'

'Hij is van mijn man.'

Twee zuinige glimlachjes, maar ze gaven de indruk blij te zijn met mijn onderbreking van hun verveling. Ze kwamen naar mijn auto en keken naar binnen, streelden het houten dasboard, verbaasden zich over de handrem. Ik had me vaak afgevraagd of Blaine en ik louter op de jarentwintigtoer waren gegaan om onze auto te kunnen houden. We hadden hem als huwelijksgeschenk voor onszelf gekocht. Telkens als ik erin zat, was het alsof ik terugkeerde naar eenvoudiger tijden.

De tweede agent gluurde in de doos met bezittingen. Ze waren walgelijk, maar ik was nauwelijks in een positie om er iets van te zeggen. Plotseling speelde mijn schuldgevoel op over de plastic zak met ondergoed die ik bij het ziekenhuis had achtergelaten, alsof die nu nodig kon zijn om degene die er niet was compleet te maken. De agent viste de parkeerbon en toen het rijbewijs onder uit de doos op. De jongste knikte.

'Hé, dat is die Ierse vent, de pater.'

'Zeker weten.'

'Die lastpak. Toen met de hoeren. Hij reed in die stinkbus.'

'Een pater?' zei ik.

'Nou ja, of een broeder. Soort arbeidersbroeder. Bevrijdingstheodinges.'

'Theoloog,' zei de ander.

'Zo'n gast die denkt dat Jezus een uitkering had.'

Er ging een rilling van haat door me heen en ik vertelde de agenten dat ik op de administratie van het ziekenhuis werkte en de voorwerpen moest terugbezorgen, of zij niet zo goed wilden zijn ze aan de familie van de overledene af te geven?

169

'Niet ons werk, mevrouw.'

'Ziet u dat pad daar? Om de zijkant heen? Volg dat tot aan het vierde bruine gebouw. Ingang links. Neem de lift.'

'Of de trap.'

'Wees wel voorzichtig.'

Ik vroeg me af hoeveel klootzakken er nodig waren voor een heel politiebureau. Door de oorlog waren ze moediger en luidruchtiger geworden. Ze hadden kapsones gekregen. Tienduizend man aan de waterkanonnen. Schiet de negers neer. Knuppel de activisten uit elkaar. Slikken of stikken. Geloof niks tenzij je het van ons hoort.

Ik liep naar de flats. Een golf van angst. Moeilijk om het hart te bedaren als het zo tekeergaat. Als kind had ik paarden gezien die de rivier in wilden stappen om koelte te vinden. Je ziet ze onder een groep kastanjes vandaan sjokken, de helling af, door de modder, vliegen wegzwiepend, dieper en dieper het water in totdat ze een ogenblik zwemmen of terugkeren. Ik herkende het als angstgedrag, er zat iets beschamends in – woontorens als deze waren een land dat noch in mijn jeugd of mijn kunst, of waar dan ook bestond. Ik had een beschermde jeugd gehad. Zelfs maf van de drugs zou ik nooit een gebouw als dit zijn binnengegaan. Ik moest mezelf dwingen om verder te lopen. Ik telde de scheuren in het plaveisel. Sigarettenpeuken. Ongeopende brieven met voetstappen erop. Glasscherven. Iemand floot, maar ik keek niet. Uit een open raam zweefden wat hasjdampen. Even was het alsof ik helemaal niet het water inging: meer alsof ik emmers bloed van mijn eigen lichaam wegbracht, en ik kon ze horen klotsen en morsen onder het lopen.

De droge bruine resten van een bloemenkrans hingen buiten aan de toegangsdeur. In de hal zaten de brievenbussen vol deuken en schroeiplekken. Er hing een stank van kakkerlakkenspray. De plafondlampen waren om een of andere reden zwart gespoten.

Bij de lift stond een forse, oudere vrouw in een bloemetjesjurk te wachten. Ze schopte met een diepe zucht een gebruikte injectiespuit opzij. Die bleef in de hoek liggen, met een drupje bloed aan de naald. Ik beantwoordde haar knikje met een glimlach. Haar witte tanden. Het deinen van haar imitatieparels rond haar hals.

'Mooi weer,' zei ik tegen haar, hoewel we allebei precies wisten wat voor weer het was.

De lift ging omhoog. Paarden in rivieren. Kijk hoe ik verdrink.

Ik groette haar op de vierde etage toen ze verder omhoogging, het geluid van de kabels klonk als het breken van oude takken.

Voor de deur stonden een paar mensen bij elkaar, voornamelijk zwarte vrouwen in donkere rouwkleren, die eruitzagen alsof ze niet van henzelf waren, alsof ze ze voor een dag hadden gehuurd. Ze verraadden zich door hun overdadige, opzichtige make-up, en door een van hen, die zilveren glitters rond haar ogen had en er zo moe en mat uitzag. De agenten hadden iets gezegd over hoeren: het schoot me te binnen dat het jonge meisje misschien maar een prostituee was geweest. Ik voelde even een zucht van dankbaarheid, en meteen toen ik dat besefte stokte mijn hart, kwamen de muren kloppend op me af. Was ik zo banaal?

Wat ik deed was onvergeeflijk en ik wist het. Ik kon mijn borst in mijn blouse voelen bonzen, maar de vrouwen weken voor me uiteen en ik liep door hun gordijn van verdriet.

De deur was open. Binnen was een jonge vrouw de vloer aan het vegen. Ze had een gezicht dat uit een Spaans mozaïek afkomstig kon zijn. Haar ogen waren omfloerst met vegen mascara. Een eenvoudige zilveren ketting om haar nek. Ze was duidelijk geen hoer. Ik voelde me onmiddellijk te dun gekleed, alsof ik lomp in haar stilte binnendrong. Achter haar, een evenbeeld van de man op de foto van het rijbewijs, alleen zwaarder, meer onderkin, minder stoppelbaard. Zijn aanblik benam me de adem. Hij droeg een wit overhemd, een donkere das en een jasje. Zijn gezicht was breed, ietwat blozend, zijn ogen waren dik van verdriet. Ik hakkelde dat ik van het ziekenhuis was en was gekomen om spullen af te geven die aan ene meneer Corrigan hadden toebehoord.

'Ciaran Corrigan,' zei hij, toen hij naar me toekwam om me een hand te geven.

Hij leek me op het eerste gezicht het soort man dat graag kruiswoordpuzzels in bed zou oplossen. Hij nam de doos aan, keek erin en doorzocht hem. Toen hij de sleutelring tegenkwam, staarde hij er even naar en stak hem in zijn zak.

'Bedankt,' zei hij. 'We waren vergeten deze spullen op te halen.'

Hij had iets van een accent, niet heel sterk, maar zijn houding leek op de houding die ik bij andere Ieren had gezien, naar binnen gericht, maar toch hyperbehoedzaam. De Spaanse vrouw pakte het hemd en nam het mee naar de keuken. Bij de gootsteen snoof ze de stof diep in. De zwarte bloedvlekken waren nog zichtbaar. Ze keek om naar mij, liet haar blik naar de grond zakken. Haar kleine boezem ging heftig op en neer. Ze zette opeens de kraan open, duwde de stof in het water en begon die uit te wringen, alsof John A. Corrigan elk moment kon verschijnen en het hemd weer aan zou willen. Het was nogal duidelijk dat ik niet gewenst of nodig was, maar iets hield me daar.

'We hebben over drie kwartier een rouwdienst,' zei hij. 'Wilt u me excuseren?'

In de flat erboven werd een wc doorgetrokken.

'Er was ook een jong meisje,' zei ik.

'Ja, het is haar begrafenis. Haar moeder komt ervoor uit de gevangenis. Tenminste, dat is ons verteld. Voor een uur of twee. De dienst voor mijn broer is morgen. Crematie. Er waren wat complicaties. Geen ernstige.'

'Ik begrijp het.'

'Als u me wilt excuseren.'

'Natuurlijk.'

Een kleine, zwaargebouwde priester kwam het appartement binnen en maakte zich bekend als pater Marek. De Ier gaf hem een hand. Hij wierp mij een blik toe alsof hij zich afvroeg waarom ik er nog was. Ik ging naar de deur, bleef staan en draaide me om. De deursloten zagen eruit alsof ze meermalen waren opengebroken.

De Spaanse vrouw was nog in de keuken waar ze het natte hemd aan een hangertje boven de gootsteen hing. Ze stond daar met haar hoofd omlaag, alsof ze zich iets probeerde te herinneren. Ze drukte haar gezicht weer in het hemd.

Ik keek de andere kant op en stotterde.

172

'Heeft u er bezwaar tegen als ik de dienst van het meisje bijwoon?'

Hij haalde zijn schouders op en keek naar de priester, die meteen op een stuk papier een kaartje tekende, alsof hij blij was dat hij iets te doen had. Hij nam me bij de elleboog mee naar de gang.

'Heeft u enige invloed?' vroeg de priester.

'Invloed?' vroeg ik.

'Nou, zijn broer staat erop dat hij wordt gecremeerd voordat hij terug naar Ierland gaat. Morgen. En ik vroeg me af of u hem op andere gedachten kon brengen.'

'Waarom?'

'Het is tegen ons geloof,' zei hij.

Een van de vrouwen op de gang begon te jammeren. Maar ze hield op toen de Ier naar buiten kwam. Zijn das zat hoog op zijn hals gesnoerd en zijn jasje spande om zijn schouders. Hij werd gevolgd door de Spaanse vrouw, die een statige trots uitstraalde. Het werd stil op de gang. Hij drukte op de knop van de lift en keek naar mij.

'Het spijt me,' zei ik tegen de priester, 'ik heb geen enkele invloed.'

Ik draaide me abrupt om en haastte me naar de lift die al begon te sluiten. De Ier stak zijn hand in de spleet, trok de deur voor me open en weg waren we. De Spaanse vrouw zei met een behoedzaam glimlachje dat het haar speet, ze kon niet naar de begrafenis van het meisje, ze moest naar huis om voor haar kinderen te zorgen, maar ze was blij dat Ciaran iemand had om met hem mee te gaan.

Ik bood hem zonder erbij na te denken een lift aan, maar hij zei, nee, hem was gevraagd om in de begrafenisauto mee te rijden, hij wist niet waarom.

Hij wreef nerveus in zijn handen toen hij het zonlicht in stapte.

'Ik kende het meisje niet eens,' zei hij.

'Hoe heette ze?'

'Ik weet het niet. Haar moeder heet Tillie.'

Het klonk alsof hij zich er neerbuigend vanaf maakte, maar hij voegde eraan toe: 'Ik geloof dat het Jazzlyn is, of zoiets.'

Ik parkeerde de auto zo ver van het St. Raymonds kerkhof in Throgs Neck, dat niemand hem zou zien. Er klonk gedruis vanaf de snelweg, maar hoe dichter ik bij de begraafplaats kwam hoe meer de lucht gevuld was met de geur van versgemaaid gras. Vaag rook ik het water van de Long Island Sound.

De bomen waren hoog en het licht viel er in bundels tussendoor. Het was nauwelijks te geloven dat dit de Bronx was, al zag ik wel een paar tomben die met graffiti beklad waren en bij de ingang enkele vernielde zerken. Er waren meerdere begrafenissen aan de gang, voornamelijk op de nieuwe begraafplaats, maar het was niet moeilijk te zien welke de groep van het meisje was. Ze droegen de kist over een met bomen omzoomd pad naar het oude kerkhof. De kinderen waren in smetteloos wit gestoken, maar de kleding van de vrouwen leek bij elkaar te zijn gescharreld, te korte rokken, te hoge hakken, decolletés bedekt met omgeslagen sjaaltjes. Het was alsof ze naar een merkwaardige uitdragerij waren geweest: de kleurige dure kleren verhuld met hier en daar wat donkers. De Ier stak tussen hen zo bleek, zo spierwit af.

Een man in een protserig pak, met een hoed met een paarse veer, volgde achteraan de stoet. Hij zag er beneveld en kwaadaardig uit. Onder zijn colbertje droeg hij een strakke zwarte coltrui en een gouden ketting om zijn nek waaraan een lepel hing.

Een jongen, niet ouder dan acht, speelde saxofoon, prachtig, als een vreemd trommelaartje uit de Burgeroorlog. De muziek galmde in luide, ritmische aanzetten over de begraafplaats.

Ik hield me op de achtergrond, op een stukje verwilderd gras bij het pad, maar toen de plechtigheid begon, ving de broer van John A. Corrigan mijn blik op en wenkte me naar voren. Er waren niet meer dan twintig mensen rond het graf verzameld, maar een paar jonge vrouwen jammerden hevig.

'Ciaran,' zei hij weer, terwijl hij zijn hand uitstak, alsof ik het vergeten zou zijn. Hij gaf me een flauw, verlegen glimlachje. Wij waren daar de twee enige blanken. Ik had de neiging zijn das recht te trekken, zijn warrige haar te fatsoeneren, hem te verzorgen.

Een vrouw – ze kon alleen maar de moeder van het dode meisje zijn – stond te snikken naast twee mannen in pak. Een andere, jongere vrouw liep naar haar toe. Ze deed een mooie zwarte sjaal af en drapeerde die over de schouders van de moeder.

'Bedankt, Ang.'

De predikant – een magere, elegante zwarte man – kuchte en het gezelschap werd stil. Hij sprak over de geest die de val van het lichaam overwon, dat we moesten leren de afwezigheid van het lichaam te erkennen en dankbaar te zijn voor datgene wat er is achtergebleven. Jazzlyn had een moeilijk leven gehad, zei hij. De dood kon dat niet rechtvaardigen of verklaren. Een graf staat niet gelijk met wat we in ons leven hebben gehad. Het was misschien niet het juiste moment of de juiste plaats, zei hij, maar toch wilde hij het over gerechtigheid hebben. Gerechtigheid, herhaalde hij. Alleen eerlijkheid en waarheid zullen uiteindelijk zegevieren. Het huis der gerechtigheid was geschonden, zei hij. Jonge meisjes als Jazzlyn waren gedwongen om verschrikkelijke dingen te doen. Als ze ouder werden eiste de wereld vreselijke dingen van hen. Dit was een walgelijke wereld, die haar tot walgelijke dingen had gedwongen. Ze had er niet om gevraagd. Het was voor haar walgelijk geworden, zei hij. Ze leefde onder het juk van de tirannie. De slavernij mag dan zijn afgeschaft, zei hij, maar die bestaat blijkbaar nog. De enige manier om deze te bestrijden was met liefde, gerechtigheid en goedheid. Het was geen eenvoudige oproep, zei hij, beslist niet. Goed zijn was moeilijker dan slecht zijn. De slechten wisten dat beter dan de goeden. Daarom werden ze slecht. Daarom bleven ze slecht. Slechtheid was voor degenen die nooit tot de waarheid zouden komen. Het was een vermomming voor domheid en liefdeloosheid. En al lachten mensen om het idee van goedheid, al vonden ze het sentimenteel of nostalgisch, dat deed er niet toe – het was niets van dat alles, zei hij, maar het moest wel worden bevochten.

'Gerechtigheid,' zei Jazzlyns moeder.

De predikant knikte, keek toen omhoog naar de hoge bomen. Jazzlyn was als kind opgegroeid in Cleveland en New York City, zei hij, en ze had in de verte die heuvels van goedheid gezien en wist dat ze daar ooit zou aankomen. Het zou hoe dan ook een moeilijke reis worden. Ze had te veel kwaad onderweg gezien, zei hij. Ze had een paar vrienden en vertrouwelingen gehad, zoals John A. Corrigan, die samen met haar was omgekomen, maar doorgaans had de wereld haar veroordeeld en gevonnist en misbruik gemaakt van haar vriendelijkheid. Maar het leven moet door moeilijkheden heen om ook maar een beetje schoonheid te bereiken, zei hij, en nu was ze op weg naar een plaats waar geen regeringen waren om haar te ketenen of te knechten, geen schurken om het verkeerde te eisen en niemand van haar eigen mensen die winst uit haar vlees zou slaan. Hij rechtte zijn rug en zei: Laat het gezegd zijn dat ze zich niet schaamde.

Er ging een golf van knikjes door de groep.

'Schamen moeten zich degenen die haar schande wilden aandoen.'

'Ja,' kwam het antwoord.

'Laat dit een les zijn voor ons allen,' zei de predikant. 'Op een dag zult u wandelend in het duister het licht van de waarheid zien doorbreken, en achter u zal een leven liggen dat u nooit meer terug wilt zien.'

'Ja.'

'Dat slechte leven. Dat kwade leven. En vóór u zal de goedheid zich uitstrekken. U zult dat pad volgen en het zal goed zijn. Niet gemakkelijk, maar goed. Vol angsten en moeilijkheden misschien, maar de vensters zullen zich openen naar de lucht en uw hart zal worden gezuiverd en u zult vleugels krijgen.'

Ik zag plotseling het gruwelijke beeld voor me van Jazzlyn die door de voorruit vloog. Ik voelde me duizelig. De lippen van de predikant bewogen, maar een ogenblik lang hoorde ik niets. Hij keek naar één plek in het gezelschap, hield zijn blik gericht op de man met de paarse hoed achter me. Ik keek om. De man beet van woede op zijn bovenlip en zijn lichaam leek in elkaar te duiken, zich te spannen om toe te slaan. De hoed overschaduwde zijn gezicht, maar het leek alsof hij een glazen oog had.

'De slangen zullen omkomen met de slangen,' zei de predikant.

'Zo is het,' riep een vrouwenstem.

'Ze zullen verdwijnen.'

'O, zeker.'

'Maken dat ze hier wegkomen.'

De man met de paarse hoed verroerde zich niet. Niemand verroerde zich.

'Wegwezen!' schreeuwde Jazzlyns moeder die zich in allerlei bochten wrong. Het leek alsof ze vastzat, maar zich kronkelend probeerde los te wurmen. Een van de mannen in pak legde zijn hand op haar arm. Haar schouders wrikten heen en weer en haar stem was rauw van woede.

'Sodemieter verdomme op!'

Een afschuwelijk ogenblik lang vroeg ik me af of ze naar mij schreeuwde, maar ze keek langs me heen, naar de man met de veer op zijn hoed. Het koor van kreten zwol aan. De predikant hief zijn handen op en vroeg om kalmte. Pas toen realiseerde ik me dat Jazzlyns moeder haar armen de hele tijd achter haar rug had gehouden, vastgeklemd in handboeien. De twee zwarte mannen in pak naast haar waren van de politie.

'Sodemieter op, Birdhouse,' zei ze.

De man met de hoed wachtte even, maakte zich groot, glimlachte al zijn tanden bloot. Hij duwde de rand van zijn hoed op, draaide zich om en liep weg. Er ging een klein gejuich onder de begrafenisgangers op. Ze keken hoe de pooier over de weg verdween. Hij nam een keer zijn hoed af, zonder zich om te draaien, zwaaide ermee als een man die niet echt vaarwel zegt.

'De slangen zijn weg,' zei de predikant. 'Laat ze wegblijven.'

Ciaran ondersteunde mijn arm. Ik voelde me koud en vies: het was alsof ik een vierdehands blouse aantrok. Ik had geen recht om daar te zijn. Ik bevond me op hun terrein. Maar iets uit de plechtigheid was zondermeer waar: *Achter u zal een leven liggen dat u nooit meer terug wilt zien.*

Het geweeklaag was opgehouden en Jazzlyns moeder zei: 'Haal die kankerdingen van me af.'

De twee agenten bleven strak voor zich kijken.

'Ik zei, haal die kankerdingen van me af.'

Uiteindelijk deed er een een stap naar achteren en maakte haar handboeien los.

'Godzijdank.'

Ze schudde met haar handen en liep om het open graf naar Ciaran. Haar sjaal zakte een beetje af en onthulde de diepte van haar decolleté. Ciaran kreeg een rooie boei van verlegenheid.

'Ik wil een verhaaltje vertellen,' zei ze.

Ze schraapte haar keel en er ging een vlaag ontroering door de groep.

'Mijn Jazzlyn was tien. En ergens in 'n blad ziet ze 'n plaatje van 'n kasteel. En ze knipt 't uit en plakt 't op de muur boven d'r bed. Zoals ik al zeg, niks bijzonders, ik heb er nooit zo bij stilgestaan. Maar toen kwam ze Corrigan tegen...'

Ze wees naar Ciaran, die naar de grond keek.

'...en op een dag kwam-ie wat koffie brengen en zij vertelt hem er alles over, over dat kasteel, misschien verveelde ze zich, was 't om maar wat te zeggen, ik weet niet. Maar jullie kennen Corrigan, aan die gast kon je zowat alles kwijt. Hij had luisteroren. En natuurlijk kreeg Corrie daar 'n kick van. Hij zei dattie precies zulke kastelen kende van waar hij vandaankwam. En hij zei dattie haar 'n keer naar net zo'n kasteel zou brengen. Beloofde hij haar heilig. Elke dag dattie naar buiten kwam om haar koffie te brengen zeidie tegen mijn kleine meid dat dat kasteel eraan zat te komen, je zal 't zien. De ene dag zeidie dattie de gracht in orde aan 't maken was. De volgende dag zeidie dattie aan de kettingen werkte voor de ophaalbrug. Dan weer zeidie dattie aan de torentjes werkte. En dan zeidie dattie 't banket helemaal aan 't regelen was. Ze zouden mede krijgen, dat is zoiets als wijn, en massa's lekker eten en er zouden harpen spelen en overal kon je dansen.'

'Jaja,' zei een vrouw met glinsterende make-up.

'Elke dag hattie wat nieuws te melden over dat kasteel. Dat was hun spelletje samen, en Jazzlyn was er dol op, ik zweer 't.'

Ze greep de arm van Ciaran.

'Dat is 't,' zei ze. 'Dat is alles wat ik te zeggen heb. Dat is 't. Dat is 't, godverdomme, sorry dat ik het zeg.'

Een veelstemmig amen ging door de verzamelde menigte en ze draaide zich om naar een paar van de andere vrouwen en maakte een of andere opmerking, iets geks en half binnensmonds over naar de wc gaan in het kasteel. Even klaterde gelach op uit een deel van de aanwezigen en toen gebeurde er iets vreemds – ze begon een dichter te citeren wiens naam ik niet verstond, een regel over open deuren en een enkele zonnestraal die precies op het midden van de vloer viel. Haar Bronxse accent schudde het gedicht zo door elkaar dat het op haar voeten leek te vallen. Ze keek er verdrietig naar, het werkte niet, maar toen zei ze dat Corrigan vol open deuren zat, en dat hij en Jazzlyn een toffe tijd zouden hebben waar ze ook mochten zijn, alle deuren zouden opengaan, vooral die ene naar dat kasteel.

Ze leunde daarna tegen Ciarans schouder en begon te huilen, 'Ik ben 'n slechte moeder geweest,' zei ze, 'ik ben 'n godvergeten klote-moeder geweest.'

'Nee, nietwaar, je bent oké.'

'D'r is never nooit zo'n klotekasteel geweest.'

'Er is wel degelijk een kasteel,' zei hij.

'Ik ben niet gek,' zei ze. 'Je hoeft niet te doen of ik 'n kind ben.'

'Het is oké.'

'Ik heb haar laten spuiten.'

'Je hoeft niet zo hard tegen jezelf te zijn...'

'Ze nam shots in mijn armen.'

Ze keerde haar gezicht omhoog en greep toen het dichtstbijzijnde revers.

'Waar zijn mijn kleintjes?'

'Ze is nu in de hemel, maak je geen zorgen.'

'Mijn kleintjes,' zei ze. 'De kleintjes van m'n kleine.'

'Daar gaat het goed mee, Till,' zei een vrouw bij het graf.

'Er wordt voor ze gezorgd.'

'Ze komen je opzoeken, T.'

'Beloof je dat? Wie heeft ze? Waar zijn ze?'

'Ik zweer je, Till. Ze zijn in goeie handen.'

'Beloof me.'

'Met m'n hand op m'n hart,' zei een vrouw.

'Als je 't godver maar belooft, Angie.'

'Ik beloof 't. Stil nou maar, T. Ik beloof 't.'

Ze steunde weer op Ciaran, draaide opeens haar gezicht, keek hem aan en zei: 'Onthou je wat we gedaan hebben? Denk je aan me?' Ciaran zag eruit alsof hij een staaf dynamiet in handen kreeg. Niet wist of hij hem moest vasthouden en doven, of zo ver mogelijk van zich af moest gooien. Hij wierp een snelle blik op mij, toen op de predikant, maar hij keerde zich naar haar, sloeg zijn armen om haar heen en hield haar stevig vast. Hij zei: 'Ik mis Corrie ook.' De andere vrouwen kwamen naar hem toe, ieder op haar beurt. Ze omhelsden hem, zo leek het alsof hij de belichaming van zijn broer was. Hij keek naar mij en haalde zijn wenkbrauwen op, maar het had iets goeds en oprechts – stuk voor stuk kwamen ze.

Hij zocht in zijn broekzak en haalde er de sleutelring met de fotootjes van de baby's uit, gaf die aan Jazzlyns moeder. Ze staarde er een ogenblik naar, glimlachte, deed toen plotseling een stap terug en sloeg Ciaran in zijn gezicht. Het leek alsof hij er dankbaar voor was. Een van de agenten grijnsde een beetje. Ciaran knikte en trok zijn lippen samen, daarna deed hij een stap naar achteren, naar mij.

Ik had geen idee in wat voor wespennest ik me had begeven.

De predikant kuchte, vroeg om stilte en zei dat hij nog een laatste woord te zeggen had. Hij sprak de vaste gebeden en het oud-Bijbelse *Tot stof en as zult gij wederkeren* uit, maar zei daarna dat hij vast geloofde dat as op een dag weer hout kon worden, het was niet alleen het wonder van de hemel, maar ook het wonder van deze wereld dat iets weer heel kon worden en de doden weer levend, met name in ons hart, en daarmee zou hij graag willen afsluiten, het was tijd om Jazzlyn te ruste te leggen, want dat wilde hij voor haar, *rust*.

Toen de dienst was beëindigd deden de agenten de handboeien weer om Tillies polsen. Ze jammerde maar één keer. De agenten voerden haar weg. Ze barstte in onhoorbaar snikken uit.

Ik liep met Ciaran de begraafplaats af. Hij trok zijn jasje uit en hing het over zijn schouder, niet nonchalant, maar tegen de warmte. We namen het pad naar de uitgang aan Lafayette Avenue. Ciaran liep een kwartstap voor me. Mensen kunnen er van uur tot uur anders uitzien, afhankelijk van hoe het daglicht valt. Hij was ouder dan ik, midden dertig of zo, maar hij zag er opeens even jonger uit, en er kwam een moederlijk gevoel voor hem in me op, met zijn zachte tred, beginnende onderkin, molligheid rond zijn middel. Hij bleef staan kijken hoe een eekhoorn over een grote zerk klom. Het was zo'n moment waarop alles uit evenwicht is, denk ik, waarop het domweg kijken naar iets toevalligs zin lijkt te hebben. De eekhoorn rende tegen een boomstam op, zijn nagels maakten het geluid van water in een tobbe.

'Waarom was ze geboeid?'

'Ze heeft iets van acht maanden gekregen. Een aanklacht wegens beroving bovenop de prostitutie.'

'Dus ze mocht er alleen uit voor de begrafenis?'

'Ja, voor zover ik begrepen heb wel.'

Er viel niets te zeggen. De predikant had het al gezegd. We liepen het hek uit en gingen samen dezelfde kant op, naar de snelweg, maar hij bleef staan en gaf me een hand.

'Ik zal je een lift naar huis geven,' zei ik.

'Naar huis?' zei hij half lachend. 'Kan je auto zwemmen?'

'Hè?'

'Niks,' zei hij, schudde zijn hoofd.

We liepen naar Quincy Avenue waar ik de auto had gezet. Ik denk dat hij het meteen wist toen hij de Pontiac zag. Die stond met zijn neus naar ons toe. Met één wiel op de stoep. De kapotte koplamp sprong in het oog, net als het gedeukte spatbord. Hij bleef midden op de weg een ogenblik staan, knikte vaag, alsof hij het nu allemaal snapte. Zijn gezicht zakte, als een zandkasteel dat in versnelde beelden inzakt. Ik merkte dat ik beefde toen ik was ingestapt en opzij reikte om het andere portier open te maken.

'Dit is de auto, hè?'

Ik streek een hele tijd met mijn vingers over het dashboard, stoffig van het stuifmeel.

'Het was een ongeluk,' zei ik.

'Dit is de auto,' herhaalde hij.

'Het was niet mijn opzet. Het was niet onze opzet dat het gebeurde.'

'Onze?' zei hij.

181

Ik wist het, ik klonk precies zoals Blaine. Ik was alleen maar bezig mijn schuldgevoel af te houden. De teleurstelling, de drugs, de roekeloosheid te omzeilen. Ik voelde me zo dom en onbeholpen. Het was alsof ik het hele huis had platgebrand, in de puinhoop zocht naar stukjes van vroeger, maar alleen de lucifer vond die het allemaal had aangestoken. En ik graaide verwoed om me heen, op zoek naar enig verweer. En toch was er nog iets in me dat dacht dat ik misschien wel eerlijk was, ten minste zo eerlijk als ik kon zijn, nadat ik de plek van de misdaad had verlaten en was gevlucht voor de waarheid. Blaine had gezegd dat dingen gewoon gebeuren. Het was een treurige logica, maar het was in wezen waar. Dingen gebeuren. We hadden niet gewild dat ze gebeurden. Ze waren opgerezen uit de as van het toeval.

Ik zat maar dat dashboard schoon te maken, het stof en stuifmeel aan de pijp van mijn spijkerbroek af te vegen. Gedachten zoeken altijd een andere, eenvoudigere, minder beladen plek. Ik wilde de motor starten en de dichtstbijzijnde rivier in rijden. Wat een eenvoudig tikje op de rem of een minuscule zwenking had kunnen zijn, was iets ondoorgrondelijks geworden. Ik had behoefte om op te stijgen. Ik wilde zo'n dier zijn dat moest vliegen om te eten.

'Je werkt dus helemaal niet bij het ziekenhuis?'

'Nee.'

'Reed jij? De auto?'

'Wat?'

'Reed jij of niet?'

'Ik ben bang van wel.'

Het was de enige keer dat ik ooit heb gelogen en het een beetje zinnig vond. Vaag knetterde er iets tussen ons in: auto's als lichamen, botsend.

Ciaran zat strak voor zich uit te staren. Hij stootte een geluidje uit dat meer op een lach leek dan op iets anders. Hij draaide het raampje omhoog en omlaag, liet zijn vingers over de binnenrand gaan, tikte toen met zijn knokkels op het glas, alsof hij op een mogelijkheid tot ontsnapping zon.

'Ik zal je één ding zeggen,' zei hij.

Ik had het gevoel dat overal om me heen op het glas werd getikt: straks zou het breken en versplinteren.

'Eén ding, meer niet.'

'Ga je gang,' zei ik.

'Je had moeten stoppen.'

Hij bonkte met de muis van zijn hand op het dashboard. Ik wilde dat hij me de huid vol schold, me tot in het diepst vervloekte, omdat ik mijn geweten probeerde te sussen, omdat ik loog, omdat ik mezelf vrijpleitte, omdat ik in de woning van zijn broer was verschenen. En ook wilde ik eigenlijk dat hij zich naar me toedraaide en me sloeg, hard sloeg, tot bloedens toe, me pijn deed en me de grond in trapte.

'Goed,' zei hij. 'Ik ga.'

Hij had zijn hand op de portierkruk. Hij duwde met zijn schouder het portier open, stapte half uit, trok het weer dicht en zakte uitgeput terug in de stoel.

'Godver, je had moeten stoppen. Waarom deed je dat niet?'

Een andere auto stopte bij de open plek voor ons om te parkeren, een grote blauwe Oldsmobile met zilveren vinnen. We keken zwijgend toe hoe hij zich in het gat tussen ons en de auto verderop probeerde te manoeuvreren. Er was net genoeg plaats. De auto draaide naar binnen, er weer uit en opnieuw naar binnen. We keken ernaar alsof er niets belangrijkers op de wereld bestond. Zaten allebei doodstil. De bestuurder keek over zijn schouder en zwengelde aan het stuur. Net voordat hij hem in de parkeerstand zette, reed hij de auto nog iets achteruit en raakte zachtjes de grill van mijn auto. We hoorden gerinkel: het laatste glas dat nog in de kapotte koplamp zat. De bestuurder sprong uit zijn wagen, stak zijn armen in een gebaar van overgave omhoog, maar ik wuifde hem weg. Het was een uilachtig mannetje, met bril, en zijn gezicht werd half komisch van de verrassing. Hij liep haastig weg, achterom kijkend alsof hij het nog niet kon geloven.

'Ik weet het niet,' zei ik, 'ik weet het gewoon niet. Ik heb er geen verklaring voor. Ik was bang. Het spijt me. Ik kan het niet genoeg zeggen.'

'Klote,' zei hij.

Hij stak een sigaret op, draaide het raampje op een kier en blies de rook er uit zijn mondhoek heen, wendde zich toen af.

'Luister,' zei hij ten slotte. 'Ik moet hier echt weg. Zet me maar ergens af.'

'Waar?'

'Ik weet het niet. Wil je ergens koffie drinken? Een borrel?'

We waren allebei onthutst door wat zich tussen ons afspeelde. Ik was getuige geweest van de dood van zijn broer. Had dat leven met een klap dichtgeslagen. Ik kon geen woord uitbrengen, knikte alleen maar en zette de auto in de versnelling, wurmde hem uit zijn parkeerplaats en reed de lege weg op. Rustig iets drinken in een donkere bar was niet het ergste wat je kon overkomen.

Toen ik later die avond thuiskwam – als ik nog van thuis kon spreken – ging ik zwemmen. Het water was troebel, vol onbekende planten. Vreemde bladeren en tentakels. De sterren zagen eruit als kopspijkers in de hemel – trek er een paar uit en het donker zou vallen. Blaine had een paar schilderijen gemaakt en had ze rond het meer in verschillende delen van het bos en aan de waterkant opgesteld. Er was een twijfel voelbaar, alsof hij wist dat het een stompzinnig idee was, maar er toch mee wilde experimenteren. Niets is zo absurd of je vindt er op zijn minst één koper voor. Ik bleef in het water in de hoop dat hij zou weggaan, zou gaan slapen, maar hij ging op de steiger op een deken zitten en toen ik uit het water kwam, wikkelde hij die om me heen. Met een arm om mijn schouder bracht hij me naar de blokhut terug. Het laatste wat ik wilde was een petroleumlamp, ik had schakelaars en elektriciteit nodig. Blaine probeerde me naar het bed te loodsen, maar ik zei domweg nee, ik had geen zin.

'Ga jij maar naar bed,' zei ik tegen hem.

Ik ging aan de keukentafel zitten schetsen. Het was een tijd geleden dat ik iets met houtskool had gedaan. Dingen kregen vorm op het papier. Ik herinnerde me dat Blaine op onze trouwdag in het bijzijn van de gasten zijn glas had geheven en met een grijns had gezegd: *tot het leven ons scheidt.* Dat was zijn soort humor. We zijn getróuwd, dacht ik toen – we zouden getuige zijn van elkaars laatste ademtocht.

Maar met een schok besefte ik, tijdens het schetsen, dat ik alleen maar weg wilde naar een schoon elders.

Er was niet veel gebeurd, die dag met Ciaran, althans het leek alsof er niet veel was gebeurd, tenminste niet in het begin. De rest van de dag leek eigenlijk heel normaal. We waren van de begraafplaats weggereden, de Bronx door en de Third Avenue-brug over, om de FDR Drive te mijden.

Het weer was warm en de lucht helderblauw. We lieten de raampjes open. Zijn haar kringelde in de wind. In Harlem vroeg hij me langzamer te rijden, verbaasd over de kerken achter etalageruiten.

'Het zijn net winkels,' zei hij.

We bleven buiten staan luisteren naar een koorrepetitie in de Baptistenkerk op 123rd Street. Hoge, engelachtige stemmen, die zongen over het wandelen in de zonovergoten valleien van de Heer. Ciaran tikte afwezig met zijn vingers op het dashboard mee. Het was alsof de muziek in hem was gekropen en daar rondzong. Hij zei iets over zijn broer en hem, dat ze geen stap konden dansen, maar dat hun moeder piano speelde toen ze klein waren. En op een keer had zijn broer de piano naar buiten gerold, de straat op die in Dublin langs de zee liep, hij kon zich nu bij God niet meer herinneren waarom. Dat, zei hij, was het grappige van herinneringen. Ze kwamen op de gekste momenten boven. Hij had er heel lang niet aan gedacht. Ze hadden de piano in de zon langs de strandboulevard geduwd. Het was in zijn herinnering de enige keer in zijn leven dat hij voor zijn broer was aangezien. Zijn moeder had hun namen door elkaar gehaald en hem John genoemd – *Hier John, kom hier, schat* – en hoewel hij de oudste broer was, was het een ogenblik waarin hij zichzelf als stevig in zijn jeugd geworteld zag, en misschien was hij daar nog, nu, vandaag en voorgoed, terwijl zijn dode broer nergens te vinden was.

Hij vloekte en schopte tegen de treeplank van de auto: Laten we die borrel gaan halen.

Bij een viaduct over Park Avenue hing een jongen aan een klimgordel de brug met verf te bespuiten. Ik moest aan de schilderijen van Blaine denken. Dat was ook een soort graffiti, meer niet.

We reden over Lexington Avenue naar de Upper East Side en vonden een morsige knijp ergens ter hoogte van 64th Street. Een jonge barkeeper met een lang wit schort voor bekeek ons nauwelijks toen we binnenwandelden. We knepen onze ogen toe vanwege de bierreclame. Geen jukebox. De vloer bezaaid met pindadoppen. Een paar mannen met minder dan een paar tanden zaten aan de bar naar honkbal op de radio te luisteren. De spiegels waren geel en gespikkeld van ouderdom. De stank van ranzige frituurolie. Een bordje op de muur met de tekst: DE SCHOONHEID VAN EEN MENS ZIT IN ZIJN BEURS.

We schoven op roodleren banken aan een tafeltje en bestelden twee Bloody Mary's. Mijn blouse plakte vochtig tegen de rugleuning. Tussen ons in flakkerde een kaars, een klein, zacht glanzend schijnsel. Stipjes vuil dreven in de gesmolten was. Ciaran scheurde zijn papieren servet in snippers en vertelde van alles over zijn broer. Hij zou hem de volgende dag, na de crematie terug naar huis brengen, en hem in het water van de baai van Dublin uitstrooien. Voor hem had het niets nostalgisch. Het was simpelweg wat er gedaan moest worden. Hem naar huis brengen. Hij zou langs de zeeweg lopen en wachten tot de vloed opkwam, dan Corrigan door de wind laten verspreiden. Het was helemaal niet tegen zijn geloof. Corrigan had het nooit over enig soort begrafenis gehad en Ciaran wist zeker dat hij liever deel zou uit maken van een veelheid van dingen.

Wat hij goed vond van zijn broer, zei hij, is dat hij mensen liet worden wat ze naar hun idee niet konden worden. Hij draaide iets om in hun hart. Gaf ze nieuwe plaatsen van bestemming. Zelfs dood zou hij dat nog doen. Zijn broer geloofde dat de ruimte voor God een van de laatste grote ontdekkingsgebieden was: mannen en vrouwen konden doen wat ze wilden, maar het werkelijke mysterie zou altijd liggen in een ander onbekende. Hij zou de as gewoon opgooien en de deeltjes laten neerkomen waar ze wilden.

'En dan?'

'Geen idee. Misschien reizen. Of in Dublin blijven. Misschien hier terugkomen om het goed te proberen.'

Het beviel hem allemaal niet zo toen hij hier aankwam – al die rotzooi en die drukte – maar het begon te wennen, het was zo slecht nog niet. Het was alsof je een tunnel inging als je naar deze stad kwam, zei hij, en dan tot je verbazing merkte dat het licht aan het eind niet belangrijk was; soms maakte de tunnel het licht zelfs draaglijk.

'Je weet het nooit, in een stad als deze,' zei hij, 'je weet het gewoon nooit.'

'Kom je dus terug? Ooit?'

'Misschien. Corrigan had nooit gedacht dat hij zou blijven. Toen leerde hij iemand kennen. Ik denk dat hij van plan was voorgoed te blijven.'

'Was hij verliefd?'

'Ja.'

'Waarom noem je hem Corrigan?'

'Dat is er gewoon ingeslopen.'

'Nooit John?'

'John was te gewoon voor hem.'

Hij liet de servetsnippers naar de grond dwarrelen en zei iets vreemds over woorden waarmee je goed kunt zeggen wat iets is, maar die soms niet voldoen voor wat iets niet is. Hij wendde zijn blik af. De neonreclame in het raam werd feller naarmate het licht buiten afnam.

Zijn hand streek over de mijne. Dat oude menselijke zwak van het verlangen.

Ik bleef nog een uur. Voor het grootste deel zwijgend. Gewone taal was me ontschoten. Ik stond op, een hol gevoel in mijn benen, kippenvel op mijn blote armen.

'Ik reed niet,' zei ik.

Ciaran boog zijn lijf ver over de tafel, kuste me.

'Dat dacht ik al.'

Hij wees naar de trouwring aan mijn vinger.

'Hoe is hij?'

Hij glimlachte toen ik geen antwoord gaf, maar het was een glimlach met een wereld van droefheid erin. Hij keerde zich naar de barkeeper, wenkte hem, bestelde nog twee Bloody Mary's.

'Ik moet weg.'

'Ik drink ze allebei wel op,' zei hij.

Een voor zijn broer, dacht ik.

'Doe dat.'

'Zeker,' zei hij.

Buiten zaten er twee bekeuringen onder de ruitenwisser van de Pontiac – een parkeerbon en een bon voor een kapotte koplamp. Ik stond er met open mond naar te kijken. Voor ik naar de hut terugreed, liep ik weer naar het raam van de kroeg, hield mijn handen boven mijn ogen tegen het glas, en keek naar binnen. Ciaran zat aan de bar, met zijn armen over elkaar en zijn kin op zijn pols, met de barman te praten. Toen hij even mijn kant opkeek, verstijfde ik. Vlug draaide ik me om. Er zijn stenen die zo diep in de aarde zitten dat geen verschuiving ze ooit aan de oppervlakte zal brengen.

Er bestaat, denk ik, een angst voor liefde.

Er bestaat een angst voor liefde.

Laat de machtige aarde voor altijd draaien

W at hij vaak op de weide zag: een nest met drie jonge rood-
staartbuizerds, op de richel van een boomtak, in een
dicht vlechtwerk van twijgen. De kuikens wisten wanneer de moeder terugkwam, zelfs van ver weg. Ze begonnen te krijsen, geluk bij
voorbaat. Hun snavels klapten open, en een ogenblik later wiekte
ze naar ze omlaag met aan één poot een duif, klemvast in de klauw.
Fladderend bleef ze hangen, streek dan neer, nog met één vleugel
uitgestrekt, die het halve nest aan het zicht onttrok. Ze scheurde rode repen vlees los en wierp ze in de open bekken van haar jongen.
Het gebeurde allemaal met het soort gemak waar geen woorden
voor bestaan. Het evenwicht van klauw en vleugel. De volmaakte
val van rood vlees in de bekken.

Juist zulke momenten hielden zijn training in het goede spoor. Zes
jaar op zoveel verschillende plekken. De weide was er maar een van.
Het gras strekte zich over een kleine kilometer uit, hoewel de draad
maar tachtig meter in beslag nam, midden op de wei waar de meeste wind was. De kabel was getuid met een aantal stevig bevestigde
borgen. Soms maakte hij de tuidraden wat losser zodat de kabel kon
zwaaien. Hij kreeg er een beter evenwicht door. Hij liep naar het
midden van de draad waar het het moeilijkst was. Dan probeerde hij
van de ene op de andere voet te huppen. Hij droeg een balanceerstok
die te zwaar was, alleen maar om zijn lichaam op verandering in te
stellen. Als er vrienden op bezoek waren liet hij hen met planken op

de draad slaan zodat de kabel ging slingeren en hij zijdelings leerde schommelen. Hij liet ze zelfs op de kabel springen om te zien of ze hem eraf konden krijgen.

Het liefst rende hij zonder balanceerstok over de draad – het was de zuiverst vloeiende lichaamsbeweging die hij kon bereiken. Wat hij zelfs tijdens het trainen begreep was dit: hij kon niet tegelijk de beste en de slechtste zijn. Het ging niet om een poging. Hij kon zich met zijn handen opvangen, of een voet om de draad haken, maar dan was het mislukt. Hij zocht eindeloos naar nieuwe oefeningen: de dubbele draai, op zijn tenen lopen, zogenaamd vallen, de radslag, koppen met een bal, de oversteek met aan elkaar gebonden enkels. Maar dat waren oefeningen, geen zaken die hij bij een oversteek zou doen.

Tijdens een heftig onweer stond hij een keer op de kabel alsof het een surfplank was. Hij had de tuidraden speling gegeven zodat de kabel zich wilder gedroeg dan ooit. De golven van de slingering waren een meter hoog, meedogenloos, wispelturig, heen en weer, op en neer. Niets dan storm en regen om hem heen. De balanceerstok raakte de toppen van het gras, maar nooit de grond. Hij lachte tegen de muil van de wind in.

Pas later, toen hij naar de blokhut terugliep, bedacht hij dat de stok in zijn handen een bliksemafleider was geweest: het onweer had een fakkel van hem kunnen maken – een stalen kabel, een balanceerstok, een open weide.

De houten hut had jaren leeggestaan. Eén vertrek, drie ramen en een deur. Hij had de luiken moeten losschroeven om licht te krijgen. De wind kwam nat naar binnen. Een roestige waterbuis hing van het dak omlaag en toen hij er een keer niet aan dacht, sloeg hij zich ermee buiten westen. Hij volgde de acrobatische toeren van vliegen die op spinrag wipten. Hij voelde zich op zijn gemak, ook al krabden de ratten aan de vloerplanken. Hij besloot om uit het raam te klimmen in plaats van de deur te nemen: een eigenaardige gewoonte, hij wist niet hoe hij eraan kwam. Hij legde de stok op zijn schouder en liep door het hoge gras naar de draad.

Soms kwamen er elanden aan de weidezoom grazen. Ze hieven

hun koppen, tuurden naar hem en verdwenen weer in de bosrand. Hij vroeg zich af wat ze hadden gezien en hoe ze het zagen. Het deinen van zijn lichaam. De omhooggehouden stok. Hij was opgetogen toen de elanden begonnen te blijven. Groepjes van twee of drie, die dicht bij de bosrand bleven, maar zich elke dag iets verder waagden. Hij vroeg zich af of ze zich tegen de reusachtige houten palen zouden komen schurken die hij in de grond had gezet, of ze eraan zouden knagen, ze zouden afvreten, zodat de kabel slap zou gaan hangen.

Hij was op een winter teruggegaan, niet om te trainen, maar om zich te ontspannen en de plannen door te nemen. Hij verbleef in de blokhut, op een rotsplateau met uitzicht over de weide. Hij spreidde de plattegronden en foto's van de torens uit op de ruwe houten tafel aan het kleine raam, dat uit- en neerkeek op de leegte.

Op een middag zag hij tot zijn stomme verbazing een coyote door de sneeuw stappen en speels opspringen, net onder zijn draad. Die hing 's zomers op zijn laagste punt vijf meter boven de grond, maar de sneeuw lag nu zo hoog dat de coyote eroverheen zou kunnen springen.

Na een tijdje moest hij wat hout op de kachel gooien en toen was de coyote opeens verdwenen, als een verschijning. Hij was ervan overtuigd dat hij had gedroomd, maar toen hij door zijn verrekijker keek zag hij nog pootafdrukken in de sneeuw. Hij ging in de kou naar buiten, over het pad dat hij in de sneeuw had uitgegraven, met niet meer aan dan hoge schoenen, een spijkerbroek, een houthakkershemd en een das. Hij klom via de pinnen in de paal omhoog en liep zonder balanceerstok over de draad naar het punt waar hij de sporen zag. De witte wereld bracht hem in vervoering. Hij had het gevoel dat hij over de ruggengraat van een paard naar een koel meer liep. De sneeuw herschiep het licht. Verboog het, kleurde het, weerkaatste het. Hij was extatisch, bijna stoned. Ik zou erin moeten springen, erin zwemmen. Ik zou erin moeten duiken. Hij stak een voet uit en wipte op, met gestrekte armen, de handen plat. Maar nog in de vlucht besefte hij wat hij had gedaan. Hij had niet eens tijd om te vloeken. De sneeuw was bros en stevig en hij was met de voeten omlaag van de draad gesprongen, als iemand in een zwembad. Ik had gewoon achterover moeten vallen, dacht hij, mezelf een andere vorm moeten geven. Hij stond er tot aan zijn borst in en kon er niet uitkomen. Gevangen probeerde hij zich heen en weer te wurmen. Zijn benen voelden vreemd aan, zwaar noch licht. Hij zat opgesloten, een cel van sneeuw. Hij rukte zijn ellebogen los en probeerde de draad boven hem te grijpen, maar die hing te hoog. De sneeuw kroop langs zijn enkels in zijn schoenen. Zijn hemd was langs zijn lichaam omhooggeschoven. Het was alsof hij in een koude, natte huid was beland. Hij voelde de sneeuwkristallen op zijn ribbenkast, zijn navel, zijn borst. Het was nu zijn taak om te leven, ervoor te vechten – het zou, dacht hij, zijn hele levenswerk worden om zichzelf eruit te krijgen. Hij zette zijn tanden op elkaar en probeerde zich centimeter voor centimeter te strekken. Een lange, trekkende pijn ging door zijn lichaam. Hij zakte in zijn oorspronkelijke vorm terug. De grauwe zonsondergang kwam dreigend lager. De bomen keken als een verre rij schildwachten toe.

Hij was zo'n man die zich aan één vinger kon optrekken, maar er was nergens houvast, de draad was buiten zijn bereik. Even kwam de gedachte bij hem op dat hij daar zou blijven, bevroren, tot het ging dooien en hij met de dooi zou afdalen totdat hij weer vijf meter onder de draad was, rottend, het traagste soort vallen, totdat hij de grond bereikte, misschien zelfs aangeknaagd door dezelfde coyote die hij had bewonderd.

Zijn handen waren volledig vrij en hij warmde ze door ze te spannen en ontspannen. Hij nam de das van zijn nek, langzaam, met afgemeten bewegingen – hij wist dat zijn hartslag in de kou zou vertragen – gooide hem om de draad en trok. Brokjes sneeuw schudden van de das los. Hij voelde de dasdraden rekken. Hij kende de kabel tot in de ziel: die zou hem niet in de steek laten, maar de das, dacht hij, was oud en versleten. Die kon uitrekken of scheuren. Met zijn voeten om zich heen trappend maakte hij ruimte in de sneeuw, zocht hij naar iets compacts. Niet naar achteren vallen. Telkens als hij iets hoger kwam rekte de das. Hij klauwde naar boven en trok zich iets verder op. Nu zou het kunnen. De zon was al helemaal achter de bomen. Hij maakte cirkels met zijn voeten om ze losser te krijgen, duwde zijn lichaam zijwaarts door de sneeuw, schoot omhoog, rukte zijn rechtervoet uit de sneeuw, gaf zijn been een zwaai en haalde de draad, vond genade.

Hij trok zijn lichaam op de kabel, knielde, ging een ogenblik liggen, keek naar de lucht, voelde de kabel in zijn ruggenmerg overgaan.

Nooit heeft hij meer in de sneeuw op het koord gestaan: hij liet dat soort schoonheid een waarschuwing voor hem zijn voor wat er kon gebeuren. Hij hing de das aan een haak in de deur en de volgende avond zag hij de coyote terug, doelloos snuffelend rond de plek waar nu zijn sporen lagen.

Soms liep hij naar het dorp in de buurt, door de hoofdstraat naar het café waar de veeboeren kwamen. Geharde kerels, die hem zagen als een knullig, verwijfd mannetje. In werkelijkheid was hij sterker dan allemaal. Soms daagde een boerenknecht hem uit voor een potje armdrukken of vechten, maar hij moest zuinig op zijn lichaam zijn. Een gescheurde pees zou een ramp zijn. Een ontwrichte schouder zou hem een halfjaar achterstand kosten. Hij hield ze zoet, deed ze kaarttrucs voor, jongleerde met bierviltjes. Als hij uit het café vertrok, sloeg hij ze op hun schouder, rolde hun sleuteltjes, zette hun pick-uptrucks een half blok verderop, liet de sleutels in het contact achter, liep lachend onder de sterren naar huis.

Aan de binnenkant van zijn hutdeur was een bordje gespijkerd: Niemand valt half.

Hij geloofde in mooi, elegant koorddansen. Het moest als een geloof werken dat hij aan de overkant zou komen. Hij was maar een keer gevallen tijdens de training – welgeteld één keer, daarom had hij het gevoel dat het niet meer kon gebeuren, dat het uitgesloten was. Toch was een enkele onvolmaaktheid noodzakelijk. In elk kunstwerk moest je één draadje los laten hangen. Maar de val had een paar ribben gebroken en soms, als hij diep ademhaalde, voelde het als een kleine waarschuwing, een por dichtbij zijn hart.

Af en toe oefende hij naakt, louter om te zien hoe zijn lichaam werkte. Hij stelde zich in op de wind. Hij luisterde niet alleen naar de vlagen, maar ook naar wat er aan de vlagen voorafging. Het kwam allemaal neer op fluisteringen. Suggestie. Hij gebruikte zelfs het vocht in zijn ogen als sensor. *Daar komt-ie.* Na enige tijd leerde hij elk geluid van de wind op te pikken. Zelfs de activiteit van insecten gaf hem aanwijzingen. Hij was gek op dagen dat de wind woest over de weide joeg en dan floot hij ertegenin. Als de wind te sterk werd hield hij op met fluiten en zette zijn hele wezen zich schrap. De wind kwam uit zoveel verschillende hoeken, soms uit alle tegelijk, en voerde dan boomlucht, moeraswasem, elandgeur mee.

Er waren momenten dat hij zo ontspannen was dat hij rustig de elanden kon bekijken, of de rookpluimen van de bosbranden kon volgen, of de buizerd die boven het nest cirkelde, maar hij was op zijn best als zijn geest vrij bleef van waarneming. Hij moest zich dingen opnieuw verbeelden, zich iets inprenten: een toren aan zijn gezichtseinder, een stadssilhouet beneden hem. Hij kon dat beeld dan vasthouden en zijn lichaam op de draad concentreren. Het ergerde hem soms dat hij de stad naar de weide bracht, maar hij moest die landschappen in zijn verbeelding samensmelten, het gras, de stad, de lucht. Het was bijna of hij op een ander koord door zijn geest naar boven liep.

Er waren ook andere plekken waar hij oefende – een veld in de provincie buiten New York, het lege terrein van een havenpakhuis, een afgelegen stuk kwelder op Oost-Long Island – maar het was de weide waarvan hij het moeilijkst afscheid nam. Als hij dan omkeek zag hij die figuur tot aan zijn nek in de sneeuw hemzelf uitzwaaien.

Hij ging het lawaai van de stad in. Het beton en glas maakten kabaal. Het gedreun van het verkeer. Voetgangers die als water om hem heen stroomden. Hij voelde zich als een immigrant van vroeger: hij had voet op nieuwe bodem gezet. Hij liep rond de rand van het centrum, maar zelden uit het zicht van de torens. Het was het uiterste wat een mens kon doen. Niemand anders had er zelfs maar over gedroomd. Hij voelde zijn lichaam zwellen van brutaliteit. Heimelijk verkende hij de torens. Langs de bewakers. De trappen op. De zuidelijke toren was nog onafgebouwd. Een groot deel van het gebouw stond nog leeg, ingebakerd in steigers. Hij vroeg zich af wie de anderen waren die daar rondliepen, wat zij daar deden. Hij liep naar het onafgewerkte dak, met een bouwhelm op om ontdekking te voorkomen. Hij maakte in zijn hoofd een maquette van de torens. Het visioen van de dubbele cavalletti's op het dak. De *y*-vormige verdeling van de lijnen, zoals ze uiteindelijk zouden lopen. De weerspiegeling van de ramen en hoe ze hem zouden spiegelen, vanuit verschillende hoeken, van onderaf. Hij stak een voet boven de rand uit en doopte zijn teen in de lucht, maakte een handstandje op de uiterste rand van het dak.

Toen hij het dak verliet had hij het gevoel dat hij weer naar zijn oude vriend zwaaide: tot aan zijn nek, dit keer vierhonderd meter hoog.

Hij was eens in alle vroegte bezig de omtrek van de zuidelijke toren te verkennen, de bezorguren van bestelwagens te noteren, toen hij een vrouw in een groene jumpsuit zag bukken alsof ze haar schoenveters strikte, telkens opnieuw, rondom de torens. Kleine verenpluimen stoven uit de handen van de vrouw op. Ze stopte de dode vogels in plastic ritszakjes. Voornamelijk witkeelgorzen, ook wat zangvogels. Ze waren laat in de avond op trek gegaan, toen de luchtstromingen het rustigst waren. Verblind door de lichten van het gebouw sloegen ze tegen het glas te pletter, of vlogen, omdat hun natuurlijke navigatievermogen verlamd was, eindeloos om de torens heen tot ze uitgeput raakten. Ze gaf hem een veer van een gele zwartkeelzanger en toen hij de stad weer verliet, nam hij die mee naar de weide en prikte die ook aan de deur in de hut. Nog een waarschuwing.

Alles had een doel, een teken, een betekenis.

Maar uiteindelijk wist hij dat alles op de draad aankwam. Op hem en de kabel. Zeventig meter en de te overbruggen leegte. De torens waren ontworpen om in een storm ruim een meter te kunnen uitzwaaien. Een heftige windstoot en zelfs een plotselinge temperatuursverandering konden de gebouwen aan het zwaaien brengen waardoor de draad strakker werd en ging wippen. Het was een van de weinige dingen die op geluk neerkwamen. Als hij op de draad stond zou hij soepel mee moeten wippen, anders ging hij de lucht in.

Door een beweging van de gebouwen kon de draad knappen. Het rafelige einde van zo'n kabel kon zelfs in de terugzwiep finaal iemands hoofd afhakken. Hij moest uiterst nauwgezet te werk gaan om het allemaal goed te krijgen: de windas, de handlier, de steeksleutels, het rechttrekken, het richten, de berekeningen, het meten van de belasting. Hij wilde de draad op een spanning van drie ton hebben. Maar hoe strakker een kabel, hoe meer vet er uit zou sijpelen. Zelfs door een weersomslag kon een beetje vet uit de kern kruipen.

Hij nam de plannen door met vrienden. Zij zouden de andere toren binnen moeten sluipen, de borgen bevestigen, de draad met de windas strak trekken, uitkijken naar bewakers, hem van alles op de hoogte houden met een intercom. Zonder hen zou de oversteek onmogelijk zijn. Ze spreidden de plattegronden van het gebouw uit en leerden ze uit het hoofd. De trappenhuizen. De bewakingsposten. Ze kenden schuilplekken waar ze nooit gevonden zouden worden. Het was alsof ze een bankoverval aan het voorbereiden waren. Wanneer hij niet kon slapen, zwierf hij in zijn eentje door de kleurloze straten bij het wtc: vanuit de verte, met de lichten aan, leken de gebouwen één. Dan bleef hij op een straathoek staan en dacht zichzelf daar naarboven, stelde zichzelf in de lucht voor, een figuurtje nog donkerder dan het donker.

De nacht voor de oversteek legde hij de kabel over de volle lengte van een huizenblok uit. Automobilisten keken verbaasd op toen hij bezig was met afrollen. Hij moest de draad schoonmaken. Heel nauwkeurig poetste hij het hele stuk met een lap gedrenkt in benzine, wreef het met polijststeen na. Hij moest er zeker van zijn dat geen enkel los draadje door de slippers heen in zijn voet zou prikken. Eén splinter – een vleeshaak – kon dodelijk zijn. En er zaten in elke kabel ruimten waar de draden zich nog moesten nestelen. Er mochten geen verrassingen zijn. De kabel had zijn eigen grillen. De ergste van allemaal was de inwendige torsie wanneer de kabel in zichzelf draaide, als een slang die zich door een huid bewoog.

De kabel was opgebouwd uit zes strengen van elk negentien staaldraden. Zeven achtste van een inch in diameter. Perfect opgebouwd.

De strengen waren rond de kern gewonden met een slag die zijn voeten de meeste greep gaven. Hij en zijn vrienden liepen over de kabel en deden alsof ze hoog in de lucht waren.

In de nacht voor de oversteek kostte het hun tien uur om de clandestiene kabel te spannen. Hij was doodop. Hij had niet genoeg water meegenomen. Hij was bang dat hij niet eens zou kunnen lopen en zo uitgedroogd was dat zijn lichaam zou breken zodra het bewoog. Maar de aanblik van de strakke kabel tussen de torens gaf hem vleugels. Het sein kwam over de intercom van de andere toren. Ze waren zover. Hij voelde een bliksemschicht van pure energie door hem heen schieten: hij was weer nieuw. De stilte leek voor hem geschapen om in rond te schommelen. Het ochtendlicht klom over de werven, de rivier, de grijze haven, over de armoedige laagbouw van de East Side, waar het zich verspreidde en verstrooide – deur, luifel, deklijst, vensterrichel, baksteen, balustrade, daklijn – tot het een grote sprong maakte en de harde ruimte van het centrum raakte. Hij fluisterde in de intercom en zwaaide naar de wachtende gestalte op de zuidelijke toren. Tijd om te gaan.

Een voet op de draad – zijn beste voet, de balanceervoet. Eerst liet hij zijn tenen glijden, dan zijn voetzool, dan zijn hiel. Zijn grote en tweede teen vonden houvast door de kabel te omvatten. Zijn slippers waren dun, met zolen van buffelhuid. Hij bleef zo een ogenblik staan, trok de lijn strakker met de kracht van zijn ogen. Hij schoof de aluminium stang door zijn handen. De koelte gleed langs zijn handpalmen. De stang woog vijfentwintig kilo, half zo zwaar als een vrouw, en bewoog als water over zijn huid. Hij had het midden omwonden met rubberband om wegglijden te voorkomen. Met een buiging van zijn linkervingers was hij in staat zijn rechterkuitspier te spannen. De pink speelde de vorm van zijn schouder na. De duim hield de stok op zijn plaats. Als hij hem rechts omhoog kantelde helde het lichaam iets naar links. De schommeling in de hand was zo klein dat die niet met het blote oog te zien was. Zijn geest maakte ruimte om zijn oude ervaren ik te ontvangen. Geen vermoeidheid meer in zijn lichaam. Het manipuleren van de stang kwam uit het spiergeheugen en hij gleed in één vloeiende beweging naar voren.

Wat er toen gebeurde was dat er een ogenblik lang bijna niets gebeurde. Hij was er niet eens. Mislukking kwam niet eens in hem op. Het voelde als een soort van zweven. Hij had op de weide kunnen zijn. Zijn lichaam werd soepeler en nam de vorm aan van de wind. Speling van de schouder kon de enkel sturen. Zijn keel kon zijn hiel kalmeren en zijn enkelbanden van vocht voorzien. Een tikje van de tong tegen de tanden kon de dij ontspannen. Zijn elleboog kon zich verbroederen met zijn knie. Als hij zijn nek spande kon hij het in zijn heup voelen bijstellen. In zijn centrum bewoog hij nooit. Hij dacht aan zijn maag als aan een kom water. Als hij iets verkeerd deed, zou de kom uit zichzelf weer horizontaal komen. Hij voelde met zijn voetboog en vervolgens met de zool naar de welving van de kabel. Een tweede stap en een derde. Hij begaf zich buiten de eerste tuidraden, volmaakt in harmonie.

Binnen enkele seconden was hij puurheid in beweging en kon hij doen wat hij maar wilde. Hij was tegelijkertijd in en buiten zijn lichaam, genoot met volle teugen van wat het was om tot de lucht te behoren, geen toekomst, geen verleden, en dat gaf zijn koorddans die nonchalante bluf. Hij droeg zijn leven van de ene naar de andere kant. Gespitst op het moment dat hij zich zelfs niet meer bewust was van zijn ademhaling.

De diepste reden voor dit alles was schoonheid. Koorddansen was een goddelijke verrukking. Alles werd herschreven als hij hoog in de lucht liep. Er waren nieuwe dingen mogelijk met de menselijke vorm. Het ging veel verder dan evenwicht.

Hij voelde zich een ogenblik ongeschapen. Wakker op een andere manier.

BOEK TWEE

Tag

Zie hem daar staan, in de knik van de wagons, nu de ochtend al benauwd is en broeierig. Nog negen opnamen op het rolletje. Bijna alle foto's in het donker genomen. Bij minstens twee deed de flits het niet. Vier vanuit rijdende treinen. Een andere, genomen in de Concourse, was totaal flut, dat wist hij zeker.

Hij surft op het smalle metalen tussenplateau als de trein vanaf Grand Central naar het zuiden hotst. Soms wordt hij al duizelig als hij aan volgende bocht denkt. Die snelheid. Dat woeste geraas in zijn oren. Eigenlijk is hij er bang van. Het staal dreunt door hem heen. Het lijkt wel of de hele trein in zijn gympen zit. Beheersing en verdringing. Soms heeft hij het gevoel dat hij degene is die stuurt. Te veel naar links en de trein kan uit de bocht vliegen en er liggen hopen verminkte lichamen langs het spoor. Te veel naar rechts en de wagons slaan om en zeg maar dag met je handje, leuk dat je er was en tot ziens in de krantenkoppen. Hij zit al vanaf de Bronx op de trein, met een hand aan de camera, de andere aan de wagondeur. Voeten gespreid voor het evenwicht. Ogen strak op de tunnelwand, speurend naar nieuwe tags.

Hij is op weg naar zijn werk in het centrum, maar die kammen, die scharen, die scheerflessen, ze kunnen hem wat, hij hoopt dat een tag deze ochtend spannend maakt. Dat is het enige wat de scharnieren van zijn dag kan smeren. Al het andere kruipt, maar de tags klimmen in zijn oogbollen. PHASE 2. KIVU. SUPER KOOL 223. Hij vindt het machtig, het krullen van de letters, de bogen, de slingers, de vlammen, hun wolken.

Hij neemt de stoptrein, enkel om te zien wie er 's nachts is geweest, wie kwam schrijven, hoe ver ze in het donker waren gekomen. Hij heeft niet veel meer op met het bovengrondse, met de spoorbruggen, de perrons, de pakhuismuren of zelfs de vuilniswagens. Werk van sukkels. Elk watje kan een throw-up op een muur zetten: hij is het meest gaan houden van de ondergrondse tags. De tags die je in het donker vindt. Diep in de ingewanden van de tunnels. Die verrassing. Hoe verder, hoe beter. Aangestoken door de verschuivende lichten van de trein en zo kort op het netvlies dat hij nooit precies weet of hij ze heeft gezien of niet. JOE 182, COCO 144, TOPCAT 126. Soms zijn het snelle krabbels. Andere lopen van de kiezels tot aan het gewelf – daar zitten misschien wel twee of drie spuitbussen in – letters in lussen alsof ze niet op willen houden, alsof ze zelf hun longen hebben volgezogen. Anderen lopen vijf meter met de tunnel mee. De beste van allemaal is er een van zes meter onder de Grand Concourse.

Een tijdlang tagden ze maar met één kleur, meestal zilver om ze in het donker te laten opgloeien, maar deze zomer zijn het twee, drie, vier kleuren geworden: rood, blauw, geel en zelfs zwart. Hij was er even stil van toen hij dat voor het eerst zag – een driekleurentag zetten waar niemand het zou zien. Er was iemand high of briljant of allebei. Hij had er de hele dag mee rondgelopen, er almaar aan denkend. De grootte van de flare. De diepte. Ze hadden op hun bussen zelfs mondstukken van verschillende grootte gebruikt: dat kon hij aan de structuur van de spray zien. Hij dacht aan de taggers die naar binnen glipten, zonder zich iets aan te trekken van de hoogspanningsrail, de ratten, de tunnelbewoners, de smerigheid, de stank, het staalstof, de mangaten, de trappen, de seinlichten, de draden, de buizen, de wissels, de Jezus-redtborden, het afval, de roosters, de plassen.

Het was puur lef dat ze het onder de stad deden. Alsof het boven al helemaal was volgeschilderd en dit nog het enig overgebleven territorium was. Alsof ze nieuw gebied aan het openleggen waren. Dit is mijn huis. Lees het en ween.

Eerst vond hij de bombings het einde, rijden in zo'n opgeslokte trein, waarin hijzelf gewoon een van de kleuren was, een verfspat tussen honderd andere verfspatten. Raggend naar de stad, door de rattenstegen. Geen uitgang. Dan deed hij zijn ogen dicht, ging bij de deuren staan, liet zijn schouders rollen en dacht aan de kleuren die om hem heen bewogen. Je kon niet zomaar een hele trein bomben. Daar moest je een ingewijde voor zijn. Het hek van een rangeerterrein over klimmen, over de rails springen, een wagon pakken, maken dat je wegkomt, het staal de zonnige ochtend in sturen zonder ramen om doorheen te kijken, de hele trein van kop tot teen getagd. Hij had zelfs een paar keer geprobeerd op de Concourse rond te hangen waar de Porto Ricaanse en Dominicaanse taggers waren, maar die zagen hem geen van allen zitten, vonden hem niet cool, scholden hem weer uit voor *Simplón, Cabronazo, Pendejo.* Het punt was dat hij het hele jaar de beste van de klas was geweest. Niet dat hij dat wilde, maar het gebeurde gewoon – hij was de enige die niet had gespijbeld. Dus ze lachten hem weg. Hij droop af. Dacht er zelfs over om naar de zwarten over te lopen aan de andere kant van de Concourse, maar besloot toch maar van niet. Hij kwam terug met zijn camera, die hij in de kapperszaak had gekregen, ging naar de Porto Ricanen en zei dat hij ze beroemd kon maken. Ze lachten weer en hij kreeg een oorvijg van een twaalfjarige Skull.

Maar toen, midden in de zomer op weg naar zijn werk, ging hij tussen de wagons staan; de trein was net voorbij 138th Street gestopt, en hij stond te wiebelen op het stalen plateau en vlak nadat de trein weer ging rijden viel zijn oog op die snelle veeg. Hij had geen idee wat het was, een gigantisch vliegend zilveren ding. Het bleef op zijn netvlies nabranden, die hele kappersdag lang.

Het was er, het was van hem, zijn bezit. Het zou niet worden weggeschrobd. Ze konden een ondergrondse muur geen zuurbad geven. Zoiets poets je niet weg. Een wereldtag. Het was of je voor het eerst ijs zag.

Op de terugweg naar de flats reed hij weer in het midden van de trein, om nog eens goed te kijken, en daar had je 'm weer, STEGS 33, vet en eenzaam midden in de tunnel zonder broedertags. Hij ging er helemaal van uit zijn dak dat de tagger de tunnel in was gegaan, zijn handtekening had gezet en er daarna meteen weer moest zijn uitgelopen, langs de hoogspanningsrail, de smerige trappen op, het metalen rooster uit, het licht, de straten, de stad in, met zijn naam onder zijn voeten.

Hij liep daarna met branie over de Concourse, keek naar de taggers aan de overkant die de hele dag bovengronds waren geweest. *Pendejos*. Hij bezat het geheim. Hij kende de plekken. Hij had de sleutel. Hij liep ze met rollende schouders voorbij.

Hij begon de ondergrondse zo vaak te nemen als hij kon, vroeg zich onderweg af of de taggers ooit een zaklantaarn mee naar beneden namen, of ze in ploegjes van twee of drie werkten zoals de bombers op de rangeerterreinen, een op de uitkijk, een met de zaklantaarn en een die tagde. Hij vond het niet meer erg om naar zijn stiefvaders kapperszaak in het centrum te gaan. Dat vakantiebaantje gaf hem tenminste de tijd om op de trein te zitten. In het begin met zijn gezicht tegen het raam gedrukt, maar later begon hij tussen de wagons te surfen, met zijn blik strak op de muren gericht, uitkijkend naar een teken. Hij stelde zich de taggers het liefst in hun eentje voor, blind werkend, op een enkele lucifer na om de contour te zien, of een kleur op te peppen, of een lege plek in te vullen, of de boog van een letter af te maken. Guerillawerk. Er zat nooit meer dan een half uur tijd tussen de treinen, zelfs 's avonds laat niet. Wat hij het mooist vond waren de wraparounds in vrije stijl. Wanneer de trein er langskwam, prentte hij ze in zijn hoofd en liet ze de hele dag aan zijn geestesoog voorbijtrekken om de lijnen, de bogen, de stippen te volgen.

Hij heeft zelf nog nooit een tag gezet, maar als hij ooit een veilige kans kreeg, zonder risico van stiefvaderklappen of politiecel, dan zou hij een heel nieuwe stijl bedenken, een beetje zwart in het zwart tekenen, een beetje wit op donkerwit, of het levendiger maken met wat rood, wit en blauw, klooien met het kleurenschema, er wat Porto Ricaans en wat zwarts doorheen gooien, helemaal los gaan, ze een poepie laten ruiken, daar ging het allemaal om – zorgen dat ze achter hun oren krabden, ervan opkeken. Hij zou het kunnen. Geniaal noemden ze dat. Maar het was alleen geniaal als je het als eerste bedacht. Dat had een leraar tegen hem gezegd. Geniaal is eenzaam zijn. Hij had ooit een idee gehad. Hij wilde een dia-apparaat zien te krijgen, een projector, en er een foto van zijn vader in stoppen. Hij wilde dat beeld overal in huis projecteren, zodat zijn moeder telkens weer tegen haar verdwenen man zou aankijken, de man die ze de deur uit had geschopt, die ze had ingeruild voor Irwin. Hij zou daar graag zijn vader projecteren, als een tag, hem spookachtig en echt maken in het donker.

Hij heeft geen idee of de naamschrijvers ooit hun eigen tags gaan bekijken, afgezien van misschien dat ene stapje achteruit in de tunnel als het klaar is en nog niet eens droog. Terug over de hoogspanningsrail voor een snelle blik. Voorzichtig, anders krijg je een paar duizend volt door je donder. En dan nog is er de mogelijkheid dat er een trein aankomt. Of dat de smerissen zich beneden wagen met een waaier van zaklantaarns en rubberknuppels. Of dat er een langharige flikker uit het donker opduikt, met witte glinsterende ogen, knipmes in de aanslag, om hun zakken leeg te halen, hen in elkaar te slaan en neer te steken. Spuit die handel er snel op en wegwezen, voor je gepakt wordt.

Hij zet zich schrap tegen het schokken van de wagon. 33rd Street. 28th. 23rd. Union Square, waar hij aan de andere kant van het perron overstapt op trein 5, tussen de wagons glipt en wacht op het trillen van beweging. Geen nieuwe tags op de muren vanmorgen. Soms denkt hij dat hij zelf een paar bussen moet kopen, van de trein springen en gewoon moet gaan spuiten, maar in zijn hart weet hij dat hij nou eenmaal niet heeft wat daar voor nodig is: het is makkelijker met de camera in zijn handen. Hij kan ze fotograferen, uit het donker halen, boven de stegen uit tillen. Wanneer de trein op snelheid komt houdt hij de camera onder de slip van zijn shirt om het slingeren tegen te gaan. Al vijftien foto's op een rolletje van vierentwintig. Hij weet niet eens zeker of er eentje gelukt is. Hij had de camera vorig jaar gekregen van een klant in de kapperszaak, zo'n patser van Wall Street die wilde opscheppen. Gaf hem gewoon, met tas en al. Hij had geen idee wat hij ermee aan moest. Had het toestel eerst achter zijn bed gegooid, maar op een middag haalde hij het tevoorschijn en bekeek het eens, begon te knippen wat hij zag.

Kreeg er lol in. Begon hem overal mee naartoe te nemen. Na een tijdje gaf zijn moeder zelfs geld om de foto's te laten ontwikkelen. Ze had hem nog nooit zo in iets geïnteresseerd gezien. Een Minolta SR-T 102. Hij vond dat hij lekker in zijn handen lag. Wanneer hij in verlegenheid werd gebracht – door Irwin, bijvoorbeeld, of door zijn moeder, of gewoon omdat hij het schoolplein opkwam – dan kon hij zijn gezicht met de camera afschermen, zich erachter verbergen.

Kon hij maar de hele dag hier beneden blijven, in het donker, in de hitte, tussen de wagons op en neer rijden, foto's nemen, beroemd worden. Hij had gehoord van een meisje dat vorig jaar de voorpagina van *The Village Voice* had gehaald. Een foto van een totaal bombed-out rijtuig dat bij de Concourse de tunnel inging. Ze had hem met het goede licht gepakt, half zon, half donker. De waaier van de koplampen kwam recht op haar af en alle tags strekten zich daarachter uit. De goeie plek, het goeie moment. Hij had gehoord dat ze er flink geld voor had gekregen, zeker vijftien dollar. Hij had eerst gedacht dat het maar een praatje was, maar hij was naar de bibliotheek gegaan en had daar het oude nummer gevonden en daar stond-ie, en nog een dubbele pagina binnenin ook, met haar naam in de benedenhoek van de foto's. En hij had gehoord dat er twee jongens uit Brooklyn op de treinen zaten, een met een Nikon en die andere met iets dat een Leica heette.

Hij had het zelf een keer geprobeerd. Had begin van de zomer een foto naar *The New York Times* gebracht. Een opname van een tagger die hoog tegen het Van Wyck-viaduct aan het spuiten was. Een prachtige kiek, helemaal in de schaduw genomen, waarop de spuiter aan touwen bungelde met een stel vette wolken op de achtergrond. Iets voor de voorpagina, hij wist het zeker. Hij had een halve dag vrij genomen van de kapperszaak, er zelfs een overhemd met stropdas voor aangetrokken. Hij liep het gebouw in 43rd Street binnen en zei dat hij de fotoredacteur wilde spreken, hij had een absoluut unieke foto, een wereldprent. Hij had dat jargon uit een boek opgepikt. De bewaker, een donkere reus, belde voor hem, boog zich toen over de balie en zei: 'Laat die envelop hier maar achter, broer.'

'Maar ik wil de fotoredacteur spreken.'

'Hij is op het moment bezig.'

'Nou, wanneer is hij bezig-af? Toe nou, Pepe, kom op?'

De bewaker lachte en wendde zich af, een keer, nog een keer en keek hem toen strak aan: 'Pepe?'

'Pardon?'

'Hoe oud ben je?'

'Achttien.'

'Kom nou, joh. Hoe oud?'

'Veertien,' zei hij met neergeslagen ogen.'

'Horatio José Alger!' zei de bewaker en zijn gezicht viel open van het lachen. Hij belde nog een paar keer, maar keek toen op met half-dichte ogen, alsof hij het al wist: 'Ga daar zitten, kerel, ik geef je wel een seintje wanneer hij langskomt.'

De lobby van het gebouw was een en al glas en pakken en mooie slanke kuitspieren. Hij zat er dik twee uur toen de bewaker hem een knipoog gaf. Hij sprong op en ging naar de fotoredacteur en duwde de envelop in zijn hand. De man liep een halve Reuben sandwich te eten. Had een stukje sla op zijn tanden. Zou zelf een mooie foto zijn geweest. Gromde een bedankje en liep het gebouw uit, op weg naar Seventh Avenue, langs de peepshows en de dakloze veteranen, met de foto onder zijn arm. Hij volgde hem vijf blokken en raakte hem toen in de drukte kwijt. En daarna had hij er nooit meer iets over gehoord, helemaal niks. Had op het telefoontje gewacht, maar dat kwam niet. Hij was zelfs drie keer na zijn werk naar de lobby terug-gegaan, maar de bewaker zei dat hij verder niets kon doen. 'Sorry, kerel.' Misschien was de redacteur hem kwijtgeraakt. Of hij wilde hem inpikken. Of zou elk moment kunnen bellen. Of had een bood-schap achtergelaten in de kapperszaak en was Irwin het vergeten. Maar er gebeurde niets.

Hij probeerde het daarna bij een gratis krant in de Bronx, een lul-lig buurtblaadje, en zelfs die zeiden botweg nee: hij hoorde iemand aan het andere eind van de lijn giechelen. Ze zouden nog eens op hun knieën naar hem toekomen. Ze zouden nog eens zijn gympen likken. Ze zouden nog eens over elkaar heenvallen om zijn foto's te krijgen. Fernando Yunqué Marcano. Imagist. Een woord dat hij mooi vond, zelfs in het Spaans. Sloeg nergens op, maar klonk goed. Als hij een kaartje had zou hij dat erop zetten. FERNANDO Y. MAR-CANO. IMAGIST. THE BRONX. U.S.A.

Hij had eens een vent op de televisie gezien die zijn geld verdiende met bakstenen uit gebouwen te slaan. Dat was idioot, maar hij begreep het ergens wel. Dat gebouw zag er na afloop anders uit. Zoals het licht erdoorheen kwam. Je liet de mensen anders kijken. Liet ze twee keer nadenken. Je moet naar de wereld kijken met een blik die niemand anders heeft. Over dat soort dingen denkt hij na als hij de vloer aanveegt, de scharen afspoelt, de aftershaveflessen opbergt. Alle grote effectenbonzen komen binnen voor kort vanachteren en opzij. Irwin zei dat er ook kunst zat in kappen. 'Grootste galerie die je ooit kan krijgen. Heel New York City aan je vingertoppen.' En dan dacht hij: ach hou toch op, Irwin. Jij bent mijn vader niet. Hou toch op en ga vegen. Maak je kammen zelf schoon. Maar hij kon het nooit echt zeggen. Die kink tussen zijn mond en zijn gedachten. En daar was de camera goed voor. Die was wat tussen hem en de anderen onuitgesproken bleef, de afwijzing.

De trein siddert en hij duwt zijn handpalmen losjes tegen beide wagons om zich staande te houden. De locomotief komt in beweging, maar stopt dan weer abrupt, gepiep van remmen en hij wordt opzijgesmeten, zijn schouder vangt de ergste klap op en zijn been drukt hard tegen de kettingen. Hij bekijkt vlug zijn camera. Mooi. Niks aan de hand. Dit is zijn favoriete moment. Plotseling stilstaan. In de tunnel, bij het uiteinde. Maar nog wel in het donker. Hij slaat zijn vingers om de metalen bovenrand van de deur. Richt zich op en leunt opnieuw tegen de deur.

Nonchalance. Kalm aan. Hij staat in het donker van de tunnel. Tussen Fulton en Wall Street. Alle pakken en gekapte koppen maken aanstalten om naar buiten te drommen.

Er klinkt geen nieuw geronk van de trein en van deze stiltes houdt hij, ze geven hem de tijd om de wanden af te speuren. Hij tuurt even door de wagon om er zeker van te zijn dat er geen politie is, zet een voet op de kettingen en hijst zich omhoog, grijpt de richel van de wagon, trekt zich met één arm op. Als hij op het dak zou staan, kon hij het gewelf van de tunnel aanraken – puike plek voor een tag – maar hij houdt zich aan de bovenrand van de wagon vast en kijkt er overheen. Wat rode en witte tekens waar de wanden afbuigen. In de verte een paar lichten, zwavelgeel.

Hij wacht tot zijn ogen zijn gewend, tot de sterretjes op zijn netvlies wegtrekken. Langs het achterstuk van de trein lopen kleine kleurstrepen over de rand van elke wagon heen en vloeien naar opzij uit. Maar niks op de wanden. Een zuidpool voor taggers. Wat had hij anders verwacht? Er komen nauwelijks taggers hier in het centrum. Maar je weet nooit. Dat zou geniaal zijn. Daar zou het om gaan. Niet weg te poetsen, maricón.

Hij voelt de ketting onder zijn voeten wiebelen, de eerste waarschuwing voor het rijden, en hij houdt zich wat steviger aan de rand van de wagon vast. Geen van de bombers haalt ooit het tunnelplafond. Maagdelijk terrein. Hij zou zelf een beweging moeten beginnen, een gloednieuw domein. Hij kijkt uit over de lengte van de trein, gaat dan wat hoger op zijn tenen staan. Aan het uiteinde van de tunnel bespeurt hij een plek die verf op de oostwand zou kunnen zijn, een tag die hij niet eerder heeft gezien, een snel, rechthoekig ding met iets roods om zilver heen, een P of een R of misschien een 8. Wolken en vlammen. Hij zou door de wagons naar achteren moeten lopen – langs de doden en de dromers – om dichter bij de wand te komen, de tag te ontcijferen, maar net op dat moment schokt de trein opnieuw en het is een waarschuwingsteken, hij weet het. Hij springt terug en zet zich schrap. Als de wielen knarsen, laat hij de vondst in zijn hoofd rondzingen, vergelijkt die met alle oude tags in andere delen van de tunnel en volgens hem is-ie gloednieuw, kan niet anders , ja, en hij stoot zijn vuist rustig omhoog, er is iemand in het centrum komen taggen.

Een paar seconden later staat de trein in het bleke stationslicht van Wall Street en de deuren sissen open, maar hij heeft zijn ogen dicht, is bezig de hoogte, de kleur, de diepte van de nieuwe tag te bepalen, probeert hem in kaart te brengen voor op de terugweg, wanneer hij

hem op kan halen, in bezit nemen, fotograferen, zich kan toe-eige-
nen.

Portofoongeluid. Het geknetter komt zijn kant op. Hij leunt naar
buiten. Politie. Ze komen van het eind van het perron aanlopen. Ze
hebben hem natuurlijk gezien. Gaan hem eruit sleuren, een bon
geven. Met zijn vieren, schommelende riemen. Hij schuift de wagondeur open en duikt naar binnen. Verwacht de klap van een hand op
zijn schouder. Niets. Hij leunt met zijn rug tegen het koele metaal
van de deur. Ziet ze opeens voorbij de draaihekjes weghollen. Alsof
ze naar een brand toe moeten. Allemaal rammelend. Handboeien en
pistolen en knuppels en opschrijfboekjes en zaklantaarns en God
mag weten wat nog meer. Er heeft iemand het loodje gelegd, denkt
hij. Een dooie, eentje die het loodje heeft gelegd.

Hij wurmt zich zijdelings door de sluitende deuren, met de camera opzij zodat die niet beschadigd raakt. Achter hem sist de deur
dicht. Kwiek stapt hij het draaihekje door en de trap op. Laat de kapperszaak maar barsten. Irwin kan wachten.

Etherwest

Het is vroeg in de ochtend en de tl-buizen knipperen. We nemen even pauze van de graphicsklus. Dennis start het blueboxprogramma op in de PDP-10 om te zien of we iets leuks aan de haak kunnen slaan.

We zijn met Dennis, Gareth, Compton en ik. Dennis is de oudste, bijna dertig. We noemen hem vaak opa – hij zat twee perioden in Vietnam. Compton komt van de Davis Universiteit in Californië. Gareth programmeert zeker al tien jaar. En ik, ik ben achttien. Ze noemen mij het kind. Ik hang al sinds mijn twaalfde op het Instituut rond.

'Hoe vaak gaat-ie over, jongens?' vraagt Compton.

'Drie keer,' zegt Dennis, alsof het hem nu al verveelt.

'Twintig,' zegt Gareth.

'Acht,' zeg ik.

Compton kijkt me even aan.

'Het kind praat,' zegt hij.

Het is zo, ik laat meestal maar het hackwerk voor me praten. Zo gaat het al sinds ik in '68 door de souterraindeur van het Instituut naar binnen glipte. Ik was aan het spijbelen, een jochie in korte broek met een gebarsten brilletje. De computer spuugde een sliert ponsband uit en ik mocht van de jongens aan de terminals meekijken. De volgende ochtend vonden ze me slapend op de stoep: hé, kijk nou, daar heb je het kind.

Tegenwoordig ben ik hier de hele dag, elke dag, en eerlijk gezegd ben ik de beste hacker die ze hebben, ik ben degene die alle correcties en aanvullingen in het blueboxprogramma heeft gemaakt.

De telefoon wordt opgenomen als hij voor de negende keer overgaat en Compton slaat me op mijn schouder, buigt zich naar de microfoon en zegt op schijnheilige toon om die vent niet af te schrikken: 'Hallo daar, hangt u niet op, u spreekt met Compton.'

'Wie?'

'Compton, met wie spreek ik?'

'Straattelefoon.'

'Niet ophangen.'

'Dit is een straattelefoon, meneer.'

'Met wie spreek ik?'

'Welk nummer moet u hebben…?'

'Ik bel toch met New York?'

'Ik ben druk bezig, man.'

'Staat u bij het World Trade Center?'

'Ja, man, maar…'

'Niet ophangen.'

'Ik denk dat u verkeerd verbonden bent.'

De lijn valt weg. Compton tikt op het toetsenbord, de speeddial start en na dertien keer bellen wordt er opgenomen.

'Blijf aan het toestel, alstublieft. Ik bel vanuit Californië.'

'Hè?'

'Bent u vlakbij het World Trade Center?'

'Flikker op, hé.'

We horen een half lachje als de telefoon wordt neergegooid. Compton pingt zes nummers tegelijk, wacht.

'Hallo, meneer?'

'Ja?'

'Meneer, bent u in de omgeving van Manhattan-centrum?'

'Met wie spreek ik?'

'We vroegen ons af of u even voor ons omhoog wilt kijken.'

'Grapjas, ha-ha.'

De lijn valt weer weg.

'Hallo, mevrouw?'

'Ik vrees dat u verkeerd verbonden bent.'

'Hallo! Niet ophangen.'

'Het spijt me, meneer, maar ik heb een beetje haast.'

'Neem me niet kwalijk…'

'Probeer de centrale maar.'

'Rot op,' zegt Compton tegen de dode lijn.

We vinden dat we het maar moeten opgeven en weer aan de gang moeten met de graphicsklus. Het is vier of vijf uur in de ochtend en straks komt de zon op. Ik neem aan dat we best naar huis zouden kunnen als we wilden, een paar uurtjes knorren in plaats van onder de bureaus slapen zoals meestal. Pizzadozen als hoofdkussen en slaapzakken tussen de snoeren.

Maar Compton slaat de entertoets weer aan.

Het is iets wat we vaak voor de lol doen, blueboxen met de computer, om een plaat aan te vragen in Londen bijvoorbeeld, of dat weervrouwtje in Melbourne te bellen, of de tijdmelding in Tokio, of een telefooncel die we op de Shetland Islands hebben gevonden, gewoon voor de gein, om stoom af te blazen van het programmeren. We routeren de gesprekken via lange ketens of laten ze weer op hetzelfde punt terugkomen en veranderen de routes van de telefoontjes. We komen binnen via een 800-nummer, om muntinworp te omzeilen: Hertz en Avis en Sony en zelfs het recruteringscentrum van het leger in Virginia. Dat vond Gareth helemaal te gek, omdat hij fysiek was afgekeurd voor Vietnam. Zelfs Dennis, die zijn T-shirt met OCCIDENTAL DEATH heeft gedragen sinds hij uit de oorlog thuiskwam, kickte erop, en niet zo'n beetje ook.

Op een avond waren we allemaal aan het klooien, en we hackten de codewoorden om toegang te krijgen tot de president en belden het Witte Huis. We hadden het belletje omgeleid via Moskou om ze erin te luizen. Dennis zei: 'Ik heb een zeer dringende boodschap voor de president.' Daarna ratelde hij de codewoorden af. 'Een ogenblikje, meneer,' zei de telefoniste. We bezeken ons bijna. We kwamen nog voorbij twee andere telefonisten en stonden op het punt met Nixon zelf doorverbonden te worden, maar Dennis raakte in paniek en zei tegen die vent: 'Zeg alleen tegen de president dat we in Palo Alto zonder wc-papier zitten.' We lagen dubbel, maar zaten nog weken te wachten op een klop op de deur. Na een tijdje werd het een vaste grap: gingen we de pizzakoerier Geheim Agent Nummer Eén noemen.

Compton was degene die het bericht vanmorgen van het ARPA-NET oppikte – het kwam via Associated Press op het 24-uurs prikbord. We geloofden het eerst niet, een vent die hoog boven New York aan het koorddansen was, maar Compton kreeg een telefonist aan de lijn en deed alsof hij een technicus was die een paar controleleidingen voor openbare telefoons moest uittesten. Hij zei dat hij een paar nummers dicht in de buurt van de World Trade-gebouwen nodig had, onderdeel van een alarmlijnanalyse, zei hij, en toen programmeerden we die nummers in, probeerden ze één voor één en maakten met z'n allen een wedje of hij zou vallen of niet. Makkelijk zat.

De signalen stuiteren door de computer, korte multifrequente toontjes, als iets op een fluitje, en we krijgen die kerel bij de negende wektoon te pakken.

'Eh. Hallo.'

'Staat u in de buurt van het World Trade Center, meneer?'

'Hallo? Sorry?'

'Dit is geen grap. Bent u in de buurt van het WTC?'

'Die telefoon begon hier gewoon te rinkelen, man. Ik heb… ik heb maar opgenomen.'

Hij heeft een New Yorks accent, is jong maar kribbig, alsof hij te veel sigaretten heeft gerookt.

'Oké,' zegt Compton, 'maar kunt u ook de gebouwen zien? Vanwaar u staat? Is er daarboven iemand?'

'Wie ben je?'

'Is er daarboven iemand?'

'Ik sta hier naar hem te kijken.'

'Wat staat u?'

'Naar hem te kijken.'

'Te gek! U kunt hem zien?'

'Ik sta al twintig minuten, dik twintig… te kijken, man… Ben je…?
Die telefoon ging gewoon en ik…'
'Hij kan hem zien!'
Compton slaat met zijn hand op het bureau, trekt zijn pennen-
houder uit zijn borstzak en slingert die door de kamer. Zijn lange
haar slaat wild om zijn gezicht. Gareth doet een dansje bij de prin-
tertafel en Dennis komt langslopen, neemt mijn hoofd in een lichte
houdgreep en wrijft zijn knokkels erover, alsof het hém niet zo inte-
resseert, maar het leuk vindt dat wij lol hebben, alsof hij nog steeds
de sergeant is of zo.
'Ik zei het je toch,' schreeuwt Compton.
'Wie ben je?' zegt de stem.
'Te gek!'
'Wie ben je in godsnaam?!'
'Staat hij nog op dat koord?'
'Wat is dit? Wou je me in de zeik nemen, man?'
'Loopt hij nog?'
'Al twintig, vijfentwintig minuten!'
'Mooi zo! En danst hij?'
'Straks maakt hij een doodssmak.'
'Danst hij?'
'Nee, nu stopt-ie!'
'Staat hij stil?'
'Ja!'
'Staat hij daar gewoon? Midden op dat koord?'
'Ja. Hij is met die stok bezig. Op en neer in zijn handen.'
'Midden op dat koord?'
'Bij het eind.'
'Hoe dicht erbij?'
'Niet zo. Dichtbij genoeg.'
'Hoe ver? Vijf meter? Tien meter? Staat hij stevig?'
'Als een pik! Wie ben je? Hoe heet je?'
'Compton. En jij?'
'José.'
'José? Cool. José. *¿Qué onda, amigo?*'

'Wat?'

'¿Qué onda, carnal?'

'Ik kan geen Spaans, man.'

Compton drukt het geluid weg en stompt Gareth tegen zijn schouder.

'Hoe vind je zo'n gozer?'

'Hou 'm vast, hoor.'

'Ik heb Cito-vragen gezien die moeilijker waren.'

'Hou 'm nou aan de lijn, man!'

Compton buigt zich naar zijn terminal en pakt de microfoon weer.

'Kun je ons zeggen wat er gebeurt, José?'

'Wat moet ik zeggen, man?'

'Nou eh, vertel wat je ziet.'

'O. Nou, hij is daarboven…'

'En?'

'Hij staat daar gewoon.'

'En…?'

'Waar bel je eigenlijk vandaan?'

'Californië.'

'Effe serieus.'

'Ik ben serieus.'

'Je zit me te stangen, hè?'

'Nee.'

'Is dit een instinker, man?'

'Geen instinker, José.'

'Zijn we op tv? We zijn zeker op tv, hè?'

'We hebben geen tv. We hebben een computer.'

'Een wat?'

'Het is ingewikkeld, José.'

'Wou je zeggen dat ik tegen een computer praat?'

'Niks om je zorgen over te maken, man.'

'Wat is dit? Is dit *Candid Camera*? Kijken jullie nu naar me? Zit ik erin?'

'Waarin, José?'

'Zit ik in het programma? Ach, kom op, jullie hebben hier ergens een camera. Voor de draad ermee, geen gein. Ik ben wild van dat programma, man. Wild!'

'Dit is geen tv-programma.'

'Jij bent zeker Allen Funt, man?'

'Wie?'

'Waar zijn jullie camera's? Ik zie nergens camera's. Hé, man, zitten jullie in het Woolworth-gebouw? Zijn jullie dat, daarboven? Hé!'

'Ik zeg je toch, José, we zitten in Californië.'

'En jij wou mij wijsmaken dat ik tegen een computer praat?'

'Min of meer.'

'Je zit in Californië…? Mensen! Hé, mensen!'

Hij zegt het heel hard, hij houdt de hoorn omhoog, we horen stemmen, geklets, en de wind, het zal wel zo'n munttelefoon op straat zijn, beplakt met stickers van sexy meiden en zo. We horen op de achtergrond een paar sirenes loeien, grote hoge uithalen, en een lachende vrouw, en een paar gedempte kreten, een toeterende auto, een straatventer die iets over pinda's brult, een man die zegt dat hij de verkeerde lens heeft, een beter punt moet zoeken en een andere vent die schreeuwt: 'Niet vallen!'

'Mensen!' roept hij weer. 'Ik heb hier een halvezool. Een gast uit Californië. Ken je nagaan. Hé, ben je daar nog?'

'Ik ben er, José. Is hij nog steeds daarboven?'

'Ben je een vriend van hem?'

'Nee.'

'Hoe wist je het dan? Als je belt?'

'Nogal ingewikkeld. We zijn aan het phreaken. We hacken telefoonlijnen… Hé, is hij nog daarboven? Dat is het enige wat ik weten wil.'

Hij trekt de hoorn weer weg en zijn stem deint op en neer.

'Waar bel je ook weer vandaan?' schreeuwt hij.

'Palo Alto.'

'Geen gein?'

'Eerlijk waar, José.'

'Hij zegt dat-ie uit Palo Alto komt! Hoe heet-ie?'

'Compton.'

'Die gast heet Compton! Ja, Comp-ton! Ja. Ja. Momentje. Hé, man, hier is iemand die wat wil weten: Compton wie? Wat is zijn achternaam?'

'Nee, nee, ík heet Compton.'

'Maar hoe heet hij, man, hoe heet HIJ?'

'José, kun je me niet gewoon vertellen wat er gebeurt?'

'Kan ik wat van dat spul van jou krijgen? Je bent aan het trippen, hè? Ben je echt een vriend van 'm? Hé! Moet je horen! Ik heb hier een rukker aan de lijn uit Californië. Hij zegt dat die gast uit Palo Alto komt. Die koorddanser komt uit Palo Alto.'

'José, José. Luister even naar me, alsjeblieft, ja?'

'We hebben een slechte lijn. Hoe heet hij?'

'Dat weet ik niet!'

'Ik geloof dat we een rotverbinding hebben. Een halvegare aan de lijn. Ik weet niet, hij lult maar raak, man. Computers en gezeik. O, godsamme! Godsamme!'

'Wat, wat?'

'Godsamme niknak.'

'Wat? Hallo?'

'Nee!'

'José? Ben je daar?'

'Jee-zus.'

'Hallo, ben je daar?'

'Christus nogantoe.'

'Hallo?'

'Niet te geloven.'

'José!'

'Ja, ik ben er nog! Hij maakte net een sprongetje. Zag je dat?'

'Wat deed hij?'

'Hij maakte, ja, een sprongetje. Godsamme niknak!'

'Is hij gesprongen?'

'Nee!'

'Gevallen?'

'Nee, man.'

'Is hij dood?'

'Nee, man!'

'Wat dan?'

'Hij sprong van z'n ene op z'n andere voet! Hij is in 't zwart, man. Je kan het zien. Hij is daar nog boven! Die gast is geweldig! Jezusmina! Ik dacht daar gaat-ie. Hij sprong gewoon met z'n ene en toen met z'n andere voet, oh man!'

'Hupte hij?'

'Precies.'

'Een sprongetje?'

'Meer iets van een schaar. Hij deed... Man! Krijg nou wat. O, man. Krijg nou het lazarus. Hij maakte effe zo'n schaarbeweging. Op die draad, man!'

'Te gek.'

'Godsamme toch niet te geloven, hé? Is-ie een turner of zo? Het is net alsof-ie danst. Is 't een danser? Hé man, is je vriend een danser?'

'Hij is niet echt mijn vriend, José.'

'Ik zweer bij God dat-ie ergens aan vast moet zitten, of zoiets. Aan die draad. Ik wed dat-ie eraan vastzit. Hij is daarboven en deed net die schaar! Helemaal te gek.'

'José, hoor eens even. We hebben hier een wedje lopen. Hoe ziet hij eruit?'

'Hij houdt het, man, hij houdt het.'

'Kun je hem goed zien?'

'Als een stip. Een speldenknop! Het is zo godvergeten hoog daar. Maar hij huppelde. Hij is in 't zwart. Je kunt zijn benen zien.'

'Staat er veel wind?'

'Nee. Het is zo benauwd als de pest.'

'Weinig wind?'

'Daarboven moet het waaien, man. Jezus! Hij zit daar zo hoog. Ik weet niet hoe ze 'm in godsnaam beneden willen krijgen. Er staan daarboven smerissen. Barst ervan.'

'Hè?'

'Er staan daar smerissen. Overal op het dak. Aan allebei de kanten.'

'Proberen ze hem te pakken?'

'Nee. Daarvoor is-ie veel te ver. Nou staat hij stil. Houdt alleen de stok vast. O, wat doet ie nu? O, nee!'

'Wat? Wat is er? José?'

'Hij hurkt. Kijk nou toch.'

'Hè?'

'Je weet wel, knielen.'

'Wat?'

'Nu gaat-ie zitten, man.'

'Wat bedoel je: zitten?'

'Hij zit op die draad. Die gast is geschift!'

'José?'

'Moet je zien!'

'Hallo?'

Weer valt er een stilte, zijn adem in de hoorn.

'José. Hé amigo. José? Vriend…'

'Nee, hè?'

Compton buigt zich verder naar de computer, de microfoon aan zijn lippen.

'José, ouwe jongen? Kun je me horen, José? Ben je daar nog?'

'Kan niet waar wezen.'

'José.'

'Ik lieg 't niet…'

'Wat?'

'Hij gaat liggen.'

'Op de draad?'

'Ja, godver, op de draad.'

'En?'

'Hij ligt met zijn voeten onder zijn lijf. Hij kijkt naar de lucht. Het ziet er… eng uit.'

'En die stang?'

'Die wat?'

'Die stok?'

'Over zijn buik, man. Wat die gast doet kan helemaal niet.'

'Ligt hij daar gewoon?'

'Ja.'

'Alsof hij een dutje doet?'

'Een wat?'

'Als een siësta?'

'Zit je me te stangen, man?'

'Of ik… wat? Tuurlijk niet, José. Nee, geen denken aan. Nee.'

Er valt een lange stilte aan de telefoon, alsof José zichzelf net naarboven, naast die koorddanser, heeft gestraald.

'José? Hé. Hallo. Hoe moet hij weer overeind komen, José? José. Ik bedoel, als hij nu ligt, hoe moet hij dan overeind komen? Weet je zeker dat hij ligt? José? Ben je er nog?'

'Wou je zeggen dat ik lieg?'

'Nee, het is alleen maar, eh, bij wijze van spreken.'

'Moet je mij eens zeggen, man. Zit jij in Californië?'

'Zeker, man.'

'Bewijs het.'

'Ik kan dat niet echt…'

Compton zet de microfoon weer uit.

'Kan iemand me even de dollekervel aangeven?'

'Probeer iemand anders,' zegt Gareth. 'Vraag of hij de telefoon aan iemand doorgeeft.'

'Iemand die op zijn minst kan lezen.'

'Hij heet José en die gozer spreekt niet eens Spaans!'

Hij buigt zich weer naar voren.

'Doe me een lol, José. Kun je iemand anders de telefoon geven?'

'Waarom?'

'We zijn met een experiment bezig.'

'Je belt vanuit Californië? Geen gein? Denk je dat ik achterlijk ben? Denk je dat?'

'Geef me iemand anders daar, wil je?'

'Waarom?' zegt hij weer, en we horen hem weer de hoorn van zijn mond weghalen, er staan allerlei mensen om hem heen te kwekken, ooh's en aah's, en dan horen we de telefoon vallen en hem iets zeggen over een mafkees, en nog iets vaags fluisteren, en dan schreeuwt hij terwijl de hoorn hangt te slingeren en de stemmen verwaaien.

'Wie wil met deze mafknakker praten? Hij denkt dat-ie uit Californië belt!'

'José! Geef die telefoon nou door, man.'

De hoorn moet nog in het luchtledige zwaaien, maar minder heftig, de stemmen golven niet meer, en daarachter een paar sirenes, iemand die iets roept over hotdogs. Ik zie het allemaal voor me: ze staan daar allemaal beneden, het krioelt van de mensen, de taxi's komen er niet door, alle koppen kijken omhoog en José laat de hoorn bij zijn knieën bungelen.

'O, ik weet niet, man!' zegt hij. 'Een of andere lul de behanger uit Californië. Ik weet niet. Ik denk dat-ie wil dat jij wat zegt. Ja. Hierover, wat er nu gebeurt, zeg maar. Wil jij…?'

'Hé! José! José! Geef 'm nou door, José.'

Na een paar seconden pakt hij de hoorn weer op en zegt: 'Hier is er een die met je wil praten.'

'O, godzijdank.'

'Hallo,' zegt een man met een heel zware stem.

'Hoi, met Compton. We zitten hier in Californië…'

'Hallo, Compton.'

'Ik vroeg me af of u het een en ander voor ons kan beschrijven.'

'Nou, dat is moeilijk op dit moment.'

'Waarom dat?'

'Er is iets vreselijks gebeurd.'

'Hè?'

'Hij is gevallen.'

'Wat?'

'Naar beneden gelazerd. Vreselijke toestand hier. Hoor je die sirene? Kun je het horen? Luister.'

'Het is moeilijk te horen.'

'Er rennen smerissen naartoe. Het ziet zwart van de smerissen.'

'José? José? Ben jij dat? Is er iemand gevallen?'

'Hij kletterde hier neer. Pal voor mijn voeten. Allemaal bloed en troep.'

'Wie bent u? Jij, José?'

'Hoor die sirenes, man.'

'Donder op, zeg.'

'Hij is over de hele straat gekledderd.'

'Ben je me aan het fokken?'

'Man, het is verschrikkelijk.'

De hoorn klapt neer, de verbinding is verbroken en Compton kijkt ons met uitpuilende ogen aan.

'Denk je dat het gebeurd is met hem?'

'Tuurlijk niet.'

'Dat was José!' zegt Gareth.

'Het was een andere stem.'

'Nee, nietwaar. Het was José. Hij zat ons te naaien! Niet te geloven, hij zat ons te naaien.'

'Probeer dat nummer nog eens!'

'Je weet het nooit. Kan waar zijn. Hij kan gevallen zijn.'

'Probeer het!'

'Ik betaal geen cent,' schreeuwt Compton, 'als ik het niet honderd procent zeker weet!'

'Ach, kom op,' zegt Gareth.

'Jongens!' zegt Dennis.

'We moeten het zeker weten. Anders is het geen weddenschap.'

'Jongens!'

'Jij probeert altijd onder je wedjes uit te komen, man.'

'Probeer dat nummer nog eens!'

'Jongens, er ligt werk te wachten,' zegt Dennis. 'Volgens mij kunnen we vannacht die patch wel afkrijgen.'

Hij slaat me op m'n schouder en zegt: 'Wat jij, kind?'

'Vannacht is al morgen, man' zegt Gareth.

'En als hij nou gevallen is?'

'Hij is niet gevallen. Dat was José, man.'

'De lijn is bezet!'

'Pak een andere!'

'Probeer het ARPANET, man.'

'Kom nou.'

'Probeer een munttelefoon!'

'Breek in.'

'Het kan toch niet dat-ie in gesprek is.'
'Nou, haal 'm uit gesprek.'
'Ik ben God niet.'
'Zoek iemand die het wel is, man.'
'Ooo, jezus. Ze zijn allemaal aan het bellen!

Dennis stapt over de pizzadozen op de grond, loopt langs de printer, slaat op de zijkant van de PDP-10, tikt dan met zijn duim op zijn borst, precies bij OCCIDENTAL DEATH.

'Werk, jongens!'
'Ach, kom op, Dennis.'
'Het is vijf uur in de ochtend!'
'Nee, we moeten het weten.'
'Werk, jongens, werk.'

Het is uiteindelijk Dennis z'n bedrijf en hij is degene die aan het eind van de week de centen uitdeelt. Niet dat een van ons iets anders koopt dan stripverhalen en de *Rolling Stone*. Verder zorgt Dennis voor alles, zelfs voor de tandenborstels in de badkamer van het souterrain. Hij heeft daar in Vietnam alles geleerd wat hij moest weten. Hij zegt vaak dat hij onderop is begonnen, dat hij zijn eigen xeroxje van Xerox aan het maken is. Hij verdient zijn geld met onze hacks voor het Pentagon, maar programma's voor bestandsoverdracht zijn zijn eigenlijke ding.

In deze of de komende eeuw hebben we allemaal het ARPANET in ons hoofd zitten, zegt hij. Een kleine computerchip in onze hersens. Ze zetten die onderin je schedel en dan kunnen we elkaar, alleen door te denken, berichten op het elektronische prikbord sturen. Het is elektriciteit, zegt hij. Het is Faraday. Het is Einstein. Het is Edison. Het is de Wilt Chamberlain van de toekomst.

Dat lijkt me wel wat. Het is cool. Het is mogelijk. Op die manier hoeven we niet eens aan telefoonlijnen te denken. De mensen geloven ons niet, maar het is zo. Er komt een tijd dat je gewoon iets denkt en dat het dan gebeurt. *Doe het licht uit*, en het licht gaat uit. *Zet koffie*, en het apparaat slaat aan.

'Kom nou, man, nog vijf minuutjes.'
'Oké,' zegt Dennis, 'vijf. En dan afgelopen.'

'Hé, zijn alle frames gelinkt?' zegt Gareth.

'Ja.'

'Probeer het daar ook eens.'

'Ontvang toon, gaat bellen.'

'Hé, kom eens hier, kind. Start het blueboxprogramma.'

'Kijken wat we vangen!'

Ik bouwde mijn eerste kristalradio toen ik zeven was. Wat draad, een scheermes, een stuk potlood, een koptelefoon en een lege wc-rol. Ik maakte een variabele condensator van laagjes aluminiumfolie en plastic, allemaal samengedrukt met een schroef. Geen batterijen. Ik had het bouwplan uit een Superman-strip. Je kreeg er maar één station op, maar dat gaf niet. Ik luisterde 's avonds laat onder de dekens. In de kamer ernaast hoorde ik mijn ouders ruziemaken. Ze waren allebei verslaafd. Ze slingerden heen en weer tussen lachen en huilen. Als het station uit de lucht ging, legde ik mijn hand over de koptelefoon en luisterde naar het geruis.

Later, toen ik een andere radio bouwde, leerde ik dat je de antenne in je mond kon doen, dan werd de ontvangst beter en kon je makkelijk al die herrie overstemmen.

Kijk, ook bij het programmeren wordt de wereld klein en stil. Je vergeet alles om je heen. Je zit in een trip. Je kijkt niet achterom. De geluiden en lichtjes duwen je vooruit. Je komt op snelheid. Je blijft gaan. De afwijkingen voegen zich in het patroon. Het geluid komt als door een trechter op een punt binnen, net een teruggespeelde ontploffing. Alles komt uit op één punt. Of het nou een stemherkenningsprogramma is, of een schaakhack, of regels schrijven voor een helikopterradar van Boeing, dat maakt niet uit: het enige wat je bezighoudt is dat je de volgende regel vindt. Op een goeie dag kunnen dat er duizend zijn. Op een slechte kom je er niet achter waar het allemaal fout is gegaan.

Ik heb nooit veel mazzel gehad in mijn leven, niet dat ik klaag, het is gewoon zo. Maar nu heb ik al na twee minuten beet.

'Ik sta in Cortlandt Street,' zegt ze.

Ik geef mijn draaistoel een zwiep en steek mijn vuist de lucht in. 'Hebbes!'

'Het kind heeft beet.'

'Kind!'

'Ogenblikje,' zeg ik tegen haar.

'Pardon?' zegt ze.

Er liggen stukken pizza rond mijn voeten en lege frisdrankflessen. De jongens komen naar me toegerend, schoppen ze opzij. Uit een van de dozen schiet een kakkerlak. Ik heb een dubbele microfoon voor de computer in elkaar geflanst, met schuimrubber filters van verpakkingsmateriaal, de standaard gemaakt van een hangertje. Hij is heel gevoelig, lage vervorming, zelfgemaakt, gewoon twee plaatjes dicht bij elkaar, geïsoleerd. Ook mijn speakers heb ik van ouwe radio's gemaakt.

'Moet je die dingen zien,' zegt Compton, terwijl hij de grote schuimrubber filters van de microfoon laat flabberen.

'Wat zegt u?' zegt de dame.

'Neem me niet kwalijk. Hallo, ik ben Compton,' zegt hij, terwijl hij me uit mijn stoel duwt.

'Hallo, Colin.'

'Is hij nog steeds boven?'

'Hij heeft een soort zwarte overall aan.'

'Zie je wel, hij is niet gevallen.'

'Nou ja, niet echt een overall. Meer een broekpak. Truitje met een V-hals. Wijduitlopende pijpen. Hij oogt echt heel kordaat.'

'Wat?'

'Ga weg,' zegt Gareth. 'Kordaat? Waar komt ze vandaan? *Kordaat?* Wie zegt er nou kordaat?'

'Stil nou,' zegt Compton en hij keert zich naar de microfoon. 'Mevrouw? Hallo? Het is alleen die ene man daarboven, hè?'

'Nou, hij moet een paar handlangers hebben.'

'Wat bedoelt u?'

'Wel, het is absoluut onmogelijk om een draad van de ene naar de andere kant te krijgen. Althans, in je eentje. Hij moet een team hebben.'

'Ziet u ook anderen?'

'Alleen de politie.'

'Hoe lang is hij al daarboven?'

'Ongeveer drieënveertig minuten,' zegt ze.

'Ongeveer?'

'Ik kwam om zeven uur vijftig uit de ondergrondse.'

'O, vandaar.'

'En toen was hij net begonnen.'

'Oké, ik snap het.'

Hij probeert beide microfoons tegelijk af te dekken, maar haalt zijn handen terug en maakt kringetjes met zijn vinger rond zijn slapen alsof hij een geschifte vis aan de haak heeft.

'Bedankt voor uw hulp.'

'Graag gedaan,' zegt ze. 'O!'

'Bent u er nog? Hallo.'

'Daar gaat hij weer. Hij steekt weer over.'

'De hoeveelste keer is dat?'

'Zijn zesde of zevende oversteek. Hij gaat nu vreselijk rap. Vreselijk, vreselijk rap.'

'Aan het rennen, zeg maar?'

Op de achtergrond klinkt een groot applaus op. Compton buigt zich van de microfoon naar achteren en draait de stoel een beetje opzij.

'Die dingen zien er verdomme uit als lolly's,' zegt hij.

Hij buigt zich weer naar de microfoon en doet alsof hij hem likt.

'Klinkt als een gekkenhuis daar, mevrouw. Is er veel publiek?'

'Op deze hoek alleen al, tsja, moeten er zes-, zevenhonderd mensen of meer staan.'

'Hoe lang denkt u dat hij daarboven blijft?'

'Och jeetje.'

'Wat zegt u?'

'Nou, ik ben laat.'

'Blijf nog even kijken als het kan, ja?'

'Ik bedoel, ik kan hier niet al mijn tijd staan verpraten…'

'En de politie?'

'Er buigen zich een paar agenten over de rand. Ik denk dat ze hem proberen te overreden om van het koord af te komen. Mmmm,' zegt ze.

'Wat? Hallo!'

Geen antwoord.

'Wat is er?' vraagt Compton.

'Neem me niet kwalijk,' zegt ze.

'Wat is er aan de hand?'

'Nou, er is nu een tweetal helikopters. Die komen wel heel dichtbij.'

'Hoe dichtbij?'

'Ik hoop dat ze hem er niet afwaaien.'

'Hoe dichtbij zijn ze?'

'Zo'n meter of zeventig. Honderd meter op z'n hoogst. Ach, ze gaan nu terug. Oef.'

'Wat is er?'

'Wel, de politiehelikopter neemt wat afstand.'

'Ja?'

'Och, hemel.'

'Wat is er?'

'Nu, op dit moment, zwaait hij zelfs. Hij buigt zich voorover, terwijl de stok op zijn knie rust. Zijn dijbeen, om precies te zijn. Zijn rechterdijbeen.'

'Meent u dat?'

'En hij wappert met zijn arm.'

'Hoe weet u dat?'

'Ik geloof dat het salueren heet.'

'Wat heet?'

'Het is een beetje show. Hij bukt zich op de draad, zoekt zijn evenwicht en dan laat hij met één hand de stok los en, tja, ja, hij salueert naar ons.'

'Hoe weet u dat?'

'Hoepla,' zegt ze.

'Wat? Alles goed? Mevrouw?'

'Nee, nee, niets aan de hand.'

'Bent u daar nog? Hallo!'

'Pardon?'

'Hoe kunt u hem zo duidelijk zien?'

'Kijker.'

'Hè?'

'Ik heb hem in mijn kijker. Het is moeilijk om kijker en telefoon tegelijk te hanteren. Een ogenblikje, alstublieft.'

'Ze heeft kijkglazen,' zegt Dennis.

'Heeft u een verrekijker?' vraagt Compton. 'Hallo. Hallo. Heeft u een verrekijker?'

'Nou ja, een toneelkijker.'

'Die is gek,' zegt Gareth.

'Ik was gisteravond naar Marakova. In het Ballettheater. Ik was het vergeten. Het toneelkijkertje, bedoel ik. Ze is trouwens schitterend. Met Baryshnikov.'

'Hallo? Hallo?'

'In mijn handtasje, daar heeft het de hele nacht ingezeten. Werkelijk een gelukkige coïncidentie'

'Coïncidentie?' zegt Gareth. 'Wat een giller, dat mens.'

'Hou je kop nou,' zegt Compton, terwijl hij mijn microfoon afdekt. 'Kunt u zijn gezicht zien, mevrouw?'

'Een ogenblikje, alstublieft.'

'Waar is de helikopter?'

'O, die is ver uit de buurt.'

'Is hij nog aan het salueren?'

'Nog een ogenblikje, alstublieft.'

Het klinkt alsof ze de hoorn een moment van zich afhoudt. We horen wat gejuich en verrukte kreten en opeens wil ik alleen maar dat ze weer met ons praat, die koorddanser vergeet, ik wil onze toneelkijkervrouw en het warme geluid van haar stem en de grappige manier waarop ze coïncidentie zegt. Volgens mij is ze oud, maar dat geeft niet, het heeft niks met seks te maken, dat is niet waarom ik haar leuk vind. Ik word niet geil van haar of zo. Ik heb nooit een meisje gehad, niet echt een punt, zo denk ik helemaal niet, ik vind haar stem gewoon leuk. Bovendien was ik degene die haar heeft gevonden.

Ik denk dat ze iets van vijfendertig is, of ouder nog, met een lange hals en een kokerrok, maar ze zou ook best veertig of vijfenveertig, of nog ouder kunnen zijn, met haar stijf van de lak en een houten kunstgebit in haar tasje. Maar de kans is groter dat ze mooi is.

Dennis zit in de hoek glimlachend met zijn hoofd te schudden. Compton draait weer rondjes met zijn vinger en Gareth heeft het niet meer. Ik zou ze het liefst uit mijn stoel gooien en zeggen dat ze van mijn spullen af moeten blijven, ik heb recht op mijn eigen spullen.

'Vraag haar waarom ze daar is,' fluister ik.

'Het kind praat weer!'

'Voel je je wel goed, kind?'

'Vraag het nou.'

'Niet zeuren,' zegt Compton.

Hij leunt achterover en lacht, bedekt mijn microfoon met zijn twee handen, zit te schommelen in mijn stoel. Zijn benen schoppen op en neer, en onder zijn voeten schieten de pizzadozen alle kanten op.

'Pardon?' zegt de dame. 'Er is lawaai op de lijn.'

'Vraag haar hoe oud ze is. Toe nou.'

'Kop dicht, kind.'

'Hou verdomme zelf je kop dicht, Compton.'

Compton geeft met de muis van zijn hand een klap op mijn voorhoofd.

'Moet je het kind eens horen!'

'Kom op, vraag het nou.'

'Het geliefde Amerikaanse recht om te streven naar gelul.'

Gareth schiet in een bulderende lach en Compton buigt zich weer naar de microfoon en zegt: 'Bent u daar nog, mevrouw?'

'Ik ben er nog,' zegt ze.

'Is hij nog aan het salueren?'

'Wel, hij staat nu weer. De agenten buigen zich naar voren. Over de rand.'

'De helikopter?'

'Nergens te zien.'

'Nog meer huppelpasjes?'

'Pardon?

'Heeft hij nog gehuppeld?'

'Dat heb ik niet gezien. Hij heeft niet gehuppeld. Wie heeft gehuppeld?'

'Zo van de ene op de andere voet?'

'Hij is een echte showman.'

Gareth giechelt.

'Neemt u mij op band op?'

'Nee, nee, nee echt niet.'

'Ik hoor stemmen op de achtergrond.'

'We zitten in Californië. We zijn oké. Maak u geen zorgen. We zijn computerjongens.'

'Als u me maar niet opneemt.'

'O, nee. Hoeft u niet bang voor te zijn.'

'Want daar is genoeg jurisprudentie over.'

'Dat zal best.'

'Hoe dan ook, ik moet nu echt...'

'Nog eventjes,' zeg ik, terwijl ik helemaal over Comptons schouder heen hang.

Compton duwt me terug en vraagt of de koorddanser een zenuwachtige indruk maakt. Het duurt een tijdje voor de vrouw antwoord geeft, alsof ze niet weet wat ze van de hele zaak moet denken en zich afvraagt wat ze daar staat te doen.

'Wel, hij maakt een vrij kalme indruk. Zijn lichaam, dan. Dat ziet er kalm uit.'

'U kunt zijn gezicht niet zien?'

'Niet goed, nee.'

Ze begint weg te zakken, alsof ze weinig zin heeft om nog met ons te praten, alsof ze van de lijn verdampt, maar ik wil dat ze blijft, ik weet niet waarom, ik heb net het gevoel of ze mijn tante is of zo, of ik haar al heel lang ken, wat natuurlijk niet kan, maar dat interesseert me niet meer en ik grijp de microfoon, draai hem bij Compton vandaan en zeg: 'Werkt u daar, mevrouw?'

Compton gooit zijn hoofd achterover om weer te lachen en Gareth probeert mijn ballen te kietelen en ik mime met mijn mond het woord *klootzak* naar hem.

'Inderdaad, ja, ik ben bibliothecaresse.'

'O ja?'

'Hawke, Brown and Wood. In de onderzoeksbibliotheek.'

'Hoe heet u?'

'Achtenvijftigste verdieping.'

'En uw naam?'

'Ik weet echt niet of ik dat…'

'Het is niet dat ik onbeleefd wil zijn.'

'Nee, nee.'

'Ik heet Sam. Ik zit hier op een onderzoekslab. Sam Peters. We werken aan computers. Ik ben programmeur.'

'Juist, ja.'

'Ik ben achttien.'

'Gefeliciteerd,' lacht ze.

Het is bijna alsof ze me aan het andere eind van de lijn kan horen blozen. Gareth ligt dubbel van het lachen.

'Sable Senatore,' zegt ze uiteindelijk met een stem als zacht water.

'Sable?'

'Inderdaad.'

'Mag ik vragen...?'

'Ja?'

'…hoe oud u bent?'

Weer een stilte.

Ze schateren het allemaal uit, maar er zit zoiets liefs in haar stem, ik wil niet ophangen. Ik probeer me haar steeds voor te stellen, zoals ze daar onder die hoge torens naar boven staat te kijken, met een toneelkijker om haar nek, op het punt om naar haar werk te gaan bij een of ander advocatenkantoor met veel donker hout en potten koffie.

'Het is half negen in de ochtend,' zegt ze.

'Hoe bedoelt u?'

'Ietwat vroeg voor een afspraakje.'

'Neemt u me niet kwalijk.'

'Wel, ik ben negenentwintig, Sam. Een beetje oud voor je.'

'O.'

En natuurlijk begint Gareth rond te strompelen alsof hij een wandelstok gebruikt en maakt Compton oerwoudgeluiden, en zelfs Dennis schuift tegen me aan en zegt: 'Versierder.'

Dan duwt Compton me aan de tafel opzij en zegt iets over zijn weddenschap, hij moet en zal de uitslag weten.

'Waar is hij? Sable? Waar is die man nu?'

'Is dit weer Colin?'

'Compton.'

'Wel, hij staat aan de rand van de zuidtoren.'

'Hoe groot is de afstand tussen de torens?'

'Moeilijk te zeggen. Een meter of…o, daar gaat hij!'

Een gigantisch kabaal overal om haar heen, gesis en gejuich, en het klinkt of alles los is geraakt en er een enorme lijnstoring is, en ik denk aan al die duizenden mensen die net uit de bussen en treinen komen en het nu pas zien en ik wou dat ik daar was, bij haar, en ik krijg een slap gevoel in mijn knieën.

'Is hij gaan liggen?' vraagt Compton.

'Nee, nee, natuurlijk niet. Hij is klaar.'

'Is hij ermee opgehouden?'

'Hij is net naar de toren gelopen. Hij salueerde nog eens en zwaaide en liep naar de toren. Heel rap. Rennend, min of meer.'

'Is het afgelopen?'

'Shit.'

'Ik heb gewonnen!' zegt Gareth.

'Oooh, is hij klaar? Weet u het zeker? Afgelopen?'

'De politie aan de rand haalt hem naar binnen. Ze hebben de stok. Och, hoor toch eens.'

Er klinken luid gejoel en een daverend applaus uit de omgeving van de telefoon. Compton kijkt geërgerd en Gareth schuift met duim en wijsvinger alsof hij geld telt. Ik buig me naar voren en pak de microfoon.

'Is het afgelopen? Hallo? Hoort u mij?'

'Sable,' zeg ik.

'Wel,' zegt ze, 'nu moet ik toch echt…'

'Even, voor u weggaat.'

'Is dit Samuel?'

'Mag ik u een persoonlijke vraag stellen?'
'Nou, ik denk dat je dat al hebt gedaan.'
'Mag ik uw nummer hebben?' vraag ik.
Ze lacht, zegt niets.
'Bent u getrouwd?'
Weer een lachje, een tikje spijtig.
'Sorry,' zeg ik.
'Nee.'
'Hoe bedoelt u?'
Want ik weet niet of ze nee zei tegen haar nummer geven, of nee tegen getrouwd zijn, of misschien tegen allebei, maar dan laat ze een lachje horen dat langzaam wegdwarrelt.

Compton zoekt in zijn zakken naar geld. Hij schuift Gareth een briefje van vijf toe.
'Ik vroeg het me alleen af...'
'Echt, Sam, ik moet nu gaan.'
'Ik ben geen mafkees, hoor.'
'Toedeloe.'
En de verbinding is verbroken. Als ik opkijk, zie ik dat Gareth en Compton me aanstaren.
'Toedeloe,' brult Gareth. 'Hoe vind je die! Hij is kordaat!'
'Donder op, man.'
'Wat een coïncidentie!'
'Donder op, hufter.'
'Gepikeerd, gepikeerd.'
'Er is wel iemand gevallen,' zegt Compton met een grijns, 'op haar.'
'Het was maar een dolletje. Gewoon voor de lol.'
'Toedeloe!'
'Mag ik alstublieft uw nummer?!'
'Hou je kop!'
'Hé, het kind wordt boos.'
Ik stap naar de telefoon en tik de enter-toets weer in, maar hij rinkelt en rinkelt en rinkelt alleen maar. Compton kijkt nu vreemd uit zijn ogen, alsof hij me nog nooit heeft gezien, alsof ik een spiksplin-

ternieuwe gast ben, maar het kan me niet schelen. Ik bel opnieuw: het blijft maar rinkelen. Ik zie voor me hoe Sable door de straat wegloopt, de torens van het World Trade Center binnengaat, naar de 58ste verdieping, overal houten betimmering en archiefkasten, goeiemorgen zegt tegen de advocaten, aan haar bureau gaat zitten en een potlood achter haar oor steekt.

'Hoe heette dat advocatenkantoor ook weer?'

'Toedeloe,' zegt Gareth.

'Vergeet het maar, man,' zegt Dennis.

Hij staat daar in zijn T-shirt, z'n haar alle kanten op.

'Die komt niet terug,' zegt Compton.

'Hoe weet je dat zo zeker?'

'Vrouwelijke intuïtie,' zegt hij giechelend.

'We moeten aan die patch werken,' zegt Dennis. 'Aan de slag.'

'Mij niet gezien,' zegt Compton. 'Ik ga naar huis. Ik heb al jaren niet geslapen.'

'Sam? Wat doe jij?'

Hij heeft het over het Pentagon-programma. We hebben een geheimhoudingsverklaring getekend. Het is helemaal niet zo moeilijk. Elk kind kan het. Denk ik, tenminste. Je gebruikt gewoon het radarprogramma, toetst het zwaartekrachtcoëfficiënt in, misschien met wat rotatiedifferentialen, en je kunt erachter komen waar een raket zal neerkomen.

'Kind?'

Wanneer er veel computers tegelijk bezig zijn, gonst het hier. Het is meer dan witte ruis. Het is het soort gegons dat je het gevoel geeft dat jij eigenlijk de grond bent die onder de lucht ligt, een droevige gons die overal boven en om je heen is, maar als je er te veel bij stilstaat, wordt het te hard of te groot en krijg je het gevoel dat je niet meer bent dan een stipje. Dan word je er helemaal door ingepakt, door die snoeren, dat gepiep, die bewegende elektronen, terwijl er niets echt beweegt, helemaal niets.

Ik ga naar het raam. Het is een kelderraam dat geen enkel licht krijgt. Dat is iets wat ik niet begrijp, ramen in kelderverdiepingen, waarom iemand een raam in een kelder zou zetten. Ik heb het een keer geprobeerd open te krijgen, maar er zit geen beweging in.

Ik wed dat buiten de zon opkomt.

'Toedeloe!' zegt Gareth.

Ik wil de kamer doorrennen en hem een klap verkopen, een dreun, een harde dreun, iets dat hem echt pijn doet, maar ik doe het niet.

Ik ga aan het toetsenbord zitten, tik Escape in, dan de N-toets, dan de Y-toets en stop de blueboxhack. Geen gephreak meer vandaag. Ik open het graphicsprogramma met mijn wachtwoord: SAMUS 17. Wij werken er sinds een halfjaar aan, maar het Pentagon is al jaren bezig met de ontwikkeling ervan. Als het weer oorlog wordt, dan zullen ze deze hack gebruiken, zeker weten.

Ik draai me naar Dennis. Hij zit al over zijn toetsenbord gebogen. Het programma is aan het opstarten. Ik hoor het klikken.

Coden geeft een kick. Het is cool. Makkelijk te schrijven. Je vergeet je moeder, je vader, alles. Je krijgt het hele land aan boord. Dit is Amerika. Je komt aan de grens. Je kunt overal naartoe. Het gaat om verbinding hebben, toegang, gateways, als Chinees fluisteren waarbij het weer helemaal overnieuw moet als er ergens één foutje insluipt.

Dit huis is op heroïne gebouwd

Ik mocht niet naar Corrigans begrafenis. Ik had er op m'n blote knieën naartoe willen kruipen. Maar ze stopten me weer in de nor. Ik heb niet gejankt. Ik ging languit op de brits liggen met mijn hand over mijn ogen.

Ik heb m'n strafblad gezien, geel met vierenvijftig punten. Niet zo best getikt. Je ziet je leven in doorslag. Bewaard in 'n dossier. Hunts Point, Lex hoek 49th, West Side Highway, helemaal terug tot aan Cleveland toe. *Zich verdacht ophouden in openbare ruimte. Prostutitiedelict. Verstoring openbare orde. Strafbaar bezit verdovende midelen. Opelijke Geweldpleging, Huisvredebreuk. Strafbaar bezit verdovend middel. Gewone diefstal. Uitlokking prostietutie.*
Die smerissen hebben vast 'n vier voor spelling gekregen.
Die in de Bronx schrijven rotter dan wie ook. Die krijgen voor alles 'n twee, behalve voor ons oppakken op eigen terrein.

Tillie Henderson alias Miss Bliss alias Puzzle, alias Rosa P. alias SweetCakes.
Ras, sekse, lengte, gewicht, kleur haar, huidkleur, kleur ogen, littekens, bijzondere kenmerken, tatoeages (geen).

Ik ben gek op roomtaart van de supermarkt. Dat staat niet op m'n gele strafblad.

De dag dat ze ons oppakten was Bob Marley op de radio met *Get up,*
stand up, stand up for your rights. Een lollige smeris zette de radio harder en grijnsde over zijn schouder. Jazzlyn schreeuwde: 'Wie moet
er voor de kleintjes zorgen?'

Ik heb de lepel in de babyvoeding laten staan. Achtendertig jaar. Zal
nooit in de prijzen vallen.

Ik ben voor hoer in de wieg gelegd. Ik overdrijf niet. Ik heb nooit 'n
nette baan gewild. Ik woonde pal tegenover de tippelzone tussen
Prospect Avenue en East 31st Street. Vanuit mijn slaapkamerraam
kon ik de meiden aan het werk zien. Ik was acht. Ze hadden rode
hoge hakken en suikerspinhaar.

De daddy's, de pooiers, kwamen langs op weg naar het Turks
Hotel. Ze scharrelden afspraakjes op voor hun meiden. Ze droegen
hoeden zo groot dat je erin kon ronddansen.

Wat voor pooierfilm je ook ziet, ze komen altijd aanrijden met 'n
Cadillac. Klopt ook. Daddy's rijden in Caddy's. Het liefst met witte
banden. Alleen zie je nauwelijks meer bonten dobbelstenen aan de
binnenspiegel.

Ik deed m'n eerste lippenstift op toen ik negen was. Glimmen in
de spiegel. Mijn moeders blauwe laarzen waren te groot voor me op
m'n elfde. Ik had me erin kunnen verstoppen en m'n hoofd eruit
laten piepen.

Op m'n dertiende liep ik al met m'n handen om de heupen van 'n
man in een frambozenrood pak. Hij had 'n wespentaille, maar hij
kon hard slaan. Hij heette Fine. Hij was zo gek op me dat hij me niet
op de baan zette, hij zei dat hij me aan 't inrijden was.

Mijn moeder had godsdienstige neigingen. We waren van de Kerk
van het Geestelijk Israël. Je moest je hoofd naar achteren gooien en
in tongen praten. Zij had ook getippeld. Dat was jaren geleden. Ze
was gestopt toen haar tanden uitvielen. Ze zei: 'Als je maar nooit
doet wat ik deed, Tillie.'

Dus mooi wel. Maar ík heb al m'n tanden nog.

Ik heb tot m'n vijftiende nooit gepeesd. Ik liep de lobby van het Turks Hotel binnen. Iemand floot zachtjes. Alle hoofden keken om, vooral dat van mij. Meteen ging ik met mijn heupen swingen. Ik begon uit te botten. Mijn eerste daddy zei: 'Als het geluk je in de steek laat, schat, kom je maar naar mij.'

Hempje, hotpants, hoge hakken. Ik met volle zeilen de baan op.

Een van de eerste dingen die je leert is dat je niet je haar door het open raampje moet laten hangen. Als je dat doet, grijpen de mafkezen je bij je lokken, trekken je naar binnen en meppen je suf.

Je eerste daddy, die vergeet je nooit. Je houdt van hem tot hij je met 'n bandenlichter slaat. Twee dagen later verwissel je samen met hem 'n wiel. Hij koopt 'n blouse voor je die je figuur op alle goeie plekken laat uitkomen.

Ik liet baby Jazzlyn bij m'n moeder. Ze trappelde met d'r beentjes en keek naar me omhoog. Ze had zo'n mooi blank velletje toen ze werd geboren. Ik dacht eerst, die is niet van mij. Ik heb nooit geweten wie d'r pappa was. Dat had iedereen kunnen zijn op 'n lijst van hier tot Tokio. Sommigen zeiden dat het 'n Mexicaan moest zijn geweest, maar ik kan me niet herinneren dat er ooit een Pablo op me heeft liggen zweten. Ik tilde haar in m'n armen en toen zei ik bij mezelf *Ik zal d'r hele leven goed voor d'r zorgen*.

Het eerste dat je zegt als je 'n kind krijgt is dat ze never nooit de baan opgaat. Je zweert 't. Mijn kind niet. Die gaat never nooit 't leven in. Dus tippel je om haar van 't tippelen af te houden.

Dat deed ik zo bijna drie jaar, tippelen, naar huis hollen, haar in mijn armen nemen, en opeens wist ik wat ik moest doen. Ik zei: 'Zorg voor haar, mamma. Ik kom gauw terug.'

De magerste hond die ik ooit heb gezien staat op de zijkant van de Greyhoundbussen.

Toen ik New York voor 't eerst zag, ben ik buiten het busstation op de grond gaan liggen, puur om de hele lucht te zien. Een vent stapte doodleuk over me heen zonder ook maar omlaag te kijken.

Ik begon meteen die eerste dag te pezen. Ik ging naar de luizenhotelletjes daar bij Ninth Street. Je kan van 'n plafond de lucht maken, kost niks. Er waren 'n boel zeelieden in New York. Ik vond 't altijd leuk om met hun pet op te dansen.

In New York werk je voor je kerel. Je kerel is je daddy, ook al is 't maar 'n zielenpoot. Een daddy vinden is niet moeilijk. Ik had algauw beet met Tukwik. Hij nam me aan en ik tippelde op de beste baan, 49th en Lexington. Daar woei Marilyns rok omhoog. Op 't luchtrooster van de ondergrondse. De een na beste stek was in de West Side, maar daar had Tukwik 't niet zo op, dus daar kwam ik niet vaak. Er viel minder te halen in de West Side. En altijd zwaaiden er smerissen met hun penning, puur om te pesten. Dan keken ze wanneer je voor 't laatst in de nor had gezeten, vroegen naar de datum op je strafblad. Had je al een tijdje niet gezeten, dan kromden ze hun vingertje en zeiden, *Kom jij maar mee.*

De East Side beviel me wel, ook al waren de smerissen bikkelharde eikels.

Ze hadden niet veel zwarte meiden op 49th en Lex. De meiden daar waren witkezen met goede tanden. Mooie kleren. Sjiek haar. Ze droegen never nooit grote ringen want grote ringen zitten in de weg. Maar ze waren mooi gemanicuurd en hun teennagels fonkelden. Als ze me zagen schreeuwden ze: 'Wat moet jij hier kankerhoer?' En dan zei ik: 'Ik werk hier gewoon, dames, meer niet.' Na 'n tijdje was het vechten over. Geen geschraap meer van nagels over vlees. Geen getrek meer om elkaars vingers te breken.

Ik was de eerste negerin die daar 'n geheide vaste stek had. Ze noemden me Rosa Parks. Ze zeiden altijd dat ik 'n kauwgomvlek was. Zwart. Aan de stoep geplakt.

Zo gaat 't in het leven, ik zweer 't je. Je dolt wat af.

Ik zei bij mezelf, ik zei, ik ga zoveel verdienen dat ik terug kan naar Jazzlyn en dan koop ik 'n groot huis voor d'r met 'n open haard en 'n terras achter en hopen mooie meubels. Dat wilde ik graag.

Ik ben zo'n loser. Geen grotere loser dan ik. Maar dat laat ik niemand weten. Dat is mijn geheim. Ik doe net of de wereld van mij is. Kijk die vlek. Kijk d'r draaien.

Bij mij in de cel zit 'n vrouw die 'n muis in 'n schoenendoos houdt. De muis is haar beste vriend. Ze praat met 'm en aait 'm. Zoent 'm zelfs. Werd ze 'n keer in d'r lip gebeten. Ik heb me 't schompes gelachen.

Ze zit acht maanden voor 'n steekpartij. Wil niet met me praten. Wordt binnenkort overgeplaatst. Ze zegt dat ik geen hersens heb. Mij krijgen ze niet overgeplaatst, never nooit, ik heb m'n dealtje met de duivel – 'n kaal mannetje met 'n zwarte cape om.

Op m'n zeventiende had ik 'n lijf waar Adam Eva subiet voor had laten vallen. Als 'n baksteen. Het was top, ongelogen. Niks op de verkeerde plek. Ik had benen van zeven mijl en 'n kont waar je u tegen zei. Adam zou tegen Eva hebben gezegd, *Eva, ik ga bij je weg, schat,* en op de achtergrond zou Jezus in hoogsteigen persoontje zeggen, *Adam, je bent 'n godvergeten bofkont.*

Op Lexington had je 'n pizzatent. Een foto aan de muur met allemaal gasten in korte, strakke broekies, mooie huid en 'n bal aan hun voeten, die waren oké. Maar de gasten binnen waren dik en harig en maakten altijd en altijd maar grappen over hete pepers. Je moest hun pizza met een servetje deppen om de olie eraf te krijgen. De maffia kwam daar ook. Je moest geen geintjes uithalen met de maffia. Ze droegen pakken met 'n vouw in hun broek en stonken naar de briljantine. Als je niet uitkeek namen ze je mee uit eten naar 'n sjieke olijfschijterstent en kon je 't nooit meer navertellen.

Tukwik was blits. Hij pronkte met me als 'n gouwen armband. Hij had vijf vrouwen, maar ik was vrouw Numero Uno, piek van de kerstboom, het lekkerste vlees aan de haak. Je doet wat je kan voor je daddy, je steekt vuurwerk voor 'm af, je knuffelt 'm tot je erbij neervalt, en dan ga je de baan op. Ik bracht 't meeste geld in en hij was goed voor me. Ik mocht naast hem meerijden, terwijl de andere vrouwen vanaf de straat toekeken, witheet.

Maar ja, als hij 't meest van jou houdt, slaat-ie je ook 't meest. Zo is 't nou eenmaal.

Een van de dokters op de EHBO-post viel op me. Hij had mijn oog bij elkaar genaaid nadat Tukwik me met 'n zilveren koffiepot had gemept. En toen bukte de dokter zich en gaf-ie er 'n zoen op. Het kietelde precies op de plek waar de draad zat.

Op 'n slappe dag, in de regen, maakten we 'n hoop heibel, de andere vrouwen en ik. Ik rende de straat over met Susies pruik, waar nog 'n stukkie vel in was blijven zitten. Maar meestal waren we één grote familie, ik zweer 't. Niemand gelooft 't, maar het is zo.

Op Lexington hebben ze hotels met behang en roomservice en borden met echte goudverf op de rand. Ze hebben kamers waar ze chocolaatjes op de kussens leggen. Ze hebben zakenlui die voor een dagje in de stad zijn. Witkezen. Voorzichtig pezen. Als ze hun hemd optillen ruik je de getrouwdemannenpaniek aan ze, alsof hun vrouw zo uit de tv kan opduiken.

De kamermeisjes leggen mentholsnoepjes op de kussens. Ik had een handtas vol groene papiertjes. Ik ging de kamer uit met groene papiertjes en mannen wie het angstzweet al uitbrak vanwege hun boterbriefje.

Ik was puur een meisje voor horizontaal, een rugslagmeisje. Recht op en neer was 't enige dat ik kende, maar zo lekker als bij mij hadden ze 't bij niemand. *O, schat, laat me je voelen. Ik word zo geil van je. Geef die kluif niet aan 'n andere teef.*

Ik had wel honderd van zulke stomme zinnetjes. Net of ik 'n oud liedje zong. Ze vraten 't.

'Gaat 't een beetje, SweetCakes?' 'Godverdomme, wat voel ik me te gek bij je!' (Anderhalve minuut, kanjer, dat is 'n record).

'Geef me lekkers, lekker ding.' 'Ooo, man, je bent te zonde om te zoenen.' (ik lik nog liever de zwanenhals van de wasbak).

'Hé meid, gaat goed, hè?' 'Oeh, je doet 't goed, oeh, echt goed, zo goed dat 't goed is, ja, goed.' (Maar jammer van je zielige kurken-trekkertje).

Als ik het Waldorf Astoria uitging, gaf ik de hoteldetectives, de piccolo en de liftjongen fooi. Zij kenden alle tippelaarsters. De liftjongen had 'n zwak voor me. Op 'n nacht heb ik 'm gepijpt in de koelcel. Bij 't weggaan jatte hij 'n biefstuk mee. Stak 'm onder z'n hemd. Liep naar buiten en zei dat-ie ze lichtgebakken 't liefst had.
Het was 'n schatje. Knipoogde naar me, zelfs in 'n volle lift.

Ik was fanatiek op schoon. Ik wilde voor elke keer douchen. Als ik de klant zo gek kreeg om te douchen, zeepte ik 'm helemaal in en keek ik hoe het deeg rees. Dan zei je tegen 'm: 'Mop, kom op met dat stokbrood.' En dan stopte ik 'm in de oven, en dan stond-ie al op ploffen.
Je probeert 'm af te werken in 'n kwartier op z'n hoogst. Maar je probeert 'm op z'n minst 'n minuutje of twee aan de gang te houden. Kerels houden er niet van om te vroeg te ploffen. Geen waar voor hun geld. Voelen ze zich vies en goedkoop. Ik heb nooit 'n klant gehad die niet kwam, never nooit. Nou, niet nooit, maar als er een niet kwam, dan krabde ik over z'n rug en zei ik extra lieve woordjes tegen hem, nooit smerig, en soms begon-ie dan te huilen en zei-die: 'Ik wil alleen met je praten, schat, meer hoef ik niet, alleen met je praten.' Maar soms slaan ze opeens om en worden ze link en gaan ze schreeuwen: 'Kutwijf, ik wist dat 't nooit zou lukken bij jou, zwarte teef die je d'r bent.'
En dan zette ik 'n pruilmondje op, alsof hij m'n hart gebroken had en dan boog ik me naar z'n oor en fluisterde dat mijn daddy bij de Panthers zat met 'n boel negerhonden, en dat hij dit soort taal niet graag hoorde, snap je? En dan hesen ze snel hun broek op en maakten dat ze weg kwamen, ietwietwaaiweg.

Tukwik had nogal eens mot. Hij droeg 'n boksbeugel in zijn sok. Ze moesten 'm neerslaan voor hij erbij kon. Maar hij was slim. Hij stiekte de smerissen en hij stiekte de maffia en de rest hield hij helemaal voor zichzelf.

De slimme pooier zoekt meisjes die in hun eentje tippelen. Ik heb twee weken in m'n eentje getippeld. Ohio. O-hi-o.

Ik werd 'n moderne vrouw. Ik nam de Pil. Ik wilde niet nog een Jazzlyn. Ik stuurde haar prentbriefkaarten vanaf 't postkantoor op 43rd Street. De gast achter 't loket herkende me eerst niet. Iedereen blèrde tegen me dat ik niet mocht voordringen, maar ik liep gewoon naar hem door, zwaaiend met m'n kont. Hij bloosde en schoof hij me 'n paar gratis zegels toe.

Ik herken mijn klanten altijd.

Ik vond 'n nieuwe daddy, 'n beroemde bikker. Hij heette Jigsaw. Hij had 'n blits pak. Dat noemde hij zijn *vine*. Hij liep altijd met 'n pochet in zijn borstzak. Zijn geheim was dat-ie in dat lefdoekie 'n rijtje scheermessen had geplakt. Als hij 't tevoorschijn trok kon ie 'n legpuzzel van je gezicht maken. Hij had een loopje met 'n knak erin. Alles wat perfect is, heeft wel ergens 'n foutje. De smerissen hadden 'n bloedhekel aan hem. Ze pakten me vaker op toen ze wisten dat Jigsaw van mij was.

Ze vonden 't niks dat 'n neger zo goed verdiende, vooral niet aan witkezen, en 't waren bijna allemaal witkezen op 49th Street. Dat was Kalkdorp.

Jigsaw had meer pegels dan God. Hij kocht 'n schakelketting voor me en 'n snoer van jaden kralen. Hij betaalde, handje contantje. Hij had zelfs wat beters dan 'n Cadillac. Hij had 'n Rolls Royce. Silver. Ongelogen. Oud, maar hij reed. Met 'n houten stuur. Soms reden we op en neer over Park Avenue. Toen was 't mooi om in het leven te zitten. We draaiden de raampjes omlaag voor de Colony Club. We zeiden: 'Hallo dames, wil een van jullie 'n nummertje?' Ze waren als de dood. We reden gillend van de lach weg. 'Kom op, we gaan 'n paar komkommersandwiches halen.'

Gierend reden we naar Times Square. 'Maar wel met de schilletjes eraf, mop!'

Ik kreeg de mooiste dingen van Jigsaw. Hij had 'n appartement bij First Avenue en 58th. Alles gegapt, zelfs de tapijten. Het wemelde er van de vazen. En van spiegels met gouden randen. De klanten vonden 't prachtig daar. Zodra ze binnenkwamen, was 't *Wauw*! Dachten ze zeker dat ik 'n zakenvrouw was.

En intussen zochten ze maar naar 't bed. De grap is, dat bed kwam uit de muur omlaag. Met elektrische bediening.

Die flat was blits.

De binken die honderd dollar betaalden, die noemden we Champies. Susie zei altijd: 'Daar heb je mijn Champie,' als er 'n dure auto de straat inreed.

Op 'n avond had ik een van die footballers van de New York Giants, 'n linebacker met zo'n dikke nek dat ze hem Sequoia noemden. En z'n portefeuille was al net zo dik, zo'n pak honderdjes had ik nog nooit gezien. Ik dacht: daar heb je tien Champagnes in één klap. Daar heb je 'm, mijn Champie, de rooie rug.

Bleek dat hij alleen maar zwart wilde rijden, dus ik stap uit bed, buk me, handen op m'n knieën, kijk tussen m'n benen door en roep: 'VANG!' en smijt 'n roomservicemenu naar 'm toe.

Soms moet je jezelf kietelen om te lachen.

Ik noemde mezelf in die tijd Miss Bliss, zo gelukkig was ik toen. De mannen waren niet meer dan lijven die op me bewogen. Stukkies kleur. Totaal niet belangrijk. Soms voelde ik me net 'n naald in 'n jukebox. Ik zakte gewoon in de groef en draaide m'n rondjes. Daarna blies ik 't stof eraf en zakte weer.

Wat me opviel aan de knakkers van de moordbrigade was dat ze verrekte mooie pakken droegen. En altijd gepoetste schoenen. Een ervan, die had 'n schoenpoetsdoos op drie poten onder z'n bureau. Compleet met poetslappen en zwarte schoensmeer. Het was 'n lieverd. Hij hengelde niet naar zwartrijden. Hij wilde alleen weten wie Jigsaw had koudgemaakt. Ik wist 't, maar ik zei niks. Als iemand 't loodje legt, hou je je mond. Dat is de wet van de straat, rits rits mondje dicht, rits rits geen woord eruit, rits rits rits rits.

245

Jigsaw liep tegen drie knappe kogels aan. Ik zag 'm daar liggen, op de natte grond. Hij had er een midden in z'n voorhoofd die z'n hersens had opengeknald. En toen de ziekenbroeders zijn hemd openmaakten was 't net of hij twee rode ogen extra op z'n borst had.

Overal bloedspetters op de grond en ook op de lantaarnpaal en de brievenbus. Die gast van de pizzatent kwam naar buiten om de rechterbuitenspiegel van z'n bestelwagen schoon te vegen. Driftig poetsen met zijn schort, en maar hoofdschudden en in zichzelf mopperen, alsof iemand net z'n calzones had laten aanbranden. Alsof 't Jigsaws idee was om z'n hersens op die gast z'n spiegel spetteren! Alsof hij 't expres gedaan had!

Hij ging z'n zaak weer in en de volgende keer dat we er 'n pizzaatje kwamen halen, was 't van: 'Hé, geen hoeren hierbinnen, flikker op, geen kutventers hier, W-E-G, en jij helemaal, N-I-K-K-E-R.' Wij zeiden: 'Goh, hij kan spellen,' maar bij God, ik had z'n olijfschijtersballen wel in z'n keel willen tremmen, willen samenknijpen om er 'n adamsappel van te maken.

Susie zei dat ze 'n rothekel had aan racisten, vooral die racistische olijfschijters. We gilden van 't lachen en stiefelden meteen door naar Second Avenue om 'n pizzaatje bij Ray's Famous te halen. Zo zalig, we hoefden er niet eens de olie vanaf te deppen. We zijn daarna nooit meer teruggeweest naar die tent op Lex.

Je gaat zo'n racistisch zwijn toch geen klandizie geven.

Jigsaw had zoveel poen, maar hij werd begraven op 't armenkerkhof. Ik heb te veel begrafenissen meegemaakt. Daar zal ik wel niet de enige in zijn. Ik weet niet waar Jigsaws geld gebleven is, maar ik gok op de maffia.

Er is maar één ding dat net zo snel gaat als 't licht en dat is koude, harde contanten.

Een paar maanden nadat Jigsaw was omgelegd, zag ik Andy Warhol de straat inlopen. Hij had van die grote blauwe schizo-ogen, net als die gasten die de hele dag metromuntjes uit de gleuven bij die draaihekjes zuigen. Ik zei: 'Hé Andy-schat, ga je met me mee?' Hij zei: 'Ik ben Andy Warhol niet, ik ben gewoon 'n vent met 'n Andy Warhol-masker op, ha ha.' Ik kneep 'm in z'n bil. Hij sprong weg en riep 'Oeoeoeh'. Hij deed 'n beetje stijfjes, maar heeft toch zeker tien minuten of meer met me staan praten.

Ik dacht dat hij me in 'n film zou zetten. Ik stond al te dansen op m'n stiletto's. Ik had 'm gezoend als hij me in 'n film had gezet. Maar uiteindelijk wilde hij niks anders dan 'n jongen zoeken. Dat is het enige wat-ie wilde, 'n jonge jongen die hij mee naar huis kon nemen om er z'n ding mee te doen. Ik zei tegen 'm dat ik wel zo'n roze voorbindjoekel zou gebruiken en hij zei: 'O, schei uit, je maakt me heet.'

Die hele avond heb ik lopen roepen van: 'Ik heb Andy Warhol opgegeild!'

Ik kreeg nog eens 'n klant die ik dacht te herkennen. Hij was jong maar kaal van boven. Die kale plek was spierwit, net 'n kunstijsbaantje op z'n hoofd. Hij nam 'n kamer in 't Waldorf Astoria. Het eerste wat hij deed was de gordijnen dichttrekken, toen viel hij op 't bed neer en zei: 'Laten we beginnen.'

Ik zei van: 'Wauw, ken ik je, schatje?'

Hij keek me vuil aan en zei: 'Nee.'

'Meen je dat nou?' zei ik schijnheilig poeslief. 'Je komt me zo bekend voor.'

'Onzin,' zei hij. Laaiend!

'Hé, even dimmen, schat,' zei ik, 'ik vraag 't alleen.'

Ik trok zijn riem uit en ritste z'n broek open en hij kreunde van *ojaaoojaa*, zoals ze allemaal doen, en hij deed zijn ogen dicht en bleef maar kreunen en toen, ik weet niet waarom, opeens wist ik 't. Het was die vent van 't weerbericht op CBS! Alleen droeg hij geen toupet! Dat was zijn vermomming. Ik werkte 'm af en kleedde me aan en zwaaide 'm gedag, maar bij de deur keerde ik me om en zei: 'Hé man, 't is bewolkt in 't oosten met stormachtige wind en kans op sneeuw.'

Had ik mezelf weer 's gekieteld.

Wat ik altijd 'n goeie mop vond, was die met als uitsmijter: *Edelachtbare, ik had geen ander wapen op zak dan 'n stuk gebraden kip.*

De hippies waren klanten van niks. Die deden aan vrije liefde. Ik bleef bij ze uit de buurt. Ze stonken.

De soldaten waren m'n beste klanten. Als ze naar huis terugkwamen wilden ze alleen maar neuken – neuken was 't enige waar ze aan dachten. Ze waren heelhuids terug uit de klauwen van 'n stel halfbakken klootzakken met spleetogen en dat moesten ze vooral vergeten. En wat is er beter om je te helpen vergeten dan neuken met Miss Bliss.

Ik maakte 'n button waarop stond: DE MISS BLISS OPLOSSING: LIEFDE IS OORLOG. Niemand vond 't leuk, zelfs de jongens niet die thuiskwamen uit Vietnam, dus heb ik 'm in de vuilnisbak op de hoek van Second Avenue gegooid.

Ze stonken als wandelende kerkhofjes, die jongens. Maar ze hadden liefde nodig. Ik was net de sociale dienst, ik zweer 't. Mijn steentje-bij voor Amerika. Soms neuriede ik 'n kinderliedje terwijl hij z'n vingers over mijn rug schraapte. *Hop Marjanneke, stroop in 't kanneke!* Daar kregen ze 'n kick van.

Bob was 'n zedensmeris die op zwarte meiden geilde. Ik heb vaker z'n penning voor me gezien dan 'n warm ontbijt. Hij pakte me zelfs op als ik niet werkte. Zat ik in de koffietent, kwam hij met z'n penning zwaaien en zei: 'Jij komt met mij mee, Sambette.'

Hij dacht dat-ie lollig was. Ik zei: 'Je kan me m'n zwarte reet kussen, Bob.' Toch gooide hij me de bak in. Hij had zijn quota. Hij kreeg overwerk betaald. Ik had 'm graag met m'n nagelvijl aan plakjes gesneden.

Een keer had ik 'n man 'n hele week in 't Sherry-Netherlands. Er was daar 'n kroonluchter met druiven en ranken eromheen tegen 't plafond en stucwerk met violen en zo. Hij was klein en dik en kaal en bruin. Hij zette 'n plaat op. Net slangenbezweerdersmuziek. Hij zei: 'Is dit geen goddelijke komedie?' Ik zei: 'Wat 'n raar gezegde.' Hij glimlachte alleen maar. Hij had 'n leuk accent.

We hadden kristalcocaïne en kaviaar en champagne in 'n emmer. We hadden afgesproken voor pijpen, maar ik hoefde 'm alleen maar voor te lezen. Perzische gedichten. Ik dacht, misschien ben ik al in de hemel en zweef ik op 'n wolk. Er stond een hoop in over 't oude Syrië en Perzië. Ik lag languit, spiernakend op bed gewoon de kroonluchter voor te lezen. Hij wou me niet eens aanraken. Hij zat in 'n stoel te kijken hoe ik voorlas. Ik ging weg met achthonderd dollar en 'n boek van Roemi. Zoiets had ik nog nooit gelezen. Van de weeromstuit wilde ik ook 'n vijgenboom.

Dat was lang voordat ik naar Hunts Point ging. En dat was weer lang voordat ik onder de Deegan terechtkwam. En dat was lang voordat Jazz en Corrie die bus naar de verdommenis reden.

Maar als ik nog maar één week mocht leven, één week overnieuw, als ik mocht kiezen, dan zou ik die week in 't Sherry-Netherlands overdoen. Ik lag daar gewoon in bed in m'n blootje voor te lezen, en hij was lief voor me en zei dat ik oké was, dat ik 't goed zou doen in Syrië en Perzië. Ben ik nooit geweest, in Syrië of Perzië of Iran, of hoe ze 't ook noemen. Maar op 'n goeie dag ga ik erheen, maar dan neem ik Jazzlyns kleintjes mee en trouw ik met 'n oliesjeik.

Alleen zit ik aan de strop te denken.

Elk excuus is 'n goed excuus. Wanneer ze je naar de gevangenis sturen krijg je 'n syfilistest. Ik kwam er schoon uit. Ik dacht dat ik deze keer misschien niet schoon zou zijn. Dat was misschien 'n goed excuus geweest.

Ik haat zwabbers. Ik haat dweilen. Je komt niet met tippelen uit de gevangenis. Je moet ramen wassen, vloeren boenen, douches schrobben. Ik ben de enige hoer in C-40. Al die anderen zitten ver buiten New York. Een ding is zeker, er zijn geen mooie zonsondergangen achter 't raam.

Alle butches zitten in C-50. Alle femmes zitten waar ik zit. De lesbo's worden *jaspers* genoemd, waarom weet ik niet, je hebt meer van die gekke woorden. In de kantine willen de jaspers alleen maar m'n haar kammen. Niet míjn ding. Nooit geweest. Ik draag geen veterschoenen. Ik hou m'n uniform graag kort, maar ik ga ook geen strik in m'n haar dragen. Als je toch doodgaat, kan je net zo goed knap doodgaan.

Ik eet niet. Hou ik tenminste m'n figuur op peil. Daar ben ik nog steeds trots op.
    Ik ben 'n loser maar op m'n lijf ben ik nog steeds trots.
    Ze zouden dat vreten trouwens de honden nog niet voorzetten. De honden zouden zich opknopen als ze 't menu zagen. Ze zouden aan 't janken slaan en zich met vorken doodprikken.

Ik heb de sleutelring met de kleintjes erop. Die hang ik vaak aan m'n vinger en kijk dan hoe die ronddraait. Ik heb ook 'n stukje alumini-umfolie. Het is wel geen spiegel, maar je kan erin kijken en raden of je nog steeds knap bent. Beter dan tegen een muis aan praten. Mijn celmaat krabde de zijkant van 't bed af om die muis op houtkrullen te zetten. Ik heb eens 'n boek gelezen over 'n vent met 'n muis. Hij heette Steinbeck – die vent, niet de muis. Ik ben niet achterlijk. Ik ben niet 't dommertje van de klas alleen maar omdat ik 'n hoer ben. Ze hebben een IQ-test gedaan en ik haalde 124. Als je me niet gelooft, vraag je 't maar aan de gevangenispsych.

De bibliotheekkar komt eens per week langspiepen. Ze hebben geen boeken die ik graag lees. Ik vroeg om Roemi en ze zeiden: 'Wat is dat in godsnaam?'
    In de gymzaal speel ik pingpong. Dan hoor je de butches van: 'Oooo, kijk d'r eens smashen.'

Meestal beroofden Jazz en ik nooit niemand. Was 't niet waard. Maar die ene klootzak, die nam ons helemaal mee van de Bronx naar Hells Kitchen en beloofde ons goudgeld. Dat liep dus anders, daarom heb-ben wij 'm even die klus uit handen genomen, precies zoals ik 't zeg, we namen 't hem uit handen. Maakten 't hem gewoon wat lichter, eigenlijk. Ik nam de schuld op me voor Jazzlyn. Zij wilde terug naar de kleintjes. Ze had ook de heroïne nodig. Ik wilde dat ze ervanaf kwam, maar dat kon ze niet in één klap. Niet in de bajes. Ik was ervanaf. Ik kon 't hebben. Ik was al 'n halfjaar clean. Ik snoof 'n heel enkel keertje wat coke, en soms verkocht ik wat heroïne die ik van Angie kreeg, maar meestal was ik clean.

Op 't politiebureau zat Jazz te brullen van 't huilen. De rechercheur boog zich over z'n bureau naar mij toe en zei: 'Hoor 's, Tillie, wil je je dochter uit de sores halen?' Dus ik van: 'Ja, schat.' Hij zei: 'Goed, als jij mij nou 'n bekentenis geeft, laat ik haar gaan. Jij krijgt zes maanden, niet meer, dat garandeer ik je.' Dus ik ging zitten en ik bekende. Het was 'n oude aanklacht, beroving met geweld. Jazz had die vent geript voor tweehonderd dollar en spoot dat er meteen doorheen.

Zo gaan die dingen.

Alles vliegt door de voorruit.

Ze vertelden me dat Corrigan alle botten in z'n bast brak toen hij tegen 't stuur klapte. Ik dacht: nou dan kan z'n Spaanse grietje er in de hemel tenminste bij om z'n hart te grijpen.

Ik ben 'n loser. Dat ben ik echt. Ik nam de straf en Jazzlyn betaalde ervoor. Ik ben de moeder en m'n dochter is er niet meer. Ik hoop alleen dat ze tenminste nog heeft geglimlacht op dat laatste moment.

Ik ben 'n grotere loser dan je ooit van je leven hebt gezien.

Zelfs de kakkerlakken vinden het niks hier in Rikers. Kakkerlakken, die gruwen ervan. Kakkerlakken zijn net als rechters en aanklagers en dat soort. Ze kruipen in hun zwarte jassen uit de muren en ze zeggen: juffrouw Henderson, hierbij veroordeel ik u tot acht maanden.

Wie weet wat kakkerlakken zijn die weet dat ze ratelen. Dat is 't woord. *Ze ratelen* over de grond.

De douchecel is de beste plek. Je zou er 'n olifant aan de buizen kunnen hangen.

Soms bonk ik net zo lang met m'n hoofd tegen de muur tot ik 't gewoon niet meer voel. Ik kan zo hard bonken dat ik eindelijk in slaap val. Word ik wakker met koppijn, bonk ik weer. Het steekt me alleen als de butches staan te loeren in de douches.

Gisteren is er 'n blanke meid overhoop gestoken. Met de afgevijlde zijkant van een kantineblad. Ze kon erop wachten. Witter dan wit. Buiten de bajes zat ik er nooit mee: blank of zwart of bruin of geel of roze. Maar ik denk dat de bajes 't omgekeerde is van 't echte leven – te veel negers en weinig witkezen, alle witkezen kunnen zich vrij kopen.

Dit is 't langst dat ik ooit heb gezeten. Je gaat over dingen nadenken. Meestal over dat ik zo'n loser ben. Een meestal over waar ik de strop kan hangen.

Toen ze 't me van Jazzlyn hadden verteld, stond ik als 'n vogel met m'n kop tegen de kooi te slaan. Ik mocht naar de begrafenis en daarna sloten ze me weer op. De kleintjes waren er niet. Ik vroeg almaar naar de meisjes maar iedereen zei: Maak je geen zorgen over de kleintjes, er wordt voor ze gezorgd.

In mijn dromen ben ik terug in 't Sherry-Netherlands. Waarom ik 'm zo graag mocht weet ik eigenlijk niet. Hij was geen klant, hij was 'n heer, zelfs met dat kale hoofd was hij oké.

In 't leven van 't Midden-Oosten hebben mannen hoeren hoog zitten. Ze vinden 't leuk om ze te verwennen en dingen voor ze te kopen en rond te lopen met lakens om zich heen. Hij vroeg me om in silhouet voor 't raam te gaan staan. Had hij precies zo uitgekiend met 't licht. Ik hoorde 'm naar adem happen. En ik stond daar alleen maar. Ik heb me nog nooit zo lekker gevoeld als toen hij gewoon naar me keek, bewonderde wat hij zag. Dat is wat goeie kerels doen – die bewonderen. Hij was niet met zichzelf aan 't foezelen of niks, zat gewoon in de stoel naar me te kijken, hield bijna al z'n adem in. Hij zei dat ik 'm in vervoering bracht, dat hij er alles voor zou geven als ik daar voor altijd zou blijven staan. Ik gaf 'm een kat, maar eigenlijk dacht ik precies hetzelfde. Ik kon mezelf wel wat doen dat ik zoiets lulligs zei. Ik had wel door de grond willen zakken.

Na 'n paar ogenblikken werd-ie rustig, en zuchtte. Hij zei iets tegen me over de woestijn in Syrië en dat de citroenbomen eruitzien als kleine explosies van kleur.

En opeens – terwijl ik daar over Central Park stond uit te kijken – verlangde ik zo naar m'n dochter, erger dan ooit tevoren. Jazzlyn was toen acht of negen. Ik wilde haar gewoon in m'n armen houden. Het is niet minder liefde omdat je 'n hoer bent, helemaal niet minder liefde.

Het park werd donker. De lantaarns gingen aan. Er waren er maar 'n paar die 't deden. Ze verlichtten de bomen.

'Lees 't gedicht over de markt,' zei hij.

Het was 'n gedicht over 'n man die 'n tapijt koopt op de markt, en 't tapijt is perfect, zonder één foutje, daarom brengt 't hem allerlei ellende en zo. Ik moest 't licht aandoen om 't voor te lezen, wat de sfeer bedierf, dat voelde ik meteen. Toen zei hij: 'Vertel me dan maar 'n verhaaltje.'

Ik deed 't licht uit en daar stond ik. Ik wilde niet met wat lulligs aankomen.

Ik kon niks anders bedenken dan 'n verhaal dat ik 'n paar weken eerder van 'n klant had gehoord. Dus ik stond daar met de gordijnen in m'n handen en ik zei: 'Er was 'n oud stel dat uit wandelen ging daar bij de Plaza. Het was vroeg op de avond. Ze liepen hand in hand. Ze wilden net 't park ingaan, toen 'n smeris hard op z'n fluitje blies en ze tegenhield. Die smeris zei: 'Jullie mogen er niet in, 't wordt algauw donker, 't is veel te gevaarlijk om door het Park te lopen, straks worden jullie beroofd.' Het oude stel zei: 'Maar we willen erin, 't is ons jubileum, we waren hier precies veertig jaar geleden ook.' De smeris zei: 'Jullie zijn gek. Niemand wandelt nu nog in Central Park.' Maar 't oude stel ging toch naar binnen. Ze wilden precies dezelfde wandeling maken als al die jaren geleden, rond de kleine vijver. Om 't te vieren. Dus ze liepen hand in hand zo 't donker in. En wat denk je wat? Die smeris, die ging er twintig stappen achter lopen, helemaal om het meertje heen, alleen maar om te zorgen dat die mensen niet werden uitgeschud, hoe vind je 'm?'

Dat was mijn verhaal. Ik bleef stilstaan. De gordijnen waren helemaal klam in m'n handen. Ik kon de Midden-Oosterse man bijna hóren glimlachen.

'Vertel het me nog 'n keer,' zei hij.

Ik ging 'n beetje dichter bij 't raam staan, waar 't licht extra mooi naar binnenkwam. Ik vertelde 't opnieuw, met nog meer bijzonderheden, zoals 't geluid van hun voetstappen en zo.

Ik heb dat verhaal nooit aan Jazzlyn verteld. Niet omdat ik 't niet wilde, maar het kwam er niet van. Ik wachtte op 't goeie moment. Toen ik wegging gaf-ie me dat boek van Roemi. Ik stopte 't in m'n handtas, vond er eerst niet veel aan, maar langzaam werd 't me helder, als 'n straatlantaarn die aangloeit.

Ik mocht 'm graag, m'n dikke kale bruine mannetje. Ik ging naar 't Sherry-Netherlands om te zien of hij er was, maar de gerant schopte me eruit. Hij had 'n opgerolde folder in z'n hand. Die gebruikte hij als veeprikker. Hij zei: 'Weg weg weg!'

Ik begon Roemi aan een stuk door te lezen. Ik hield ervan door al die bijzonderheden. Hij had mooie zinnen. Ik begon erover tegen m'n klanten te lullen. Ik vertelde dat ik van die zinnen hield vanwege m'n vader, dat hij Perzische poëzie had gestudeerd. Soms zei ik dat het m'n man was. Ik heb never nooit 'n vader of 'n man gehad. Niet dat ik weet tenminste. Ik klaag niet. Het is gewoon 'n feit.

Ik ben 'n loser en mijn dochter is er niet meer.

Jazzlyn heeft ooit één keer naar haar daddy gevraagd. Haar pappa – niet 'n pooier-daddy. Ze was acht. Ik had haar aan de telefoon. Helemaal vanuit New York naar Cleveland. Kostte me niks want alle meiden wisten hoe je je muntje terug moest krijgen. Dat hadden we geleerd van de veteranen die totaal gestoord uit Vietnam terugkwamen.

Ik was gek op die rij telefoons in 44th Street. Als ik me verveelde belde ik de telefoon pal naast me. Die nam ik dan op en praatte tegen mezelf. Kreeg ik 'n enorme kick van. *Hoi Tillie, hoe is 't met je, lieverd?*

Gaat best Tillie, en jij? Op en neer, Tillie, hoe is 't weer daar, meissie?
Regen, Tillie-o. Je meent 't, het regent hier ook, Tillie, is dat geen giller?!

Ik stond aan de telefoon bij de drogist in 50th Street bij Lex toen Jazz zei: 'Wie is mijn echte daddy?' Ik zei dat haar pappie 'n aardige man was maar dat hij 'n keer de deur was uitgegaan voor 'n pakje sigaretten. Zoiets zeg je tegen 'n kind. Iedereen zegt 't, ik weet niet waarom – de klootzakken die geen kinderen om zich heen willen zijn vast allemaal rokers.

Ze heeft daarna nooit meer naar 'm gevraagd. Never nooit. Ik vond altijd dat hij wel verrekte lang weg bleef om sigaretten te kopen, wie 't verdomme ook geweest mag zijn. Misschien staat die Pablo nog steeds ergens op z'n wisselgeld te wachten.

Ik ging terug naar Cleveland om Jazzlyn op te halen. Dat was in '64 of '65, ergens die tijd. Ze was toen acht of negen. Ze zat op de buitentrap op me te wachten. Ze had 'n jasje met capuchon aan en zat daar zielig te pruilen. Toen keek ze op en zag ze mij. Ik zweer dat 't net was of ik vuurwerk zag afgaan. 'Tillie!' schreeuwde ze. Ze heeft eigenlijk nooit mamma tegen me gezegd. Ze sprong van de trap. Ik heb never nooit niet van iemand zo'n dikke knuffel gehad. Van niemand. Ze smoorde me bijna. Ik ging meteen naast haar zitten janken, m'n ogen uit m'n kop. Ik zei: 'Wacht maar tot je New York ziet, Jazz, daar sla je steil van achterover.'

Mijn moeder stond in de keuken als 'n slang naar me te loeren. Ik gaf haar 'n envelop met tweeduizend dollar. Ze zei: 'O schat, ik wíst dat je over de brug zou komen, ik wíst 't!'

We wilden met de auto de binnenwegen nemen, Jazzlyn en ik, maar we gingen 't hele eind vanaf Cleveland met de magere hondenbus. De hele weg lag ze tegen m'n schouder te slapen met d'r duim in haar mond, negen jaar en nog duimen. Ik hoorde later dat 't in de Bronx een van haar gewoontes was. Ze duimde graag als ze het met 'n klant deed. Daar word ik nou kotsmisselijk van. Maar ik ben 'n loser, punt uit. Dat is ongeveer 't enige wat telt.

Tillie Loser-Henderson. Dat ben ik zonder toeters en bellen.

Ik maak mezelf niet van kant voor ik de kleintjes van m'n kleine heb gezien. Ik zei vandaag tegen de directrice dat ik grootmoeder ben en daar zei ze niks op. Ik zei: 'Ik wil m'n kleinkleintjes zien, waarom brengen ze mijn kleinkleintjes niet?' Ze vertrok geen spier. Misschien word ik oud. Ik vier straks mijn 39ste verjaardag binnen. Het zal me 'n hele week kosten om de kaarsjes uit te blazen.

Ik heb haar gesmeekt, gesmeekt en gesmeekt. Ze zei dat het goed ging met de kleintjes, dat er voor hen werd gezorgd, dat ze onder maatschappelijk werk vielen.

Het was 'n daddy die me in de Bronx neerzette. Hij noemde zich L.A. Rex. Hij mocht negers niet, al was hij er zelf een. Hij zei dat Lexington voor witkezen was. Hij zei dat ik oud werd. Hij zei dat ik waardeloos was. Hij zei dat ik te veel tijd voor Jazzlyn nam. Hij zei dat ik eruit zag als 'n stuk kaas. Hij zei: 'Kom niet in de buurt van Lex, anders breek ik je armen, Tillie, begrepen?'

En dat heeft-ie gedaan ook – mijn armen gebroken. En mijn vingers. Hij snapte me op de hoek van Third Avenue en 48th Street en hij knakte ze om alsof 't kippenbotjes waren. Hij zei dat de Bronx dé plek was voor bejaarden. Hij grinnikte en zei dat 't daar net Florida was, maar dan zonder strand.

Ik moest naar Jazzlyn terug met mijn armen in 't gips. Het heeft ik weet niet hoe lang geduurd voor ik hersteld was.

L.A. Rex had 'n diamanten sterretje in z'n tand, ongelogen. Hij leek 'n beetje op die Cosby van de tv, alleen heeft Cosby van die rare bakkebaarden. L.A. betaalde m'n ziekenhuiskosten. Hij zette me niet op de baan terug. Ik dacht: *tering, wat moet dat nou weer betekenen?* Soms is de wereld iets waar je met je pet niet bij kan.

Dus ik werd clean. Ik vond woonruimte. Ik stapte uit 't leven. Dat waren goeie jaren. Ik voelde me al de koning te rijk als ik 'n kwartje onderin mijn handtas vond. Het ging zo goed allemaal. Het was net alsof ik aan 'n raam stond. Ik liet Jazzlyn naar school gaan. Ik had 'n baantje, stickers op supermarktblikken plakken. Ik kwam thuis, ik ging naar m'n werk, ik kwam weer thuis. Ik bleef uit de buurt van de baan. Voor geen goud ging ik daar nog terug. En toen op 'n dag, zomaar opeens, ik weet niet eens meer waarom, liep ik naar de Dee-gan, stak mijn duim op en keek uit naar een bink. Ik kreeg 'n klap op m'n achterhoofd van een bikker die Birdhouse heette, hij droeg 'n vette Al Capsoneshoed die hij nooit afdeed, want hij wilde niet dat iemand z'n glazen oog zag. Hij zei: 'Hé schat, wat zijn we hier aan 't doen?'

Jazzlyn had schoolboeken nodig. Ik weet bijna zeker dat dat 't was.

Ik was toen op 49th Street en Lex geen parasolmeisje. Met die para-sol ben ik in de Bronx begonnen. Eigenlijk om m'n gezicht te ver-bergen. Dat is 'n geheim wat ik niemand vertel. Ik heb altijd 'n goed lijf gehad. Ondanks al die jaren dat ik er rotzooi in stopte was 't mooi en rond en extra lekker. Ik heb nooit 'n ziekte gehad waar ik niet vanaf kon komen. Pas in de Bronx ben ik die parasol gaan gebrui-ken. Konden ze mijn gezicht niet zien, maar wel m'n kont. Ik wist hoe ik ermee moest schudden. Ik had zoveel elektriciteit in m'n kont dat ik er de accu's van heel New York City mee kon opladen.

In de Bronx stapte ik zo vlug in de auto dat ze geen nee meer kon-den zeggen. Een meisje onbetaald uit je auto proberen te trappen: dan kan je net zo goed regendruppels uit 'n modderpoel opzuigen.

Het zijn altijd oudere meiden geweest die in de Bronx tippelen. Allemaal, behalve Jazzlyn. Ik hield Jazz in m'n buurt voor de gezel-ligheid. Ze ging alleen af en toe naar 't centrum. Ze was 't populair-ste meisje op de baan. Ieder ander vroeg twintig, maar Jazzlyn kon wel tot veertig, zelfs vijftig gaan. Zij kreeg de jonge gasten. En de oude die te veel poen hadden, de dikkerds die voor kanjers door wil-den gaan. Ze waren allemaal smoor op d'r. Ze had steil haar en mooie lippen, en benen tot aan haar oksels. Sommige kerels noem-den haar Raf, want daar leek ze op. Als er bomen onder de Deegan hadden gestaan had ze daar staan giraffen met haar tong.

Het was ook een van de bijnamen op haar strafblad. *Raf.* Ze had een keer zo'n Britse gast en die maakte van die duikbommenwer-pergeluiden. Hij pompte erop los en kwaakte ondertussen van: 'Hier reddingsmissie Vlaanderen een-nul-een, Vlaanderen een-nul-een! Ik ga nu landen!' Toen hij klaar was zei hij: 'Zie je wel, ik heb je gered.' En Jazzlyn verbaasd van: 'Je hebt me gered, echt waar?' Want mannen denken graag dat ze je kunnen redden. Alsof je 'n ziekte hebt en zij het goeie medicijn voor je klaar hebben liggen. *Stap in, schat, zoek je niet iemand die je begrijpt? Ik begrijp je. Er is geen kerel die 'n stuk als jij zo goed begrijpt als ik. M'n pik is even lang als 'n menu op Third Avenue, maar m'n hart is groter dan de Bronx.* Ze neuken je alsof ze je 'n grote dienst bewijzen. Elke man wil 'n hoer om te redden, dat is de naakte waarheid. Het is 'n ziekte op zich, als je 't mij vraagt. En als ze hun kwak hebben afgeschoten, ritsen ze hun broek dicht, gaan ze ervandoor en vergeten je. Dan zit er toch iets goed scheef in die koppen.

Sommige klootzakken denken dat je 'n hart van goud hebt. Niemand heeft 'n hart van goud. Ik niet in elk geval. Zelfs Corrie niet. Zelfs Corrie aasde op dat Spaanse mokkel met dat stomme tattoetje op d'r enkel.

Toen Jazzlyn veertien was kwam ze thuis met haar eerste rode prik op de binnenkant van d'r arm. Ik heb 't zwart bijkans van d'r afgeslagen, maar ze kwam terug met zo'n zelfde plek tussen d'r tenen. Ze rookte nog niet eens of ze was al aan de heroïne. Ze zat toen bij de Immortals. Die lagen overhoop met de Ghetto Brothers.

Ik probeerde haar ervanaf te houden door haar op straat te houden. Zo dacht ik toen.

Big Bill Broonzy had 'n blues die ik goed vind, maar waar ik niet graag naar luister: *Ik zit zo diep in de put, baby, dat ik de bodem zie als ik omhoog kijk.*

Toen ze eenmaal vijftien was keek ik toe hoe ze spoot. Dan ging ik op de stoep zitten en dacht: dat is mijn kleine. En dan zei ik: wacht goddomme nou 's even, is dat míjn kleine? Is dat écht mijn kleine?

En dan dacht ik: ja, dat is mijn kleine, dat is mijn vlees en bloed, dat is ze, hoor.

Dat heb ik gemaakt.

Soms gebeurde 't dat ik 't elastiek om haar arm bond om de ader te laten opkomen. Ik wou haar beschermen. Dat is alles wat ik probeerde.

Dit huis is op heroïne gebouwd. Dit huis is op heroïne gebouwd.

Jazz kwam op 'n vrijdag thuis en zei: 'Hé, Till, hoe zou je 't vinden om oma te worden?' Ik zei: 'Ja, oma T., goud op snee.' Ze begon te simpen. En daarna huilde ze tegen m'n schouder – 't was leuk geweest als 't niet zo menens was.

Ik ging naar Foodland, maar ze hadden alleen nog van die brosse taarten.

Toen ze ervan at zat ik naar haar te kijken en dacht: dat is mijn kleine en ze krijgt 'n kleintje. Ik heb er geen hap van genomen tot Jazz naar bed ging en toen schrokte ik dat kreng achter elkaar naar binnen, de hele vloer lag bezaaid met kruimels.

De tweede keer dat ik oma werd, bouwde Angie 'n feestje voor me. Ze kreeg Corrie zover dat-ie 'n rolstoel uitleende en ze reed me onder de Deegan heen en weer. We waren high van de coke en lagen krom van 't lachen.

O, maar wat ik had moeten doen – ik had 'n paar handboeien moeten slikken toen Jazzlyn in m'n buik zat. Dat had ik moeten doen. Haar moeten waarschuwen voor wat haar te wachten stond. Moeten zeggen: daar ben je, al gearresteerd, je bent je moeder en die d'r moeder voor haar, een lange rits van moeders, helemaal terug tot aan Eva, Franse en negers en Hollandse en wat er vóór mij allemaal nog meer was.

O, God, ik had handboeien moeten slikken. Ik had ze in één keer in moeten slikken.

Ik heb de afgelopen zeven jaar in koelwagens geneukt. Ik heb de afgelopen zeven jaar in koelwagens geneukt. Ja. Ik heb de afgelopen zeven jaar in koelwagens geneukt.

Tillie Loser-Henderson.

Ik krijg te horen dat ik bezoek heb. Ik ben er, zeg maar, klaar voor. Ik fatsoeneer m'n haar, doe lippenstift op en geef mezelf 'n lekker luchtje, al is 't bajesparfum. Ik floss m'n tanden en epileer m'n wenkbrauwen en zorg zelfs dat m'n gevangenisplunje er goed uitziet. Ik dacht: er zijn maar twee mensen op de wereld die me ooit zouden komen opzoeken. Ik vloog de bajestrap af. Alsof ik van een brandtrap omlaagrolde. Ik kon de hemel ruiken. Ogen open, kleintjes, hier komt jullie mamma's mamma.

Ik kwam 't Poorthuis in. Zo noemen ze de bezoekruimte. Ik kijk in 't rond of ik ze zie. Er zijn rijen stoelen en plastic ramen en 'n dikke wolk sigarettenrook. Alsof of je door 'n lekkere mist loopt. Ik ga op m'n tenen staan en kijk alle kanten op, terwijl iedereen al gaat zitten bij hun lievelingen. Overal hoor ik hard ooo en aaa roepen en lachen en kinderen gillen, en ik sta maar op m'n tenen naar m'n kleintjes uit te kijken. Algauw is er nog maar één stoel over. Er zit 'n blank wijf aan de andere kant van 't glas. Ze komt me ergens bekend voor, maar ik weet niet waarvan, misschien van de reclassering, of maatschappelijk werk of zo. Ze heeft blond haar en groene ogen en 'n parelwitte huid. En die zegt dan: 'O, hallo, Tillie.'

Ik denk bij m'n eigen, Geen *Hallo, Tillie* tegen mij, hè, wie ben jij verdomme wel? Die witkezen, die beginnen meteen zo eigen te doen. Alsof ze je begrijpen. Alsof ze de beste maatjes met je zijn.

Dus ik zeg alleen: 'Hallo' en schuif op die stoel. Ik heb 't gevoel of alle lucht uit me is geslagen. Ze zegt haar naam en ik haal m'n schouders op, want die zegt me niks. 'Heb je sigaretten bij je?' zeg ik en ze zegt nee, ze is gestopt. En ik denk: heb ik nog minder aan d'r dan vijf minuten geleden en vijf minuten geleden had ik al niks aan d'r.

En ik zeg: 'Ben jij degene die mijn kleintjes heeft?'

Ze zegt: 'Nee, iemand anders zorgt voor de kleintjes.'

Ze zit daar maar en opeens begint ze te vragen over hoe 't is in de gevangenis en of ik goed eet en wanneer ik vrijkom. En ik kijk haar aan alsof ze tien pond stront in een vijfponds zak is. Ze is bloedzenuwachtig en zo. En eindelijk trek ik m'n bek open en zeg 't zo langzaam dat ze van verbazing haar wenkbrauwen optrekt: 'Wie – bén – jij – god – domme?' En ze zegt: 'Ik ken Keyring, dat is m'n vriend.' En ik zeg van: 'En wie mag Keyring wel wezen?' En toen spelde ze het: 'C-i-a-r-a-n.'

Toen viel 't kwartje en ik denk: Zij is dat mens dat met Corrigans broer op Jazzlyns begrafenis was. Het gekke is, van hem heb ik die sleutelring gekregen.

'Ben jij van de huppelkerk?'

'Van de wat?'

'Ben je 'n Jezusfreak?'

Ze schudt haar hoofd.

'Wat doe je dan hier?'

'Ik wou gewoon weten hoe 't met je was.'

'Echt waar?'

En ze zegt: 'Echt waar, Tillie.'

Dus ik dim 'n beetje. Ik zeg: 'Oké, mij best.'

En ze buigt zich naar me toe en zegt dat 't goed is om me weer te zien, de vorige keer dat ze me zag vond ze 't zo rot voor me, hoe de smerissen me in de handboeien sloegen en zo, aan 't graf. Ze zei 'smerissen,' maar ik kon merken dat ze 't niet gewend was en stoer probeerde te doen maar 't niet was. Maar ik denk, dat is cool, daar val ik niet over, ik laat het 'n kwartiertje sudderen, wat is 'n kwartier, twintig minuten?

Ze is knap. Ze is blond. Ze is cool. Ik vertel haar over de vrouw in C-40 met de muis en wat het is om 'n femme te zijn en geen butch, en hoe smerig 't eten hier is, en dat ik mijn kleintjes mis en dat er is gevochten op de tv-avond vanwege de Chico-soap met Scatman Crothers en of die nou 'n typische neger speelt of niet. En ze knikt en ze doet van: jaja, hmm, oja? vandaar, wat interessant, Scatman Crothers is 'n schatje. Alsof ze wat met 'm heeft. Maar tegen mij is ze aardig. Lachen en glimlachen. Ze is ook slim – ik merk dat ze slim is, 'n rijke meid. Ze vertelt dat ze schildert en dat ze met Corrigans broer gaat, ook al is ze getrouwd, hij was naar Ierland geweest om Corrigans as te verstrooien en was meteen teruggekomen, ze werden verliefd, ze wil haar leven op orde brengen, ze was aan de drugs, maar ze houdt

nog steeds van 'n borrel. Ze zegt dat ze wat geld op mijn gevangenis-
rekening zal storten, dan kan ik misschien zelf wat sigaretten kopen.

'Wat kan ik verder voor je doen?' zegt ze.

'M'n kleintjes brengen.'

'Ik zal 't proberen,' zegt ze. 'Ik zal kijken waar ze zijn. Ik zal kijken
of ik ze op bezoek kan laten komen. Verder nog iets, Tillie?'

'Jazz,' zeg ik.

'Jazz?' zegt ze.

'Breng ook Jazz terug.'

En ze wordt lijkbleek.

'Jazzlyn is dood,' zegt ze, alsof ik een of andere godvergeten oen
ben.

Ze kijkt uit d'r ogen alsof ze net 'n doodsklap heeft gehad. Ze
staart me aan en haar lip trilt. En dan gaat die klotebel. Bezoektijd
afgelopen, en we zeggen elkaar door 't glas gedag en ik kijk haar aan
zeg: 'Waarom ben je eigenlijk gekomen?'

Ze kijkt naar de grond en dan met zo'n lachje naar mij, d'r lip trilt
nog, maar ze schudt d'r hoofd en er zitten traantjes in d'r ooghoéken.

Ze schuift 'n paar boeken over de tafel en ik denk: wauw, Roemi,
hoe weet ze dat, verdomme?

Ze zegt dat ze terug zal komen en ik smeek haar weer om de kleintjes mee te nemen. Ze zegt dat ze navraag zal doen, ze zijn bij de
sociale dienst of zo. Dan zwaait ze gedag en wrijft haar ogen droog
als ze wegloopt. Ik denk: krijg nou 't heen en weer.

Ik liep weer de trap op, vroeg me nog steeds af hoe ze dat wist van
Roemi en opeens wist ik het. Ik schoot in de lach, maar ik was wel
blij dat ik niks tegen d'r had gezegd over Ciaran en z'n kurkentrek-
kertje – wat had 't voor zin? Het was 'n goeie vent, Keyring. Wie 'n
broer van Corrie is, is een broer van mij.

Niks is deugdzaam. Corrigan wist waar-ie zich aan moest houden.
Hij is never nooit met gezever bij me aangekomen. Zijn broer was 'n
beetje 'n lul. Dat is gewoon zo. Maar er zijn 'n hoop lullen op de
wereld en hij betaalde me goed voor die ene keer en ik overblufte 'm
met Roemi. Corrigans broer had goed geld op zak – hij was bar-

keeper of zoiets. Ik weet nog dat ik dacht toen ik omlaag keek: daar ligt mijn donkere tiet in de hand van Corrigans broer.

Ik heb Corrigan nooit bloot gezien, maar volgens mij was het 'n stuk ook al was z'n broer 'n witte Calimero.

De eerste keer dat we Corrigan zagen, wisten we loeizeker dat het 'n stille was. Ze hebben Ierse stillen. De meeste smerissen zijn Ieren – allemaal 'n beetje met vetzucht en slechte tanden, maar toch ook met aanleg om de wereld een beetje lolliger te maken.

Op 'n dag was Corrigans bus vuil en Angie schreef met haar vinger in 't stof: WOU JE NIET DAT JE VROUW ZO VIES WAS? Daar hebben we ons de tranen om gelachen. Corrie zag 't niet eens. Toen schreef Angie aan de andere kant zo'n smiley en DRAAI ME OM. Hij karde de hele Bronx door met die flauwekul op z'n bus en hij had 't niet eens in de gaten. Hij zat zo in z'n eigen wereld, Corrie. Angie ging aan 't eind van die week naar 'm toe en liet 'm die woorden zien. Hij kreeg 'n rooie kop, wat die Ierse knapen algauw hebben en begon te hakkelen.

'Maar ik begrijp 't niet – ik heb helemaal geen vrouw,' zei hij tegen Angie.

We hebben niet meer zo waanzinnig gelachen sinds Christus uit Cincinnati vertrok.

Elke dag maakte we 'n praatje met 'm, daagden we 'm uit om ons te arresteren. En dan zei hij van: 'Meiden, meiden, meiden, alsjeblieft.' Hoe meer we aan 'm hingen, hoe meer hij had van: 'Meiden, meiden, kom nou, meiden.'

Op 'n keer joeg Angies daddy ons uit elkaar en greep Corrie bij z'n lurven en zei dat hij moest oprotten. Hij hield 'n mes op Corries keel. Corrie keek 'm alleen maar aan. Met grote ogen, maar net of hij niet bang was. Wij zeiden van: 'Yo man, ga nou maar.' Angies daddy schoot even uit met z'n mes en Corrie liep weg, 't bloed drupte over z'n zwarte hemd.

Een paar dagen later was hij er weer om ons koffie te brengen. Met 'n verbandje om z'n hals. Wij zeiden van: 'Yo, Corrie, ben jij belazerd, straks word je nog echt overhoop gestoken.' Hij haalde z'n schouders op en zei dat 't wel mee zou vallen. Toen kwamen Angies daddy en Jazzlyns daddy en Susies daddy, allemaal tegelijk, net de Drie Wijzen uit het Oosten. Ik zag Corries gezicht wit wegtrekken. Zo wit had ik 'm nog nooit zien worden. Hij zag witter dan krijt.

Hij stak z'n handen omhoog en zei: 'Hé, man, ik geef ze alleen maar koffie.' En Angies daddy stapte naar voren. Hij zei: 'Ja nou, ik geef je alleen maar de room.'

En Corrie werd toch 'n partij in mekaar getrapt, niet mooi meer, de honden lustten er geen brood van. Dat komt aan, hoor. Komt vreselijk aan. Zelfs Angie hing op haar daddy's rug en probeerde z'n ogen uit te krabben, maar hij was niet te houden. Toch kwam Corrie terug, elke dag weer. Net zolang tot de daddy's er zelfs respect voor kregen. Corrie heeft nooit de smerissen gebeld, of de *Guards*, zoals hij ze noemde, dat was zijn Ierse woord voor de politie. Hij zei: 'Ik bel de *Guards* niet.' Toch schopten de daddy's 'm af en toe weer in mekaar, alleen maar om hem bij de les te houden.

Later kwamen we erachter dat hij 'n priester was. Niet echt priester, maar zo eentje die ergens woont omdat hij denkt dat hij dat moet doen, als 'n soort opdracht of plicht, zoiets, als 'n broeder met geloften en zo, kuis blijven en dat soort gelul.

Ze zeggen dat jongens altijd de eerste willen zijn bij 'n meisje, en meisjes altijd de laatste willen zijn bij 'n jongen. Maar bij Corrie wilden we allemaal de eerste zijn. Jazz zei: 'Gisteravond heb ik Corrie gehad, hij was super-lekker, hij was blij dat ik z'n eerste was.' En dan zei Angie van: 'Gelul, ik heb die klootzak al als twaalfuurtje gehad en ik heb 'm heel doorgeslikt.' En dan kwam Susie eroverheen met: 'Jullie lullen maar wat, ik heb 'm op m'n pannenkoeken gesmeerd en 'm met koffie naar binnen geslobberd.'

Ze konden ons op kilometers afstand horen gillen.

Hij was op 'n keer jarig, ik denk dat hij eenendertig werd, 'n kind nog, en ik had 'n taart voor 'm gekocht en we stonden er allemaal onder de Deegan van te eten. Er zat 'n dikke laag kersen op, zeker 'n miljoen kersen, en Corrie wist niet eens dat kers ook maagd en groentje betekent, en wij maar links en rechts kersen in z'n mond mikken. En hij maar van: *Meiden, meiden, alsjeblieft, moet ik soms de Guards bellen?*

We benatten ons haast van 't lachen.

Hij sneed de taart aan en gaf iedereen 'n stuk. Nam zelf 't laatste. Ik hield 'n kers boven z'n mond en daagde 'm uit om erin te bijten. Ik trok 'm telkens weg als hij ernaar hapte. Hij liep me over straat achterna. Ik had m'n zwempak aan. We moeten 'n maf stelletje hebben geleken, Corrie en ik, hij met kersensap over z'n hele gezicht.

Laat je door niemand wijsmaken dat 't allemaal ellende en vuil en blankrot is op de baan. Dat is 't ook, ja, soms zeker, maar soms is 't ook lachen. Soms hoef je 'n man maar 'n kers voor te houden. Soms moet je zoiets doen, soms, om 'n lachje op je gezicht te krijgen.

Als Corrie lachte trok zijn gezicht vol diepe rimpels.

'Zeg fuhgeeddetmaa, Corrie.'
'Vergeettetmaa.'
'Nee nee nee, zeg fuhgeeddetmaa.'
'Furgeettetmaar.'
'Kom op, man, fuhgeeddetmaa!'
'Oké, Tillie,' zei hij, 'vergeet 't maar.'

De enige witkees met wie ik ooit had willen slapen – eerlijk waar – was Corrigan. Ik lieg niet. Hij zei altijd dat ik te goed voor 'm was. Hij zei dat ik zou grinniken om wat-ie het best kon en méér zou eisen. Zei dat ik veel te mooi was voor 'n vent als hij. Corrigan was 'n steenkoude dekhengst. Ik had zo met 'm willen trouwen. Had ik 'm de hele tijd tegen me aan laten praten met dat accent van 'm. Had ik 'm mee naar het platteland genomen en 'n enorm maal met cornedbeef en kool voor 'm gekookt en 'm het gevoel gegeven dat hij de enige witkees op aarde was. Had ik z'n oor gezoend als hij me de kans gaf. Had ik mijn liefde met liters in hem geplensd. Hij en die man van 't Sherry-Netherlands. Fijne gasten.

Wij gooiden zeven, acht, negen keer per dag rotzooi in z'n vuil-nisbak. Dat was smerig. Zelfs Angie vond 't smerig en zij was de smerigste van allemaal – zij gooide haar tampons erin. Echt smerig. Niet te geloven dat Corrie die troep zag en er nooit tegen ons over zeurde, hij zette de bak gewoon buiten en ging z'n eigen gang. Een priester! Een broeder! De waterplaats!

En dan die sandalen! Man! We hoorden 'm altijd aan komen klep-peren.

Hij zei 'n keer tegen me dat mensen 't woord *liefde* meestal gebrui-ken als 'n manier om op te scheppen dat ze trek hebben. Zoals hij dat zei was 't iets als: *Hun lust verheerlijken.*

Hij zei 't heel gewoon, maar met dat heerlijke accent van 'm. Ik zou alles hebben gevreten wat Corrie zei, ik zou 't gewoon allemaal heb-ben opgeslokt. Hij zei: 'Hier is koffie, Tillie,' en ik vond dat dan 't mooiste wat ik ooit had gehoord. Werd ik slap van in m'n knieën. Hij was 'n soort Motown-witkees, die man.

Jazzlyn zei altijd dat ze net zo van 'm hield als van chocola.

Het is lang geleden dat die Lara op bezoek kwam, misschien tien of dertien dagen. Ze zei dat ze de kleintjes zou brengen. Had ze beloofd. Je weet 't van mensen, maar toch. Ze beloven van alles. Zelfs Corrie beloofde dingen. Dat gelul over ophaalbruggen en zo.

Er gebeurde 'n keer wat geinigs met Corrie. Ik zal 't nooit vergeten. Het was de enige keer ooit dat hij ons 'n klant bracht om voor te zor-gen. Komt-ie aanrijden, heel laat op de avond, maakt-ie de achter-deur van de bus open en tilt er 'n oude vent in 'n rolstoel uit. Corrie houdt zich zwaar op de vlakte. Ik bedoel, 't is toch 'n priester of zoiets en hij komt bij ons aan met 'n klant ! Hij kijkt over z'n schou-der. Zorgelijk, weet je wel. Voelt zich misschien schuldig. Ik zei: 'Hé, daddy-o,' en hij trekt bleek weg, dus ik hou me in en zeg verder niks. Corrie kucht in z'n vuist, en zo. Blijkt 't de verjaardag van die ouwe te zijn en dat-ie Corrie heeft gesmeekt en gesmeekt en gesmeekt om hem mee uit te nemen. Zegt dat hij sinds de grote crisistijd geen vrouw heeft gehad, wat zoiets van acht miljoen jaar geleden is. En die ouwe is verdomde grof, scheldt Corrie uit voor alles wat mooi en lelijk is. Maar Corrie laat 't gewoon van zich afglijden. Hij haalt z'n schouders op en zet de stoel op de handrem en laat Methusalem daar op de stoep achter.

'Het is niet mijn idee, maar Albee wil bediend worden.'

'Ik had je gezegd ze niet m'n naam te geven,' schreeuwt de ouwe.

'Donder op,' zegt Corrie en hij loopt weg.

Dan draait hij zich nog 'n keer om, kijkt Angie aan en zegt: 'Maar beroof hem niet, alsjeblieft.'

'Ik, hem rollen?' zegt Angie met ogen die vuur schieten.

Corrie kijkt naar de hemel en schudt z'n hoofd.

'Beloof 't me,' zegt hij, en hij slaat 't portier van z'n bruine bus dicht en gaat binnen zitten wachten.

Corrie zet de radio keihard.

Wij aan de slag. Blijkt dat Methusalem poen zat heeft om ons allemaal 'n tijdje bezig te houden. Moet-ie jaren voor hebben gespaard. We spreken af dat we 'n feestje voor 'm bouwen. Dus we hijsen 'm achter in een groente- en fruittruck en zorgen dat hij op de rem staat, en we doen onze kleren uit en gaan aan 't dansen. Schudden het in z'n gezicht. Wrijven 'm van top tot teen op. Jazzlyn staat te springen op de fruitkratten. En we zijn allemaal spiernaakt en spelen Vangen! met kroppen sla en tomaten. Een giller.

De grap is dat die ouwe, hij is zeker zo'n negentienhonderd jaar oud, gewoon z'n ogen dichtdoet en in z'n rolstoel achterover leunt, alsof hij ons allemaal opsnuift, met 'n lachje op z'n gezicht. We willen van alles voor 'm doen, maar hij houdt gewoon z'n ogen dicht, alsof hij zich wat zit herinneren, en de hele tijd met die grijns op z'n smoel, hij is in de wolken. Ogen dicht en klapperende neusvleugels. Het is er zo een die graag alles wil ruiken. Hij vertelt ons iets over hongerrijen, dat ie z'n vrouw had ontmoet in hongerrijen en dat ze toen samen een of andere grens naar Oostenrijk overstaken en dat zij toen doodging.

Hij had 'n stem als Uri Geller. Meestal als klanten wat zeggen,

doen wij van 'Ah-ha,' alsof we ze precies begrijpen. De tranen rolden over z'n gezicht, de helft tranen van plezier en de helft van iets
anders, ik weet niet wat. Angie duwde haar tieten in z'n gezicht en
schreeuwde: 'Buig deze lepel, klootzak.'

Sommige meiden hebben graag ouwe kerels omdat ze niet zo veel
willen. Angie kan 't niet schelen. Maar ik, ik moet die ouwe kerels
niet, vooral wanneer ze hun hemd uittrekken. Ze heb van die druip-
tietjes, net suikerglazuur op de rand van 'n taart. Maar goed, hij
betaalde ons en wij maar zeggen hoe goed hij eruitzag. Hij kreeg 'n
steeds rooiere kop.

Angie riep: 'Bezorg 'm geen hartaanval, meiden – ik heb 'n bloedhekel aan de eerste hulp!'

Hij gooide de rem op z'n rolstoel los en toen we klaar waren
betaalde hij ons allemaal 't dubbele van wat we gevraagd hadden.
We tilden 'm uit de truck en die ouwe begon rond te kijken naar Corrie: 'Waar is dat klotemietje?'

Angie zei: 'Wie noem jij 'n mietje, jij kuttenkop, dorre pik?'

Corrie zette de radio uit en klom uit z'n bruine bus, waar hij had
zitten wachten en bedankte ons allemaal en rolde die ouwe zonder
omwegen terug naar z'n bus. De giller is dat er 'n slablaadje aan de
rolstoel van die ouwe was blijven plakken, tussen de spaken. Corrie
duwde 'm naar 't busje en dat stukje sla maar rond- en rond- en ronddraaien.

Corrie zei: 'Help me eraan herinneren dat ik nooit nooit nooit
meer sla eet.'

Lagen wij weer van in 'n deuk. Dat was een van de beste avonden
die we ooit onder de Deegan hebben gehad. Ik denk dat Corrie ons
'n handje wou helpen. Die ouwe rammelde van de poen. Hij stonk
'n beetje, maar het was de moeite waard.

Telkens als ik nu 'n blaadje sla in de bajeshap vind, moet ik lachen.

De hoofdbewaakster mag me graag. Ze liet me op haar kantoortje
komen. Ze zei: 'Maak je overall open, Henderson.' Ik maakte 'm
open en liet m'n tieten naar buiten hangen. Ze zat in haar stoel en

verroerde geen vin, deed alleen haar ogen dicht en begon te hijgen. En na 'n minuut zei ze: 'Ingerukt.'

De femmes hebben 'n andere douchetijd dan de butches. Het maakt geen verschil. Er gebeuren de gekste dingen in de douches. Ik dacht dat ik 't allemaal wel gezien had, maar soms lijkt 't wel een massagesalon. Iemand had 'n keer boter meegenomen uit de keuken. Ze hadden 't al laten smelten. De bewaaksters met hun gummiknuppels vinden 't heerlijk om daarop klaar te komen. Het is verboden, maar soms smokkelen ze de cipiers van de mannengevangenis binnen. Ik denk dat ik ze wel zou afrukken voor 'n pakje sigaretten. Je kunt de ooohs en aaahs horen wanneer ze klaarkomen. Maar ze neuken of verkrachten ons niet. Daar passen ze wel voor op. Ze kijken alleen maar, net als de hoofdbewaakster, en daar komen ze op klaar.

Ik had 'n keer 'n Britse klant en die noemde 't *aan mijn gerief komen*. 'Hé, luv, enig zicht op *mijn gerief*?' Mooi vind ik dat. Ik ga ook *mijn gerief* halen. Ik ga me aan de buizen in de doucheruimte verhangen en dan heb ík mijn *gerief*.

Kijk mij dansen aan de geriefbuis.

Ik heb Corrie 'n keer 'n brief geschreven, die ik in z'n badkamer legde. Ik zei: *ik zie je helemaal zitten, John Andrew.* Dat was de enige keer ooit dat ik 'm bij z'n echte naam heb genoemd. Die had hij me verteld en gezegd dat 't geheim was. Hij zei dat hij het 'n rotnaam vond – hij was naar z'n vader genoemd, dat was 'n Ierse klootzak. 'Lees 't briefje, Corrie,' zei ik. Hij vouwde 't open. Hij bloosde. Dat was zo snoezig, dat-ie bloosde. Ik had 'm wel in z'n wangen willen knijpen.

Hij zei: 'Dank,' maar 't klonk als *Tank*, en hij zei iets van dat-ie in vorm moest blijven voor God, maar hij mocht me graag, zei hij, eerlijk waar, maar echt, hij had iets uit te vechten met God. Het klonk alsof hij en God aan 'n bokswedstrijd bezig waren. Ik zei dat ik aan de ring zou staan. Hij legde z'n hand op m'n pols en zei: 'Tillie, je bent onverbeterlijk.'

Waar zijn m'n kleintjes? Een ding weet ik zeker, ik heb ze altijd veel te veel verwend. Anderhalf jaar oud zaten ze al aan lolly's te sabbelen. Geen beste oma, als je 't mij vraagt. Krijgen ze slechte tanden van. Straks zie ik ze in de hemel en dan hebben ze van die beugels.

De eerste keer dat ik 'n klant had afgewerkt heb ik mezelf meteen op 'n roomtaart uit de supermarkt getrakteerd. Grote witte met suikerglazuur. Ik stak m'n vinger erin en likte. Ik kon de man aan m'n vinger ruiken.

Toen ik Jazzlyn er voor 't eerst op uit stuurde, kocht ik voor haar ook 'n supermarkttaart. Een Foodland-speciaal. Alleen voor haar, om er overheen te komen. Hij was al half op toen ze terugkwam. Stond ze daar midden in de kamer, met tranen in d'r ogen: 'Je hebt verdomme mijn taart opgegeten, Tillie.'

En ik, met dat glazuur over m'n hele gezicht, maar zeggen van: 'Nee hoor, Jazz, niet waar, ik zou niet durven, echt niet.'

Corrie lulde er altijd over dat ze 'n kasteel van 'm zou krijgen en zo. Als ik 'n kasteel had, liet ik de ophaalbrug neer en mocht iedereen van me vertrekken. Ik begon te simpen op de begrafenis. Ik had me goed moeten houden, maar 't ging niet. De kleintjes waren er niet. Waarom waren de kleintjes er niet? Ik had er 'n moord voor gedaan om ze te zien. Dat was 't enige wat ik wilde zien. Iemand zei dat de sociale dienst voor ze zorgde, maar 'n ander zei dat 't wel goed zat, dat de kleintjes 'n goeie oppas hadden.

Dat was altijd 't moeilijkste. Om 'n goeie oppas te krijgen zodat we de baan op konden. Soms was 't Jean en soms Mandy en soms Latisha, maar 't beste van allemaal was natuurlijk niemand geweest, ik weet 't.

Ik had gewoon thuis moeten blijven en net zolang supermarkttaarten moeten eten tot ik niet meer uit m'n stoel omhoog kon komen.

Ik weet niet wie God is, maar als ik 'm binnenkort tegenkom, drijf ik 'm de hoek in totdat-ie me de waarheid zegt.

Ik zal 'm suf meppen en 'm op z'n nek zitten tot-ie niet meer weg kan. Tot-ie me aankijkt en dan moet-ie me maar 's vertellen waarom-ie heeft gedaan wat-ie met mij heeft gedaan en wat-ie met Corrie heeft gedaan en waarom alle goeien doodgaan en waar Jazzlyn nu is en waarom ze daar terecht is gekomen en hij me heeft laten doen wat ik met haar heb gedaan.

Als-ie langskomt op z'n mooie witte wolk met al z'n mooie engel-tjes, dan zeg ik 't hem recht voor z'n raap: 'Waarom liet je me dat ver-domme doen, God?'

En dan slaat-ie z'n ogen neer en kijkt-ie naar de grond en zál-ie me antwoord geven. En als-ie zegt dat Jazz niet in de hemel is, als-ie zegt dat ze 't niet heeft gehaald, dan kan-ie zelf 'n schop onder z'n reet krijgen. Dat krijgt-ie dan echt.

Een schop onder z'n reet zoals-ie nog nooit heeft gehad.

Je zal mij niet horen janken voor- of nadat ik 't doe. Nou ja, *erna* is er weinig kans op janken. Als je aan de wereld zonder mensen denkt, dan is dat ongeveer 't meest ideale wat er bestaat. Alles precies in evenwicht en zo. Maar dan komen de mensen en die verpesten het. Zoiets als Aretha Franklin die in je slaapkamer de sterren van de hemel zingt, alleen voor jou, helemaal in vuur en vlam, dit is een spe-ciaal verzoek voor Tillie H., en plotseling springt Barry Manilow achter de gordijnen vandaan.

Op 't einde van de wereld zitten ze klaar met kakkerlakken en pla-ten van Barry Manilow, dat zei Jazzlyn. Ze kon mij ook laten gieren, m'n Jazzy.

Het was niet mijn schuld. Peaches uit C-49 kwam op me af met 'n eind looien pijp. Ze kwam in de ziekenboeg terecht met vijftien hech-tingen op d'r rug. Ze denken dat ik makkelijk ben omdat ik aardig ben.

Als je geen regen wilt, moet je niet klooien met de wolken boven Tilllie H. Ik heb haar alleen maar één goeie dreun gegeven. Het was niet mijn fout. Ik wilde haar alleen niet opgeilen. Dat is niet mijn ding. Feit was dat ze gewoon 'n schop onder haar reet nodig had.

De hoofdbewaakster begon te dreigen. Zei dat ik in New York niet meer te handhaven was. Ze zei: 'Je moet de laatste maanden van je straf in de provincie uitzitten.' Ik zei: 'Wat krijgen we godverdomme nou?' Ze zei: 'Je hebt me gehoord, Henderson, en er wordt in dit kantoor niet gevloekt.' Ik zei: 'Ik trek 't allemaal uit voor je, chef, tot op de laatste draad.' Ze schreeuwde: 'Hoe durf je! Je beledigt me! Walgelijk.' Ik zei: 'Stuur me alsjeblieft niet buiten de stad. Ik wil m'n kleintjes zien.' Ze zei niks en ik kreeg de zenuwen en zei weer iets wat niet zo netjes was. Ze zei: 'Donder op uit m'n kantoor.'

Ik liep om haar bureau heen. Ik wou alleen m'n overall openmaken om haar 'n lol te doen, maar ze drukte op de alarmknop. Meteen kwamen de cipiers binnenhollen. Ik had 't niet zo bedoeld wat ik deed, ik wilde haar niet in d'r gezicht raken, maar m'n voet schoot uit. Ik trapte haar voortand eruit. Wat maakt het uit? Ik word nu zeker naar de provincie overgebracht. Verstuurd als postpakket.

De hoofdbewaakster heeft me niet eens verrot geslagen. Ze lag daar even op de grond en ik zweer dat ze bijna grijnsde, en toen zei ze: 'Ik weet iets heel leuks voor je, Henderson.' Ze sloegen me in de boeien en maakten 'n aanklacht op, helemaal officieel en alles. Ze stopten me in de boevenwagen, zetten me op de rol en brachten me voor de strafrechter.

Ik bekende schuld aan mishandeling en kreeg er anderhalf jaar bij. Dat is bijna twee jaar met de tijd die ik al zit. De toegewezen advocaat zei dat 't een goeie deal was, ik had wel drie, vier, vijf of zelfs zeven jaar kunnen krijgen. Hij zei: 'Schat, doe nou maar.' Ik haat advocaten. Hij was van 't slag dat kak met rozijnen aan z'n gat heeft hangen. Zei dat-ie de rechter om begrip had gevraagd en zo. Hij zei tegen de rechter: 'Het is werkelijk de ene tragedie na de andere, edelachtbare.'

Ik zei tegen 'm, de enige tragedie is dat ik m'n kleintjes nergens zie. Hoe kan 't dat m'n kleintjes niet in de rechtszaal zijn? Dat is wat ik wilde weten. Ik schreeuwde 't uit. 'Hoe kan 't dat ze hier niet zijn?'

Ik hoopte dat er iemand zou zijn, die Lara of wie dan ook, maar er was helemaal niemand.

De rechter, 'n zwarte deze keer, die had zeker op Harvard gezeten of zo. Ik dacht dat-ie 't wel zou begrijpen, maar negers zijn soms harder tegen negers. Ik zei tegen hem: 'Edelachtbare, kunt u mijn kleintjes niet laten komen? Ik wil ze alleen maar 'n keertje zien.' Hij haalde z'n schouders op en zei dat de kleintjes goed waren ondergebracht. Hij keek me geen moment aan. Hij zei: 'Beschrijf me precies wat er is gebeurd.' En ik zei: 'Wat er gebeurd is, is dat ik een kleine kreeg en dat zij toen zelf een paar kleintjes kreeg.' En hij zei: 'Nee, nee, nee – bij die mishandeling.' En ik zei: 'O, tering, wat doet die teringmishandeling er nou godverdetering toe, krijg nou de vliegende tering samen met je teringwijf.' Toen snoerde m'n advocaat me de mond. De rechter keek over z'n brilletje naar mij omlaag en zuchtte. Hij zei iets over Booker T. Washington, maar ik luisterde amper. Op laatst zei hij dat er een uitdrukkelijk verzoek was van 'n hoofdbewaakster om me in 'n stráfgevangenis buiten New York te plaatsen. Hij zei dat *stráfgevangenis* alsof hij God zelf was. Ik zei tegen hem: 'En je kanarie kan ook de kanker krijgen, klootzak.'

Hij mepte met z'n hamer op de tafel en dat was 't.

Ik probeerde ze de ogen uit te krabben. Ze moesten me in 'n dwangbuis stoppen en me naar de ziekenboeg brengen. En in de bus naar de provincie moesten ze me weer knevelen. Het ergste was nog dat ze niet vertelden dat ze me naar 'n andere staat zouden overbrengen. Ik bleef maar om de kleintjes schreeuwen. Ergens buiten New York zou oké zijn geweest, maar Connecticut? Ik ben geen boerin. Ze lieten 'n psych naar me kijken en daarna gaven ze me 'n gele overall. Je had zeker 'n psych nodig als je 'n gele overall wilde dragen.

Ik werd naar 'n kantoor gebracht en ik vertelde de psych dat ik verdomd blij was dat ik in 't provinciale Connecticut zat. Echt verdomd blij. Ik zei dat als ze me 'n mes zou geven, ik haar zou laten zien hoe blij. Ik zou 't op m'n pols uittekenen.

'Sluit haar op,' zei ze.

Ze gaven me pillen. Oranje. Ze keken of ik ze doorslikte. Soms kan ik doen alsof en duw ik er eentje in het gat achter m'n kiezen. Op 'n dag neem ik ze allemaal tegelijk in alsof het 'n lekkere knots van 'n sinaasappel is, en dan pak ik de geriefbuis en zeg ik sayonara.

Ik weet niet eens hoe m'n celgenote heet. Ze is dik en draagt groene sokken. Ik heb haar verteld dat ik me ga opknopen en alles over de geriefbuis en ze zei: 'O.' En 'n paar minuten later zei ze: 'Wanneer?'

Ik denk dat die blanke vrouw, die Lara, iets had geregeld, of iemand anders, ergens, op een of andere manier. Ik ging naar de bezoekruimte. De kleintjes! De kleintjes! De kleintjes!

Ze zaten daar op de knie van 'n grote zwarte vrouw, met lange witte handschoenen en 'n sjieke rooie handtas, en ze zag er verdomme uit alsof ze net uit 't bed van de Heer was opgestaan.

Ik holde meteen naar de glazen wand en stak m'n handen door de spleet onderin.

'Kleintjes!' zei ik. 'Kleine Jazzlyn! Janice!'

Ze kenden me niet. Ze zaten op de schoot van die vrouw te duimen en over d'r schouder te kijken. Alsof ze m'n hart wilden breken. Ze drukten zich telkens tegen d'r boezem aan met zo'n glimlachje. Ik zei steeds: 'Kom bij oma, kom bij oma, laat me jullie handen voelen.' Meer kun je niet doen door die spleet onderin – je hebt maar 'n paar centimeter om iemands hand aan te raken. Het is zo wreed. Ik wilde ze gewoon lekker knuffelen. Maar ze staken geen vinger uit – misschien was 't die gevangenisplunje, ik weet 't niet. De vrouw had 'n zuidelijk accent, maar ik kende haar gezicht van de flat, ik had haar wel 's gezien. Ik vond 't altijd 'n burgertrut, in de lift keek ze altijd de andere kant op. Ze zei dat ze d'r erg mee had gezeten of ze de kleintjes nu mee moest nemen of niet, maar ze had gehoord dat ik ze zo graag wilde zien en ze woonden nu in Poughkeepsie in 'n mooi huis met 'n mooi hek en 't was niet al te ver weg. Ze had ze al 'n tijdje als pleegkinderen, toegewezen door Bureau Kinderzorg, ze hadden eerst 'n paar dagen in 'n zeemanstehuis of zoiets gezeten, maar nu werd er goed voor ze gezorgd, zei ze, je hoeft je geen zorgen te maken.

'Kom bij oma,' zei ik weer.

De kleine Jazzlyn keerde haar gezicht naar de schouder van de vrouw. Janice zoog op haar duim. Ik zag dat hun nekjes schoon geboend waren. Hun nageltjes waren ook allemaal gaaf en rond.

'Het spijt me,' zei ze. 'Ik denk dat ze gewoon verlegen zijn.'

'Ze zien er goed uit,' zei ik.

'Ze eten gezond.'

'Voer ze niet te veel troep,' zei ik.

Ze keek me even vanonder haar wenkbrauwen aan, maar ze was cool, echt waar. Ze stond niet meteen klaar om wat over m'n taal te zeggen. Dat mocht ik wel van d'r. Ze was niet bekakt, deed niet afkeurend.

We waren een tijdje stil en toen zei ze dat de meisjes 'n leuke kamer hebben in 'n huisje aan 'n rustige straat, veel rustiger dan de Bronx, ze had de plinten voor ze geschilderd, ze hebben behang met paraplu's erop.'

'Wat voor kleur?'

'Rood,' zei ze.

'Goed,' zei ik, want roze parasols had ik never nooit voor ze gewild. 'Kom bij Tillie en geef eens 'n handje,' zei ik weer, maar de kleintjes kwamen niet van d'r schoot. Ik smeekte en smeekte, maar hoe meer ik smeekte, hoe meer ze zich tegen haar aan drukten. Ze waren zeker bang van de gevangenis en de bewakers en zo.

De vrouw kreeg zo'n geknepen lachje op d'r gezicht en zei dat 't tijd werd dat ze 's opstapten. Ik wist niet of ik haar moest haten of niet. Soms zwiept het in m'n hoofd tussen goed en kwaad. Ik wou me naar haar toe buigen, 't glas stukslaan en haar bij d'r kroeskop grijpen, maar ja, ze zorgde wel voor m'n kleintjes, die zaten niet in zo'n vreselijk weeshuis te verhongeren en ik had 'r wel kunnen zoenen dat ze hun niet te veel lolly's gaf en hun tanden liet rotten.

Toen de bel ging tilde ze de kleintjes op om me te zoenen, tegen 't glas. Ik denk niet dat ik ooit de geur vergeet die door die spleet onder het glas naar boven kwam, zo lekker. Ik stak m'n pink erdoor en de kleine Janice voelde eraan. Het was geweldig. Ik duwde m'n gezicht weer tegen 't glas. Ze roken als echte kleintjes, naar poeder en melk en zo.

Toen ik over de binnenplaats terugliep naar de cel had ik 't gevoel of er iemand was gekomen die m'n hart had uitgesneden en 't voor me uit liet lopen. Dat dacht ik – daar gaat m'n hart, vlak voor me, helemaal in z'n eentje, glibberig van 't bloed.

Ik lag de hele nacht te janken. Schaam ik me niks voor. Ik wil niet dat ze aan de tippel gaan. Waarom deed ik wat ik met Jazzlyn heb gedaan? Dat zou ik nou wel eens willen weten. Waarom deed ik wat ik heb gedaan?

Wat ik 't ergste vond: onder de Deegan staan tussen al die klodders duivenstront op straat. Je kijkt omlaag en ziet 't alsof 't je eigen vloer-kleed is. Daar had ik zo'n teringhekel aan. Ik wil niet dat de kleintjes dat zien.

Corrie zei dat er duizend redenen zijn om dit leven te leiden, alle-maal even prima, maar ik denk niet dat hij daar nu veel aan zal heb-ben, hè?

Mijn celgenote verraaide me. Zei dat ze zich zorgen over me maak-te. Maar ik heb geen bajespsych nodig om me duidelijk te maken dat ik 't niet lang maak als ik m'n voeten in de leegte laat bungelen. Beta-len ze zo iemand voor die ongein? Dan heb ik m'n roeping gemist. Had ik miljonair kunnen zijn.

Daar heb je Tillie Henderson met de psychenpet op. Je bent 'n slechte moeder geweest, Tillie, en je bent 'n kutoma. Je eigen moeder was ook kut. Nou, kom maar op met die honderd ballen, merci, heel goed, volgende patiënt, nee, ik neem geen cheques aan, alleen con-tant, graag.

Jij bent manisch-depressief en jij bent ook manisch-depressief en jij, jij bent helemaal manisch-depressief, meisje. En jij daar in de hoek, jij bent gewoon ordinair teringdepressief.

Ik zou graag een parasol hebben op de dag dat ik ga. Als mezelf aan de geriefbuizen hang, zie ik er vanonderen knap uit.

Ik doe 't voor de meisjes. Ze hebben iemand als ik niet nodig. Ze hoeven niet de baan op. Ze zijn zo beter af.

Geriefbuis, ik kom d'r aan.

Dan ben ik net Mary Poppins die eronder slingert.

Ze hebben van die godsdienstbijeenkomsten in 't Poorthuis. Ik ben er vanmorgen heen geweest. Ik begon tegen de aalmoezenier over Roemi en zo, maar hij zei zoiets van: 'Dat is niet geestelijk, dat is poëzie.' Kankergod. Hij kan de tering krijgen. De vliegende, de natte en de kankertering. Hij komt niet voor mij. D'r zijn geen brandende braamstruiken en geen zuilen van licht. Begin niet tegen mij over licht. Dat is niks meer dan 'n schijnsel aan 't eind van 'n straatlantaarn.

Sorry, Corrie, maar God kan die schop onder z'n reet krijgen.

Een van de laatste dingen die ik Jazz hoorde doen was dat ze gilde en de sleutelring uit de deur van het politiebusje gooide. Klets vielie op de grond en we zagen Corrigan met driftige stappen de straat op komen. Hij had 'n rooie kop. Schreeuwde tegen de smerissen. Het leven was best goed toen. Verdomd waar, dat was een van de goeie momenten – gek, hè? Het staat me nog bij als de dag van gisteren dat ik gearresteerd werd.

Er bestaat niet zoiets als thuiskomen. Dat is de wet van 't leven, voor zover ik 't zie. Ik wed dat ze geen Sherry-Netherlands in de hemel hebben. De Sherry-Never-lands.

Ik deed Jazzlyn 'n keer in bad. Ze was pas 'n paar weken oud. Glanzend velletje. Ik keek naar d'r en dacht dat met haar 't woord *mooi* was geboren. Ik wikkelde haar in 'n handdoek en beloofde haar dat ze never nooit de baan op zou gaan.

Soms zou ik 'n stiletto in m'n hart willen steken. Ik keek hoe mannen met 'r waren toen ze eenmaal groot was. En dan zei ik bij mezelf: hé, dat is wel mijn dochter met wie je daar neukt. Dat is mijn kleine meid die je daar op de voorbank trekt. Dat is mijn bloed.

Ik was toen 'n junk. Ik denk dat ik dat altijd al ben geweest. Dat is geen excuus.

Ik weet niet of de wereld me ooit zal vergeven voor het kwaad dat ik haar heb toegeschoven. Ik zal 't niet naar de kleintjes toeschuiven, nooit never.

Dit is 't huis dat op heroïne is gebouwd.

Ik wil best gedag zeggen, maar ik weet niet tegen wie. Ik jank niet. Maar 't is gewoon de gore waarheid. God kan nu die schop onder z'n reet krijgen.

Ik kom eraan, Jazzlyn, ik ben 't.

Ik heb 'n ploertendooier in m'n sok.

Foto © Fernando Yunqué Marcano

Over het rondzingend spoor van verandering

Vóór de luchtwandeling zou hij gaan optreden in Washington Square Park. Daar begon de gevaarlijke kant van de stad. Hij zocht het lawaai, wilde wat spanning in zijn lichaam opbouwen, volledig voeling hebben met het vuil en het gebulder. Hij borgde zijn koord op de ribbels in de twee lichtmasten die hij had uitgekozen. Hij trad op voor toeristen, danste op zijn tenen met zijn zwarte hoge hoed op. Puur theater. Het wankelen en quasi vallen. Het tarten van de zwaartekracht. Hij kon zich ver vooroverbuigen en toch weer oprichten. Hij balanceerde met een paraplu op zijn neus. Wipte met zijn teen een munt op, die precies op zijn kruin landde. Voor- en achterwaartse salto's. Handstandjes. Hij jongleerde met kegels en ballen en brandende fakkels. Hij bedacht een spelletje met een Slinky – het leek alsof de metalen spiraal zich langs zijn lichaam loswikkelde. De toeristen konden er geen genoeg van krijgen. Ze gooiden geld in zijn manshoed. Meestal kleingeld, maar soms kreeg hij één, of zelfs vijf dollar. Voor tien dollar sprong hij op de grond, nam zijn hoed af, boog en deed een flikflak.

Op de eerste dag hingen de dealers en junkies bij zijn voorstelling rond. Ze zagen hoeveel hij ophaalde. Hij stopte het allemaal in de zakken van zijn broek met wijduitlopende pijpen, maar hij wist dat ze hem graag zouden rollen. Als slotnummer raapte hij het laatste geld op, zette zijn hoed op, reed op een eenwieler over het koord, fietste dan doodleuk van drie meter hoogte naar de grond en weg over de Square naar Washington Place. Hij zwaaide over zijn schouder. De volgende dag kwam hij terug voor zijn koord – maar de dealers vonden de act zo aardig dat ze hem met rust lieten, en de toeristen die hij trok waren een gemakkelijk doelwit.

Hij huurde een schamel appartement op St. Marks Place. Op een avond spande hij een eenvoudig touw vanuit zijn slaapkamer naar de brandtrap van een Japanse overbuurvrouw: ze had kaarsen voor hem aangestoken op het ijzeren hekwerk. Hij bleef er acht uur, en toen hij weer buitenkwam zag hij dat kinderen schoenen over het koord hadden gegooid, met de veters aan elkaar gebonden, een stadse folklore. Hij kroop het koord op, dat gevaarlijk slapper was geworden maar nog strak genoeg om hem te dragen, en liep via zijn raam weer naar binnen. Hij zag meteen dat de hele woning overhoop was gehaald. Alles. Zelfs zijn kleren. Ook was al het geld uit de zakken van zijn broek verdwenen. Hij zag de Japanse vrouw nooit meer terug: toen hij naar de overkant keek waren de kaarsen weg. Niemand had hem ooit eerder bestolen.

Dit was de stad waar hij was binnengeslopen – tot zijn verbazing ontdekte hij dat er afgronden waren onder zijn eigen afgrond.

Soms werd hij ingehuurd om op feesten op te treden. Hij had het geld nodig. Er waren zoveel uitgaven en zijn spaarcenten waren gestolen. Alleen de kabel al zou duizend dollar kosten. En dan waren er de lieren, de valse identiteitskaarten, de balanceerstok, de ingewikkelde manoeuvres om het allemaal op het dak te krijgen. Hij pakte alles aan om het geld bij elkaar te krijgen, maar die feesten waren vreselijk. Hij werd ingehuurd als goochelaar, maar waarschuwde de gastheer dat hij niet kon garanderen dat hij iets zou doen. Ze moesten hem betalen, maar het kon gebeuren dat hij de hele avond gewoon bleef zitten. De spanning werkte. Hij werd een vast feestnummer. Hij kocht een smoking en een strik en een cummerband.

Hij stelde zich voor als Belgisch wapenhandelaar, of taxateur van Sotheby's, of jockey die de Kentucky Derby had gereden. In die rollen voelde hij zich op z'n gemak. Overigens was hoog op het koord de enige plek waar hij helemaal zichzelf was. Hij kon een lange sliert asperges uit het servet van zijn buurman halen. Een wijnkurk vinden achter het oor van een gastheer, of een zich eindeloos ontrollende sjaal uit de borstzak van een man trekken. Tijdens het dessert wilde hij weleens een vork tollend opgooien en op zijn neus laten landen. Of op z'n stoel naar achteren wippen tot hij maar op één poot zat, en dan doen alsof hij zo dronken was dat hij een nirwana van evenwicht had bereikt. De feestgangers waren dolenthousiast. Rond de tafel werd gefluisterd. Vrouwen bogen zich met royale inkijk naar hem over. Mannen knepen stiekem in zijn knie. Hij verliet de feesten plotseling via een raam, of de achterdeur, of vermomd als cateraar met een blad overgebleven hors d'oeuvres hoog boven zijn hoofd.

Tijdens een feest op Fifth Avenue 1040 kondigde hij bij het begin van het diner aan dat hij op het eind van de avond de precieze geboortedatum zou vertellen van alle mannen in de kamer. De gasten waren verrukt. Een dame met een fonkelende tiara op klampte hem aan. *En waarom niet ook de vrouwen?* Hij rukte zich van haar los. *Omdat het onbeleefd is de leeftijd van een dame te verklappen.* Hij had de halve kamer al in zijn ban. Hij zei de hele avond verder niets: geen woord. *Vooruit,* zeiden de mannen, *vertel ons hoe oud we zijn.* Hij keek de gasten strak aan, verwisselde van stoel, bestudeerde de mannen nauwkeurig, volgde zelfs met zijn vingers hun haarlijn. Hij fronste en schudde zijn hoofd, alsof hij er niet uitkwam. Toen de sorbet werd opgediend, klom hij moedeloos midden op de tafel, wees elke gast afzonderlijk aan en ratelde van ieder, op een na, de geboortedatum af. 29 januari, 1947. 16 november, 1898. 7 juli, 1903. 15 maart, 1937. 5 september 1940. 2 juli, 1935.

De vrouwen applaudisseerden, de mannen waren met stomheid geslagen.

De enige man die niet genoemd was, zat glunderend in zijn stoel en zei: *ja, en ik dan?* De koorddanser maakte een wegwerpgebaar: *Het interesseert niemand wanneer u bent geboren.*

De kamer barstte in lachen uit en de koorddanser boog zich over de vrouwen aan de tafel en haalde een voor een het rijbewijs van hun man uit een handtas, uit een servet, onder een bord, en bij een zelfs tussen haar borsten vandaan. Op elk rijbewijs de precieze geboorte-datum. De ongenoemde man leunde achterover in zijn stoel en liet de tafel weten dat hij nooit z'n portefeuille bij zich droeg, het ook nooit zou doen: hem zouden ze nooit pakken. Stilte. De koorddanser klom van tafel, sloeg zijn das om zijn nek en zei tegen de man terwijl hij vanuit de eetkamerdeur zwaaide: *28 februari, 1935*.

Het rood steeg de man naar de kaken toen de tafel applaudisseerde, en zijn vrouw gaf de koorddanser een half knipoogje toen die de deur uit zweefde.

Er zat iets arrogants aan, besefte hij, maar op het koord werd de arrogantie een middel om te overleven. Het was het enige moment dat hij zichzelf volledig kon verliezen. Hij zag zich soms als iemand die zichzelf wilde haten. Ontdoe je van die voet. Van die teen. Van die kuit. Zoek de plek van de onbeweeglijkheid. Zo veel ervan draaide om de oude remedie van het vergeten. Om anoniem voor zichzelf te worden, zich door zijn eigen lichaam te laten opslorpen. En toch waren er overlappende werkelijkheden: hij wilde ook dat zijn geest daar was waar zijn lichaam zich op z'n gemak voelde.

Het leek zo op vrijen met de wind. Die maakte dingen ingewikkeld en woei weg en maakte zich zachtjes los en gleed om hem heen terug. Het koord stond ook voor pijn: die was er altijd, stekend in zijn voeten, het gewicht van de stok, de droogte in zijn keel, het kloppen van zijn armen, maar de vreugde was om door de pijn heen te gaan zodat die niet langer telde. Zo ook met zijn ademhaling. Hij wilde dat zijn adem het koord trok zodat hij niets was. Dat gevoel van zichzelf kwijtraken. Elke zenuw. Elke nagelriem. Op de torens bereikte hij het. De logica kwam op losse schroeven. Het was het punt waarop er geen tijd bestond. De wind woei en zijn lichaam had hem jaren van tevoren gewaar kunnen worden.

Hij was midden in zijn luchtwandeling toen de politiehelikopter kwam: nog een mugje in de lucht, maar het deerde hem niet. Samen klonken de twee helikopters als knakkende gewrichtsbanden. Hij was ervan overtuigd dat ze niet zo stom zouden zijn om te proberen dichtbij te komen. Het verbaasde hem dat de sirenes alle andere geluiden konden overstemmen; ze leken naar boven weg te vloeien. En er waren nu tientallen agenten op het dak die naar hem schreeuwden of heen en weer renden. Een van hen hing naar buiten aan de kant van de palen op de zuidtoren, in een blauwe klimgordel; met zijn pet af en zijn lichaam naar voren gebogen, schold hij hem uit voor klootzak, dat hij snel moest maken dat hij met zijn kloten van die klotedraad af kwam, anders stuurde hij die klotehelikopter om hem van die kloterige kabel af te plukken, hoor je me, klootzak, en nu godverdeklote meteen! En de koorddanser dacht: wat een rare taal. Hij grinnikte en keerde zich op de draad om, maar ook aan de andere kant stonden agenten. Die waren rustiger, hadden walkietalkies aan hun oor, en hij was ervan overtuigd dat hij die kon horen kraken. Hij wilde ze niet tergen maar hij wilde blijven: wie weet zou hij nooit meer zo dansen als nu.

Het geschreeuw, de sirenes, de doffe geluiden van de stad. Hij liet ze een witte ruis worden. Hij wilde zijn laatste stilte opzoeken en vond die. Bleef daar staan, precies op het midden van de draad, dertig meter van beide torens, ogen dicht, lichaam stil, draad weg. Hij zoog zijn longen vol met de lucht van de stad.

Iemand begon met een megafoon naar hem te krijsen: 'We sturen de helikopter, we sturen de helikopter. Kom eraf!'

De koorddanser glimlachte.

'Kom er onmiddellijk af!'

Hij vroeg zich af of het daarom ging op het moment van sterven, het lawaai van de wereld en je er dan langzaam van losmaken.

Hij realiseerde zich dat hij alleen maar aan de eerste stap had gedacht, zich nooit de laatste had voorgesteld. Hij keerde zich naar de megafoon en wachtte een ogenblik. Hij boog zijn hoofd alsof hij ermee instemde. Ja, hij kwam naar binnen. Hij hief zijn been op. De donkere vorm van zijn lichaam toonde zich aan de mensen beneden. Been hoog geheven voor het effect. Plaatste de zijkant van zijn voet op de draad. Het eendenloopje. Dan de volgende voet en de volgende tot het louter werktuiglijk was en toen rende hij, sneller dan hij ooit op een koord had gerend – met de middenzolen van zijn voeten voor houvast, de tenen naar buiten, de balanceerstok ver voor zich uitgestoken – van het midden van de draad naar de dakrand.

De agent moest een stap achteruit doen om hem te grijpen. De koorddanser vloog in zijn armen.

'Klootzak,' zei de agent, maar met een grijns.

Jaren naderhand zou hij nog daarboven zijn: op slippers, donkervoetig, beweeglijk. Het gebeurde op de vreemdste momenten, als hij op de snelweg reed, of planken voor het blokhutraam zette bij een naderende storm, of door het hoge gras wandelde op de velden rond de krimpende weide in Montana. Weer midden in de lucht, de kabel strak tussen zijn tenen. Heen en weer geschommeld door de wind. Een gevoel van plotselinge hoogte. De stad onder hem. Het kon in elke stemming en op elke plek zomaar bij hem terugkomen. Hij kon gewoon een spijker uit zijn timmermansgordel pakken om die in een stuk hout te tikken, of opzijleunen om het handschoenenkastje in een auto open te maken, of een glas onder een straal water ronddraaien, of een kaarttruc doen op een feestje van vrienden, en opeens vloeide alles uit zijn lichaam weg behalve het aangejaagde bloed van een enkele stap. Het was net een door zijn lichaam genomen foto in een album dat weer onder zijn ogen werd geschoven en daarna weggetrokken. Soms zag hij uit over de hele stad, de stegen van licht, het klavecimbel van de Brooklyn Bridge, de afgeplatte grijze koepel van rook boven New Jersey, de snelle interruptie van een duif die vliegen zo gemakkelijk deed lijken, de taxi's beneden. Hij zag zichzelf nooit in een gevaarlijke of extreme situatie, daarom keerde hij niet terug naar het moment dat hij op de kabel ging liggen, of huppelde, of in looppas van de zuidelijke naar de noordelijke toren ging. Het waren de gewone stappen die hem weer bezochten, de stappen zonder enig vertoon. Die kwamen hem voor als absoluut waar, die gaven geen krimp in zijn herinnering.

Na afloop had hij immense dorst. Het enige dat hij wilde was water en dat ze de kabel losmaakten: het was gevaarlijk om hem daar te laten. Hij zei: 'Jullie moeten de kabel weghalen.' Ze dachten dat hij een grapje maakte. Ze hadden geen idee. Hij kon verstrakken in de wind, knappen, iemand onthoofden. Ze duwden hem naar het midden van het dak. 'Alsjeblieft,' smeekte hij. Hij zag een man naar de windas lopen om die losser te maken, de spanning eraf te halen. Hij voelde enorme opluchting en vermoeidheid over zich heenkomen toen hij in zijn leven teruggleed.

Toen hij met handboeien om uit de toren tevoorschijn kwam, juichten de toeschouwers. Hij was omgeven door agenten, verslaggevers, camera's, mannen in serieuze pakken. Een vuurwerk van flitslampen.

Hij had in de politiepost van het World Trade Center een paperclip opgeraapt en het was zo makkelijk om de boeien open te maken: ze klikten met een kleine zijdelingse druk. Hij schudde er onder het lopen zijn hand uit, hief die toen juichend op. Voor de agenten ook maar beseften wat hij had gedaan, had hij zelf de handboeien alweer dichtgeklapt, achter zijn rug.

'Uitslover,' zei de agent, een brigadier, terwijl hij de paperclip afpakte. Maar er klonk bewondering in de stem van de brigadier: de paperclip zou altijd een verhaal blijven.

De koorddanser moest spitsroeden lopen over de plaza. De arrestantenwagen wachtte onder aan de trap. Het was vreemd om weer terug te keren naar de wereld: het geklak van voetstappen, de roep van de hotdogventer, het geluid van een straattelefoon die in de verte rinkelde.

Hij bleef staan en keek om naar de torens. Hij kon de kabel nog zien: hij werd langzaam, voorzichtig binnengehaald, verbonden met een ketting, met een touw, met een vissnoer. Het was alsof je naar de Etch-A-Sketch van een kind stond te kijken waarop de lucht zichzelf uitveegde: de lijn verdween gestaag, pixel voor pixel. Uiteindelijk zou daar helemaal niets overblijven, alleen de wind.

Ze belegerden hem, schreeuwden om zijn naam, om zijn motieven, om een handtekening. Hij bleef stil naar boven kijken en vroeg zich af hoe de toeschouwers het hadden gezien: welke lijn van de lucht voor hen onderbroken was geweest. Een journalist met een plat wit hoedje op schreeuwde: 'Waarom?' Maar dat woord speelde voor hem niet. Het idee waarom stond hem niet aan. De torens waren er. Dat was voldoende. Hij wilde de verslaggever vragen waarom hij waarom vroeg. Een kinderversje schoot door zijn hoofd, een sliert waaroms, waarom, waarom zijn de bananen krom?

Hij voelde een zachte duw in zijn rug en een ruk aan zijn arm. Hij keek weg van de torens en werd naar de auto gevoerd. De agent duwde zijn hoofd naar beneden. 'Instappen, maat.' Hij werd op de harde leren bank gedrukt, met handboeien om.

De fotografen zetten hun lenzen tegen de autoramen. Een explosie van een flitslicht tegen het glas. Het verblindde hem even. Hij draaide zijn gezicht naar de andere kant van de auto. Nog meer camera's. Hij keek recht voor zich uit.

De sirenes werden aangezet.

Alles was rood en blauw en gehuil.

BOEK DRIE

Deel der delen

Het theater begon kort na de lunch. Zijn mederechters, de parketwachters en verslaggevers en zelfs de stenografen spraken er al over alsof het weer typisch iets was wat in deze stad kon gebeuren. Zo'n onalledaagse dag die de sleur van alledag zin gaf. New York had daar een handje van. Af en toe schudde de stad haar ziel uit. Overdonderde ze je met een beeld, of een dag, of een misdaad, of een verschrikking, of een schoonheid die zo moeilijk te bevatten was dat je vol ongeloof je hoofd moest schudden.

Hij had er een theorie over. Het gebeurde, en gebeurde steeds weer, omdat het een stad was die zich niet voor geschiedenis interesseerde. Er deden zich vreemde dingen voor, juist omdat respect voor het verleden niet vereist was. De stad leefde in een soort alledaags heden. Had geen behoefte om in zichzelf te geloven zoals een Londen of Athene, zelfs niet als een icoon van de Nieuwe Wereld, een Sydney of Los Angeles. Nee, het zou de stad een zorg zijn waar ze stond. Hij had een keer 'n T-shirt gezien met de tekst: NEW YORK FUCKIN' CITY. Alsof het de enige plek was die ooit had bestaan en de enige die ooit zou bestaan.

New York bleef voorwaarts gaan, juist omdat ze geen moer gaf om wat ze achter zich liet. Ze was als de stad waaruit Lot vertrok, en ze zou oplossen als ze ooit over haar schouder terug begon te kijken. Twee zoutpilaren. Long Island en New Jersey.

Hij had vaak tegen zijn vrouw gezegd dat het verleden in de stad verdween. Daarom waren er ook zo weinig gedenktekens. Anders dan in Londen, waar op elke straathoek een uit steen gehouwen historische figuur stond, een oorlogsmonument hier, de buste van een leider daar. Hij zou eigenlijk maar een stuk of tien echte standbeelden in New York City kunnen aanwijzen – de meeste nog in Central Park, op de Literary Walk, en wie ging er tegenwoordig in godsnaam nog naar Central Park? Je zou een pantsereenheid nodig hebben om alleen al langs Sir Walter Scott te komen. Op andere beroemde straathoeken, Broadway of Wall Street of rond Gracie Square, had niemand behoefte om aanspraak te maken op geschiedenis. Waarom zou je? Een standbeeld kon je niet eten. Een monument kon je niet neuken. Uit een brok brons kon je geen miljoenen persen.

Zelfs hier, in Centre Street, hadden ze niet veel publieke klopjes op eigen schouder. Geen Vrouwe Justitia met blinddoek. Geen Grote Denkers met om zich heengeslagen toga's. Geen Horen, Zien en Zwijgen gebeiteld in de granieten bovenzuilen van de gerechtsgebouwen.

En dat was een van de redenen waarom rechter Soderberg de koorddanser zo'n geniaal idee vond. Een monument op zich. Hij had zich tot standbeeld gemaakt, maar een typisch New Yorks standbeeld: tijdelijk, hoog in de lucht, ver boven de stad. Een standbeeld dat geen respect had voor het verleden. Hij was naar het World Trade Center gegaan en had zijn koord gespannen tussen de hoogste torens van de wereld. De Twin Towers. Nota bene. Zo brutaal, zo glashard. Zo vooruitziend. Zeker, de Rockefellers hadden een paar neo-Griekse huizen en een paar klassieke zandsteengebouwen neergehaald om plaats te maken voor de torens – daar had Claire zich over opgewonden toen ze het las – maar verder toch voornamelijk elektronicawinkels en goedkope veilinghuizen waar mannen met rappe tong de ergste prullaria onder de zon hadden verkocht, wortelschillers en radiozaklantaarns en muzikale sneeuwbollen. Waar louche advocaten praktijk hielden, had de Port Authority twee torenhoge bakens hoog in de wolken gebouwd. Het glas weerspiegelde de lucht, de nacht, de kleuren: vooruitgang, schoonheid, kapitalisme.

Soderberg was niet iemand die klakkeloos het verleden zou afzweren. De stad was groter dan haar gebouwen, groter dan haar inwoners ook. Maakte haar eigen nuances. Aanvaardde wat er op haar weg kwam, de misdaad en het geweld en de plukjes goedheid die onder het alledaagse vandaan kropen.

Hij nam aan dat de koorddanser het van tevoren allemaal behoorlijk doordacht moest hebben. Het was niet zomaar even koorddansen. Hij maakte een statement met zijn lichaam en als hij viel, nou, dan viel hij – maar als hij het overleefde zou hij een monument worden, niet uit steen gehouwen of in brons gegoten, maar zo'n New Yorks monument waarvan je zei: *toch niet te geloven?* Met een krachtterm. Er zat altijd een krachtterm in een New Yorkse zin. Zelfs in die van een rechter. Soderberg had het niet erg op grove taal, maar hij kende het nut ervan op het juiste moment. Een man op een koord, honderdtien verdiepingen hoog, toch godverdomme niet te geloven?

Soderberg zelf had de luchtwandeling net gemist. De gedachte eraan ergerde hem, maar het was zo: op een paar minuten na, seconden zelfs. Hij had een taxi naar de binnenstad genomen. De chauffeur was een norse zwarte man die muziek uit de speakers liet schallen. In de taxi hing een geur van marihuana. Walgelijk dat je geen schone, fatsoenlijke rit meer kon krijgen. Rastafarimuziek op een cassettebandje. De chauffeur zette hem af aan de achterzijde van Centre Street 100. Hij liep langs het kantoor van de officier van justitie, hield stil voor de afgesloten, in metaal gevatte deur aan de zijkant, een ingang die alleen door de rechters werd gebruikt, de enige tegemoetkoming aan hen, zodat ze zich niet aan de voorzijde tussen de bezoekers hoefden te begeven. Het was niet eens een sluiproute, of zelfs maar een privilege. Ze hadden hun eigen ingang nodig, voor het geval een gek het in zijn hoofd zou krijgen om eigen rechter te spelen. Toch monterde hij ervan op: een geheime toegang tot het huis van gerechtigheid.

Voor de deur wierp hij een snelle blik over zijn schouder. Op de hoogste verdiepingen van het belendende gebouw zag hij een paar mensen uit de ramen leunen, naar het westen kijken, wijzen, maar hij negeerde het, nam aan dat het een aanrijding was of een ander matineus opstootje. Hij maakte de metalen deur open. Had hij zich maar omgedraaid, opgelet, dan had hij naar boven kunnen gaan om het allemaal in de verte te zien gebeuren. Maar hij sloot de deur achter zich, drukte op de liftknop, wachtte tot de deur openvouwde en steeg naar de derde verdieping.

Hij beende op zijn effen zwarte, doordeweekse schoenen de gang in. Donkere muren met een zware schimmellucht. Het kraken van zijn schoenen weergalmde in de stilte. Het gebouw had de zomerblues. Zijn kantoor was een kamer met een hoog plafond aan het eind van de gang. Toen hij als rechter begon moest hij een kamer delen, een klein, morsig hok waar nog geen schoenpoetser in zou willen. Hij was ontsteld geweest over de manier waarop hij en zijn collega's werden behandeld. Er lagen muizenkeutels in de laden van zijn bureau. De muren schreeuwden om verf. Kakkerlakken zaten op de rand van de vensterbank te kwetteren, alsof ook zij er zo gauw mogelijk uit wilden. Maar er waren vijf jaar verstreken en hij was van het ene kantoor naar het andere geschoven. Nu had hij een wat waardiger vertrek en werd hij met een greintje meer respect behandeld. Mahoniehouten bureau. Inktpot van geslepen glas. Ingelijste foto's van Claire en Joshua aan zee in Florida. Een magneetstrip waarop zijn paperclips vastzaten. De Amerikaanse vlag op een standaard achter hem, bij het raam, zodat die soms flabberde in de wind. Het was niet het chicste kantoor ter wereld, maar het kon ermee door. Bovendien was hij er de man niet naar om snel zijn beklag te doen: dat kruit hield hij droog voor het geval hij het op een ander tijdstip nodig had.

Claire had een gloednieuwe draaistoel voor hem gekocht, een dik gecapitonneerd, leren ding, en hij hield ervan om, zodra hij 's morgens binnenkwam, te gaan zitten en er even in rond te draaien. Op zijn planken stonden rijen en rijen boeken. Jurisprudentie in hoger beroepszaken, arresten van rechtbanken, de New York Supplements. Alles van Wallace Stevens, gesigneerd en bijgezet in een apart rijtje. Het jaarboek van Yale. Aan de oostelijke muur de kopieën van zijn academische oorkonden. En de cartoon uit de *New Yorker* fraai ingelijst bij de deur – Mozes op de berg met de Tien Geboden, en twee advocaten die over de menigte heen gluren: *We boffen, Sam, geen woord over terugwerkende kracht.*

Hij zette zijn koffieapparaat aan, vouwde de *New York Times* op het bureau uit, schudde een paar zakjes koffiecreamer leeg. Sirenes buiten. Altijd sirenes: het waren de schaduwfeiten van zijn dag.

Hij was halverwege het economiekatern toen de deur open-knarste en er nog een glimmend hoofd omheen stak. Het was niet bepaald rechtvaardig, maar de rechterlijke macht was grotendeels kalend. Het was zelfs geen trend, maar een feit. Samen waren ze een ploeg van glimmende jongens. Het was al sinds zijn jeugd een spookbeeld geweest, langzaam verloren ze allemaal hun bedekking: weinig haarfollikels onder de orakels.

'Morgen, ouwe jongen.'

Het vollemaansgezicht van rechter Pollack was verhit. Zijn ogen waren net glimmend metalen veterringetjes. Hij had iets weg van een hamerhaai. Hij bazelde over een vent die zichzelf tussen de torens had geknoopt. Soderberg dacht eerst dat het om een zelfmoord ging, een sprong van een touw dat aan een kraan hing of zoiets. Hij knikte alleen maar, sloeg de krant om, niks dan Watergate, en waar was dat Hollandse jongetje nu je hem nodig had? Hij maakte een dubieus grapje over G. Gordon Liddy die dit keer zijn vinger in het verkeerde gat had gestoken, maar dat was veel te gevat voor Pollack, die een stukje roomkaas op zijn zwarte toga had zitten en wit spuug rondsproeide. Luchtaanval. Soderberg leunde in zijn stoel naar achteren. Hij wilde net iets zeggen over het verdwaalde ontbijt toen hij Pollack over een balanceerstok en een koord hoorde praten, en het kwartje viel.

'Wat zei je?'

De man waarover Pollack sprak, had echt tussen de torens gelópen. En dat niet alleen, hij was ook op het koord gaan líggen. Hij had gehúppeld. Hij had gedánst. Hij had praktisch van de ene naar de andere kant gehóld.

Soderberg gaf zijn stoel een resolute kwartdraai, rukte de jaloezieën open en probeerde over de vrije ruimte heen te kijken. Hij kon net de rand van de noordelijke toren zien, de rest van het uitzicht was geblokkeerd.

'Je hebt hem gemist,' zei Pollack. 'Hij is er net mee gestopt.'

'Was het legaal?'

'Hoe bedoel je?'

'Was er toestemming? Was het aangekondigd?'

'Natuurlijk niet. Die vent had 's nachts ingebroken. Heeft zijn koord gespannen en is gaan lopen. We hebben het vanaf de bovenste verdieping gezien. We hoorden het van de beveiliging.'

'Heeft hij in het World Trade Center ingebroken?'

'Geschift, volgens mij. Denk je niet? Afvoeren naar het gekkenhuis.'

'Hoe heeft hij dat koord naar de overkant gekregen?'

'Geen idee.'

'Gearresteerd? Is hij gearresteerd?'

'Wat dacht je,' zei Pollack gnuivend.

'Welk districtsbureau?'

'Het eerste, ouwe jongen. Benieuwd wie hem krijgt?'

'Ik doe vandaag voorgeleidingen.'

'Bof jij even,' zei Pollack. 'Huisvredebreuk.'

'Roekeloze gevaarzetting.'

'Zelfverheffing,' zei Pollack met een knipoog.

'Het zal de dag opvrolijken.'

'De flitslampen aan het werk zetten.'

'Je moet wel lef hebben.'

Soderberg was er niet zeker van of het woord *lef* hier nu moed of domheid betekende. Pollack gaf hem een knipoog en een statige groet, en sloot de deur met een harde klap.

'Kloten hebben,' zei Soderberg tegen de dichte deur.

Maar het zou de dag zeker opvrolijken, dacht hij. De zomer was zo warm en serieus geweest, vol doodslag, verraad en steekpartijen, hij was aan een beetje vertier toe.

Er waren maar twee strafkamers en dus had Soderberg vijftig procent kans om de zaak toegewezen te krijgen. Die zou dan wel op tijd moeten komen. Het was mogelijk dat ze de koorddanser snel door de molen konden halen – als ze vonden dat het voldoende nieuwswaarde had kon opeens alles. Konden ze hem in een kwestie van uren kant-en-klaar hebben. Vingerafdrukken, verhoor, antecedentenonderzoek en klaar. Voorgeleid op verdenking van strafbare overtreding. Misschien samen met een paar handlangers. Waardoor hij dacht: hoe heeft die koorddanser in vredesnaam die kabel van de ene naar de andere kant gekregen? Zo'n draad moet toch van staal zijn? Hoe had hij die naar de overkant gegooid? Het kon toch geen touw zijn? Touw zou nooit iemand kunnen houden over zo'n afstand. Hoe heeft hij dat ding dan van de ene naar de andere kant gekregen? Helikopter? Kraan? Op een of andere manier via de ramen? Heeft hij die kabel naar beneden laten vallen en vervolgens aan de andere kant weer naar boven gehesen? Een rilling van genoegen liep Soderberg over de rug. Af en toe kwam er een goede zaak langs die de dag wat oppepte. Een beetje smaak gaf. Iets waarover gepraat kon worden aan de stamtafels van de stad. Maar stel dat hij de zaak niet kreeg? Stel dat die naar de overkant van de gang ging? Misschien moest hij maar eens een babbeltje maken met de officier en de griffiebeambten, strikt vertrouwelijk natuurlijk. Er bestond in de rechtszalen een systeem van voor wat hoort wat. *Geef mij de koorddanser, dan krijg jij een andere zaak van mij.*

Hij legde zijn voeten op het bureau, pakte zijn koffie en overdacht hoe levendig de dag zou zijn met uitzicht op een zitting die eens een keer niet louter sleur was.

De meeste dagen, moest hij toegeven, waren om te huilen. De vloed stroomde binnen en ebde weer weg. Liet zijn bezinksel achter. Hij had er geen bezwaar meer tegen om het woord *schuim* te gebruiken. Vroeger had hij het niet in zijn hoofd durven halen. Maar het gros was dat, het deed hem pijn het toe te geven. *Schuim van de natie.* Een smerige vloed die over de kust golfde en er spuiten, plastic zakjes, bebloede hemden, condooms en snotterige kinderen achterliet. Hij had te maken met het slechtste van het slechtste. De meeste mensen dachten dat hij in een mahoniehouten hemel leefde, dat het een gewichtige baan was, een indrukwekkende carrière, maar op de keper beschouwd had het, afgezien van de reputatie, maar bitter weinig te betekenen. Het leverde weleens een goede tafel in een chique restaurant op en Claires familie was er geweldig mee ingenomen. Op feestjes veerden mensen ervan op. Rechtten hun rug in zijn omgeving. Gingen anders praten. Het was niet zo'n geweldig voordeel, maar beter dan niets. Af en toe was er kans op promotie naar de bovenverdiepingen van het hooggerechtshof, maar die had hij nog niet gekregen. Uiteindelijk was het leeuwendeel van zijn werk fantasieloos. Een soort bureaucratisch babysitten.

Op Yale, toen hij nog jong en koppig was, was hij ervan overtuigd dat hij op een dag de spil zou zijn waar de wereld om draaide, dat zijn leven grote veranderingen teweeg zou brengen. Maar dat dacht elke jongeman. Een afwijking van de jeugd, je eigen importantie. Het stempel dat je op de wereld zou drukken. Maar vroeg of laat leert een mens. Je kiest je stekje en maakt het je eigen. Je zit de tijd zo goed mogelijk uit. Je gaat naar huis naar je lieve vrouw en je stilt haar zenuwen. Je gaat zitten en zegt iets aardigs over het bestek. Je dankt je goede gesternte vanwege haar erfenis. Je rookt een goede sigaar en je hoopt af en toe op een vrijpartijtje tussen de zijden lakens. Je koopt een mooi sieraad voor haar bij DeNatale en je kust haar in de lift omdat ze nog steeds mooi is en goed geconserveerd – ondanks het verstrijken van de jaren is ze dat werkelijk. Elke dag kus je haar ten afscheid en ga je naar het centrum en je komt er algauw achter dat jouw verdriet nog niet de helft is van het verdriet dat ieder ander heeft. Je rouwt om je dode zoon en je wordt midden in de nacht wakker omdat je vrouw naast je ligt te huilen en je gaat naar de keuken waar je een boterham met kaas voor jezelf maakt en je denkt: ach, het is ten minste een boterham met kaas op Park Avenue, het had slechter gekund, je had het veel slechter kunnen treffen. Dat is je beloning, een zucht van verlichting.

De advocaten kenden de waarheid. De griffiers ook. En de andere rechters, natuurlijk. Centre Street was een schijthok. Ze noemden het zelfs zo: het schijthok. Als ze elkaar bij officiële gelegenheden tegenkwamen. *Hoe was het schijthok vandaag, Earl? Ik heb mijn koffertje in het schijthok laten staan.* Ze hadden er zelfs een werkwoord van gemaakt: *Moet jij morgen nog schijthokken, Thomas?* Hij wilde het eigenlijk niet aan zichzelf toegeven, maar het was zo. Hij zag zich als iemand die op een ladder stond, een goedgeklede man op een ladder, een bevoorrechte man met stijl en eruditie, die met zijn blote handen de rottende bladeren en de takjes uit de dakgoten van het schijthok moest halen.

Het deed hem niet half zo veel meer als vroeger. Feit was dat hij deel was van een systeem. Dat wist hij nu. Een klein stukje huid op een groot ingewikkeld wezen. Een radertje tussen een stel tandwielen. Misschien was het gewoon een proces van ouder worden. Je laat de verandering over aan de generaties die na je komen. Maar dan wordt de generatie die na je komt aan flarden geblazen in Vietnamese cafés, en je gaat door, je moet door, want ook al zijn ze dood, ze kunnen nog herinnerd worden.

Hij was niet de non-conformistische Jood die hij ooit had willen worden; toch wilde Soderberg niet opgeven. Het was een kwestie van eer, van oprechtheid, van overleven.

Toen hij destijds werd benoemd, in de zomer van '67, dacht hij dat hij de baan zou nemen om een toonbeeld van deugd te worden. Hij zou niet slechts overleven, maar zich ook ontplooien. Hij had zijn baan opgezegd en accepteerde een salarisvermindering van vijfenvijftig procent. Hij had het geld niet nodig. Hij en Claire hadden al een flink deel opzij gezet, hadden gezonde bankrekeningen, de erfenis was solide, en Joshua zat goed bij PARC. Hoewel het idee om rechter te zijn als een volslagen verrassing kwam, vond hij het geweldig. Hij had zijn beginjaren doorgebracht bij het OM, zeker, en hij had zijn schouders eronder gezet, had in een belastingcommissie gezeten, had een cv opgebouwd, de juiste mensen gepaaid. Hij had in de loop der tijd een paar moeilijke zaken op zich genomen, goede pleidooien gehouden, compromissen gevonden. Hij had een opiniestuk voor de *New York Times* geschreven waarin hij vraagtekens zette bij de wettelijke grondslag voor dienstplichtontduiking en het psychologische effect dat de dienstplicht op het land had. Hij had de morele en grondwettelijke aspecten afgewogen en zich resoluut uitgesproken voor de oorlog. Op party's op Park Avenue had hij burgemeester

Lindsay ontmoet, zij het vluchtig, dus toen hij voor de benoeming werd gepolst, dacht hij dat het een instinker was. Hij legde de telefoon neer. Lachte het weg. Er werd opnieuw gebeld. *U wilt dat ik wat doe?* Er was sprake van eventuele promotie, eerst als waarnemend rechter bij het hooggerechtshof van New York, en daarna, wie weet – van dan af was alles mogelijk. Veel promoties waren opgeschort toen de stad failliet dreigde te gaan, maar dat had hij niet erg gevonden, dat zou hij wel uitzitten. Hij was iemand die in het absolute van het recht geloofde. Hij zou in staat zijn om te wegen, te analyseren, te overdenken en verandering te bewerkstelligen, iets terug te geven aan de stad waar hij geboren was. Hij had altijd het gevoel gehad dat hij aan de buitenkant van de stad was gebleven en nu zou hij die salarisverlaging nemen en er middenin zitten. Voor het recht was het van levensbelang hoe er recht werd gesproken en in welke mate het de excessen van de menselijke dwaasheid kon omvatten. Hij geloofde in het idee dat wetten niet ongewijzigd hoorden te blijven omdat ze nu eenmaal zwart op wit staan. De wet was werken, was er om uitgeplozen te worden. Hij was niet alleen geïnteresseerd in de betekenis van wat kon, maar ook in wat zou moeten. Hij zou aan het koolfront staan. Een van de belangrijke mijnwerkers van de moraal van de stad. De edelachtbare Solomon Soderberg.

Zelfs de naam klonk goed. Misschien was zijn benoeming gebruikt als gerechtelijk wisselgeld, om een balans sluitend te maken, maar dat kon hem niet zo veel schelen; het goede zou het kwade tenietdoen. Hij zou rabbijns, wijs, zorgzaam zijn. Bovendien zat er in elke advocaat een rechter.

Hij was op zijn allereerste dag met een hart vol vuur naar binnen gegaan. Door de hoofdingang. Hij wilde ervan genieten. Hij had een nieuw pak gekocht bij een modieuze kleermaker op Madison Avenue. Een Gucci-das. Kwastjes op zijn schoenen. Hij liep in een wolk van verwachtingen op het gebouw af. Voor de brede, goudkleurige deuren stonden de woorden HET VOLK IS HET FUNDAMENT VAN DE MACHT gegrift. Hij bleef een ogenblik staan om het allemaal op te zuigen. Binnen, in de hal, wemelde het. Pooiers en verslaggevers en schadeadvocaten op zoek naar prooi. Mannen met paarse plateauschoenen. Vrouwen die hun kinderen achter zich aan sleepten. Zwervers die in de raamnissen sliepen. Bij elke stap zonk de moed hem dieper in de schoenen. Het had heel even geleken of het gebouw toch nog de uitstraling had – de hoge plafonds, de oude houten balustrades, de marmeren vloer – maar hoe meer hij rondliep, hoe neerslachtiger hij werd. De rechtszalen waren nog erger dan hij zich herinnerde. Hij schuifelde verdwaasd en ontgoocheld rond. De gangmuren waren beklad met graffiti. Mannen zaten achter in de rechtszalen te roken. In de toiletten werd gedeald. Openbare aanklagers hadden gaten in hun pak. Er zwierven corrupte agenten rond op zoek naar smeergeld. Jongeren begroetten elkaar met omslachtige handgebaren. Vaders zaten bij geflipte dochters. Moeders huilden om hun langharige zoons. De mooie roodleren capitonnage op de deuren van de rechtszalen was opengesneden. Advocaten kwamen langs met gehavende diplomatenkoffertjes. Hij sloop langs dat alles, nam de lift naar boven en trok een stoel bij zijn nieuwe bureau. Onder de bureaula zat een hard stukje kauwgum.

En toch, zei hij bij zichzelf, en toch zou hij dat binnenkort allemaal op orde hebben. Hij kon het aan. Hij kon het tij keren.

Hij maakte zijn voornemens op een middag kenbaar in de raadkamer, tijdens een afscheidsborrel voor Kemmerer. De hele kamer gniffelde. *Aldus sprak Solomon*, zei een droeve oudgediende. *Hak het kind doormidden, jongens*. Grote hilariteit en gerinkel van glazen. De andere rechters zeiden hem dat hij er op den duur aan zou wennen, dat hij het licht zou zien, al was het nog wel in een tunnel. Het mooiste deel van het recht was de wijsheid der verdraagzaamheid. Je moest de dwazen accepteren. Dat hoorde bij het vak. Af en toe moesten de oogkleppen op. Hij moest leren verliezen. Dat was de prijs van het succes. *Probeer het maar*, zeiden ze. *Als je tegen het systeem ingaat, Soderberg, eet je straks pizza in de Bronx. Wees voorzichtig. Speel het spel mee. Wees loyaal aan ons*. En als hij Manhattan al erg vond, dan moest hij eens gaan kijken waar de echte branden woedden, in het Amerikaanse Hanoi zelf, aan het eind van de Bronxlijn, waar zich dagelijks het allerergste van de stad afspeelde.

Maandenlang weigerde hij ze te geloven, maar langzaam begon

het hem te dagen dat ze gelijk hadden – hij zat klem, hij was gewoon deel van het systeem en, het woord was toepasselijk, een deel der delen.

Zoveel aanklachten werden gewoon van tafel geveegd. Jongeren bekenden in ruil voor strafvermindering of hij gaf ze straf gelijk aan voorarrest, alleen maar om de achterstand weg te werken. Hij moest zijn quota halen. Hij moest verantwoording afleggen aan de superieuren boven. Zware misdrijven werden afgetopt tot lichte misdrijven. Het was een vorm van afbraak. Je moest de sloopkogel laten zwaaien. Hij werd beoordeeld op zijn vonnissen: hoe minder werk hij zijn collega's boven gaf, hoe contenter ze waren. Negentig procent van de zaken – zelfs ernstig wangedrag – moest afgedaan worden. Hij wilde de beloofde promotie, zeker, maar zelfs dat kon het gevoel niet wegnemen dat hij al zijn vroegere idealisme in een goedkope zwarte toga had gestoken, en als hij nu zou gaan zoeken, zou hij het niet eens in de diepste plooien kunnen vinden.

Vijf dagen per week betrad hij Centre Street 100, sloeg zijn toga om, droeg zijn best gepoetste schoenen, trok zijn sokken op, en won wanneer hij maar kon. Het was de kunst, wist hij, om je vechtpartijen te selecteren. Hij zou gemakkelijk tien hartstochtelijke gevechten op een dag kunnen voeren en meer als hij zou willen. Hij zou het tegen het hele systeem kunnen opnemen. Hij had de graffitischrijvers boetes van duizend dollar kunnen opleggen, zodat ze die nooit konden betalen. Of hij had de vuurwerkvandalen in Mott Street tot zes maanden kunnen veroordelen. Hij had de drugsverslaafden een vol jaar kunnen laten opsluiten. Hen aan zware borgsommen vastketenen. Maar dat zou een boemerangeffect hebben, wist hij. Ze zouden geen regeling, maar een proces willen. En hij zou de rol naar zijn hoofd krijgen omdat hij de gerechtshoven overbelastte. De winkeldieven, de schoenpoetsers, de hotelratten, de balletje-balletje-jongens, ze hadden uiteindelijk allemaal het recht om te zeggen: niet schuldig, edelachtbare. En dan zou de stad dichtslibben. Zouden de goten verstopt raken. Zou het slijk overstromen. Zouden de stoepen onbegaanbaar worden. En hij zou de schuld krijgen.

Op de ergste momenten dacht hij, ik ben een onderhoudsmonteur, ik ben een portier, ik ben een simpel beveiligingsmannetje. Hij zag de stoet zijn rechtszaal, of in welk ander Deel hij die dag ook zat, in- en uitstromen en hij vroeg zich af hoe het kon dat de stad onder zijn wakend oog zo'n walgelijk monster was geworden. Een monster dat baby's bij hun haar optilde en zeventigjarige vrouwen verkrachtte en sofa's in brand stak waarop geliefden sliepen, en snoeprepen in eigen zak liet glijden, en ribbenkasten verbrijzelde en toestond dat zijn antioorlogdemonstranten agenten in het gezicht spuugden, dat de vakbondsmannen blind over hun bazen heenwalsten, dat de maffia vat kreeg op de promenades, dat vaders hun dochters als asbak gebruikten, dat kroegruzies uit de hand liepen, dat keurig nette zakenlieden tegen het Woolworth-gebouw plasten, dat er vuurwapens werden getrokken in pizzatenten, dat hele families overhoop werden geknald, dat ambulancepersoneel de hersens werd ingeslagen, en dat verslaafden heroïne in hun tong spoten, dat foute advocaten zwendelden en oude dames hun spaargeld verloren, dat winkeliers het verkeerde wisselgeld gaven en dat de burgemeester grappen en grollen maakte en loog terwijl de stad tot de grond toe afbrandde, zich opmaakte voor zijn eigen kleine begrafenis van as, misdaad, misdaad, misdaad.

Er gebeurde niets kwalijks in de stad of het passeerde Soderbergs gootwacht. Het was net toezicht op de evolutie van slijk. Als je er lang genoeg blijft staan slibt de goot dicht, hoe hard je er ook tegen vecht.

Al die idioten bleven maar komen uit hun nachtlokalen, striptenten, kermisattracties, bazaars, peepshows, luizenhotels en ze zagen er nog slechter uit omdat ze een tijdje in het Mausoleum hadden doorgebracht. Tijdens een zitting zag hij eens een kakkerlak letterlijk uit de zak van een verdachte klimmen en langs zijn schouder en zijn hals omhoogkruipen voor de man er erg in had. Toen hij het merkte veegde de verdachte hem gewoon weg en vervolgde zijn schuldigverklaring. Schuldig, schuldig, schuldig. Ze bekenden bijna allemaal schuld en kregen in ruil daarvoor een vonnis waarmee ze konden leven, of ze gingen voor aftrek van voorarrest, of ze hoestten een kleine boete op en gingen vrolijk verder, met zwierige stappen de wereld in, zodat ze zich konden omdraaien, weer dezelfde dwaasheid uithalen en een week of twee later terug in zijn rechtszaal waren. Het bracht hem in een toestand van voortdurende agitatie. Hij kocht een handtrainer die in zijn zak paste. Hij stak zijn hand door de split in zijn toga en haalde hem uit de zak van zijn pak. Het waren twee houten handvatten met een veer ertussen, die hij heimelijk samenkneep onder zijn gewaad. Hij hoopte maar dat het niet werd opgemerkt. Het kon natuurlijk verkeerd worden uitgelegd, een rechter die onder zijn toga aan het frummelen was. Maar hij werd er kalmer van terwijl zijn zaken kwamen en gingen en zijn quotumlijst volliep. De helden van het systeem waren de rechters die de meeste zaken in de kortste tijd afhandelden. Open de sluizen, laat hen gaan.

Iedereen die langs kwam zeilen, iedereen die op enigerlei wijze deelnam aan het systeem, kreeg er een tik van mee. De openbare aanklagers kregen het van de misdaden – de verkrachtingen, de doodslagen, de steekpartijen, de roofovervallen. De jonge hulpofficieren werden geschokt door de lengte van de rol die ze voor zich kregen. De parketwachters kregen het van de vonnissen: het waren net teleurgestelde politieagenten, en soms sisten ze wanneer rechters de misdaad te zacht aanpakten. De rechtbankverslaggevers kregen het van onverstaanbare verdachten. De pro-Deoadvocaten kregen het van twee kanten. De reclasseringsambtenaren kregen het van de gestelde voorwaarden. De gerechtspsychologen kregen het van de dagelijkse generalisaties. De agenten kregen het van de papierwinkel. De criminelen kregen het van de boetes – hoe licht ze ook waren. De borgen kregen het van de lage borgtochtbedragen. Iedereen zat in de nesten en zijn werk was om daar tussen te zitten, recht te spreken en goed af te wegen tegen kwaad.

Goed en kwaad. Links en rechts. Op en neer. Hij stelde zichzelf daarboven voor, staand op de rand van de afgrond, misselijk en duizelig, onwillekeurig naar boven kijkend.

Soderberg sloeg zijn koffie met een ferme slok naar binnen. Het smaakte nergens naar met creamer.

Hij zou vandaag de koorddanser krijgen – hij wist het zeker.

Hij pakte zijn telefoon en belde het kantoor van de openbare aanklager, maar de telefoon bleef maar rinkelen en toen hij een blik op zijn bureauklokje wierp was het tijd voor de ochtendschoonmaak. Lusteloos stond Soderberg op en moest even glimlachen toen hij een rechte lijn over de vloer volgde.

's Zomers vond hij de zwarte toga van dunne stof wel plezierig. Een beetje sleets op de ellebogen, maar wat zou het, het was luchtig en licht. Hij haalde zijn dossiers op, stopte ze onder zijn arm, zag zijn zwaarlijvige zelf even in de spiegel, het netwerk van bloedvaatjes op zijn gezicht, de dieper liggende ogen. Hij drukte de laatste paar haren op zijn kale schedel plat, liep plechtig de gang in en de liften voorbij. Hij nam de trap naar beneden, met een hupje in zijn tred. Langs de gevangenbewaarders en reclasseringslui, naar de achtergang van Voorgeleidingskamer Deel 1A. Het ergste deel van de tocht. Achter de rechtszaal zaten de gevangenen in cellen. Het abattoir, noemden ze het. De bovenste bewaringscellen besloegen de lengte van een half huizenblok. De tralies waren crèmegeel geschilderd. De lucht stonk scherp naar lichaamsgeur. De parketwachters verbruikten vier bussen luchtverfrisser per dag.

Er stond een haag van politieagenten en parketwachters voor de zaal, dus de criminelen waren wel zo slim om zich koest te houden terwijl hij door de hellende gang liep. Hij liep snel, met gebogen hoofd, tussen de gerechtsdienaren door.

'Goedemorgen, meneer de rechter.'

'Mooie schoenen, edelachtbare.'

'Goed u weer te zien, meneer.'

Een snel, eenvoudig knikje naar wie hem aansprak. Het was belangrijk om een democratische afstandelijkheid te bewaren. Er waren rechters die plaagden en spotten en grappen maakten en familiair deden, zo niet Soderberg. Hij liep vlug de helling af, door de houten deur, de beschaving in, of wat ervan over was, de donkere houten balie, de microfoon, de tl-buizen, naar zijn hoge zetel.

Op God vertrouwen wij.

De ochtend vergleed snel. Een volle agenda met zaken. De gebruikelijke rolzitting. Rijden met verlopen rijbewijs. Bedreiging van een politieagent. Zware mishandeling. Schending openbare zedelijkheid. Een vrouw had haar tante in de arm gestoken om voedselbonnen. Een vlasharige jongen bekende schuld aan autodiefstal in ruil voor strafvermindering. Er werd een taakstraf opgelegd aan een man die een kijkgat naar de woning onder hem had gemaakt – wat de gluurder niet wist was dat de vrouw zelf een gluurster was, en dat zij hem begluurde terwijl hij haar begluurde. Een barman had een knokpartij gehad met een klant. Een moord in Chinatown werd onmiddellijk naar boven verwezen, borgsom bepaald en de zaak was bekeken.

De hele ochtend lang marchandeerde, ritselde, plooide en boog hij.

'Loopt er een aanhoudingsbevel tegen hem of niet?'

'Zeg eens, verzoekt u nu ontslag van rechtsvervolging of niet?'

'Het verzoek tot sepot is toegewezen. Wees voortaan aardig tegen elkaar.'

'Straf gelijk aan voorarrest!'

'Waar is het verzoekschrift in vredesnaam?'

'Agent, wilt u me alstublieft vertellen wat er is gebeurd? Wat deed hij? Een kip braden op de stoep?! Meent u dat echt?'

'Borgsom tweeduizend dollar met ondertekende schuldbekentenis. Of duizendtweehonderdvijftig contant.'

'Toch niet u weer, meneer Ferrario! Wiens zak is dit keer gerold?'

'Dit is een rechtbank, meneer de advocaat, geen Utopia.'

'Stel haar in vrijheid op persoonlijke borgtocht.'

'In deze aanklacht is geen sprake van misdrijf. Afgewezen!'

'Heeft iemand hier ooit van immuniteit gehoord?'

'Ik heb geen bezwaar tegen een beschikking zonder gevangenisstraf.'

'In ruil voor zijn schuldigverklaring, reduceren we misdrijf tot overtreding.'

'Straf gelijk aan voorarrest!'

'Ik denk dat uw cliënt qua narcisme vanmorgen al te ruim bediend is, meneer de advocaat.'

'Kom alstublieft met iets meer dan muzak!'
'Kunt u het vrijdag rond hebben?'
'Straf gelijk aan voorarrest!'
'Straf gelijk aan voorarrest!'
'Straf gelijk aan voorarrest!'
Er waren zoveel trucs te leren. Kijk de verdachte zo min mogelijk in de ogen. Lach zo min mogelijk. Probeer te doen alsof je een tikkeltje last hebt van aambeien: het geeft je een bezorgde, ongenaakbare uitdrukking. Ga in een wat ongemakkelijke houding zitten, of in ieder geval een die er ongemakkelijk uitziet. Altijd schrijven. Speel de rabbijn, gebogen over je schrijfblok. Strijk over het zilver aan je slapen. Wrijf over je kruin als er iets uit de hand loopt. Gebruik het strafblad als richtlijn voor karakter. Vergewis je of er geen journalisten in de zaal zijn. Is dat wel zo, onderstreep dan elke beschikking dubbel. Luister aandachtig. Schuld of onschuld zit helemaal in de stem. Bevoorrecht geen enkele advocaat. Laat ze niet de Jodentroef uitspelen. Reageer nooit op Jiddisj. Smoor vleierij in de kiem. Wees voorzichtig met je handtrainer. Pas op voor masturbatiegrappen. Nooit naar het achterwerk van de stenografe kijken. Let op wat je eet bij de lunch. Steek een rol pepermunt bij je. Zie je doedels altijd als meesterwerken. Zorg dat de karaf water ververst is. Doe verontwaardigd over watervlekken op het glas. Koop je overhemden minstens een boordmaat te groot zodat je kunt ademhalen.

De zaken kwamen en gingen.

Laat op de ochtend had hij al negenentwintig zaken afgehandeld en vroeg hij de gerechtsbode – zijn vaste bode in haar kraakwitte overhemd – of er nog nieuws was over de zaak van de koorddanser. De bode vertelde dat het gonsde van de geruchten, dat de koorddanser kennelijk in de molen zat, en dat hij waarschijnlijk laat in de middag zou voorkomen. Ze wist niet zeker wat de aanklachten waren, mogelijk huisvredebreuk en roekeloze gevaarzetting. Het OM was al zwaar in gesprek met de koorddanser, zei ze. Het zat erin dat hij zich aan alles schuldig zou verklaren als hij een redelijk transactievoorstel kreeg. Het OM was kennelijk gebrand op een beetje goede publiciteit. Ze wilden dat dit rimpelloos zou verlopen. De enige kink in de kabel zou kunnen zijn als de koorddanser werd vastgehouden tot de avondzitting.

'Dus we maken een kans?'

'Een vrij goede, zou ik zeggen. Als ze hem snel genoeg door de molen helpen.'

'Uitstekend. Lunchen dan maar?'

'Ja, edelachtbare.'

'We heropenen om kwart over twee.'

Je had altijd nog Forlini's, of Sal's, of Carmine's, of Sweet's, of Sloppy Louie's, of Oscar's Delmonico, maar hij ging altijd het liefst naar Harry's. Dat was het verst van Centre Street vandaan, maar dat gaf niet – de snelle taxirit ontspande hem. Dan stapte hij uit in Water Street, wandelde naar Hanover Square, en dacht als hij er voorstond: dit is mijn plek. Niet vanwege de beursmensen, de bankiers of de zakenlieden. Vanwege Harry zelf, volbloed Griek, goede manieren, wijd open armen. Harry had zich door de Amerikaanse Droom geworsteld en was tot de conclusie gekomen dat die bestond uit een goede lunch en een donkerrode wijn die het glas uitstoof. Maar Harry kon ook een steak laten zingen, een trompetloopje uit een streng spaghetti trekken. Hij stond vaak in de keuken, in de vuurlijn. Daarna deed hij zijn schort af, trok zijn jasje aan, streek zijn haar glad en liep bedaard en met stijl het restaurant binnen. Hij had een speciale band met Soderberg, al wist geen van beide mannen waarom. Harry bleef net iets langer met hem aan de bar zitten of trok een mooie fles uit het rek en dan zaten ze, onder de muurschilderingen van monniken, samen wat te kletsen. Misschien omdat ze de enige twee in de zaak waren die niet met de effectenhandel waren getrouwd. Die buitenstaanders waren voor de luide klokken van het geldwezen. Ze konden aan het decibelniveau om hen heen horen hoe de dag op de beurs verliep.

Bij Harry's hadden de makelaarskantoren allemaal hun eigen lijn verbonden met een batterij telefoons aan de wand. Mannen van Kidder, Peabody daar, Dillon, Read daar, Bear Stearns aan het eind van de bar, L.F. Rothschild bij de muurschilderingen. Het was altijd

groot geld. Het was ook elegant. En beschaafd. Een club van bevoor-
rechten. Toch kostte het geen kapitalen. Je kon er met een onge-
schonden ziel wegkomen.

Hij drentelde schuchter naar de bar, wenkte Harry en vertelde
hem over de koorddanser, dat hij hem die ochtend net had gemist,
dat de jongen was gearresteerd en algauw voorgeleid zou worden.

'Hij heeft in de torens ingebroken, Har.'

'Dus... hij is wel slim.'

'Maar stel dat hij was gevallen?'

'De grond zou de val nauwelijks verzachten, Sol.'

Soderberg nam een slokje van zijn wijn: de dieprode zwaarte
ervan steeg naar zijn neus.

'Wat ik bedoel, Har, is dat hij iemand had kunnen verpletteren. Niet
alleen zichzelf. Hij had een hamburger van iemand kunnen maken...'

'Hé, ik heb een goede lijnkok nodig. Misschien kan hij bij mij
komen werken.'

'De aanklacht tegen hem kan wel twaalf, dertien punten tellen.'

'Reden te meer. Hij zou mijn souschef kunnen worden. Hij zou de
vongole kunnen stomen. De linzen pellen. Van grote hoogte in de
soep duiken.'

Harry nam een lange trek van een sigaar en blies de rook naar het
plafond.

'Ik weet nog niet of ik hem krijg,' zei Soderberg. 'Wie weet houden ze hem vast tot de avondzitting.'

'Nou, mocht je hem krijgen, geef hem dan mijn visitekaartje. Zeg
maar dat hij een steak van het huis tegoed heeft. En een fles Château
Clos de Sarpe. Grand Cru, 1964.'

'Daarna zal hij wel niet aan koorddansen toekomen.'

Harry's gezicht rimpelde tot een voorlopige kaart van wat het
jaren later zou worden: vol, levendig, gul.

'Wat zit er in wijn, Harry?'

'Wat bedoel je?'

'Wat zit erin dat ons geneest?'

'Gemaakt om de goden te vereren. En de idioten te versuffen.
Kom, drink nog wat.'

Ze klonken in het licht dat schuin door de bovenramen viel. Het was alsof ze, zo naar buiten kijkend, daar in de hoogte de luchtwandeling opnieuw uitgevoerd zagen. Dit was per slot van rekening Amerika. Het soort land waar je zo hoog zou moeten mogen lopen als je maar wilde. Maar als je nu degene was die eronder liep? Als de koorddanser nu werkelijk was gevallen? Het was heel goed mogelijk dat hij dan niet alleen zichzelf, maar een tiental mensen beneden had omgebracht. Roekeloosheid en vrijheid – hoe werden die een cocktail? Het was zijn grote dilemma. De wet was er om de machtelozen te beschermen, maar ook de machtigsten in te perken. Maar als de machtelozen nu niet gerechtigd waren om eronder te lopen? Hij moest er soms door aan Joshua denken. Niet dat hij er graag aan dacht, tenminste niet aan het verlies, het verschrikkelijke verlies. Dat kostte hem te veel hartzeer. Stak hem te diep. Hij moest leren dat zijn zoon dood was. Daar kwam het op neer. Uiteindelijk was Joshua een rentmeester, een beheerder van de waarheid geweest. Hij had dienst genomen om zijn land te vertegenwoordigen en kwam thuis om Claire met verdriet te vellen. En ook hem te vellen. Maar hij liet het niet merken. Dat kon hij nooit. Hij huilde godbetert in bad, maar alleen wanneer het water liep. Solomon, wijze Solomon, de zwijger. Er waren nachten dat hij de stop openliet en het water maar liet lopen.

Hij was de zoon van zijn zoon – hij was hier, hij was achtergelaten.

Kleine dingen grepen hem naar de keel. De mitswa van *maakeh*: bouw een hek rond je dak, opdat er niemand afvalt. Hij twijfelde nu waarom hij zoveel jaar geleden die speelgoedsoldaatjes had gekocht. Het knaagde aan hem dat hij Joshua had gedwongen het volkslied op de piano te leren spelen. Hij vroeg zich af of hij de jongen, toen hij hem leerde schaken, misschien een vechtmentaliteit had ingeprent. Val aan over de diagonalen, jongen. Laat je nooit mat zetten achter de paaltjes. Ergens moet hij een stempel op de jongen hebben gedrukt. Toch was de oorlog gerechtvaardigd, gegrond, juist geweest. Solomon zag het grotere nut ervan in. De hoekstenen van de vrijheid werden erdoor beschermd. De oorlog was gevoerd om dezelfde idealen die elke dag in zijn rechtszaal onder vuur lagen. Het was eenvoudigweg de manier waarop Amerika zich verdedigde. Een tijd van doden en een tijd van helen. En toch zou hij het soms graag met Claire eens zijn dat oorlog gewoon een onafzienbare doodsfabriek was; oorlog maakte andere mannen rijk en hun zoon, zelf een rijke jongen, was uitgezonden om de poorten open te zetten. Maar het was een gedachte die hij zich niet kon veroorloven. Hij moest sterk en solide zijn, een steunpilaar. Hij had het zelden over Joshua, zelfs met Claire. Als hij er al met iemand over wilde praten, was het met Harry, die ook het een en ander van verlangen en verbondenheid wist, maar het was niet iets om nu over te praten. Hij was voorzichtig, Soderberg, altijd voorzichtig. Misschien te voorzichtig, dacht hij. Soms wilde hij dat hij het er allemaal uit kon gooien: *ik ben de zoon van mijn zoon, Harry, en mijn zoon is dood.*

Hij hief het glas naar zijn gezicht, snoof de wijn op, het diepe aardse aroma. Een ogenblik van luchtigheid – daar verlangde hij naar. Een goed, rustig ogenblik. Iets vriendelijks en zonder herrie. Een paar uur gezelschap van zijn goede kameraad. Of zich misschien voor de rest van de dag ziek melden, een middag met Claire doorbrengen, zo'n middag dat ze gewoon samen konden zitten lezen, zo'n zuiver moment, zoals hij in de loop van hun huwelijk steeds vaker met zijn vrouw deelde. Hij was tevreden, min of meer. Hij had geluk, min of meer. Hij had niet alles wat hij wilde, maar hij had genoeg. Ja, dat zou hij willen: gewoon een rustig middagje niks. Ruim dertig jaar huwelijk had hem niet versteend, nee.

Een klein beetje stilte. Een gebaar naar huis. Een hand op Harry's pols en een paar woorden in zijn oor: *mijn zoon.* Meer hoefde hij niet te zeggen, maar waarom zou hij het nu ingewikkeld maken?

Hij hief zijn glas en klonk met Harry.

'Proost.'

'Op niet vallen,' zei Harry.

'Op weer op kunnen staan.'

Soderberg begon nu te twijfelen aan zijn wens om de koorddanser in zijn rechtszaal te hebben: het zou vast te veel gedoe worden. Hij zou het liefst de dag aan de lange bar verbeuzelen, samen met zijn dierbare vriend, en samen op de goden proosten en de lichtval zijn gang laten gaan.

'Voorgeleidingskamer Deel 1A, zitting geopend. Wilt u allen opstaan.'

De bode had een stem die hem aan zeemeeuwen deed denken. Er zat een eigenaardige kras in, het eind van haar woorden zwenkte weg. Maar de woorden geboden onmiddellijke stilte en het geroezemoes achter in de zaal stierf weg.

'Stilte, alstublieft. Voorzitter is de edelachtbare rechter Soderberg.'

Hij wist direct dat hij de zaak had. Hij zag de verslaggevers in de banken van de publieke tribune zitten. Ze hadden dat opgeblazen, geteisterde uiterlijk. Ze droegen overhemden met open kraag en te wijde sportpantalons. Ongeschoren, door whisky getekend. Ze waren nog duidelijker herkenbaar aan de notitieblokjes met geel omslag die uit de zakken van hun jasjes staken. Ze reikhalsden om te zien wie er in de deur achter hem zou verschijnen. Een paar extra rechercheurs zaten voor de show op de eerste rij. Een paar klerken buiten dienst. Een paar zakenlieden, mogelijk bonzen van de Port Authority. Nog wat anderen, misschien een beveiligingsman of twee. Hij zag zelfs een lange, roodharige rechtbanktekenaar. En dat kon maar één ding betekenen: de televisiecamera's zouden buiten staan.

Hij kon de wijn in zijn tenen voelen. Hij was niet dronken – op geen stukken na – maar hij kon hem voelen suizen aan de randen van zijn lichaam.

'Orde in de rechtszaal. Stilte. De zitting is geopend.'

De deuren achter hem kraakten open en een rij van negen verdachten sjokte naar de banken langs de zijwand. Het gebruikelijke canaille, een paar oplichters, een man met een opengereten wenkbrauw, twee uitgetelde hoeren en helemaal achteraan, met een grijns van oor tot oor, liep met licht verende tred een vreemd geklede, jonge blanke man: dat moest de koorddanser zijn.

Opwinding op de tribune. De verslaggevers grepen naar hun pen.

Kletsend lawaai, alsof er plotseling een vloeistof in hen rondklotste. De equilibrist was nog kleiner dan Soderberg zich had voorgesteld. Kwajongensachtig. Donker shirt en donkere broek. Vreemde, dunne balletsloffen aan zijn voeten. Hij zag er zelfs een beetje uitgeput uit. Hij was blond, ergens halverwege de twintig, het soort man dat je als ober kon tegenkomen in het theaterdistrict. En toch ging er een zelfverzekerdheid, een bravoure van hem uit, die Soderberg wel waardeerde. Hij deed denken aan een kleine, ingeklonken versie van Joshua, alsof er iets briljants in zijn lichaam was geplant, ingeprogrammeerd als een van Joshua's hacks, waarvoor hij geen andere uitlaat had dan optreden.

Het was duidelijk dat de koorddanser nooit eerder voor een rechter had gestaan. Nieuwkomers waren altijd verbijsterd. Ze kwamen met grote ogen binnen, door alles overdonderd.

De koorddanser bleef staan en keek van de ene naar de andere kant van de rechtszaal. Een ogenblik bang en verward. Alsof er veel te veel taal was op deze plek. Hij was mager, lenig, had kenmerken van een leeuw. Hij had snelle ogen: de blik bleef steken bij de zetel van de rechter.

Soderberg had een fractie van een seconde oogcontact. Overtrad zijn eigen regel, maar wat zou het? De koorddanser begreep het en knikte half. Hij had iets vrolijks en speels in zijn ogen. Wat kon Soderberg met hem doen? Hoe kon hij het sturen? Per slot van rekening was het roekeloze gevaarzetting, op zijn allerminst, en dat kon boven terechtkomen, een ernstig misdrijf, met een kans op zeven jaar. En straatschenderij? Soderberg wist diep vanbinnen dat het nooit die kant zou opgaan. Ze zouden het op een overtreding houden en hij zou het met de officier moeten uitzoeken. Hij zou het slim spelen. Iets ongebruikelijks uit de hoed toveren. Bovendien waren er de verslaggevers die toekeken. De tekenaar. De tv-camera's, buiten de rechtszaal.

Hij riep zijn bode bij zich en fluisterde in haar oor: 'Wie eerst?' Het was hun grapje, hun justitiële Abbott en Costello-act. Ze liet hem de rol zien en hij keek vluchtig de zaken door, wierp een snelle blik op de strafbank, zuchtte. Hij hoefde zich niet aan de volgorde te houden, hij kon het een en ander omgooien, maar hij tikte met zijn pen op de zaak die bovenaan de rol stond.

De bode deed een stap achteruit en schraapte haar keel.

'Rolnummer zes-acht-zeven,' zei ze. 'Behandeling van de zaak tegen Tillie Henderson en Jazzlyn Henderson. Wilt u naar voren komen.'

De hulpofficier, Paul Concrombie, schudde de kreukels uit zijn jasje. Tegenover hem streek de toegevoegd advocaat zijn lange haar achterover, stapte naar voren en spreidde het dossier uit op de lessenaar. Achter in de zaal kreunde een van de verslaggevers hoorbaar toen de vrouwen van de bank opstonden. De jongste hoer was lang, met een lichte huid, droeg knalgele naaldhakken, een fluorescerend badpak onder een wijd zwart hemd en een opzichtige halsketting. De oudste droeg een eendelig badpak en zilverkleurige hoge hakken, haar gezicht was een proefterrein van mascara. Krankzinnig, dacht hij, zonnebaden in het Mausoleum. Ze keek alsof ze een habitué was, of ze haar rondjes in deze molen zo langzamerhand wel kende.

'Beroving met geweldpleging. Voorgeleid krachtens een uitstaand arrestatiebevel van 19 november 1973.'

De oudere hoer blies iemand over haar schouder een kus toe. Een blanke man op de publieke tribune bloosde en boog zijn hoofd.

'Dit is geen nachtclub, jongedame.'

'Sorry, edelachbare – ik zou d'r u ook wel eentje willen toeblazen, maar ik ben helemaal uitgeblazen.'

Er ging een kort lachsalvo door de zaal.

'Ik eis manieren op mijn zittingen, juffrouw Henderson.'

Hij was er vrij zeker van dat hij het woord *klootzak* onder haar tong vandaan hoorde kruipen. Hij vroeg zich altijd weer af waarom ze zulke kuilen voor zichzelf groeven, die hoeren. Hij tuurde op de strafbladen voor hem. Twee illustere loopbanen. De oudste hoer had in de loop der jaren minstens zestig aanklachten tegen zich verzameld. De jongste was aan een inhaalrace begonnen: de eerste aanklachten waren met regelmaat binnengekomen en van nu af zou dat alleen maar versnellen. Hij had het maar al te vaak gezien. Het was alsof je een kraan openzette.

Soderberg zette zijn leesbril recht, leunde een ogenblik achterover in zijn draaistoel en richtte zich met een vernietigende blik tot de hulpofficier.

'Zo. Vanwaar dat uitstel, meneer Concrombie? Dit is bijna een jaar geleden gebeurd.'

'Er hebben zich onlangs een paar ontwikkelingen voorgedaan, edelachtbare. De verdachten werden aangehouden in de Bronx en...'

'Stelt u dit als onderdeel van de tenlastelegging?'

'Ja, edelachtbare.'

'En is de hulpofficier genegen deze zaak af te doen ter zitting van deze strafkamer?'

'Jawel, edelachtbare.'

'Dus het arrestatiebevel wordt ingetrokken?'

'Jawel, edelachtbare.'

Hij kwam op dreef, maakte tempo. Het had allemaal iets van een goocheltruc. Gooi de zwarte cape open. Zwaai met het toverstokje. Let op, het konijn verdwijnt. Hij zag de rij knikkende hoofden in het publieksgedeelte, gevangen in de stroom, meegetrokken door hem. Hij hoopte dat de verslaggevers het in de gaten hadden en zagen hoe hij in zijn rechtszaal heerste, ook al had de wijn een paar hersencelletjes verdoofd.

'En wat doen we nu, meneer Concrombie?'

'Edelachtbare, ik heb dit besproken met de toegevoegd advocaat, meneer Feathers, hier aanwezig, en we zijn overeengekomen dat in het belang van justitie, alles in aanmerking genomen, het OM zal voorstellen de zaak tegen de dochter te seponeren. We vervolgen verder niet, edelachtbare.'

'De dochter?'

'Jazzlyn Henderson. Ja, neem me niet kwalijk, edelachtbare, het is een moeder-dochterteam.'

Hij wierp een snelle blik op de strafbladen. Tot zijn verbazing zag hij dat de moeder pas achtendertig was.

'Dus jullie zijn verwanten.'

'We houden 't in de familie, edelachbare!'

315

'Juffrouw, ik verzoek u niet meer te spreken.'

'Maar je vroeg me wat.'

'Meneer Feathers, licht uw cliënt even bij, alstublieft.'

'Maar je vroeg 't toch?'

'Als ik ú iets vraag, is het vroeg genoeg, jongedame.'

'O,' zei ze.

'Goed, juffrouw... Henderson. Mondje dicht. Begrijpt u dat? Mondje dicht. Zo. Meneer Concrombie. Gaat u verder.'

'Nou, edelachtbare, na bestudering van het dossier, acht het OM zich onvoldoende in staat de bewijslast, buiten elke gerede twijfel, te schragen.'

'Om welke reden?'

'Nou, de identificatie is problematisch.'

'Ja? Ik wacht.'

'Het verhoor heeft aan het licht gebracht dat er sprake is van persoonsverwisseling.'

'De identificatie van wie?'

'Nou, we hebben een bekentenis, edelachtbare.'

'Goed. Werkelijk verbluffend dat u er zo zeker van bent, meneer Concrombie. Dus u trekt de zaak tegen juffrouw, eh, juffrouw Jazzlyn Henderson in?'

'Jawel, edelachtbare.'

'En zijn alle partijen het daarmee eens?'

Een klein veld van knikkende hoofden in de zaal.

'Goed, strafvordering afgewezen.'

'Straf afgewezen?'

'Serieus?' zei het jonge meisje. 'Is dat 't?'

'Dat is het.'

'Geknipt en geschoren? Laat-ie me gaan?'

Hij was er zeker van dat hij haar binnensmonds kon horen zeggen: *Krijgnoudetering!*

'Wat zei u, jongedame?'

'Niks.'

De pro-Deoadvocaat boog zich naar haar toe en fluisterde iets giftigs in haar oor.

'Niks, edelachbare. Sorry. Ik zei niks. Bedankt.'

'Haal haar hier weg.'

'Til het koord op! Eén persoon komt naar buiten.'

De jongste hoer draaide zich naar haar moeder om, gaf haar een dikke zoen op haar wenkbrauw. Vreemde plek. De moeder, murw en moe, nam de zoen in ontvangst, streelde de wang van haar dochter en trok haar naar zich toe. Soderberg keek hoe ze elkaar omhelsden. Welke intense wreedheid, vroeg hij zich af, maakt zo'n gezin mogelijk?

Toch verbaasde het hem altijd weer, de liefde die zulke mensen elkaar konden tonen. Het was een van de weinige dingen die hem nog steeds ontroerden in de rechtszaal – de rauwe kracht van het leven, de aanblik van geliefden die elkaar omhelsden nadat ze elkaar hadden afgetuigd, of gezinnen die hun zoon, de kruimeldief, weer liefdevol opnamen, de verrassing wanneer vergevingsgezindheid oplichtte in het hart van zijn rechtszaal. Het gebeurde zelden, maar het kwam voor, en net als alles was dat zeldzame broodnodig.

De jonge hoer fluisterde iets in haar moeders oor en de moeder lachte, zwaaide weer over haar schouder naar de blanke man in het publieksgedeelte.

De parketwachter tilde het koord niet op. De jonge hoer deed het zelf. Ze stapte heupwiegend weg, alsof ze zich al aan het verkopen was. Schaamteloos liep ze door het middenpad naar de blanke man met het grijzende haar opzij van zijn hoofd. Ondertussen trok ze het zwarte hemd uit, zodat alleen haar badpak te zien was.

Soderberg voelde zijn tenen krommen bij zulke onversneden brutaliteit.

'Trek dat hemd weer aan, meteen!'

'We leven toch in 'n vrije wereld? U hebt me vrijgelaten. Het is zijn hemd.'

'Trek het aan,' zei Soderberg, dicht naar zijn microfoon gebogen.

'Hij wilde dat ik me netjes aankleedde voor de rechter. Niet, Corrie? Hij heeft 't me gestuurd in het Mausoleum.'

De blanke man probeerde haar aan haar elleboog mee te trekken, terwijl hij dringend iets in haar oor fluisterde.

'Trek dat hemd aan, of ik laat u inrekenen wegens belemmering van de rechtsgang. Meneer, bent u familie van die jonge vrouw?'

'Nee, niet direct,' zei de man.

'En wat betekent *niet direct*?'

'Ik ben haar vriend.'

Hij had een Iers accent, deze grijsharige pooier. Hij stak zijn kin naar voren als een ouderwetse bokser. Zijn gezicht was mager, met ingevallen wangen.

'Nou, vriend, ik wil er zeker van zijn dat ze dat hemd hier te allen tijde aanhoudt.'

'Ja, edelachtbare. En, edelachtbare...?'

'Doe nu maar wat ik zeg.'

'Maar, edelachtbare...'

Soderberg liet de hamer met een klap neerkomen: 'Genoeg,' zei hij.

Hij zag hoe de jonge hoer de Ier op zijn wang kuste. De man wendde zich af, maar nam toen haar gezicht zacht in zijn handen. Een vreemd uitziende pooier. Niet het gebruikelijke type. Wat dan ook. Je had ze in alle soorten en maten. De waarheid was dat de vrouwen het slachtoffer waren van de mannen, altijd geweest, zou altijd zo blijven. Alles welbeschouwd zouden idioten als die pooier achter de tralies moeten. Soderberg slaakte een zucht en wendde zich tot de hulpofficier.

Een opgetrokken wenkbrauw was voldoende om elkaar te verstaan. Nu nog de kwestie van de moeder afhandelen en hij zou aan het klapstuk toe zijn.

Hij wierp een vlugge blik op de koorddanser in de verdachtenbank. Een uitdrukking van verbijstering op het gezicht van de koorddanser. Zíjn misdaad was zo uniek dat hij geen idee moest hebben van wat hij hier eigenlijk deed.

Soderberg tikte op de microfoon en iedereen in de rechtszaal spitste de oren.

'Als ik het goed begrijp, zal de andere verdachte, de moeder hier...'

'Tillie, edelachbare.'

'Ik heb het niet tegen u, juffrouw. Als ik het goed begrijp, heren, is dit nog steeds een aanklacht voor een misdrijf. Bent u genegen het af te doen als overtreding?'

'Edelachtbare, we hebben hier al een voorstel tot afdoening. Ik heb het besproken met meneer Feathers.'

'Inderdaad, edelachtbare.'

'En...?'

'Het OM is bereid de aanklacht terug te brengen van beroving naar gewone diefstal in ruil voor de schuldigverklaring van de verdachte.'

'Is dat wat u wilt, juffrouw Henderson?'

'Hè?'

'Bent u bereid om zich schuldig te verklaren aan dit delict?

'Hij zei dat 't niet meer dan zes maanden zou zijn.'

'Twaalf is uw maximum, juffrouw Henderson.'

'Zolang ik m'n kleintjes maar kan zien...'

'Pardon?'

'...vind ik alles best,' zei ze.

'Goed dan, gehoord deze verklaring worden de openstaande aanklachten teruggebracht tot gewone diefstal. Begrijpt u dat als ik uw schuldigverklaring aanvaard conform het besluit dat u hebt genomen, dat ik gerechtigd ben om u een gevangenisstraf van maximaal één jaar op te leggen?'

Ze boog zich snel naar haar toegevoegd advocaat, die zijn hoofd schudde, zijn hand op haar pols legde en haar een flauwe glimlach schonk.

'Ja, snap ik.'

'En u begrijpt dat u zich schuldig verklaart aan gewone diefstal?'

'Ja, mop.'

'Pardon?'

Soderberg voelde een pijnscheut ergens tussen zijn ogen en keelholte. Een ontstelde schok. Had ze hem werkelijk *mop* genoemd? Het kon niet waar zijn. Ze stond hem half glimlachend aan te staren. Kon hij doen alsof hij het niet had gehoord? Het door de vingers zien? Haar aanspreken op minachting van de rechtbank? Wat zou er gebeuren als hij er een toestand over maakte?

In de stilte leek de zaal een ogenblik te krimpen. De advocaat naast haar keek alsof hij haar een oor wilde afbijten. Ze haalde haar schouders op, lachte en zwaaide weer naar iemand achter haar.

'Ik neem aan dat dat niet zo bedoeld was, juffrouw Henderson.'

'Wat bedoeld, edelachbare?'

'We gaan verder.'

'U zegt 't maar, edelachbare.'

'Let op uw taal, alstublieft.'

'Cool,' zei ze.

'Anders sta ik niet voor de gevolgen in.'

'Oké.'

'U begrijpt dat u afziet van uw recht op een proces?'

'Ja.'

De lippen van de pro-Deoadvocaat deinsden terug toen ze per ongeluk het oor van de vrouw raakten.

'Ik bedoel, ja meneer.'

'U heeft de schuldigverklaring besproken met uw advocaat en u bent tevreden over zijn diensten? U verklaart zich schuldig uit eigen vrije wil?'

'Ja, meneer.'

'U begrijpt dat u afziet van uw recht op een proces?'

'Ja, meneer, wat dacht u.'

'Goed, juffrouw Henderson, wat is uw verklaring ten aanzien van gewone diefstal?' Opnieuw boog de toegevoegd advocaat zich opzij om haar bij te lichten.

'Schuldig.'

'Heel goed, vertel me dan eens wat er gebeurd is.'

'Hè?'

'Vertel me hoe het is gegaan, juffrouw Henderson.'

Soderberg keek hoe de griffier het formulier met gele achterkant begon over te zetten op een met blauwe achterkant voor het lichtere vergrijp. In het publieksgedeelte zaten de verslaggevers te frummelen aan de spiralen van hun notitieboekjes. Het geroezemoes in de zaal was enigszins weggeëbd. Soderberg wist dat hij nu snel moest handelen als hij er een goede voorstelling voor de koorddanser uit wilde slepen.

De hoer hief haar hoofd op. Zoals ze erbij stond, overtuigde ze hem van haar schuld. Alleen al aan de lichaamshouding zag hij het. Hij zag het altijd.

'Het is een hele tijd geleden. Nou, ik had, nou ja, ik wou niet naar Hell's Kitchen, maar Jazzlyn en ik, nou eigenlijk ik, ik had dat afspraakje in Hell's Kitchen, en hij zei van die kutdingen over mij.'

'Pas op, juffrouw Henderson.'

'Kutdingen van dat ik oud was en zo.'

'Let op uw woorden, juffrouw Henderson.'

'En z'n portefullie sprong zomaar voor m'n neus omhoog.'

'Dank u.'

'Ik was er nog niet.'

'Zo is het genoeg.'

'Ik ben niet in- en inslecht. Ik weet dat jullie me inslecht vinden.'

'Genoeg, jongedame.'

'Ja, pa.'

Hij zag een van de parketwachten grijnzen. Zijn wangen gloeiden. Hij schoof zijn bril bovenop zijn hoofd, fixeerde haar met een strakke blik. Haar ogen leken opeens groot en smekend en heel even begreep hij hoe ze, zelfs in de slechtste omstandigheden, een man kon aantrekken: een zekere schoonheid en felheid, laag op laag, en ervaring met liefde.

'En u begrijpt dat u niet gedwongen bent tot schuldigverklaring?'

Ze wiebelde tot dicht bij haar raadsman en draaide zich toen met halfgeloken ogen naar de rechterstoel.

'O nee,' zei ze, 'ze dwingen me niet.'

'Meneer Feathers, u stemt in met onmiddellijke uitspraak en ziet af van uw recht om verzachtende omstandigheden aan te voeren?'

'Zeker, edelachtbare.'

'En, juffrouw Henderson, wilt u een verklaring afleggen voordat ik uitspraak doe?'

'Ik wil naar Rikers.'

'U begrijpt, juffrouw Henderson, dat deze rechtbank niet kan bepalen in welke gevangenis u terechtkomt.'

'Maar ze zeiden dat ik naar Rikers zou gaan. Dat hebben ze gezegd.'

'En waarom, als ik zo vrij mag zijn, zou u naar Rikers willen? Waarom zou iemand als...'

'Voor de kleintjes.'

'Heeft u kleintjes?'

'Die van Jazzlyn.'

Ze wees over haar schouder naar haar dochter, die onderuitgezakt in het publieksgedeelte zat.

'Goed dan, ik kan niets garanderen, maar ik zal een aantekening maken voor de griffier om het verzoek in te dienen. In de zaak van het Openbaar Ministerie tegen Tillie Henderson, verklaart verdachte zich schuldig en veroordeel ik haar tot ten hoogste acht maanden gevangenisstraf.'

'Acht maanden?'

'Juist. Ik kan er twaalf van maken als u dat wilt.'

Haar mond ging open in geluidloos gejammer.

'Ik dacht dat het 'r zes zouden zijn.'

'Acht maanden, jongedame. Wilt u uw schuldigverklaring intrekken?'

'Kut,' zei ze en ze haalde haar schouders op.

Hij zag de Ier in het publieksgedeelte de arm van de jonge hoer grijpen. Hij wilde naar voren komen om iets tegen Tillie Henderson te zeggen, maar een parketwacht porde hem in zijn borst met een gummiknuppel.

'Orde in de rechtszaal.'

'Mag ik iets zeggen, edelachtbare?'

'Nee. Gá. Súbiet. Zítten.'

Soderberg voelde zijn tanden knarsen.

'Tillie, ik kom straks terug, oké?'

'Ga zitten, of anders...'

De pooier bleef in het middenpad staan en keek omhoog naar Solderberg. Kleine pupillen, ogen helblauw. Soderberg voelde zich bloot, open, afgepeld. Een deken van stilte viel over de rechtszaal.

'Ga zitten! Anders moet ik...'

De pooier boog zijn hoofd en trok zich terug. Soderberg slaakte een korte zucht van opluchting en draaide zich iets in zijn stoel opzij. Hij pakte de rol op, legde zijn hand over de microfoon, knikte naar de bode.

'Goed,' fluisterde hij. 'Leid de koorddanser voor.'

Soderberg wierp een blik op Tillie Henderson toen ze werd weggevoerd naar de deur rechts van hem. Ze liep met gebogen hoofd en toch zat er iets van een geoefende branie in haar tred. Alsof ze al buiten aan het tippelen was. Ze werd aan weerszijden door een parketwachter vastgehouden. Het jasje dat ze droeg was vuil en gekreukt. De mouwen waren veel te lang. Het leek groot genoeg voor twee vrouwen. Haar gezicht zag er vreemd en kwetsbaar uit, maar had toch een vleugje sensualiteit behouden. Haar ogen waren donker. Haar wenkbrauwen tot strepen geëpileerd. Ze had uitstraling, iets fonkelends. Het was alsof hij haar voor het eerst zag: ondersteboven, zoals het oog in eerste instantie ziet en dan moet corrigeren. Het gezicht leek tegelijk teder en scherp. De lange neus die eruit zag alsof hij een paar keer gebroken was geweest. De gesperde neusvleugels.

Bij de deur keerde ze zich om en probeerde ze achterom te kijken, maar de parketwachters stonden haar in de weg.

Ze mimede iets naar haar dochter en de pooier, maar het ging verloren en ze stootte een kleine zucht uit, alsof ze aan het begin stond van een lange reis. Even was haar gezicht bijna mooi, toen draaide de hoer zich om, schuifelde verder, de deur werd achter haar gesloten en ze verdween in haar eigen naamloosheid.

'Leid de koorddanser voor,' zei hij weer tegen zijn bode. 'Nu.'

Centavos

I k heb ten minste nog altijd dit: Het is een donderdagochtend.
Mijn benedenwoning. In een gepotdekseld huis. In een straat
met gepotdekselde huizen. Door het raam een donkere schicht tegen de blauwe hemel. Het is een verrassing voor me dat er nog allerlei vogels in de Bronx zijn. Het is zomer, dus Eliana en Jacobo
hebben geen school. Maar ze zijn al wakker. Ik hoor de televisie
hard aanstaan. Ons antieke toestel ontvangt maar één kanaal en
Sesamstraat wordt erop uitgezonden. Ik draai me onder de lakens
naar Corrigan. Hij is voor de allereerste keer blijven slapen. We
hadden het niet gepland: het is zo gelopen. Hij woelt in zijn slaap.
Zijn lippen zijn droog. De witte lakens bewegen met zijn lichaam
mee. De baard van een man is een weerkaart: afwisselend licht en
donker, een lichte bui grijs op de kin, een donkere depressie onder
zijn lip. Het verbaast me hoe donker het hem maakt, die ochtend-
baard, hoe die in zo korte tijd kon groeien, zelfs met spikkeltjes grijs
die er de vorige avond nog helemaal niet waren.

Het gekke van liefde is dat we tot leven komen in lichamen die
niet de onze zijn.

Eén mouw van Corrigans hemd is aan, één mouw uit. In onze
haast hebben we ons niet eens behoorlijk uitgekleed. Alles is vergeven. Ik til zijn zware arm op en maak de knopen van het hemd los.
Houten knopen die door een stoffen lus schuiven. Ik trek het hemd
over zijn arm uit. Zijn huid is heel wit, de kleur van vers openge-

sneden appel, beneden zijn bruine nek. Ik kus zijn schouder. De religieuze hanger om zijn hals heeft een bleek spoor achtergelaten, maar niet het kruis, want dat zit onder zijn hemd. Het is alsof hij een halssnoer van wit vel draagt dat middenin ophoudt. Nog een paar blauwe plekken op zijn huid: zijn bloedkwaal.

Hij doet zijn ogen open en knippert even, maakt een geluid dat ergens tussen pijn en bewondering in zit. Hij duwt zijn voeten onder de lakens vandaan, kijkt de kamer rond.

'O,' zegt hij, 'het is ochtend.'

'Zeker.'

'Hoe is mijn broek daar gekomen?'

'Je hebt te veel vino gedronken.'

'¿De veras?' zegt hij. 'En wat ben ik toen geworden, acrobaat?'

Van boven het geluid van voetstappen, onze buren worden wakker. Hij wacht tot de geluiden, het mogelijke bonken van hun voeten in schoenen, voorbij zijn.

'De kinderen?'

'Die kijken naar *Sesamstraat*.'

'We hebben veel gedronken.'

'Zeker.'

'Ik ben het niet meer gewend.' Hij voelt over de lakens, stuit op de welving van mijn heup, trekt zijn handen weg.

Nog meer geluiden van boven, een douche, de val van een zwaar voorwerp, het tikken van naaldhakken over de vloer. Ik heb de woning die alle herrie ontvangt, zelfs vanuit het souterrain beneden. Voor honderdtien dollar per maand heb ik het gevoel dat ik in een radio woon.

'Zijn ze altijd zo luidruchtig?'

'Wacht maar tot hun pubers wakker worden.'

Hij kreunt en kijkt naar het plafond. Ik vraag me af wat Corrigan nu denkt: zijn God daarboven, maar eerst mijn buren.

'Dokter, help me,' zegt hij. 'Vertel me iets moois.'

Hij weet dat ik altijd arts heb willen worden, dat ik om die reden helemaal uit Guatemala ben gekomen, dat ik mijn medische opleiding thuis niet kon afmaken. En hij weet ook dat het me hier niet is gelukt, dat ik niet eens de drempel van een universiteit over ben gekomen, dat die kans er waarschijnlijk al nooit was, en toch noemt hij me 'Dokter'.

'Nou, ik werd vanmorgen wakker en constateerde een geval van geluk in een zeer vroeg stadium.'

'Nooit van gehoord,' zegt hij.

'Het is een zeldzame ziekte. Ik heb het opgelopen net voordat de buren wakker werden.'

'Is het besmettelijk?'

'Heb jij het nog niet?'

Hij kust mijn lippen, maar draait zich dan van me weg. Het ondraaglijke gewicht van de complicaties die hij met zich meedraagt, zijn schuldgevoel, zijn vreugde. Hij ligt op zijn linkerschouder, met opgetrokken benen en keert zijn rug naar me toe – het is alsof hij in elkaar wil kruipen om zich te beschermen.

De eerste keer dat ik Corrigan zag, keek ik uit het raam van het verzorgingstehuis. Hij was daar, achter de vuile ruiten, bezig om Sheila en Paolo en Albee en de anderen in te laden. Hij had gevochten. Er zaten sneeën en blauwe plekken op zijn gezicht en hij leek me zo te zien precies het soort man bij wie ik uit de buurt moest blijven. En toch had hij ook iets dat deed denken aan loyaliteit – het enige woord dat ik ervoor kon vinden, *fidelidad* – hij leek loyaal aan hen te zijn, misschien omdat hij wist wat voor leven ze hadden. Hij gebruikte houten planken om de rolstoelen het busje in te krijgen en hij gespte hen vast. Hij had zijn bus volgeplakt met Vrede & Recht-stickers en ik dacht: misschien heeft hij naast zijn gewelddadigheid ook nog gevoel voor humor. Ik kwam er later achter dat hij die sneeën en blauwe plekken van de souteneurs had – hij incasseerde de ergste klappen en sloeg nooit terug. Hij was ook loyaal aan de meisjes, en aan zijn God, maar zelfs hij wist dat er ergens een eind kwam aan loyaliteit.

Na een ogenblik draait hij zich naar me toe, strijkt met zijn vinger over mijn lippen en zegt dan opeens: 'Sorry.'

We waren te gehaast gisteravond. Hij viel eerder in slaap dan ik. Vrouwen vinden het misschien opwindend om met een man te vrijen die nog nooit van zijn leven heeft gevreeën, en dat was het ook, de gedachte eraan, de ontwikkeling ernaartoe, maar het was alsof ik met een stel verloren jaren vree, om de waarheid te zeggen, hij huilde, legde zijn hoofd op mijn schouder en kon mijn blik niet vasthouden, niet verdragen.

Een man die zich zo lang aan een gelofte houdt heeft recht op wat hij maar wil.

Ik zei tegen hem dat ik van hem hield en dat ik altijd van hem zou houden en dat ik me voelde als een kind dat een centavo in een fontein gooit en dan iemand móét vertellen van haar heel speciale wens, ook al weet ze dat die wens geheim hoort te blijven en dat ze die, door hem te verklappen, heel waarschijnlijk tenietdoet. Hij antwoordde dat ik me geen zorgen moest maken, dat het muntje weer uit de fontein kon komen, telkens weer en weer.

Hij wilde de poging om te vrijen overdoen. Telkens weer andere verbazing en twijfel over wat er gebeurde, alsof hij zichzelf niet vertrouwde.

Maar er is een ogenblik dat hij nu wakker wordt – op deze dag die ik me altijd en altijd weer zal herinneren – dat hij zich naar me toekeert met nog een vleugje wijn in zijn adem.

'Dus,' zegt hij, 'je hebt me ook mijn hemd uitgetrokken.'

'Het is een truc.'

'Een goeie,' zegt hij.

Mijn hand glijdt over het laken naar hem toe.

'We moeten de *mirilla* bedekken,' zeg ik.

'De wat?'

'De mirilla, het kijkding, spiekgaatje, of hoe het ook mag heten.'

In elke deur van mijn appartement zit een spionnetje. De huisbaas had de deuren kennelijk ooit voor een koopje kunnen krijgen, en had ze overal ingehangen. Je kunt van de ene naar de andere kamer kijken en het gebogen glas maakt die smal of breed, afhankelijk van de kant waar je staat. Als je mijn keuken inkijkt, is de wereld piepklein. Als je naar buiten kijkt, strekt hij zich uit. Het spionnetje in de slaapkamer is naar binnen gericht, waardoor Jacobo en Eliana me kunnen zien als ik slaap. Ze noemen het de lachspiegeldeur. Door de vertekening is het voor hen alsof ik in het grootste bed van de wereld lig. Ik lig opgeblazen op de grootste kussens van de wereld. De muren buigen om me heen. De eerste dag na onze verhuizing stak ik mijn tenen onder de dekens vandaan. *Mamma, je voeten zijn groter dan je hoofd!* M'ijo zei dat de wereld in mijn slaapkamer van elastiek leek. M'ija zei dat hij van kauwgum was gemaakt.

Corrigan schuift zijwaarts het bed uit. Magere blote rug, lange benen. Hij loopt naar de kast. Hij hangt zijn zwarte hemd op een hangertje, duwt het metalen eind van de hanger in de spleet tussen deur en bovendorpel. Het bungelende zwarte hemd bedekt het spionnetje in de deur. Aan de andere kant het geluid van de televisie.

'Hij zou ook op slot moeten,' zeg ik.

'*¿Estás segura?*'

De Spaanse zinnetjes die hij gebruikt klinken als stenen in zijn mond, zijn accent is zo vreselijk dat ik erom moet lachen.

'Maken ze zich dan geen zorgen?'

'Niet als wij ons geen zorgen maken.'

Hij komt terug naar het bed, naakt, verlegen, zichzelf bedekkend. Hij schiet onder de lakens, geeft me een duwtje tegen mijn schouder. Zingt. Vals. 'Laat je speelgoed staan, schuif gezellig aan, voor Sesamstraat.'

Ik weet al dat ik naar deze dag zal terugkeren wanneer ik maar wil. Ik kan hem tot leven roepen. Bewaren. Er is een stil punt waar het heden, het nu, zich om zichzelf windt zonder dat iets verward raakt. De rivier is niet waar hij begint of eindigt, maar precies in het midden, verankerd door wat is gebeurd en wat gaat komen. Je kunt je ogen dichtdoen en er valt lichte sneeuw in New York, seconden later lig je te zonnen op een rots in Zacapa, en weer seconden later scheer je door de Bronx op de kracht van je eigen begeerte. Je kunt onmogelijk een woord vinden dat om dat gevoel heen past. Woorden verzetten zich ertegen. Woorden geven er een patroon aan dat er niet bij hoort. Woorden plaatsen het in de tijd. Zetten stil wat niet gestopt kan worden. Probeer de smaak van een perzik te beschrijven. Probeer het te beschrijven. Voel de vloedgolf van het zoet: we vrijen.

Ik hoor het bonzen op de deur niet eens, maar Corrigan houdt op en kust me, een randje zweet boven op zijn voorhoofd.

'Dat zal Elmo zijn.'

'Volgens mij is het Koekiemonster.'

Ik stap uit bed en haal het hemd voor het spionnetje van de kleerhanger, kijk omlaag. Ik zie de bovenkant van hun hoofden: hun ogen zien er klein en beduusd uit. Ik trek Corrigans hemd aan en maak de deur open. Buk me tot op ooghoogte. Jacobo heeft een oude deken in zijn handen. Eliana een leeg plastic glas. Ze hebben honger, zeggen ze, eerst in het Engels dan in het Spaans.

'Even wachten,' zeg ik tegen ze. Ik ben een vreselijke moeder. Ik zou dit niet moeten doen. Ik doe de deur weer dicht, maar doe hem even snel weer open, vlieg naar de keuken, vul twee kommen met cornflakes, twee glazen met water.

'Nu wil ik jullie niet meer horen, *niños*. Beloof het me.'

Ik ga weer naar de slaapkamer, kijk even door het spionnetje naar mijn kinderen, die voor de televisie cornflakes morsen op het kleed. Ik loop de kamer door en spring op bed. Ik gooi het laken op de grond en val dan naast Corrigan, trek hem tegen me aan. Hij lacht, zijn lichaam is ontspannen.

We haasten ons, hij en ik. We vrijen weer. Naderhand neemt hij in mijn badkamer een douche.

'Vertel me iets moois, Corrigan.'

'Zoals wat?'

'Kom op, het is jouw beurt.'

'Nou, ik heb net piano leren spelen.'

'Er is geen piano.'

'Precies. Ik ging er gewoon achter zitten en kon meteen elke noot spelen.'

'Ha!'

Het is waar. Zo voelt het. Ik loop de badkamer in als hij staat te douchen, trek het gordijn open, kus zijn natte lippen, trek mijn peignoir aan en ga voor de kinderen zorgen. Mijn blote voeten op het golvende zeil. Mijn gelakte teennagels. Ik word vaag gewaar dat elke vezel in me nog steeds met Corrigan aan het vrijen is. Alles voelt nieuw, mijn vingertoppen alert, elke aanraking een kookplaat.

Hij komt de badkamer uit met zulk nat haar dat ik eerst denk dat het grijs op zijn slapen is verdwenen. Hij draagt zijn donkere broek en zijn zwarte hemd omdat hij niets anders heeft om aan te trekken. Hij heeft zich geschoren. Ik wil hem een standje geven voor het gebruiken van mijn scheerapparaat. Zijn huid glimt en ziet schraal.

Een week later – na het ongeluk – zal ik thuiskomen en zijn haartjes op mijn aanrecht uitkloppen, er figuurtjes mee maken, obsessief, keer op keer. Ik zal ze uittellen om ze opnieuw samen te voegen. Ik zal ze op de rand van het aanrecht bijeenvegen en proberen er zijn portret van te maken.

Ik heb de röntgenfoto's in het ziekenhuis gezien. De gezwollen hartschaduw van het stompe borsttrauma. Zijn hartspier die dichtgeknepen raakte door bloed en vocht. Griezelig opgezette halsaders. Zijn hart ging in en uit galop. De dokter stak een naald in zijn borst. Ik kende de procedure uit mijn tijd als verpleegster: het pericardium draineren. Bloed en vocht werden afgevoerd, maar Corrigans hart bleef zwellen. Zijn broer zei gebeden, keer op keer. Ze namen nog een röntgenfoto. De halsaderen waren enorm, ze knepen hem dicht. Zijn hele lichaam was koud geworden.

Maar voorlopig kijken de kinderen even op en zeggen: 'Hoi, Corri', alsof het de gewoonste zaak van de wereld is. Achter hem staat de televisie aan. *Tel tot zeven. Zing met ons mee. Toen de taart werd aangesneden gingen de vogels zingen.*

'*Niños, apaguen la tele.*'

'Nog even, mam.'

Corrigan zit aan de kleine houten tafel achter het televisietoestel. Met zijn rug naar mij toe. Mijn hart beeft, telkens als hij bij het portret van mijn overleden man zit. Hij heeft me nooit gevraagd de foto weg te halen. Dat zal hij nooit doen. Hij weet waarom die er staat. Ook al was mijn man een bruut die tijdens de oorlog in de bergen bij Quezaltenango is gesneuveld – het doet er niet toe – alle kinderen hebben een vader nodig. Bovendien is het maar een foto. Het is geen halszaak. Het is geen bedreiging voor Corrigan. Hij kent mijn verhaal. Het is vervat in dit moment.

En plotseling denk ik, als ik zo naar hem kijk aan de tafel, dat dit de dagen zijn zoals ze zullen worden. Dit is de toekomst zoals we die zien. Beweging en stilstand. Zekerheid en twijfel. Corrigan kijkt even om, glimlacht. Hij frommelt aan een van mijn medische studieboeken. Hij slaat het zelfs op een willekeurige bladzij open en doet alsof hij leest, maar ik weet dat het niet zo is. Tekeningen van lichamen, van botten, van kraakbeen.

Hij bladert het boek door alsof hij meer ruimte zoekt.

'Echt,' zegt hij, 'dat zou een goed idee zijn.'

'Wat?'

'Om een piano te nemen en het te leren.'

'Ja, en waar wou je die zetten?'

'Op de televisie. Niet, Jacobo? Hé, Bo, dat zou best kunnen, hè?'

'Nah,' zegt Jacobo.

Corrigan buigt zich naar de bank en geeft een aai over het donkere haar van mijn zoon.

'Misschien nemen we wel een piano met een televisie erin.'

'Nah.'

'Misschien nemen we wel een piano met tv én ingebouwd chocoladeapparaat.'

'Nah.'

'Televisie,' zegt Corrigan lachend, 'de ideale drug.'

Voor het eerst in jaren verlang ik naar een tuin. We zouden buiten in de koele frisse lucht kunnen zitten en op een afstandje van de kinderen onze eigen ruimte kunnen vinden, we zouden de naburige gebouwen verkorten tot grassprieten, de steenhouwers bloemen aan onze voeten laten hakken. Ik heb er vaak van gedroomd om ze mee terug te nemen naar Guatemala. Er was een plek waar ik vaak met mijn jeugdvriendjes naartoe ging, een vlinderbosje, langs de zandweg naar Zacapa. Het pad dook in de wildernis omlaag. De bomen maakten plaats voor het bosje, waar het struikgewas laag was gebleven. De bloemen hadden de vorm van een klok, rood en ontelbaar. De meisjes zogen aan de zoete bloemen, terwijl de jongens de vlinders uit elkaar trokken om te zien hoe ze gemaakt waren. Sommige vleugels waren zo fel van kleur dat ze wel giftig moesten zijn. Toen ik uit mijn land vertrok en in New York aankwam, huurde ik een klein appartement in Queens, en op een radeloze dag nam ik die tatoeage op mijn enkel, met uitgespreide vleugels. Het is een van de stomste dingen die ik ooit heb gedaan. Ik haatte mezelf dat ik zo ordinair was geworden.

'Je bent aan het dagdromen,' zegt Corrigan tegen me.

'O ja?'

Met mijn hoofd tegen zijn schouder lacht hij alsof de lach een heel eind wil reizen, ook door mijn lichaam.

'Corrie?'

'Hmm, hmm?'

'Hoe vind je mijn tatoeage?'

Hij geeft me een speelse por. 'Ik kan ermee leven,' zegt hij.

'Zeg eens eerlijk.'

'Nee, leuk, echt waar.'

'*Mentiroso*,' zeg ik. Een rimpel in zijn voorhoofd. 'Jokkebrok.'

'Ik jok niet. Jongens! Jongens, vinden jullie dat ik jok?'

Geen van twee reageert.

'Zie je nou wel?' zegt Corrie. 'Ik zei het toch?'

Mijn verlangen naar hem is nu rauw en scherp. Ik buig me naar hem toe en kus zijn lippen. Het is voor het eerst dat we in het bijzijn van de kinderen zoenen, maar ze schijnen het niet op te merken. Een streep kou in mijn nek.

Er zijn momenten – hoewel niet vaak – dat ik wou dat ik geen kinderen had. Laat ze even verdwijnen, God, voor een uurtje of zo, niet meer, maar een uurtje, dat is alles. Doe het wel vlug, zonder dat ik het zie, laat ze in een rookwolk opgaan en weg zijn, en breng ze daarna weer helemaal ongedeerd terug, alsof ze nooit weg zijn geweest. Maar laat me even met hem alleen zijn, met deze man, Corrigan, heel even, alleen hij en ik, samen.

Ik laat mijn hoofd op zijn schouder liggen. Hij legt zijn hand afwezig op mijn wang. Wat gaat er in hem om? Er zijn zoveel dingen die hem van me weg kunnen trekken. Soms heb ik het gevoel dat hij magnetisch is. Hij stuit af en tolt rond in de lucht om me heen. Ik ga naar de keuken, koffie voor hem zetten. Hij drinkt hem graag sterk en heet, met drie scheppen suiker. Hij haalt het lepeltje eruit en likt het triomfantelijk af, alsof het hem door een beproeving heen heeft geholpen. Hij ademt op het lepeltje en hangt het dan aan de punt van zijn neus, zodat het daar idioot blijft bungelen.

Hij draait zich naar me toe. 'Hoe vind je dit, Adie?'

'*Que payaso.*'

'*Gracias*,' zegt hij met zijn vreselijke accent.

Hij loopt tot voor de televisie met het lepeltje nog aan zijn neus. Het valt en hij vangt het op, ademt er dan nog eens op, doet zijn kunstje. De kinderen schateren van het lachen. 'Ik ook, ik ook.'

Dat zijn de kleine dingen die ik leer. Hij is gek genoeg om lepeltjes aan de punt van zijn neus te hangen. En ook: hij koelt zijn koffie altijd door te blazen, drie keer kort, een keer lang. En ook: hij houdt niet van cornflakes. En ook: hij kan goed broodroosters repareren.

De kinderen kijken weer naar het tv-programma. Hij leunt achterover en drinkt zijn koffie op. Hij staart naar de verste muur. Ik weet dat hij weer aan zijn God en zijn kerk denkt, en aan zijn verlies als hij besluit uit de orde te treden. Het is alsof zijn eigen schaduw op het punt staat hem te pakken. Ik weet dat allemaal omdat hij naar me glimlacht en het een glimlach is die alles omvat, ook een schouderophalen. En dan staat hij ineens op van tafel, rekt zich uit, gaat naar de bank, laat zich over de rugleuning vallen en gaat tussen de kinderen zitten, alsof die hem kunnen beschermen. Hij slaat zijn armen om hen heen, over hun schouders. Dat vind ik vertederend en ergerlijk aan hem, allebei tegelijk. Ik voel weer een verlangen naar hem, nu in mijn mond, scherp als zout.

'Weet je,' zegt hij, 'ik moet eens aan het werk.'

'Nog niet, Corrie. Blijf nog even. Het werk kan wachten.'

'Ja,' zegt hij, alsof hij het zelf gelooft.

Hij trekt de kinderen dichter naar zich toe en ze laten het toe. Ik wil dat hij een beslissing neemt. Ik wil hem horen zeggen dat hij zowel God als mij kan hebben, en ook mijn kinderen en mijn gepotdekselde huisje. Ik wil dat hij hier blijft – hier – op de bank, zonder op te staan.

Ik zal me altijd afvragen wat het was, wat dat moment van

schoonheid was, toen hij het me toefluisterde, toen we hem als een wrak in het ziekenhuis aantroffen, wat hij zei toen hij in het donker fluisterde dat hij iets had gezien dat hij niet kon vergeten, een mengelmoes van woorden, een man, een gebouw, ik kon het niet goed verstaan. Ik kan alleen maar hopen dat hij zich vredig heeft gevoeld in die laatste minuut. Het kan een heel banale gedachte zijn geweest, het kan ook zijn geweest dat hij had besloten uit de orde te treden, dat niets hem nog kon weerhouden, dat hij bij mij zou intrekken, of misschien was het helemaal niets, eenvoudigweg een moment van schoonheid, iets kleins, nauwelijks de moeite waard om over te praten, een toevallige ontmoeting, of een praatje dat hij met Jazzlyn of Tillie had gemaakt, een grapje, of misschien had hij juist besloten dat hij me nu kon loslaten, dat hij in zijn kerk kon blijven om zijn werk te doen, of misschien dacht hij helemaal nergens aan, misschien was hij gewoon gelukkig, of leed hij pijn, of had de morfine hem verknipt – het valt onmogelijk te zeggen. In verwarring bewaar ik de laatste ogenblikken van zijn taal.

Er was een man die door de lucht liep, daar heb ik over gehoord. En Corrigan had die nacht niet ver van de rechtbank in zijn bus geslapen. Hij had er een bon voor gekregen. In John Street. Misschien was hij wakker geworden, kroop hij vroeg in de ochtend zijn bus uit en zag hij die man daar in de hoogte God uitdagen, eerder een man boven het kruis dan eronder – wie zal het weten, ik niet. Of misschien was het de rechtszaak, dat de koorddanser vrijgelaten werd, terwijl Tillie voor acht maanden achter de tralies ging, misschien had hij zich daaraan geërgerd – zulke dingen zijn met elkaar verweven, er zijn geen antwoorden, misschien vond hij dat ze nog een kans verdiende, was hij kwaad, ze had niet naar de gevangenis gemogen. Of misschien zat iets anders hem dwars.

Hij zei me eens dat er geen beter geloof was dan een gekwetst geloof en soms vraag ik me af of hij daar steeds maar mee bezig was – te proberen zijn geloof te kwetsen om het op de proef te stellen – en was ik gewoon een struikelblok op de weg naar zijn God.

In mijn somberste ogenblikken ben ik ervan overtuigd dat hij zich naar huis haastte om vaarwel te zeggen, dat hij te hard reed omdat zijn besluit vast stond: het was afgelopen. Maar in mijn beste, mijn allerbeste, staat hij met wijd open armen bij me op de stoep om te blijven.

En zo zal ik hem, zo veel en zo vaak ik kan, laten. Het was – het is – een donderdagochtend een week voor het ongeluk en die past in de ruimte van elke ochtend waarin ik wakker word. Hij zit tussen Eliana en Jacobo op de bank, met zijn armen wijd, de knopen van zijn zwarte hemd open, zijn blik strak voor zich uit. Niets zal hem ooit werkelijk van de bank halen. Het is maar een eenvoudig bruin ding, met kussens die er niet bijhoren en een gat in de armleuning waar die is doorgesleten, wat los geld uit zijn zak dat in de spleten is gevallen, en ik zal hem nu meenemen waar ik ook heenga, naar Zacapa, of het verzorgingstehuis, of welke andere plek ik toevallig maar vind.

De Heer zij geloofd en geprezen

Ik zag het bijna meteen. Voor die twee kleintjes moest gezorgd worden. Een gevoel diep in mijn binnenste, dat er heel lang moet hebben gezeten. Soms is het verkeerd om aan iets terug te denken, omdat het gebeurt uit trots, maar volgens mij leef je jaren binnen een ogenblik, ga je erin mee en voel je het groeien, en het stuurt zijn wortels uit totdat het alles om je heen aanraakt.

Ik ben opgegroeid in Zuid-Missouri. Het enige meisje tussen vijf broers. Het was midden in de crisistijd. Van alles stortte in, maar wij konden ons, zo goed en zo kwaad als het ging, redden. Het huis waar we woonden had een puntdak tot aan de grond, zoals de meeste huizen aan de zwarte kant van de stad. De kale balken rond de veranda waren verzakt. Aan de ene kant van het huis was de lange woonkamer, gemeubileerd met rieten stoelen, een paarse divan en een lange, houten tafel, gezaagd uit de bak van een kapotte kar. Twee grote eiken gaven schaduw aan de andere kant van het huis, waar de slaapkamers waren die uitkeken op het oosten en de zonsopgang. Ik had doppen en spijkers aan de takken gehangen, als windcarillon. Binnen zaten er onregelmatige spleten in de vloeren van het huis. 's Nachts vielen de regendruppels op het zinken dak.

Mijn vader zei altijd dat hij graag op zijn gemak naar alle geluiden van het huis zat te luisteren.

De dagen die ik me het liefst herinner waren zo gewoon als maar zijn kon – hinkelen op de strook gebarsten beton, achter mijn broers aan door de maïsvelden, terwijl ik met mijn schooltas een spoor in het zand trok. Mijn oudere broers en ik lazen in die tijd veel boeken – om de paar maanden kwam er een bibliotheekbus door onze straat die een kwartier bleef staan. Zodra er een geel streepje zon op de kapotte schutting verscheen, holden we het huis uit naar de achterkant van Chaucers kruidenierswinkel om in een rivier te spelen die me nu armzalig zou lijken maar toen een waterweg van belang was. We lieten stoomboten over die machtige kreek varen en lieten Tom Sawyer flink afrossen door Neger Jim. Met Huck Finn wisten we niet goed raad, dus die lieten we meestal buiten onze avonturen. De papieren scheepjes gingen de bocht om en waren weg.

Mijn vader was het gros van de tijd huisschilder, maar wat hij het liefst deed was met de hand emblemen schilderen op de deuren van bedrijven in de stad. De namen van belangrijke mannen op matglas. Bladgouden letters en nauwkeurige zilveren krullen. Hij kreeg zo nu en dan werk van handelskantoren, fabrieken, en kleine detectivebureaus. Soms wilde een museum of evangelische kerk hun welkomstbord opgefrist hebben. Hij had zijn bezigheden bijna alleen in het blanke deel van de stad, maar wanneer hij aan onze kant van de rivier werkte gingen we met hem mee om zijn ladder vast te houden en zijn kwasten en doeken aan te geven. Hij schilderde houten borden die in de wind schommelden voor huizenverkoop en riviermossels en broodjes van een stuiver. Hij was een kleine man die zich voor elke klus tiptop kleedde, waar die ook was. Hij droeg een geplooid hemd met een gesteven boord en een zilveren dasspeld. Zijn broeken hadden onderaan een omslag en hij zei vaak met trots dat als hij goed keek hij zijn werk in zijn schoenen weerspiegeld zag. Hij heeft het met ons nooit over geld of geldgebrek gehad, en toen de crisis echt nijpend werd, ging hij gewoon al zijn oude klussen langs om de verf op te frissen, in de hoop dat die zaak het zou redden en ze hem in betere tijden een paar dollar zouden toeschuiven.

Over het geldgebrek maakte mijn moeder zich niet al te druk – ze was een vrouw die de magerste en de vetste jaren had gekend: ze was oud genoeg om alle slavenverhalen uit de eerste hand te hebben en wijs genoeg om in te zien hoe belangrijk het was om onder die last uit te komen, in ieder geval voor zover dat destijds kon in Zuid-Missouri.

Ze had als aandenken de overdrachtsbrief gekregen van toen mijn grootmoeder was verkocht, en dat was iets wat ze bij zich droeg om zich eraan te herinneren waar ze vandaan kwam, maar toen ze uiteindelijk de kans kreeg om hem te verkopen, deed ze het: aan een museumcurator die uit New York was gekomen. Ze gebruikte het geld om er een tweedehands naaimachine voor te kopen. Ze had ook andere baantjes, maar werkte meestal als schoonmaakster op het krantenkantoor in het centrum van de stad. Ze kwam thuis met kranten uit het hele land en 's avonds las ze ons de verhalen voor die ze goed vond, verhalen die de ramen van ons huis open zetten, eenvoudige verslagen over een klimpartij in een boom voor een kat, of over padvinders die de brandweer hielpen, of over zwarten die vochten voor wat goed en rechtvaardig was, wat onze moeder *rechtvol* noemde.

Ze was niet van de Marcus Garvey-club: ze had geen wrok, noch enig verlangen om naar Afrika terug te gaan, maar tegen het idee dat een zwarte vrouw zich een betere plek op de wereld kon veroveren stond ze allesbehalve afwijzend.

Mijn moeder had het mooiste gezicht dat ik kende, misschien wel het mooiste dat ik ooit heb gekend: donker als het donker, vol, zuiver ovaal, met ogen die eruitzagen alsof mijn vader ze had geschilderd, een mond die ietsje droevig stond en spierwitte tanden die, wanneer ze lachte, haar hele gezicht een ander aanzien gaven. Ze las voor op een hoge, Afrikaanse monotone toon, die volgens mij lang geleden vanuit Ghana was overgeleverd, die ze had veramerikaanst, maar die ons evengoed verbond met een thuis dat we nooit hadden gezien.

Tot mijn achtste mocht ik bij mijn broers slapen en zelfs daarna stopte mijn moeder me nog wel eens bij hen in bed als ze ons voorlas tot we allemaal sliepen. Dan schoof ze haar brede armen onder me en droeg me naar mijn eigen matras, dat door de indeling van ons huis op de smalle gang naast haar slaapkamer lag. Ik hoor mijn ouwelui tot op de dag van vandaag nog fluisteren en lachen voor ze gingen slapen: misschien is dat alles wat ik me wil herinneren, misschien moeten onze verhalen middenin ophouden, misschien dat er juist dan iets kan beginnen en eindigen, op dat moment van lachen, maar het lijkt me waarschijnlijker dat iets niet echt begint of eindigt; het blijft gewoon doorgaan.

Op een augustusavond toen ik elf was, kwam mijn vader ons huis binnen met klodders verf op zijn schoenen. Mijn moeder, die brood aan het bakken was, staarde hem met open mond aan. Nog nooit had hij zijn kleren bedorven bij het schilderen. Ze liet een theelepel op de grond vallen. Een plasje gesmolten boter liep uit over de vloer. 'Wat is er in luthersnaam met jou gebeurd?' fluisterde ze. Bleek en afgetobd greep hij de rand van het rood-wit geblokte tafelkleed. Het leek of hij moest slikken om zijn stem in bedwang te krijgen. Hij stond een beetje te wankelen, met knikkende knieën. Ze zei: 'O, Here, het is een beroerte.' Ze sloeg haar armen om hem heen.

Mijn vaders smalle gezicht in haar grote handen. Zijn ogen schoten langs die van haar. Ze keek opzij en schreeuwde naar mij: 'Gloria, ga de dokter halen.'

Ik vloog op blote voeten de deur uit.

Het was in die tijd een zandweg en ik weet nog goed hoe elke stap erop voelde – soms heb ik het idee dat ik nog steeds over die weg ren. De dokter lag een zware roes uit te slapen. Zijn vrouw zei dat hij niet gestoord mocht worden en ze gaf me twee keer een klap op beide wangen toen ik langs haar heen de trap op probeerde te glippen. Maar ik was een meisje met een goed stel longen. Ik gilde dat het een aard had. Ik was stomverbaasd toen hij boven aan de trap verscheen, naar beneden tuurde en zijn zwarte koffertje haalde. Voor het eerst van mijn leven reed ik in een automobiel, terug naar ons huis, waar mijn vader nog aan de keukentafel zat, met zijn hand om zijn arm geklemd. Later bleek dat het een heel lichte hartaanval en geen beroerte was geweest en mijn vader veranderde er nauwelijks door, maar mijn moeder was de angst om het hart geslagen. Ze wilde hem voortdurend in het oog houden: ze was bang dat hij elk moment in elkaar kon zakken. Ze raakte haar baantje bij de krant kwijt omdat ze erop stond dat hij bij haar moest zitten terwijl ze schoonmaakte:

de redacteuren moesten er niet aan denken dat een zwarte man in hun paperassen zou snuffelen, al zagen ze er totaal geen kwaad in wanneer een vrouw dat deed.

Een van de mooiste dingen die ik ooit – tot op de dag van vandaag – heb gezien was toen mijn vader op een middag zou gaan vissen met vrienden die hij in de buurtwinkel op de hoek had leren kennen. Hij scharrelde door het huis om zijn spullen te pakken. Mijn moeder wilde niet dat hij ook maar iets droeg, nog geen hengel of dobber, uit angst dat hij zich te veel zou inspannen. Hij gooide nog meer visgerei in de picknickmand en schreeuwde dat hij verdorie zou dragen wat hij maar wilde. Hij vulde de mand zelfs met extra bier en tonijnsandwiches voor zijn vrienden. Toen er buiten werd gefloten, draaide hij zich om, gaf haar bij de deur een zoen en een tikje op haar achterwerk en fluisterde haar iets in het oor. Mamma gooide lachend haar hoofd naar achteren. Later bedacht ik dat het iets goed schunnigs moest zijn geweest. Ze keek hem na tot hij bijna de hoek om was, daarna kwam ze naar binnen en zakte ze op haar knieën – ze was geen vroom mens, hoor – maar ze begon om regen te bidden, een bloedserieus gebed dat mijn vader misschien snel terug zou brengen zodat ze hem bij zich kon hebben.

Dat was het soort alledaagse liefde waartegen ik moest leren opboksen: als je ermee opgroeit, kun je je nauwelijks voorstellen dat jij dat ooit zult evenaren. Ik dacht vroeger altijd dat het moeilijk was voor kinderen van mensen die zo van elkaar hielden, lastig om onder die warme huid vandaan te kruipen, omdat die soms zo aangenaam is dat je ertegenop ziet je eigen huid te moeten ontwikkelen.

Ik zal van mijn leven niet het bord vergeten dat ze een paar jaar later voor me schilderden, nadat ik twee broers had verloren in de Tweede Wereldoorlog bij Anzio en nadat de bommen op Japan waren gegooid, nadat alle toespraken en hartelijke welkomstwoorden waren verstomd. Ik ging op weg naar het noorden om in Syracuse, New York, te studeren en ze hadden een klein schild beschreven met mijn vaders lievelingsverf, het kostbare goud dat hij bewaarde voor eersteklas werk. Ze hielden het omhoog op het busstation, verstevigd als bij een vlieger met een ruitvormige rug, zodat het bord niet zou wapperen in de wind: KOM GAUW THUIS, GLORIA. Ik kwam niet gauw thuis. Ik kwam helemaal niet thuis. Niet toen, tenminste. Ik bleef in het noorden, niet omdat ik zo losgeslagen was, maar omdat ik mijn hoofd bij de boeken had en toen mijn hart bij een overhaast huwelijk en toen met mijn ziel onder mijn arm liep en toen mijn hoofd en hart bij mijn drie jongetjes had, terwijl ik, zoals dat gaat, de jaren door mijn vingers liet glippen en mijn enkels dikker zag worden. En toen ik werkelijk weer thuiskwam in Missouri, jaren later, reed ik met de burgerrechtenbussen mee en hoorde ik verhalen over de politie die waterkanonnen aansleepte en hoorde ik mijn moeders stem in mijn oor: Gloria, je hebt al die tijd niets gedaan, helemaal niets, waar heb je gezeten, wat heb je gedaan, waarom ben je niet teruggekomen, wist je niet dat ik om regen bad?

Ik heb nu, bijna dertig jaar later, een lichaam dat mensen aan een kerkgangster doet denken. Ik heb jurken die strak van achteren zitten en zorgen dat mijn boezem niet deint. Ik speld een goudkleurige broche op de linkerschouder van mijn zwartste jurk. Ik heb een witte tas met hengsels. Ik draag steunkousen tot aan mijn knieën en soms trek ik een paar witte handschoenen aan die tot aan mijn ellebogen komen.

Er zit ook een ondertoon in mijn stem die maakt dat mensen me aankijken en denken dat ik elk moment in een oude negrospiritual kan uitbarsten, maar eigenlijk heb ik God niet meer gezien sinds ik voor het eerst uit Missouri wegging en ik ga liever naar mijn kamer in de Bronx, waar ik het beddenlaken over me heentrek en luister hoe Vivaldi uit de stereospeaker huppelt, dan dat ik het gebulder van een predikant moet aanhoren over hoe de wereld gered kan worden.

Hoe dan ook, ik pas amper meer in kerkbanken: het is nooit makkelijk geweest mijn lijf erin te schuiven.

Ik ben twee huwelijken en drie zoons armer. Kwijtgeraakt op verschillende manieren, die allemaal mijn hart hebben gebroken, maar God is niet van zins daar weer iets van te lijmen. Ik weet dat ik mezelf soms voor gek heb gezet en ik weet dat God me even vaak voor gek heeft gezet. Ik heb Hem zonder al te veel schuldgevoel opgegeven. Ik heb in mijn leven meestal geprobeerd het goede te doen, maar niet in het huis van de Heer. Ondanks alles weet ik dat ik op mensen een *kerkse* indruk ben gaan maken. Ze kijken en luisteren naar me en denken dat ik ze dichter bij het evangelie breng. Iedereen heeft zijn eigen vloek, en ik neem aan dat Claire me – in ieder geval een tijdje – in dat bepaalde hokje zag passen.

Ze was niet een vrouw met wie ik enige moeite had. Ze leek me heel aardig, zo zachtmoedig als maar kon. Ze probeerde me niet ondersteboven te krijgen met haar tranen. Die kwamen spontaan, net als bij ieder ander. Ze voelde zich ook opgelaten, merkte ik, vanwege haar gordijnen, haar porselein, haar geschilderde man aan de muur, de theekop die op het schoteltje rammelde. Het was alsof ze elk moment het raam uit kon vliegen naar Park Avenue, met die grijze strook in haar haar, die magere, blote armen, die lange nek met blauwe aderen. Er hingen universiteitsdiploma's aan de muur in de gang, en iedereen kon zien dat ze aan de goede kant van de rivier was geboren. Ze hield haar huis opgeruimd en gepoetst en ze had een licht zuidelijke zangerigheid in haar stem, dus als er een van de dames was met wie ik verwantschap voelde, dan was zij het wel.

Die ochtend gleed voorbij, zoals de meeste goede ochtenden.

We hadden onze heisa met die luchtwandelaar en daarna hobbelden we van het dak naar beneden en aten de donuts en dronken de thee en klepten nog wat. De woonkamer was overgoten met licht. Het meubilair had een diepe glans. De plafonds waren hoog en afgewerkt met deftig lijstwerk. Op de boekenplank een kleine klok op vier pootjes onder een glazen stolp. Mijn bloemen stonden midden op tafel. Ze begonnen al een beetje open te gaan in de warmte.

De anderen kregen het op hun heupen van Park Avenue, merkte ik. Toen Claire naar de keuken verdween, pakten ze telkens een kopje op om aan onderkant te zien wat voor merkteken erop stond. Janet tilde zelfs een glazen asbak op. Er lagen twee uitgedrukte sigarettenpeuken in. Ze hield hem hoog op om te zien of ze zo een merkteken kon vinden, alsof die regelrecht van koningin Elizabeth afkomstig was. Ik kon nauwelijks mijn lachen inhouden. 'Nou, je weet maar nooit,' fluisterde Janet nijdig. Ze had een maniertje om haar haar opzij te gooien bijna zonder haar hoofd te bewegen. Ze zette de asbak terug op de tafel en snoof even alsof ze wilde zeggen: *hoe durf je*. Ze bracht haar haar weer met zo'n schokje in orde en keek naar Jacqueline. Ze hadden dat taaltje van blanke vrouwen onder elkaar, ik heb het vaak genoeg gezien om het te herkennen, het zit allemaal in de ogen, die gaan een beetje schuin omlaag, houden elkaar even vast en kijken dan weg. Ze hebben er eeuwen ervaring mee – het verbaast me dat sommigen hun mond nog open doen.

Ik keek naar de keuken, maar Claire was nog achter die louvredeur bezig – ik zag haar smalle silhouet, druk in de weer met extra ijsblokjes. De klap van een ijsbakje. Een lopende kraan.

'Ik ben in een mum weer bij jullie,' riep ze vanuit de keuken.

Janet stond op en liep op haar tenen naar het portret aan de muur. Hij was heel fijn geschilderd, haar man, net een foto, zittend in een antieke stoel met zijn jasje en blauwe das aan. Het was zo'n schilderij waarop je nauwelijks een penseelstreek ziet. Hij keek heel ernstig op ons neer. Kaal, met een scherpe neus, en een beginnend kwabje in zijn hals. Janet ging zachtjes naast het portret staan en trok een gezicht. 'Het is net of hij hoognodig moet,' fluisterde ze. Het zal wel grappig en raak geweest zijn, maar ik kreeg het een beetje benauwd bij het idee dat Claire elk ogenblik uit de keuken kon komen. Ik zei bij mezelf: *niks zeggen, niks zeggen, niks zeggen*. Janet stak haar hand uit en legde die op de schilderijlijst. Marcia had een schamper lachje op haar gezicht. Jacqueline beet op haar lip. Alle drie stonden ze op het punt om in schateren uit te barsten.

Janets hand schoof langs de lijst omhoog en bleef boven zijn dijbeen hangen. Marcia liet zich op de bank naar achteren vallen en sloeg haar hand voor haar mond alsof ze nog nooit zoiets lolligs had meegemaakt. Jacqueline zei: 'Wind die arme man niet zo op.'

Wat gesis en gesmoord gegiechel. Ik vroeg me af wat er zou gebeuren als ík nu eens zou opstaan en mijn hand op zijn knie legde en langs de binnenkant van zijn dij streek – stel je eens voor – maar ik bleef natuurlijk zitten waar ik zat, op mijn plaats.

We hoorden de duw tegen de louvredeur en Claire kwam binnen met een grote kan ijswater in haar handen.

Janet stapte bij het schilderij vandaan, Marcia boog zich naar de bank en deed alsof ze hoestte en Jacqueline stak nog een sigaret op. Claire hield me de schaal voor. Twee bagels en drie donuts. Een geglaceerde, een gegarneerde en een gewone.

'Als ik nog een donut neem, Claire,' zei ik, 'dan plof ik door de ramen.'

Het leek wel of er een leeglopende ballon door de kamer vloog. Ik had het niet zo grappig bedoeld, maar iedereen dacht van wel, en de kamer slaakte een diepe zucht. We zaten algauw weer met ernstige gezichten te praten – en ik moet zeggen, er werd goed gepraat, er werd open gepraat, herinneringen aan onze jongens, hoe en wat ze waren, en waar ze voor waren gaan vechten. De klok tikte op de plank bij de boekenkast en toen ging Claire ons voor door de gang, langs de schilderijen en de universiteitsdiploma's, naar de kamer van haar jongen.

Ze duwde de deur open alsof ze dat voor het eerst in jaren deed. Hij zwaaide knarsend open.

De kamer zag eruit alsof die nauwelijks was aangeraakt. Potloden, puntenslijpers, papieren, honkbalranglijsten. Planken vol boeken. Een eiken ladekast op hoge poten. Een poster van Mickey Mantle boven het bed. Een lekkageplek op het plafond. Krakende vloerplanken. Het verbaasde me een beetje hoe klein de kamer was – we konden er met zijn vijven maar net in. 'Ik zal even het raam openzetten,' zei Claire. Ik ging uit voorzorg op het eind van het bed zitten, de stevigste plek – ik wilde niet dat het kraakte. Ik drukte mijn handen op de matras, om het niet te laten veren en leunde tegen de muur, waar ik het koele pleisterwerk tegen mijn rug voelde. Janet nam de zitzak – ze maakte er amper een deuk in – en de anderen gingen aan de andere kant van het bed zitten, terwijl Claire zelf een kleine witte stoel nam bij het raam waar een briesje doorheenkwam.

'Daar zijn we dan,' zei ze.

Het klonk alsof we aan het eind van een heel lange reis waren gekomen.

'Goh, wat gezellig,' zei Jacqueline.

'Werkelijk waar,' zei Marcia.

De plafondventilator draaide en het stof daalde als kleine mugjes rond ons neer. Op de planken lagen allerlei radio-onderdelen, platte platen met elektronische dingetjes met draden die naar beneden hingen. Grote batterijen. Drie beeldschermen, open aan de achterkant, waar je de buizen zag zitten.

'Hij was zeker gek op televisies?' vroeg ik.

'O, dat zijn stukken van computers,' zei Claire.

Ze strekte haar arm uit en pakte een zilveren lijst met zijn foto van de tafel, liet hem rondgaan. De lijst was zwaar en er zat een MADE IN ENGLAND-plakkertje op de fluwelen achterkant. Op de foto was Joshua een mager blank jongetje met pukkels op zijn kin. Donkere bril en kort haar. Ogen die wat schuw naar de camera keken. Hij was ook niet in uniform. Ze zei dat de foto genomen was toen hij net voor zijn middelbare school was geslaagd en was uitgekozen om de afscheidsspeech te houden. Jacqueline rolde weer met haar ogen, maar Claire zag het niet – elk woord dat ze over haar zoon sprak leek de glimlach op haar gezicht breder te maken. Ze pakte een sneeuwbol van zijn tafel, schudde die op en neer. De bol kwam uit Miami, en ik dacht: dat is iemand met gevoel voor humor – sneeuw die op Florida valt. Maar toen ze de bol op zijn kop hield was het alsof er nog een andere zwaartekracht op de wereld bestond: ze wachtte tot het laatste vlokje was neergedaald en toen keerde ze hem weer om en begon ons van alles over hem, over Joshua, te vertellen: waar hij naar school ging, de noten die hij mooi vond op de piano, wat hij voor zijn land deed, dat hij alle boeken op de planken las, dat hij zelfs zijn eigen telmachine bouwde, naar de universiteit ging, en later naar een of ander park ergens – hij was het soort jongen dat ooit nog eens een mens op de maan zou hebben gezet.

Ik heb haar een keer gevraagd of ze dacht dat Joshua en mijn jongens bevriend waren geweest, en ze zei ja, maar ik wist dat niets waarschijnlijk minder waar kon zijn.

Ik schaam me er niks voor om te zeggen dat ik me toen even eenzaam voelde. Hoe grappig het ook was, ieder die in zijn eigen wereldje zat met de enorme behoefte om te praten, ieder die zijn eigen verhaal heeft, dat ergens vreemd middenin begint, en die dan zo vreselijk zijn best doet om het allemaal te vertellen, om het allemaal begrijpelijk en logisch en definitief te maken.

Ik schaam me er ook niks voor om te zeggen dat ik haar maar liet aanratelen, haar zelfs aanmoedigde om het er allemaal uit te gooien. Jaren geleden, toen ik op de universiteit in Syracuse zat, vond ik een manier om dingen te zeggen die mensen blij maakte, ze aan de praat hield zodat ik zelf niet veel hoefde te zeggen. Ik denk dat ik nu zou zeggen dat ik een muur bouwde om mezelf te beschermen. In de huizen van rijke lui had ik mijn hardnekkige zuidelijke gewoonte van *Goeie genade* en *godlof* en *o, Here* vervolmaakt. Dat waren woorden waarop ik terugviel, een andere vorm van zwijgen, woorden waarop ik altijd ben teruggevallen, mijn vastigheden, ze zijn voor ik weet niet hoelang mijn laatste toevlucht geweest. En natuurlijk viel ik bij Claire thuis in dezelfde kuil. Ze spon haar wereldje van draden en computers en elektrische apparaatjes en ik spon mezelf in.

Niet dat ze het merkte, of leek te merken; ze keek me alleen even vanonder haar grijze lok aan, en glimlachte, bijna verbaasd dat ze zelf praatte en niets haar nog kon tegenhouden. Ze was een toonbeeld van puur geluk, haalde de ene gedachte na de andere op, liep eromheen, kwam terug, legde weer iets uit over elektronica, voegde weer iets toe over Joshua's schooltijd, kletste verder over een piano in Florida, hinkelde op haar eigen vreemde manier door het leven van die jongen.

Het werd warm in de kamer, zo met zijn vijven dicht opeen. De wekker op het nachtkastje liep niet meer, misschien waren de batterijen op, maar in mijn verbeelding begon hij te tikken. Ik voelde mezelf wegdoezelen. Ik wilde niet in slaap vallen. Ik moest op de binnenkant van mijn lip bijten om niet te gaan knikkebollen. Natuurlijk was ik niet de enige, we werden allemaal een tikkeltje ongedurig, ik merkte het aan dat geschuif van lichamen en Jacquelines manier van ademhalen, Janets hoestje af en toe, en Marcia die haar voorhoofd met haar zakdoekje bette.

Ik voelde dat mijn been ging slapen. Ik probeerde steeds mijn tenen te bewegen en mijn kuitspieren aan te spannen – ik denk dat ik een wat scheef gezicht trok toen ik ging verzitten en te veel lawaai maakte.

Claire glimlachte naar me, maar het was zo'n dichtgeritst glimlachje, een beetje te strak aan de randen. Ik glimlachte terug en deed mijn best om niet de indruk te wekken dat ik me onrustig of opgelaten voelde. Het was beslist niet zo dat ze me verveelde, het had helemaal niks te maken met wat ze vertelde, alleen zat mijn lichaam me dwars. Ik kromde weer mijn tenen, maar het hielp niet en zo stil mogelijk begon ik mijn knie van de rand van het bed te tillen om te proberen dat half dove gevoel uit mijn been te krijgen. Claire keek me aan alsof ze teleurgesteld was, maar ík was niet degene die opstond, dat was Marcia die zich ten slotte uitrekte en ongegeneerd gaapte – gaapte als een kind dat een stukje kauwgom uit haar mond trekt, met als boodschap: moet je mij kijken, ik verveel me, ik ga gapen en wie houdt me tegen.

'Neem me niet kwalijk,' zei ze, maar half verontschuldigend.

Er was even een ijzig moment. Het was of je de lucht uiteen zag vallen en alle dingen waaruit die bestond los van elkaar kon herkennen.

Janet boog zich naar voren, tikte Claire op haar knie en zei: 'Ga door met je verhaal.'

'Ik weet niet meer waar ik was,' zei ze. 'Waar was ik ook weer?'

Niemand verroerde zich.

'Ik weet dat het iets belangrijks was,' zei ze.

'Het ging over Joshua,' zei Jacqueline.

Marcia keek boos de kamer in.

'Ik weet bij God niet meer wat het was,' zei Claire.

Ze lachte nog zo'n vlug rits-lachje, alsof haar verstand de overduidelijke tekens niet wilde accepteren, haalde toen diep adem en stortte zich er weer in. Binnen de kortste keren zat ze weer in die denderende Joshua-trein – hij stond op het keerpunt van iets zo totaal nieuws, zei ze, dat de wereld nooit goed zou weten wat ze had gemist. Hij wilde computers een plaats geven waar ze goede dingen zouden doen voor mensen en de mensheid, en op een dag zouden die computers met elkaar praten net als mensen, zelfs onze oorlogen

347

zouden door computers worden uitgevochten, het was misschien onmogelijk te begrijpen, maar geloof me, zei ze, die de kant ging het op met de wereld.

Marcia stond weer op en rekte zich uit bij de deur. Haar tweede gaap was niet zo erg als de eerste, maar toen zei ze: 'Heeft iemand de dienstregeling van de veerboot?'

Claire viel meteen stil.

'Het was niet mijn bedoeling je te onderbreken. Sorry. Ik wil alleen niet in de spits terechtkomen,' zei Marcia.

'Het is lunchtijd.'

'Weet ik, maar het kan soms ontzettend druk zijn.'

'O, zeker, ja,' viel Janet bij.

'Soms moet je uren in de rij wachten.'

'Uren.'

'Zelfs op woensdag.'

'We kunnen iets laten bezorgen,' zei Claire. 'Er is een nieuwe Chinees op Lexington.'

'Nee, echt niet. Dank je.'

Ik kon het rood naar Claires wangen zien stijgen. Ze probeerde weer te lachen, een neutrale glimlach, en ik dacht aan die oude opbeurende regel *een beetje vergif hield haar op de been*, uit een oud liedje dat mijn moeder me als kind had geleerd.

Claire trok aan haar jurk, streek hem glad tot er geen kreukje meer in zat. Daarna pakte ze de foto van haar Joshua van de vensterbank en kwam overeind.

'Nou, ik kan jullie niet genoeg bedanken voor jullie komst,' zei ze. 'Het is ik weet niet hoe lang geleden dat er iemand in deze kamer is geweest.'

Haar glimlach had glas kunnen breken.

Marcia glimlachte prompt een mokerslag terug. Jacqueline wiste haar voorhoofd alsof ze net een eindeloze beproeving had doorstaan. De kamer vulde zich met gehum en geaarzel en gekuch, maar Claire hield nog krampachtig de fotolijst tegen haar jurk. Iedereen begon te roepen dat het een geweldige ochtend was geweest, ontzettend bedankt voor de gastvrijheid en wat was Joshua toch een moedige jongen, en echt, we moeten zo gauw mogelijk weer bij elkaar komen, en wat was het toch bijzonder dat hij zo knap was en heremijntijd, geef me het adres van de bakker die de donuts heeft gemaakt, en wat voor verdere praatjes we ook konden verzinnen om de stilte om ons heen te vullen.

'Vergeet je paraplu niet, Janet.'

'Ik ben met een paraplu in mijn hand geboren.'

'Het zal toch niet gaan regenen, hè?'

'Er is geen taxi te krijgen als het regent.'

In de gang werkte Marcia haar lippenstift bij in de spiegel en hing haar handtas om haar pols.

'Help me herinneren dat ik een tent meeneem als ik weer kom.'

'Een wat?'

'Dan kom ik hier kamperen.'

'Ik ook,' zei Janet. 'Je hebt werkelijk een magnifiek appartement, Claire.'

'Een penthouse,' zei Marcia.

Allerlei leugens vlogen op elkaar botsend door de lucht heen en weer, en zelfs Marcia was bang om als eerste de deurknop om te draaien. Ze stond bij de hoedenkapstok met de bal-in-klauwpoten. Ze stootte er met haar schouder tegenaan. De poten wankelden en de krullen zwaaiden.

'Ik bel jullie meteen begin volgende week.'

'Dat zou fijn zijn,' zei Claire.

'We beginnen weer bij mij thuis.'

'Fantastisch – ik kan haast niet wachten.'

'We zullen gele balonnen buiten hangen,' zei Janet. 'Weet je nog?'

'Hadden we gele balonnen?'

'In de bomen.'

'Dat weet ik niet meer,' zei Marcia. 'Ik heb een hoofd als een vergiet.' Toen boog ze zich opzij en fluisterde Janet iets in haar oor en ze begonnen allebei te giechelen.

We hoorden van buiten het gekletter van de op- en neergaande lift.

'Pijnlijk vraagje?' zei Marcia. Ze keek wat beschaamd. Ze tikte op Claires onderarm.

'Toe maar, toe maar.'

'Moeten we de liftboy een fooi geven?'

'O nee, natuurlijk niet.'

Ik wierp nog een snelle laatste blik in de gangspiegel, keek of mijn handtas goed dichtzat, en opeens trok Claire me aan mijn arm een stukje mee terug de gang in.

'Wil je nog een paar bagels, Gloria?' zei ze zodat iedereen het kon horen.

'O, ik heb genoeg bagels gehad,' zei ik.

'Blijf nog heel even,' zei ze vanuit haar mondhoek.

Haar oograND was een beetje vochtig.

'Echt, Claire, bagels genoeg gehad.'

'Even,' fluisterde ze.

'Claire,' zei ik, en ik probeerde weg te komen, maar ze had mijn arm vast alsof het haar laatste strohalm was.

'Als iedereen weg is?'

Ik zag haar neusvleugels een beetje trillen. Ze had het type gezicht waarvan je, als je er goed naar kijkt, denkt dat het opeens oud is geworden. Er zat iets smekends in haar stem. Janet, Jacqueline en Marcia stonden nu aan het andere eind van de gang te giebelen over een van de schilderijen aan de muur.

Tuurlijk wilde ik Claire daar niet alleen laten met al die kruimels op het tapijt en die uitgedrukte peuken in de asbak en ik had ook best kunnen blijven, mijn mouwen kunnen oprollen, de afwas doen, de vloer zuigen en de citroenen in de Tupperware wegbergen, maar ja, ik dacht: we hebben niet jaren geleden voor burgerrechten gevochten om schoon te maken in appartementen aan Park Avenue, hoe aardig ze ook is, hoe vaak ze ook glimlacht. Ik had niks tegen haar. Haar ogen waren groot en wijd en zacht. Ik was er bijna zeker van dat ik gewoon op de bank kon gaan zitten en dat ze me op mijn wenken bediend had, maar daar hadden we ook niet voor gedemonstreerd.

'Goeie genade,' zei ik.

Ik kon het niet helpen.

'Ahum,' deed Jacqueline bij de voordeur, alsof ze haar keel schraapte voor een toespraak.

'*Coca-Cola one two three,*' zei Marcia.

Ik hoorde Janets schoenen klikklakken op de houten vloer. Jacqueline kuchte weer even. Marcia bracht voor de spiegel haar haar in orde en zei iets binnensmonds.

Godallemachtig, ik zou het op geen ander moment in mijn leven ooit hebben geloofd – drie blanke vrouwen die wilden dat ik samen met hen vertrok, en eentje die me probeerde over te halen om bij haar te blijven. Ik stond tussen twee vuren, kon geen kant op. Mijn hart begon te bonzen. Claires ogen werden vochtiger en ze keek naar me alsof ik snel moest beslissen. De ene keus was dat ik met de anderen in de lift naar beneden ging, waar we op straat nog eens uitgebreid afscheid konden nemen. De andere was dat ik bij Claire bleef. Ik wilde onze serie ochtendjes niet in gevaar brengen door een bondje met iemand aan te gaan, hoe goedhartig Claire ook was, of hoe chique ook haar appartement, dus ik deed een stap naar achteren en vertelde haar een stinkende leugen.

'Tja, ik moet nu echt op de Bronx aan, Claire, ik moet vanmiddag in de kerk zijn, voor het koor.'

Ik voelde me doodongelukkig door mijn gelieg. Ze zei natuurlijk ja, ze begreep het, wat suf van haar, en toen kuste ze me zacht op mijn wang. Haar lippen streken langs de kant van mijn haarpen en ze zei: 'Maak je geen zorgen.'

Ik heb geen woorden voor hoe ze me aankeek – die zijn er ook nauwelijks – het was een soort opwellen, opstijgen, uit het water omhoogkomen, iets wat niet te vertellen viel. Ik had even het gevoel dat er iets langs mijn ruggengraat was losgerafeld, en mijn huid trok strak, maar wat kon ik zeggen? Ze pakte mijn pols vast en kneep even, zei nog eens dat ze het begreep, dat het niet haar bedoeling was me van het koor weg te houden. Ik ging wat van haar af staan. Toen was het voorbij, dacht ik, gemoedelijk opgelost, de gang leek me opeens vrolijker en we wisselden allemaal nog een paar glimlachjes en verzekerden dat we elkaar de volgende keer bij Marcia weer zouden zien – al had ik het gevoel dat er waarschijnlijk nooit meer een volgende keer zou komen, dat was het pijnlijkst, ik had zo'n idee dat we het nu zouden laten wegebben, we waren allemaal aan bod geweest, we hadden onze jongens voor een tijdje weer tot leven gebracht – en we stapten naar buiten in de hal, waar Claire de knop voor de lift indrukte.

Het ijzeren hek werd door de liftboy opengemaakt. Ik stapte als laatste in, maar Claire trok me aan mijn arm terug, weer dicht naar zich toe, met een verdrietige trek op haar gezicht.

Ze fluisterde: 'Ik wil er graag voor betalen, hoor, Gloria.'

Mijn grootmoeder was een slavin. Haar moeder ook. Mijn overgrootvader was een slaaf die uiteindelijk uit Missouri wist te ontsnappen door zich vrij te kopen. Hij droeg een denkbeeldige zweep bij zich om het maar niet te vergeten. Ik weet het een en ander over wat mensen willen kopen en hoe ze denken het te kunnen kopen. Ik weet van de moeten die achterbleven op vrouwenenkels. Ik weet van de littekens die je krijgt van het knielen in het veld. Ik heb de verhalen gehoord over kinderen die onder de hamer kwamen. Ik heb in boeken gelezen over het kreunen van de varende doodskisten. Ik heb gehoord over de ketens die ze om je polsen deden. Er is me verteld wat er de eerste nacht gebeurde als een meisje vrouw werd. Ik heb gehoord dat ze hun lakens graag zo strak op het bed willen dat je er een munt op kunt laten stuiteren. Ik heb geluisterd naar de zuidelijke mannen in hun smetteloze witte overhemden en dassen. Ik heb de vuisten in de lucht zien stoten. Ik heb meegezongen. Ik zat in de bussen als ze hun kleine kinderen naar het raam tilden om te snauwen. Ik ken de geur van traangas en die is niet zo lekker als sommigen beweren.

Als je begint te vergeten ben je al verloren.

Claire raakte in paniek zodra ze het had gezegd. Het was alsof haar hele gezicht in een draaikolk naar haar ogen trok. Ze werd in haar eigen onverwachte woorden gezogen. De huid onder haar oogleden trilde even. Ze opende een slappe, berustende hand en staarde ernaar alsof ze wilde zeggen dat ze zichzelf niet meer herkende en alleen nog die vreemde hand had die ze uitstak.

Ik stapte vlug de lift in.

De liftboy zei: 'Nog een prettige middag, mevrouw Soderberg.'

Ik zag haar ogen toen het hek werd dichtgetrokken: de zachte berusting.

De deur schoof dicht. Marcia zuchtte opgelucht. Jacqueline giechelde even. Janet maakte een sussend geluid en staarde strak naar de nek van de liftboy, maar ik zag dat ze een grijns onderdrukte. Ik dacht alleen bij mezelf dat ik hun spelletje niet mee zou spelen. Zij wilden weg om erover te roddelen. *Ik wil er graag voor betalen, hoor, Gloria.* Ik wist zeker dat ze het hadden gehoord, dat ze het eindeloos zouden ontleden, misschien in een koffiezaak of een lunchroom, maar ik moest er niet aan denken om nog meer te praten , nog meer deuren te zien sluiten, nog meer kopjes te horen rammelen. Ik wilde gewoon bij hen vandaan, een stukje lopen, richting huis, mijn hoofd weer helder krijgen, een beetje zweven, de ene voet voor de andere zetten en nog eens goed over alles prakkeseren.

Beneden stroomde het licht helder over de tegels. De portier hield ons staande en zei: 'Neem me niet kwalijk, dames, maar mevrouw Soderberg heeft naar beneden gebeld en ze zou u graag nog even spreken.'

Marcia slaakte een van haar lange zuchten en Jacqueline zei dat ze ons misschien wat overgebleven bagels wilde brengen, alsof dat oergeestig was en ik voelde de warmte in mijn wangen kloppen.

'Ik moet gaan,' zei ik.

'Ooo, wordt het iemand te veel?' zei Marcia. Ze was schuchter naar me toegekomen en legde haar hand op mijn arm.

'Ik moet naar koorrepetitie.'

'Och, Here,' zei ze met half toegeknepen ogen.

Ik keek haar recht in het gezicht, stapte toen de deur uit, de avenue op. Hun ogen brandden in mijn rug.

'Gloria,' riepen ze. 'Glo-ria.'

Overal om me heen liepen mensen zelfverzekerd en opgedoft over straat. Zakenlieden en dokters en goedgeklede dames op weg naar de lunch. De taxi's reden plotseling langs met hun licht uit vanwege een zwarte vrouw, want ze wilden me niet meenemen, zelfs niet in mijn beste jurk, op de klaarlichte middag, in de zomerhitte. Misschien zou ik ze de verkeerde kant op sturen, vanuit de binnenstad, waar het geld en de schilderijen waren, naar de Bronx, waar geen geld en schilderijen waren. Iedereen weet toch dat de taxichauffeurs een hekel hebben aan zwarte vrouwen – ze geven geen fooi, of schepen je op zijn best met kleingeld af, zo wordt er gedacht, en dat is er niet uit te slaan, dat zal geen burgerrechtenactie ooit veranderen. Dus ik bleef gewoon mijn ene voet voor de andere zetten. Het waren mijn beste schoenen, mijn naar-de-opera-paar, en eerst zaten ze ook lekker, viel het me mee en dacht ik dat lopen de eenzaamheid zou verjagen.

'Gloria,' hoorde ik weer, net alsof mijn naam van me weg zweefde.

Ik keek niet om. Ik wist zeker dat Claire me achterna zou rennen en ik vroeg me telkens af of ik er goed aan had gedaan om haar alleen te laten met al die radio-onderdelen in de kamer van haar zoon, die boeken, potloden, honkbalkaarten, sneeuwbollen, puntenslijpers, allemaal netjes gerangschikt op de planken. Ik zag haar gezicht weer voor me, het verdriet dat over haar ogen gleed.

Groen, rood.

Ik wilde domweg naar huis, wegkruipen in het holletje van mijn woning, weg van verkeerslichten. Ik wilde geen schaamte, of woede of zelfs maar jaloezie voelen – ik wilde gewoon thuis zijn, met de deuren op slot, de stereo aan, een luid libretto om me heen horen, op de verzakte bank zitten, al het andere wegstoppen tot er niks meer van te zien was.

Groen, rood.

Aan de andere kant vond ik dat ik niet zo raar moest doen, misschien had ik het wel helemaal mis, misschien was ze echt gewoon een eenzame blanke vrouw die op Park Avenue woonde, die haar jongen precies zo had verloren als ik mijn drie jongens, ze had me goed behandeld, had nergens om gevraagd, me in haar huis ontvangen, me op mijn wang gezoend, gezorgd dat mijn theekopje gevuld bleef en ze had domweg een vergissing begaan door er iets uit te flappen: door één onnozel zinnetje liet ik alles kapotmaken. Ik vond haar aardig toen ze zo voor ons aan het redderen was, en ze had het niet kwaad bedoeld, misschien waren het alleen maar zenu-

354

wen geweest. Mensen zijn goed of half goed of een kwart goed, en dat verandert voortdurend – maar zelfs op de beste dagen is niemand volmaakt.

Ik zag het voor me hoe ze daar naar de lift stond te staren, naar het aftellen van de cijfers keek, op haar knokkels beet en alles zag wegzakken. Zich vervloekte dat ze zich zo had uitgesloofd. Terugrende naar de intercom om ons te smeken nog een minuutje te blijven.

Bijna tien straten verder voelde ik een kleine pijnscheut, een steek in mijn zij. Buiten adem leunde ik tegen de deur onder de luifel van een dokterspraktijk in de 85th Street. Ik woog alles tegen elkaar af, maar dacht toen: Nee, ik ga niet terug, niet nu, ik loop gewoon door, dat ben ik aan mezelf verplicht en niemand die me tegenhoudt.

Soms zet je je iets in het hoofd en krijg je het er niet meer uit. Ik haal het, dat hele stuk naar huis, al doe ik er een week over, dacht ik, ik ga elke centimeter van dat eind lopen, erewoord, ik moet, hoe dan ook, terug naar de Bronx.

Marcia, Janet, Jacqueline riepen me niet meer. Ergens was ik opgelucht dat ze me hadden laten gaan, dat ik niet had toegegeven, niet was teruggegaan. Ik wist niet zeker wat ik gedaan had als ze naast me waren komen meehobbelen. Maar ergens vond ik wel dat Claire achter me aan had moeten komen, dat had ik wel verdiend. Ik wilde dat ze me op mijn schouder kwam tikken en me zou smeken om een ogenblikje tijd, zodat ik wist dat het belangrijk was, net zoals onze jongens belangrijk waren. En ik wilde niet dat het zo afliep voor mijn jongens.

Ik keek de avenue af. Park was grijs en breed en liep even verderop licht omhoog, een vluchtheuvel van verkeerslichten. Ik trok de gespen van mijn schoen vaster en stapte het zebrapad op.

Toen ik uit Missouri vertrok was ik zeventien, en ik ging naar Syracuse, waar ik van een studiebeurs rondkwam. Ik deed het heel behoorlijk, al zeg ik het zelf. Ik had aanleg om een paar goedgeschreven zinnen aan elkaar te rijgen en wist goed de weg in een flink stuk Amerikaanse geschiedenis en zo werd ik – met nog een paar jonge zwarte vrouwen van mijn leeftijd – uitgenodigd in elegante vertrekken, in huizen met houten lamberiseringen en flakkerende kaarsen en mooie kristallen glazen, waar ons gevraagd werd onze mening te geven over wat er met onze jongens bij Anzio was gebeurd en wie W.E.B. Du Bois was en wat het eigenlijk betekende om geëmancipeerd te zijn en hoe de Tuskegee Airmen tot stand waren gekomen, en wat Lincoln zou vinden van wat we bereikt hadden. Ze luisterden met die glazige blik in hun ogen naar onze antwoorden, alsof ze wel wilden geloven wat er in hun bijzijn werd gezegd, maar niet konden geloven dat ze erbij waren.

Laat op die avonden speelde ik stijfjes piano, maar het was alsof ze liever jazz uit mijn vingers zagen springen. Dit was niet de neger die ze verwachtten. Soms keken ze met een schok op, alsof ze zich plots uit een droom hadden wakker geschud.

We werden door de decaan van de een of andere faculteit naar de deur geloodst. Ik kon merken dat de feestjes pas echt begonnen nadat de deuren achter ons waren gesloten.

Na de bezoeken aan die schitterende huizen wilde ik niet meer terug naar mijn slaapkamertje in het studentenhuis. Ik zwierf de stad door, van Thornden Park tot aan White Chapel Gardens, soms tot de blauwe dageraad opkwam, en sleet gaten in mijn zolen.

De rest van mijn studietijd hield ik vooral mijn schooltas tegen mijn borst geklemd en deed alsof ik doof was voor de zinspelingen van corpsballen, die niet vies waren van zwarte vrouwen als trofee: ze zagen het als een soort safari.

Zeker, ik smachtte naar de straatjes van mijn geboorteplaats in Missouri, maar een studiebeurs opgeven had een nederlaag betekend voor mijn ouders, die geen idee hadden hoe het voor mij was – ze dachten dat hun kleine meid in het noorden was om de waarheid van Amerika te leren, in een soort omgeving waar een jonge vrouw bij de rijken over de drempel kon stappen. Ze hadden gezegd dat mijn zuidelijke charme me erdoorheen zou helpen. Mijn vader schreef brieven die begonnen met: *Mijn kleine Glorie*. Ik schreef terug op luchtpostpapier. Ik vertelde ze hoe dol ik was op mijn geschiedeniscolleges, wat waar was. Ik vertelde dat ik het heerlijk vond om in de bossen te wandelen, ook waar. Ik vertelde dat ik altijd schoon linnengoed in mijn studentenkamer had, opnieuw waar.

Ik vertelde ze niets dan de waarheid en was toch niet eerlijk.

Maar ik studeerde cum laude af. Ik was een van de eerste zwarte vrouwen in Syracuse die dat lukte. Ik ging de trap op, keek neer op die menigte toga's en baretten, kwam in een verbaasd applaus boven. Op de binnenplaats van de universiteit viel een lichte regen. Ik liep doodsbang langs mijn studiegenoten. Mijn vader en moeder, overgekomen uit Missouri, omhelsden me. Ze waren oud en afgetakeld en hielden elkaars hand vast alsof ze uit één stuk waren. We gingen naar Denny's om het te vieren. Mijn moeder zei dat we het ver hadden geschopt, wij en onze mensen. Ik schrok toen ik in de auto keek. Ze hadden hem zo geladen dat er achterin plaats voor me was. Nee, zei ik tegen ze. Ik bleef liever nog een tijdje, als ze het niet erg vonden, ik was er nog niet aan toe om terug te gaan. 'O,' zeiden ze in koor, alleen een beetje grijnzend, 'ben je nu een Yankee?' Het was een grijns met pijn erin – ik denk dat je het een grimas zou moeten noemen.

Mijn moeder, op de passagiersstoel, verzette de binnenspiegel toen ze wegreden: ze zag me gaan en zwaaide uit het raampje en riep dat ik gauw thuis moest komen.

Ik ging blind voor de listen van de liefde mijn eerste huwelijk in. Mijn aanstaande man kwam uit een familie in Des Moines. Hij was student werktuigbouwkunde en een bekend debater binnen het zwarte debatingcircuit: hij kon elk onderwerp naar zijn hand zetten. Hij had een pukkelige huid en een mooie, gebogen neus. Hij had zijn haar behoudend Afro laten knippen, met kaneelkleurige puntjes. Hij was zo'n man die zijn bril nauwkeurig met een middelvinger rechtzet. Ik leerde hem kennen op de avond toen hij zei dat Amerika niet besefte dat het onophoudelijk onder censuur leefde, altijd zou blijven leven, tenzij de grondrechten werden veranderd. Dat was het woord dat hij gebruikte in plaats van burgerrechten: *grondrechten*. Het veroorzaakte een stilte in de zaal. Mijn verlangen naar hem greep me bij de keel. Hij keek even de zaal in naar mij. Hij had een slanke jongensachtigheid, volle lippen. Na zes weken verkering waagden we de sprong. Mijn ouders en twee overgebleven broers reden naar het noorden om ons huwelijk bij te wonen. Het feest was in een vervallen zaal aan de rand van de stad. We dansten tot middernacht en toen vertrok de band, slepend met hun trombones. We moesten zoeken naar onze jassen. Mijn vader was bijna de hele avond stil geweest. Hij zoende me op mijn wang. Hij vertelde dat nog maar weinig mensen handgeschilderde uithangborden bestelden, dat ze allemaal op neonreclame overgingen, maar als hij nog één bord op de wereld mocht hangen, dan zou hij erop zetten dat hij de vader van Gloria was.

Mijn moeder gaf goede raad – ik kan me nog steeds niets herinneren van wat ze zei – en toen trok mijn nieuwe echtgenoot me snel mee.

Ik keek hem aan en glimlachte en hij glimlachte terug, en we wisten allebei meteen dat we een vergissing hadden begaan.

Sommige mensen denken dat liefde het eind van de weg is en als je de mazzel hebt dat je het vindt, dan blijf je daar. Anderen zeggen dat het een rots wordt waar je vanaf rijdt, maar de meeste mensen die al een tijdje meelopen weten dat het gewoon iets is wat van dag tot dag verandert, en naarmate je ervoor vecht, krijg je het, of hou je het vast, of raak je het kwijt, maar soms is het er zelfs nooit geweest.

Onze huwelijksreis was een ramp. Het koude zonlicht viel schuin door de ramen van een pension in een kleine stad boven New York. Ik had gehoord dat er massa's vrouwen waren die hun huwelijksnacht gescheiden van hun man doorbrachten. Het verontrustte me eerst niet. Ik zag hem in elkaar gedoken, slapeloos op de bank liggen rillen alsof hij koorts had. Ik gunde hem de tijd. Hij hield vol dat hij moe was en sprak ernstig over de spanningen van de dag – ik kwam er later achter dat hij echt al het spaargeld van zijn familie aan de bruiloft had besteed. Ik voelde nog een sterk residu van verlangen als ik hem hoorde spreken, of als hij me opbelde om te zeggen dat hij niet thuiskwam – woorden schenen een warme band met hem te hebben, het was magisch zoals hij sprak, maar na een tijdje begon zelfs zijn stem te krassen en deed hij me steeds meer denken aan de kleuren van de muren in de hotelkamers waar hij logeerde: de kleuren drongen in hem binnen en namen hem over.

Na een tijdje leek hij geen naam meer te hebben.

En toen zei hij – in 1947, na elf maanden huwelijk – dat hij had gezocht naar een andere lege doos waarin hij zou passen. Dat was nou de jongen die de ster van het zwarte debatingteam was geweest. *Een andere lege doos.* Ik had het gevoel dat mijn schedel van mijn romp werd getild. Ik ging bij hem weg.

Ik durfde niet naar huis. Ik verzon smoezen, ingewikkelde leugens. Mijn ouders hadden nog hoop – waarom zou ik ze narigheid bezorgen? Het idee dat ze zouden weten dat ik mislukt was lag als een steen op mijn maag. Ik kon het niet verdragen. Ik vertelde hun niet eens dat ik was gescheiden. Als ik mijn moeder belde, zei ik dat mijn man in bad zat, of op het basketbalveld, of de deur uit was voor een belangrijke sollicitatie bij een constructiebedrijf in Boston. Of ik rekte het snoer helemaal uit tot aan de voordeur, drukte dan op de bel en zei: 'O, ik moet gaan, mam – er is een vriend voor Thomas.'

Nu hij weg was had hij weer een naam. Thomas. Ik schreef hem met blauwe eyeliner op mijn badkamerspiegel. Ik keek erdoorheen, er voorbij, naar mezelf.

Ik had terug moeten gaan naar Missouri, er een goede baan zoeken, weer bij mijn ouders intrekken, misschien een man opduikelen die niet bang voor de wereld was, maar ik ging niet terug: ik bleef mezelf wijsmaken dat ik het zou doen en het duurde niet lang of mijn ouders overleden. Eerst mijn moeder, mijn vader als een gebroken man net een week later. Ik weet nog dat ik dacht dat ze als geliefden waren gegaan. Ze konden niet zonder de ander leven. Het was alsof ze hun hele leven elkaars adem hadden ingeademd.

Toen laaide er een verlies in me op, en een woede, en ik wilde New York zien. Ik had gehoord dat het een stad was die danste. Ik kwam op het busstation aan met twee poepchique koffers, hoge hakken en een hoed. Mannen wilden mijn koffers dragen, maar ik liep met mijn neus in de lucht verder, Eighth Avenue over. Ik vond een pension, en vroeg een studiebeurs aan, maar toen er geen antwoord kwam, nam ik het eerste het beste baantje dat ik kon krijgen: bediende bij een bookmaker op de renbaan van Belmont Park. Ik was lokettiste. Soms loop je tegen iets aan wat helemaal niks voor je is. Je doet wel alsof. Je denkt dat je het als een jas van je af kunt gooien, maar het is helemaal geen jas, het heeft meer iets van een tweede huid. Ik was meer dan overgekwalificeerd, maar nam het toch. Daar ging ik: elke dag naar de renbaan. Ik dacht dat ik er met een paar weken weg zou zijn, dat het maar voor even was, een plezierig intermezzo voor een meisje dat wist wat plezier was, maar er nog niet goed van geproefd had. Ik was tweeëntwintig. Het enige dat ik wilde was mijn leven een tijdje opwindend maken: de gewone zaken van mijn dagen oppakken en er iets bijzonders van maken, zonder verplichtingen aan mijn verleden. Bovendien hield ik van het geluid van de galop. Op ochtenden voor de races liep ik beneden door de stallen om al die geuren van hooi en zeep en zadelleer op te snuiven.

Ergens denk ik dat we misschien op een plek voortleven nadat we die verlaten hebben. Op de renbaan in New York vond ik het machtig om de paarden van dichtbij te zien. Hun flanken zagen soms zo blauw als insectenvleugels. Ze zwiepten hun manen terug omhoog. Voor mij waren ze Missouri. Ze roken naar thuis, naar velden, naar beekoevers.

Er kwam een man de hoek om met een paardenborstel in zijn handen. Hij was lang, donker, elegant. Hij droeg een overall. Zijn glimlach was zo ontzettend breed en wit.

Aan mijn tweede en laatste huwelijk hield ik mijn drie jongens en een flat op tienhoog in de Bronx over – en in zekere zin, denk ik, die twee kleine meisjes.

Soms moet je naar een heel hoge verdieping om te zien wat het verleden met het heden heeft gedaan.

Ik bleef Park volgen en was al tot aan 116th Street gekomen, bij de oversteekplaats, toen ik begon te bedenken hoe ik eigenlijk de rivier over moest. Je kon wel over de bruggen, maar mijn voeten begonnen op te zwellen en mijn schoenen sneden in mijn hielen. De schoenen waren een halve maat te groot. Ik had ze met opzet zo gekocht voor de zondagse opera, zodat ik lekker ontspannen kon zitten en stilletjes mijn schoenen uitschoppen, de koelte laten optrekken. Maar nu schoven ze met elke stap omhoog en drukten ze een moet in mijn hie-

len. Ik probeerde het met kleinere stappen, maar er begonnen al bla-
renvelletjes los te komen. Elke stap sneed een beetje dieper. Ik had
kleingeld voor de bus en een muntje voor de ondergrondse, maar ik
had mezelf opgedragen om te lopen, om op eigen kracht naar huis
te komen, de ene voet na de andere. Dus ik bleef richting noord
lopen.

Het leek wel of de straten van Harlem belegerd waren – hekken
en verkeersobstakels en prikkeldraad, radio's in de ramen, kinderen
op de stoepen. Boven leunden vrouwen op hun ellebogen in de hoge
ramen alsof ze op betere tijden terugkeken. Beneden reden rolstoel-
bedelaars om het hardst naar auto's die voor verkeerslichten stopten: ze namen hun wagenrennen ernstig en de winnaar kon bukkend
een stuiver van de grond rapen.

Af en toe ving ik een glimp op van een huiskamer: een witte ge-
emailleerde kan tegen een raamlijst, een ronde houten tafel met een
opengeslagen krant erop, een geplooide lampenkap boven een groene stoel. Met wat voor geluiden zijn die kamers gevuld? vroeg ik me
af. Ik had er nooit eerder bij stilgestaan, maar alles in New York is op
iets anders gebouwd, niets staat helemaal op zichzelf, elk ding is
even vreemd als alle andere, en ermee verbonden.

Met elke stap schoot een vlijmpje pijn door me heen, maar ik kon
het hebben – er waren ergere dingen dan een paar opengeschaafde
hielen. Er speelde een populair liedje in mijn herinnering, Nancy
Sinatra zong over haar schoenen die voor het lopen gemaakt waren.
Ik hield me voor dat hoe meer ik neuriede, hoe minder ik mijn voeten zou voelen. *One of these days these boots are gonna walk all over you.*
Van hoek tot hoek. Nog één barst in het wegdek. Zo lopen we allemaal: hoe meer we hebben om onze gedachten bezig te houden hoe
beter. Ik begon harder te neuriën, het kon me niks schelen wie me
zag of hoorde. Een nieuwe hoek, een nieuw geluid. Als klein meisje
was ik door de velden naar huis gelopen, terwijl mijn sokken in mijn
schoenen wegkropen.

De zon stond nog hoog. Ik had langzaam gelopen, al zeker twee
uur.

Er liep water door een goot: iets verderop hadden kinderen een brandkraan opengezet en dansten in hun ondergoed door de straal. Hun glimmende lijfjes waren mooi en donker. De oudere kinderen zaten op de stoeptrappen te kijken naar hun broertjes en zusjes in hun natte onderkleren, misschien met het verlangen om ook weer zo jong te zijn.

Ik stak over naar de zonkant van de straat.

In de loop der jaren ben ik in New York zeven keer beroofd. Het heeft iets onvermijdelijks. Je voelt het aankomen, zelfs als het van achteren komt. Een geruis in de lucht. Een trilling in het licht. Een voornemen. In de verte wacht het op je, bij een afvalbak. Onder een muts, of een sporttrui. Het wegschietende oog. De terugkerende blik. Een fractie van een seconde, wanneer het gebeurt, ben je niet eens in de wereld. Je zit in je handtas en die gaat ervandoor. Zo voelt het. Daar gaat mijn leven de straat uit, gedragen door een paar weg-hollende schoenen.

Dit keer kwam het meisje, een Porto Ricaanse, uit een voorhuis in 127th Street gestapt. Alleen. Met branie. Een brandtrap wierp kruise-lings schaduwen over haar heen. Ze hield een mes onder haar eigen kin. Een drugsglans in haar ogen. Ik had die blik eerder gezien: als ze mij niet zou steken zou ze zichzelf steken. Haar oogleden waren hel zilver geverfd.

'De wereld is al slecht genoeg,' zei ik op mijn kerktoon tegen haar, maar ze wees alleen met de punt van het mes op mij.

'Geef godverdomme je tas.'

'Het is een zonde om het nog erger te maken.'

Ze haakte de handtas aan het lemmet van het mes. 'Je zakken,' zei ze.

'Dit hoef je niet te doen.'

'Ach, hou je rotkop,' zei ze, en ze trok de handtas op naar haar elle-boog. Het was alsof ze al aan het gewicht merkte dat er niks in zat behalve een zakdoek en een paar foto's. Toen boog ze zich als een schicht naar voren en sneed de zak van mijn jurk open. Het lemmet gleed langs mijn heup. Mijn portemonnee, mijn rijbewijs en nog twee foto's van mijn jongens bleven in de zak zitten. Ze sneed de andere kant open.

'Dikke trut,' zei ze toen ze de hoek om liep.

Het was alsof de straat bonsde. Het was helemaal mijn eigen schuld. De blaf van een hond vloog voorbij. Ik bedacht dat ik niks meer te verliezen had, dat ik haar achterna moest, de lege handtas teruggrissen, mijn oude ik redden. Ik vond het het ergst van de foto's. Ik liep naar de hoek. Ze was al een eind de straat in. De foto's lagen als een spoor uitgestrooid over de stoep. Ik bukte en raapte op wat er van mijn jongens over was. Ik ving de blik op van een vrouw, ouder dan ik, die uit het raam gluurde. Ze werd omlijst door rottend hout. De vensterbank stond vol gipsen heiligen en wat kunstbloemen. Ik zou op dat moment mijn leven met het hare hebben geruild, maar ze sloot het raam en draaide zich om. Ik zette de lege witte handtas tegen de stoeptrap en liep zonder verder. Ze mocht hem hebben. Neem het allemaal maar, behalve de foto's.

Ik stak mijn hand op en onmiddellijk stopte er een snorder. Ik schoof op de achterbank. Hij verstelde zijn binnenspiegel.

'Ja?' zei hij, driftig trommelend op het stuur.

Probeer bepaalde dagen op een weegschaal te leggen.

'Hé, dame,' schreeuwde hij. 'Waar moet je naartoe?'

Probeer ze te wegen.

'Park bij 76th Street,' zei ik.

Ik had geen idee waarom. Er zijn dingen die je gewoon niet kunt verklaren. Ik had net zo goed naar huis kunnen gaan: ik had genoeg geld onder mijn matras verstopt om de taxirit wel tien keer te betalen. En de Bronx was dichterbij dan het huis van Claire, dat wist ik best. Maar we zaten al in de verkeersstroom. Ik vroeg de chauffeur niet om om te keren. Mijn angst groeide naarmate de zijstraten voorbij wiekten.

De portier belde haar en ze rende de trap af, meteen naar buiten en betaalde de taxichauffeur. Ze keek even naar mijn voeten – een streepje bloed, opgekropen over de rand van mijn hak, en de zak van mijn jurk hing los – en er klikte iets in haar om, een soort sleutel, haar gezicht werd zacht. Ze zei mijn naam en bezorgde me een ongemakkelijk moment. Haar arm sloeg om me heen en ze nam me regelrecht mee de lift in naar boven, door de gang naar haar bed. De gordijnen waren dicht. Er sloeg een sterke geur van sigaretten van haar af, vermengd met verse parfum. 'We zijn er,' zei ze alsof het de enige plek op de wereld was. Ik zat op het schone, rimpelloze linnen, terwijl zij het bad liet vollopen. Het gekletter van water. 'Arme ziel,' riep ze. Er hing een geur van badzout in de lucht.

Ik kon mezelf in de slaapkamerspiegel zien. Mijn gezicht zag er opgezet en moe uit. Ze zei iets, maar haar stem ging op in het lawaai van het water.

De andere kant van het bed was ingedeukt. Dus ze was gaan liggen, misschien huilend. Ik had even zin me op haar afdruk te laten ploffen en die drie keer zo groot te maken. De deur ging langzaam open. Claire stond er te glimlachen. 'We gaan je opkalefateren,' zei ze. Ze kwam naar de rand van het bed, pakte me bij mijn elleboog, bracht me naar de badkamer en testte de warmte van het water met een knokkel. Ik rolde de kousen van mijn benen. Stukjes vel kwamen van mijn voeten los. Ik ging op de rand van het bad zitten en zwaaide mijn benen eroverheen. Het water stak. Het bloed gleed van mijn voeten. Een soort vervagende zonsondergang, de rode gloed verspreidde zich over het water.

Claire legde een witte handdoek midden op de badkamervloer, aan mijn voeten. Ze gaf me een paar pleisters, had het beschermlaagje er al afgetrokken. Onwillekeurig kwam de gedachte bij me op dat ze mijn voeten met haar haar wilde afdrogen.

'Het is goed zo, Claire,' zei ik tegen haar.

'Wat hebben ze gestolen?'

'Alleen mijn handtas.'

De schrik sloeg me om het hart: ze zou kunnen denken dat ik alleen was gekomen voor het geld dat ze me eerder had aangeboden om te blijven, dat ik mijn beloning, mijn slavenbeurs wilde innen.

'Er zat geen geld in.'

'We zullen toch de politie bellen.'

'De politie?'

'Waarom niet?'

'Claire…'

Ze keek me beteuterd aan en opeens daagde er iets van begrip in

364

haar ogen. Mensen denken dat ze weten hoe het is om in jouw huid te leven. Vergeet het. Niemand kent dat geheim, behalve degene die er zelf in rondzeult.

Ik bukte me en deed de pleisters op mijn hielen. Ze waren net niet breed genoeg voor de wond. Ik voorvoelde al de stekende pijn wanneer ik ze er straks weer af moest halen.

'Weet je wat het ergste was?' zei ik.

'Nou?'

'Ze schold me uit voor dikkerd.'

'O, Gloria. Wat erg.'

'Jouw schuld, Claire.'

'Hè?'

'Het is jouw schuld.'

'O,' zei ze met een zenuwtrillinkje in haar stem.

'Ik had je nog zo gezegd dat ik die extra donuts niet moest nemen.'

'Oo!'

Ze gooide haar hoofd naar achteren tot haar hals spande en gaf me een tikje op mijn hand.

'Gloria,' zei ze. 'De volgende keer is het water en brood.'

'Maar met een klein taartje?'

Ik leunde voorover om mijn tenen af te drogen. Haar hand dwaalde naar mijn schouder, maar ineens richtte ze zich op en zei: 'Je moet slippers hebben.'

Ze doorzocht de kast om een paar vilten slippers voor me te vinden en een peignoir die van haar man moet zijn geweest, want haar eigen peignoir had me niet gepast. Ik schudde mijn hoofd en hing de kamerjas aan een haak op de deur. 'Niet om je te beledigen,' zei ik. Ik kon met mijn gescheurde jurk leven. Ze nam me mee naar de woonkamer. Geen bordje of kopje van de bijeenkomst was opgeruimd. Midden op de tafel stond een fles gin. Meer lucht dan gin in de fles. IJs lag in een kom te smelten. Claire gebruikte de citroenen die we hadden gesneden in plaats van limoen. Ze hield de fles omhoog en haalde haar schouders op. Zonder te vragen pakte ze een tweede glas. 'Sorry dat ik mijn vingers gebruik,' zei ze toen ze ijs in het glas liet vallen.

Het was jaren geleden dat ik een borrel had gedronken. Ik voelde de koelte in mijn keel. Niets deed er meer toe dan die vluchtige smaak.

'God, wat lekker.'

'Soms is het een medicijn,' zei ze.

Zonlicht scheen door het glas van Claire. Het ving de citroenkleur, terwijl het glas tussen haar handen draaide. Het leek alsof ze de wereld woog. Ze leunde achterover tegen het wit van de bank en zei: 'Gloria?'

'Uh-huh?'

Ze keek weg, boven mijn hoofd, naar een schilderij in de hoek van de kamer.

'De waarheid?'

'De waarheid.'

'Ik drink normaal niet, hoor. Maar vandaag, met jullie, weet je, door al dat praten. Ik geloof dat ik mezelf een beetje heb aangesteld.'

'Je deed het prima.'

'Deed ik niet mal?'

'Je deed het prima, Claire.'

'Ik vind het verschrikkelijk als ik me zo aanstel.'

'Dat heb je niet gedaan.'

'Weet je het zeker?'

'Heel zeker.'

'De waarheid is niet aanstellerig,' zei ze.

Ze bewoog haar glas draaiend en keek hoe de gin erin rondwalste, een wervelstorm waarin ze zich wilde verdrinken.

'Ik bedoel over Joshua. Niet die andere dingen. Ik bedoel, ik voelde me zo dom toen ik zei dat ik je zou betalen om te blijven. Ik wilde gewoon dat er iemand was. Bij, ja, bij mij. Egoïstisch eigenlijk, en ik voel me er vreselijk over.'

'Zulke dingen gebeuren.'

'Ik meende het niet.' Ze wendde haar blik af. 'En later, toen jullie weggingen, heb ik je geroepen. Ik wilde achter je aanrennen.'

'Ik had behoefte om te lopen, Claire. Meer was het niet.'

'De anderen lachten me uit.'

'Ik weet zeker van niet.'

'Ik geloof niet dat ik ze ooit nog terugzie.'

'Tuurlijk zien we ze terug.'

Ze liet een lange zucht ontsnappen en gooide de borrel achterover, schonk zich nog eens in, maar nu voornamelijk tonic, niet gin.

'Waarom ben je teruggekomen, Gloria?'

'Om betaald te krijgen, natuurlijk.'

'Pardon?'

'Grapje, Claire, grapje.'

Ik voelde de gin onder mijn tong werken.

'O,' zei ze. 'Ik ben echt een beetje sloom vanmiddag.'

'Ik weet het eigenlijk niet,' zei ik.

'Ik ben blij dat je het hebt gedaan.'

'Niks beters te doen.'

'Je bent een grapjas.'

'Het is niet grappig.'

'Niet?'

'Het is de waarheid.'

'O!' zei ze. 'Je koor. Was ik helemaal vergeten.'

'Mijn wat?'

'Je koor. Je zei dat je naar koor moest.'

'Ik zit niet op koor, Claire. Nooit op gezeten. Zal er ook nooit op gaan. Sorry. Uit de lucht gegrepen.'

Ze leek het een ogenblik te moeten verwerken, en begon toen te grinniken.

'Maar je blijft toch wel even? Gun je voeten wat rust. Blijf eten. Mijn man zou rond een uur of zes thuis zijn. Doe je het?'

'O, ik geloof niet dat ik dat moet doen.'

'Twintig dollar per uur?' zei ze grinnikend.

'Aangenomen,' lachte ik.

We zaten bij elkaar in een tevreden stilte, waarin zij met haar vingers over de rand van haar glas streek, maar ineens veerde ze op en zei: 'Vertel nog eens over je jongens.'

Haar vraag irriteerde me. Ik wilde niet meer aan mijn jongens denken. Gek genoeg wilde ik alleen maar omringd worden door iemand anders, een deel zijn van andermans kamer. Ik pakte een stukje citroen en schoof het tussen mijn tanden en tandvlees. Het zuur gaf me een rilling. Ik denk dat ik een heel ander soort vraag wilde.

'Mag ik je iets vragen, Claire?'

'Natuurlijk.'

'Kunnen we wat muziek opzetten?'

'Muziek?'

'Ik bedoel, ik geloof dat de schrik nog een beetje in mijn benen zit.'

'Wat voor muziek?'

'Wat je maar hebt. Ik voel me er, ik weet niet, ik word er rustig van. Ik vind het heerlijk om een orkest te horen. Heb je opera?'

'Bang van niet. Hou je van opera?'

'Ik spaar ervoor. Als ik maar even de kans krijg, ga ik naar de Met. Helemaal boven in de engelenbak. Schop mijn schoenen uit en weg ben ik.'

Ze stond op en liep naar de pick-up. Ik kon de hoes niet zien van de plaat die ze pakte. Ze maakte het vinyl schoon met een zachte gele doek en tilde toen de naald op. Ze deed alles pietluttig, alsof het bijzonder en noodzakelijk was. De muziek vulde de kamer. Een donkere, harde piano: de hamers roffelden over de snaren.

'Het is een Rus,' zei ze. 'Hij haalt dertien toetsen met zijn vingers.'

Ik was er niet rouwig om, de dag dat mijn tweede man een jongere versie vond van de trein waarop hij naar de vergetelheid reed. Zijn pet was trouwens altijd al een tikje te groot voor zijn hoofd geweest. Opeens was hij vertrokken en hij liet me zitten met drie jongens en uitzicht op de Deegan. Het kon me niet schelen. Mijn laatste gedachte aan hem was dat niemand zo eenzaam hoorde te zijn als hij met dat weglopen. Maar het brak mijn hart niet om de deur achter hem dicht te doen, of mijn trots te moeten inslikken om maandelijks een cheque te innen.

De Bronx was te warm in de zomer, te koud in de winter. Mijn jongens droegen bruine jagerspetten met oorkleppen. Later gooiden ze de petten weg en groeiden op met afrokapsels. Ze verstopten potlo-

368

den in hun haar. We hadden onze mooie dagen. Ik weet nog dat we op een zomermiddag met zijn vieren naar Foodland gingen en met ons winkelwagentje langs de vriesvitrines op en neer renden om koel te blijven.

Het was Vietnam dat me op de knieën kreeg. De oorlog viel bij ons binnen en haalde alle drie mijn jongens onder mijn neus vandaan. Tilde ze uit hun bed, schudde de lakens en zei: die zijn van mij.

Ik heb Clarence een keer gevraagd waarom hij ging en hij zei wel wat over vrijheid, maar hij deed het vooral omdat hij zich verveelde. Brandon en Jason zeiden ongeveer hetzelfde toen hun oproep voor dienst in onze brievenbus viel. Het was de enige post die niet werd gestolen in de flats. De postbode sjouwde met enorme zakken treurnis rond. De flats werden in die tijd overstroomd met heroïne en ik dacht dat mijn jongens misschien gelijk hadden dat ze ervoor wegvluchtten. Ik had meer dan genoeg kinderen versuft in een hoek zien zitten met een naald in hun arm en een lepeltje in hun borstzak.

Ik zette min of meer de ramen open en zei dat ze dan maar moesten gaan. Ze vlogen uit. Er kwam er niet een terug.

Telkens als een tak van me bijna was uitgegroeid, kwam die wind om hem af te breken.

Ik zat dagen in mijn stoel in de huiskamer naar tv-series te kijken. Ik zal wel hebben zitten eten. Dat zal ik wel gedaan hebben. Eten wat ik maar op kon. Alleen. Omringd door pakken kaaskoekjes en zoutjes deed ik mijn uiterste best om niet terug te kijken, wisselde van zenders, crackers en kaassoort, opdat de herinneringen me maar niet te pakken kregen. Ik zag mijn enkels dik worden. Elke vrouw heeft haar eigen vloek en die van mij zal niet veel erger zijn geweest dan die van massa's anderen.

Alles valt uiteindelijk in handen van de muziek. Het enige wat me altijd redding bracht was het luisteren naar een grote stem. Er zitten jaren samengebald in een geluid. Ik begon elke zondag naar de radio te luisteren en besteedde elke cent smartengeld van de regering aan kaartjes voor de Metropolitan. Ik had het gevoel dat ik een kamer vol stemmen had. De muziek galmde naar buiten over de Bronx. Soms zette ik de stereo zo hard dat de buren klaagden. Ik kocht een koptelefoon. Een knots van een ding dat mijn halve hoofd bedekte. Ik durfde er niet eens mee in de spiegel te kijken. Maar het werkte helend.

Ook die middag bij Claire in de huiskamer liet ik de muziek over me heen komen: het was geen opera, het was piano, maar het was een nieuw plezier – het fascineerde me.

We draaiden drie of vier platen. Laat in de middag of vroeg op de avond, dat wist ik niet precies, maar toen ik mijn ogen opendeed had ze net een lichte deken over mijn knieën gelegd. Ze ging weer tegen het wit van de bank zitten, met een glas aan haar lippen.

'Weet je waar ik zin in heb?' zei Claire.

'Nou?'

'Ik zou het heerlijk vinden om een sigaret te roken, hier, nu, in deze kamer.'

Ze tastte op de tafel rond naar een pakje.

'Mijn man vind het verschrikkelijk als ik binnenshuis rook.'

Ze viste er een sigaret uit. Hij zat verkeerd om in haar mond en even dacht ik dat ze hem zo zou gaan aansteken, maar ze lachte en draaide hem om. De lucifers waren nat en de kop viel uiteen bij het afstrijken.

Ik ging overeind zitten en pakte een ander luciferboekje van de tafel. Ze pakte mijn hand.

'Ik geloof dat ik een beetje tipsy ben,' zei ze, maar met een elegante stem.

Ik had toen – op dat moment – het afschuwelijke gevoel dat ze zich naar me toe zou buigen en zou proberen me te zoenen, of een vreemde avance zou maken, je leest daar weleens over in tijdschriften. We vergeten onszelf soms. Ik voelde me hol vanbinnen en het was alsof er een koude bries door mijn lichaam trok, als tocht door een straat, maar zoiets was het helemaal niet – ze ging alleen gemakkelijk zitten, blies de rook naar het plafond en liet de muziek over ons heen spoelen.

Even later dekte ze de tafel voor drie en zette een kippenpastei in de oven. De telefoon ging een paar keer, maar ze liet hem rinkelen. 'Ik denk dat hij laat thuiskomt,' zei ze.

Bij de vijfde keer nam ze op. Ik hoorde zijn stem, maar kon niet verstaan wat hij zei. Ze hield haar hand om de hoorn en ik hoorde haar de woorden *liefste* en *Solly* en *hou van je* fluisteren, maar het gesprek ging vlug en bondig, alsof zij de enige was die sprak. Ik had het rare gevoel dat hij aan de andere kant van de lijn met stilte antwoordde.

'Hij zit in zijn favoriete restaurant,' zei ze me, 'om iets te vieren met de officier.'

Voor mij maakte het niet zo uit – ik zat er niet bepaald op te wachten dat hij van de muur afkwam om poeslief tegen me te doen, maar Claire had een verre blik in haar ogen, alsof ze wilde dat ik naar hem vroeg, dus dat deed ik toen maar. Ze begon aan een lang verhaal over een promenade en een wandeling die ze daar maakte, een man die haar tegemoetkwam in een lange, witte flanellen broek, dat hij een vriend van een of andere beroemde dichter was, dat ze elk weekend naar Mystic gingen, naar een klein restaurant waar hij hun cocktails keurde; ze ging maar door, ging maar door, met haar ogen naar de voordeur, wachtend op zijn thuiskomst.

Het schoot door me heen dat het heel ongewoon moest zijn geweest als iemand ons van buitenaf had kunnen zien, zoals we daar in het schemerdonker gewoon een beetje zaten te klessebessen.

Ik weet niet meer waardoor mijn oog op die kleine advertentie viel die achterop *The Village Voice* stond. Het was geen krant waar ik nou zo dol op was, maar ik had hem op een dag in handen, zoals dat soms gaat, en door een krankzinnig toeval zag ik de advertentie van Marcia, uitgerekend zij. Ik ging aan het kleine werkblad in mijn keuken zitten en stelde een brief op, die ik misschien wel vijftig, zestig keer heb overgeschreven. Ik legde alles uit over mijn jongens, en nog eens en nog eens, God mag weten hoe vaak, en vertelde dat ik een zwarte vrouw was, dat ik in een slechte buurt woonde, maar dat mijn huis echt gezellig en schoon was, dat ik drie jongens had gehad en twee echtgenoten had meegemaakt, dat ik eigenlijk naar Missouri terugwilde maar er nooit de kans of de moed voor had gehad, dat ik het heerlijk zou vinden om mensen zoals ik te ontmoeten, dat ik het een groot voorrecht zou vinden. Telkens verscheurde ik de brief. Het voelde gewoon niet goed. Uiteindelijk was het enige dat ik schreef: *Hallo, ik ben Gloria en ik zou er ook graag bij zijn.*

Het moet een uur of tien in de avond zijn geweest toen haar man de deur binnen kwam stommelen. Vanuit de gang riep hij zelfs: 'Schat, ik ben thuis.'

In de woonkamer bleef hij met grote ogen staan kijken, alsof hij in het verkeerde huis was beland. Hij klopte op zijn zakken, misschien hoopte hij daar nog een ander stel sleutels te vinden.

'Is er wat?' zei hij tegen Claire.

Hij zag er iets ouder uit, maar verder zou hij zo uit het portret aan de muur kunnen zijn gestapt. Zijn das zat een beetje scheef maar zijn overhemd was tot bovenaan dicht. De kale schedel glom. Hij had een leren aktetas met zilveren sluiting bij zich. Claire stelde me voor. Hij vermande zich en liep naar me toe om me een hand te geven. Een vage wijnlucht zweefde om hem heen. 'Aangenaam kennis te maken,' zei hij op een manier waaruit duidelijk bleek dat hij geen idee had waarom het aangenaam zou zijn, maar hij moest het wel zeggen, louter uit beleefdheid. Zijn hand was mollig en warm. Hij zette zijn tas tegen de poot van de tafel en keek fronsend naar de asbak.

'Meisjesavondje?' zei hij.

Claire gaf hem een zoen, hoog op zijn wang, bij zijn ooglid, en maakte zijn das voor hem los.

'Ik heb een paar vriendinnen op visite gehad.'

Hij hield de lege ginfles op naar het licht.

'Kom erbij zitten,' zei ze.

'Ik ga gauw een douche nemen, lief.'

'Kom er gezellig bij, toe nou.'

'Ik ben uitgeteld,' zei hij, 'maar sjongejonge, ik héb toch een verhaal voor je.'

'O ja?'

'Och, man.'

Hij maakte de knoopjes van zijn overhemd los en even was ik

bang dat hij het overhemd in mijn bijzijn zou uittrekken en als een ronde, witte vis midden in de kamer zou staan.

'Knaap die over een draad liep,' zei hij. 'World Trade.'

'Hebben we gehoord.'

'Heb je het gehoord?'

'Nou ja, iedereen heeft het gehoord. De hele wereld praat erover.'

'Ik moest hem berechten.'

'O, werkelijk?'

'Heb ook een subliem vonnis gevonden.'

'Was hij gearresteerd?'

'Eerst gauw douchen. Ja, natuurlijk. Straks vertel ik je alles.'

'Sol,' zei ze, terwijl ze aan zijn mouw trok.

'Ben zo terug, vertel ik je alles.'

'Solomon!'

Hij wierp een blik op mij. 'Laat me mezelf even opfrissen,' zei hij.

'Nee, vertel op, vertel het nu.' Ze stond op. 'Toe.'

Hij keek even snel mijn kant op. Ik merkte dat hij het me kwalijk nam dat ik er was, dat hij me voor een huishoudster of Jehova's getuige hield, die op een of andere manier zijn huis was binnengekomen en de gang van zaken, het feestje dat hij zichzelf had beloofd, verstoorde. Hij maakte nog een knoopje van zijn overhemd los. Het was alsof hij een deur in zijn borst openmaakte en mij naar buiten probeerde te duwen.

'De officier van justitie had wat gunstige publiciteit nodig,' zei hij. 'Iedereen in de stad heeft het over die knaap. Dus die gaan we niet achter de tralies zetten of zo. Bovendien wil de Port Authority de torens vol hebben. Ze staan half leeg. Elke publiciteit is goede publiciteit. Maar we moeten hem wel veroordelen, begrijp je? Iets creatiefs bedenken.'

'Ja,' zei Claire.

'Dus hij verklaarde zich schuldig en ik heb hem veroordeeld tot een dubbeltje per verdieping.'

'Ja, ja.'

'Dubbeltje per verdieping, Claire. Ik heb hem tot één dollar tien veroordeeld. Honderdtien verdiepingen! Snap je? De officier was opgetogen. Wacht maar tot je *The New York Times* morgen ziet.'

Hij liep naar het drankkastje, met zijn hemd voor driekwart open. Ik kon zijn vlezige buik zien uitpuilen. Hij schonk een flink glas goudgeel vocht voor zichzelf in, snoof diep in, en ademde uit.

'Ik heb hem ook tot een extra voorstelling veroordeeld.'

'Weer op dat koord?' zei Claire.

'Ja, ja. We komen op de eerste rij te zitten. In Central Park. Voor kinderen. Wacht maar tot je die snuiter ziet, Claire. Een heel apart type.'

'Gaat hij het weer doen?'

'Ja, ja, maar nu op een veilige plek.'

Claires ogen schoten door de kamer, alsof ze naar verschillende schilderijen keek en ze allemaal tegelijk probeerde te zien.

'Niet slecht, hè? Dubbeltje per verdieping.'

Solomon sloeg zijn handen ineen: hij had duidelijk plezier. Claire keek naar de grond, alsof ze door alles heen tot op het gesmolten ijzer, de kern van alles, kon kijken.

'En raad eens hoe hij die draad naar de overkant heeft gekregen?' zei Solomon. Hij bracht zijn hand naar zijn mond en hoestte.

'O, dat weet ik niet, Sol.'

'Nou, raad eens.'

'Het kan me niet zo schelen.'

'Raad nou.'

'Gegooid?'

'Dat ding weegt negentig kilo, Claire. Hij heeft me er alles over verteld. Tijdens de zitting. Staat morgen allemaal in de krant. Nog eens, kom op!'

'Met een kraan of zo?'

'Hij heeft het illegaal gedaan, Claire. In het diepste geheim.'

'Ik weet het echt niet, Solomon. We hebben vandaag een bijeenkomst gehad. Met vier vrouwen en ik, en…'

'Met een pijl en boog!'

'…we hebben zitten praten,' zei ze.

'Die knaap had commando moeten worden,' zei hij. 'Hij heeft het me allemaal verteld! Zijn kameraad schoot eerst een vislijn over. Pijl en boog. Tegen de wind in. Schatte de hoek precies goed. Raakte de rand van het gebouw. En toen haalden ze de lijnen binnen tot die het gewicht konden dragen. Ongelooflijk, niet?'

'Ja,' zei Claire.

Hij zette zijn bolle glas met een harde tik op de koffietafel en rook aan zijn hemdsmouw. 'Ik moet nu echt gaan douchen.'

Hij kwam naar mij toe. Hij werd zich bewust van zijn overhemd en trok het dicht zonder het toe te knopen. Een wolkje whiskey dreef voor hem uit.

'Nou,' zei hij. 'Och, neem me niet kwalijk, ik heb uw naam niet goed verstaan.'

'Gloria.'

'Goeienavond, Gloria.'

Ik moest even slikken. Wat hij werkelijk bedoelde was 'tot ziens'. Ik had geen idee wat voor reactie hij verwachtte. Ik gaf hem maar een hand. Hij draaide zich om en liep weg door de gang.

'Aangenaam kennis te maken,' riep hij over zijn schouder.

Hij neuriede een wijsje. Vroeg of laat keren ze je allemaal de rug toe. Gaan ze allemaal weg. Dat is de heilige waarheid. Ik heb het meegemaakt. Ik heb het gezien. Ze doen het allemaal.

Claire glimlachte en haalde haar schouders op. Ik voelde dat ze hem beter wilde doen voorkomen dan hij was, maar dat ze toch een goede reden had gehad om met hem te trouwen en wilde dat hij die reden zichtbaar maakte. Maar dat gebeurde niet. Hij had mij afgewezen en dat was wel het laatste wat ze van hem wilde. Haar wangen waren rood.

'Een ogenblikje,' zei ze tegen me.

Ze ging de gang in. Mompelende stemmen vanuit haar slaapkamer. Vaag geklater van een vollopend bad. De stemmen afwisselend luid en gedempt. Het verraste me toen hij nog geen minuut later met haar verscheen. Zijn gezicht stond milder: alsof een ogenblik met haar alleen hem had ontspannen, hem had toegestaan een ander mens te zijn. Ik denk dat het zo gaat in het huwelijk, of ging, of zou kunnen gaan. Je laat het masker vallen. Je laat de vermoeidheid toe. Je buigt je naar de ander en kust de jaren omdat dat de dingen zijn die ertoe doen.

'Het spijt me te horen van uw zoons,' zei hij.

'Dank u.'

'Het was niet mijn bedoeling om zo bot te zijn.'

'Dank u.'

'Wilt u me excuseren?'

Hij draaide zich om en zei, met zijn blik naar de grond: 'Ik mis mijn jongen soms ook.' En toen was hij weg.

Ik geloof dat ik altijd heb geweten dat het moeilijk is om maar één persoon te zijn. De sleutel zit in de deur en die kan altijd opengemaakt worden.

Claire stond van oor tot oor te glunderen.

'Ik zal je naar huis brengen,' zei ze.

Er schoot een warm gevoel door me heen bij de gedachte, maar ik zei: 'Nee, Claire, dat hoeft niet. Ik neem gewoon een taxi. Maak je geen zorgen.'

'Ik ga je naar huis brengen,' zei ze met plotse beslistheid. 'Alsjeblieft, en neem de slippers mee. Ik zal een tasje voor je schoenen pakken. We hebben een lange dag achter de rug. We bestellen een auto.'

Ze rommelde in een la en haalde er een kleine telefoonklapper uit. Ik hoorde het bad nog klateren. De waterleidingen begonnen te tikken en er kreunde iets in de muren.

Buiten was het donker geworden. De chauffeur stond geleund tegen de motorkap van de auto een sigaret te roken. Het was zo'n ouderwetse chauffeur met kleppet, donker pak en stropdas. Haastig drukte hij zijn sigaret uit en maakte het achterportier voor ons open. Claire stapte het eerst in. Ze schoof behendig op de achterbank door en zwaaide haar benen over de tunnel tussen de zitplaatsen. De chauffeur pakte mijn elleboog en hielp me instappen. 'Toe maar,' zei hij met een zalvende stem. Ik voelde me een beetje oude-zwartedamesachtig, maar dat gaf niet – hij deed gewoon zijn best, het was niet om me te kleineren.

Ik gaf hem het adres op en hij aarzelde een ogenblik, knikte, liep om naar de voorkant van de auto.

'Dames,' zei hij.

We spraken niet. Op de brug keek ze snel even om naar de stad. Een en al licht – kantoren die in de ruimte leken te zweven, hier en daar een zee van straatlantaarns, koplampen die langs ons gezicht flitsten. Bleke betonnen pilaren schoten voorbij. Vreemd gevormde pijlers. Kale zuilen afgedekt met stalen balken. De wijde rivier beneden.

We staken over naar de Bronx, langs winkels met dichte rolluiken en honden voor de deur. Vlaktes vol puin. Verwrongen ijzeren buizen. Brokken baksteenmuur. We reden voorbij de spoorlijn en de flitsende schaduwen van het viaduct door de brandende nacht.

Een paar gestalten sjokten tussen de vuilnisbakken en de bergen afval.

Claire leunde naar achteren.

'New York,' zuchtte ze. 'Al die mensen. Heb je je ooit afgevraagd wat ons op de been houdt?'

We glimlachten elkaar breed toe. We wisten iets van elkaar: we zouden nu vriendinnen zijn, dit kon ons niet gauw worden afgenomen, op dat spoor zaten we. Ik kon haar in mijn leven neerlaten en dat zou ze vast wel overleven. En zij kon mij in het hare neerlaten en ik zou erin rondsnuffelen. Ik stak mijn arm uit en pakte haar hand vast. Ik was niet bang meer. Ik proefde een ijzersmaakje in mijn keel, alsof ik op mijn tong had gebeten en het gebloed had, maar het was niet onaangenaam. De lichten schoten voorbij. Ik moest eraan denken dat ik als kind soms bloemen in grote inktflessen gooide. De bloemen bleven dan even op de oppervlakte drijven, eerst liep de stam vol, dan de blaadjes en dan zouden ze donker bloeien.

Er was commotie voor de flats toen we er arriveerden. Onze auto werd niet eens opgemerkt. We gleden zachtjes tot bij het hek, in de schaduw van het viaduct. De zwarte stalen balken glinsterden in het lantaarnlicht. Geen van de vrouwen van de nacht was buiten, maar een paar meisjes in korte rokjes stonden bij elkaar in het licht bij de entree. Een hing er snikkend tegen de schouder van een andere.

Ik had een hekel aan die hoeren, altijd gehad. Ik koesterde geen wrok tegen ze, maar had er ook geen hartzeer van. Ze hadden hun

377

pooiers en hun blanke mannen, die hen zielig vonden. Het was hun leven. Zij hadden het gekozen.

'Mevrouw,' zei de chauffeur.

Ik had mijn hand nog in die van Claire.

'Goeienavond,' zei ik.

Ik maakte het portier open en op hetzelfde moment zag ik ze naar buiten komen, twee snoezige kleine meisjes die door de bollen lantaarnlicht liepen.

Ik kende ze. Ik had ze eerder gezien. Het waren de dochtertjes van een hoer die twee etages boven me woonde. Ik had me nooit met ze bemoeid. Al die jaren niet. Ik had ze buiten mijn leven gehouden. Als ik hun moeder tegenkwam in de lift – het was zelf nog een kind, een knap en vals kind – dan keek ik strak voor me uit naar de knoppen.

De meisjes werden over het pad meegenomen door een man en een vrouw. Maatschappelijk werkers, bleek glimmende huid, bange uitdrukking op hun gezicht.

De meisjes hadden roze jurkjes aan, met strikken hoog op hun borst. Hun haar was met kraaltjes versierd. Ze droegen plastic sandaaltjes aan hun voeten. Ze waren niet ouder dan twee of drie jaar, net een tweeling, maar geen tweeling. Ze lachten allebei, wat gek is, nu ik eraan terugdenk: ze hadden geen idee wat er ging gebeuren en ze straalden van gezondheid.

'Schattig,' zei Claire, maar ik hoorde de ontzetting in haar stem.

De maatschappelijk werkers hadden een benarde blik in hun ogen. Ze duwden de kinderen voor zich uit, probeerden ze tussen de laatste hoeren door te loodsen. Een politiewagen stond met draaiende motor iets verderop. De omstanders wilden naar de meisjes zwaaien, hun iets toefluisteren, ze misschien even in de armen nemen, maar de maatschappelijk werkers duwden de vrouwen steeds weg.

Er zijn dingen in het leven die je opeens zo duidelijk worden, dat je er helemaal niet meer over na hoeft te denken: ik wist op dat moment wat me te doen stond.

'Halen ze ze weg?' zei Claire.

'Het lijkt erop.'

'Waar gaan ze naartoe?'

'Naar een of andere instelling.'

'Maar ze zijn nog zo jong.'

De kinderen werden naar het achterportier van de auto geduwd. Een van hen was gaan huilen. Ze hield zich vast aan de antenne van de auto en wilde niet loslaten. De maatschappelijk werker trok aan haar, maar het kind liet niet los. De vrouw liep om de auto heen naar de zijkant en wrikte de vingers van het kind open.

Ik stapte uit. Het leek wel of ik niet meer in hetzelfde lichaam zat. Ik was opeens snel. Ik stapte van de stoep de weg op. De slippers van Claire had ik nog aan.

'Wacht even,' riep ik.

Ik dacht altijd dat het allemaal lang geleden was opgehouden, dat alles was ingepakt en weggedaan. Maar niets houdt op. Al word ik honderd, dan sta ik nog in die straat.

'Wacht even.'

Janice – ze was de oudste van de twee – strekte haar vingers en stak haar armpjes naar me uit. Nooit had iets zo goed gevoeld, in lange tijd niet. De andere, Jazzlyn, huilde tranen met tuiten. Ik keek om naar Claire, die nog op de achterbank zat. Haar gezicht werd beschenen door het plafondlampje. Ze zag er tegelijk bang en gelukkig uit.

'Kent u deze kinderen?' zei de agent.

Ik denk dat ik ja heb gezegd.

Dat is wat ik uiteindelijk heb gezegd, een betere leugen was er niet: 'Ja.'

BOEK VIER

Bulderend zeewaarts, en ik ga

Oktober 2006

Z e vraagt zich vaak af wat de man zo hoog in de lucht houdt. Wat voor ontologische lijm? Daarboven in zijn spooksilhou-et, een donker streepje tegen de hemel, een draadfiguurtje in de uit-gestrekte leegte. Het vliegtuig tegen de horizon. Het draadje garen tussen de randen van de gebouwen. De stok in zijn handen. De enorme ruimte eromheen.

De foto was genomen op de dag dat haar moeder stierf – een van de redenen waarom hij meteen haar aandacht had getrokken: juist door het feit dat zoiets moois op hetzelfde moment had plaatsge-vonden. Ze had hem vier jaar geleden vergeeld en beschadigd ont-dekt op een rommelmarkt in San Francisco. Onderin een doos met foto's. De wereld zorgt voor verrassingen. Ze kocht hem, liet hem inlijsten, nam hem altijd mee, van hotel naar hotel.

Een man hoog in de lucht, terwijl een vliegtuig lijkt te verdwijnen in de rand van het gebouw. Een flintertje geschiedenis kruist een groter fragment. Alsof de koorddanser op een of andere manier voorzag wat later zou komen. De inbraak van tijd en geschiedenis. Het punt waarop verhalen met elkaar botsen. We wachten op de klap, maar die komt niet. Het vliegtuig gaat voorbij, de koorddanser loopt naar het eind van de draad. Er stort niets in.

Ze ziet het als een duurzaam moment: eenzame man tegenover schaalgrootte, nog in staat tot mythe in weerwil van alle andere teke-nen. Het is een van haar dierbaarste bezittingen geworden – zonder de foto zou haar koffer verkeerd voelen, alsof er een slot aan ontbrak. Als ze op reis gaat wikkelt ze hem altijd in vloeipapier, samen met de andere aandenkens: een stel parels, een lok van het haar van haar zus.

In de rij voor de veiligheidscontrole op Little Rock staat ze achter een lange man in spijkerbroek en een doorleefd leren jasje. Hij is knap, op een achteloze manier. Eind dertig, begin veertig misschien – vijf of zes jaar ouder dan zij. Iets verends in zijn stap als hij met de rij vooruitbeweegt. Ze schuifelt een beetje dichter naar hem toe. Op zijn tas een label met ARTSEN ZONDER GRENZEN.

De beveiligingsbeambte verstijft en bekijkt zijn paspoort.

'Heeft u vloeistoffen bij u, meneer?'

'Hooguit vijf liter.'

'Wat zegt u?'

'Vijf liter bloed. Ik denk niet dat het gaat lekken.'

Hij tikt op zijn borst en ze grinnikt. Ze hoort dat hij Italiaan is: hij rekt zijn woorden met een lyrische krul. Hij draait zich naar haar om en glimlacht, maar de beveiliger doet een stap achteruit en staart naar de man alsof het een schilderij is, en zegt dan: 'Meneer, ik verzoek u om uit de rij te komen.'

'Pardon?'

'Komt u hierheen, alstublieft. Nu meteen.'

Twee andere beveiligers schieten toe.

'Hoor eens, ik maak maar een grapje,' zegt de Italiaan.

'Meneer, wilt u alstublieft meekomen.'

'Het is een grapje,' zegt hij.

Ze duwen hem in zijn rug naar een kantoortje.

'Ik ben dokter, ik maakte maar een grapje. Ik heb gewoon vijf liter bloed, dat is alles. Een grap. Een flauwe. Dat is alles.'

Hij gooit zijn handen smekend omhoog, maar meteen wordt zijn arm hoog op zijn rug gedraaid. De deur gaat met een bons achter hem dicht.

De rancune kruipt door de rij naar haar en de andere passagiers in de controleruimte. Ze voelt een streep kou in haar nek als de beveiliger haar strak aankijkt. Ze heeft een fles parfum in een plastic ritszakje en zet die voorzichtig in de bak.

'Waarom heeft u dit in uw handbagage, mevrouw?'

'Het weegt nog geen ons.'

'En het doel van uw reis?'

'Persoonlijk. Bezoek aan een vriendin.'

'En wat is uw eindbestemming, mevrouw?'

'New York.'

'Voor zaken of plezier?'

'Plezier,' zegt ze, en het woord blijft in haar keel steken.

Ze antwoordt kalm, geroutineerd, beheerst en als ze door het detectiepoortje is, strekt ze automatisch haar armen uit om te worden gefouilleerd, ook al is het alarm niet afgegaan.

Het vliegtuig is bijna leeg. De Italiaan komt eindelijk binnensjokken, stil, gegeneerd, schuldbewust. Opgetrokken schouders, alsof hij zich niet goed raad weet met zijn lengte. Zijn lichtbruine haar staat alle kanten uit. Een zweem van grijzige baardgroei op zijn kin. Hij vangt haar blik op als hij de stoel achter haar neemt. Ze glimlachen even. Ze hoort hem achter zich zijn leren jasje uittrekken en met een zucht in zijn stoel zakken.

Halverwege de vlucht bestelt ze een gin-tonic en hij steekt een briefje van twintig dollar over de stoel om voor haar drankje te betalen.

'Ze gaven vroeger nog weleens iets gratis,' zegt hij.

'Zeker gewend om in stijl te reizen?'

Ze is kwaad op zichzelf – ze wilde niet zo snibbig doen, maar soms gebeurt het, dan komen de woorden er verkeerd uit, alsof ze meteen al in de verdediging schiet.

'Nee, ik niet,' zegt hij. 'Stijl en ik hebben nooit goed met elkaar overweg gekund.'

Ze ziet dat het waar is, aan de brede kraag van zijn shirt, de inktvlek op zijn borstzakje. Hij lijkt haar het soort man dat misschien zijn eigen haar knipt. Niet de doorsnee-Italiaan, maar wat is trouwens een doorsnee-Italiaan? Ze is het beu geworden, al die mensen die tegen haar zeggen dat zij geen doorsnee-Afro-Amerikaanse is, alsof er maar één grote doorsneebak is waaruit iedereen zou moeten opduiken, de Zweden, de Polen, de Mexicanen. En wat bedoelden ze er trouwens mee dat ze niet doorsnee was: dat ze geen grote gouden oorringen droeg, dat ze zich scrupuleus bewoog, scrupuleus kleedde, alles onder controle hield?

'En,' zegt ze, 'wat zeiden ze op de luchthaven tegen je?'

'Dat ik geen grapjes meer mocht maken.'

'God zegen Amerika.'

'De flauwegrappenpolitie. Ken je die van…'

'Nee, nee!'

'…van de man die bij de dokter kwam met een wortel in zijn neus?'

Ze lacht al. Hij gebaart naar de stoel aan het gangpad.

'Natuurlijk, ja.'

Ze is verbaasd over de onmiddellijke voldoening die ze voelt als ze hem uitnodigt te gaan zitten, zich zelfs naar hem toedraait om de afstand over de middenstoel te overbruggen. Ze is vaak zenuwachtig met mannen en vrouwen van haar eigen leeftijd, hun aandacht, hun verlangens. Ze is een lange, slanke schoonheid met een kaneelkleurige huid, witte tanden, ernstige mond, geen make-up. Maar haar ogen lijken altijd uit haar knappe uiterlijk te willen wegvluchten. Alles bij elkaar omringt het haar met een vreemde kracht: mensen vinden haar intelligent en gevaarlijk, een unheimische vreemde. Soms probeert ze zich door dat onbehagen heen te worstelen, maar valt dan verstikt weer terug. Het is alsof ze het allemaal vanbinnen voelt borrelen, die wilde afkomst van haar, maar ze krijgt het niet aan de kook.

Op het werk staat ze bekend als een van de bazen met ijs in haar aderen. Als er een jolig e-mailtje de ronde doet op kantoor, krijgt zij het zelden doorgestuurd: ze zou het dolgraag willen, maar het gebeurt zelden, zelfs haar naaste collega's doen het niet. De vrijwilligers van de stichting roddelen over haar. Als ze zich in spijkerbroek en T-shirt steekt om hen in het werkveld op te zoeken, houdt ze altijd iets stijfs, met haar rechte schouders, haar gedwongen manier van doen.

'…en de dokter zegt, ik weet precies wat er aan u schort.'
'Nou?'
'U eet niet goed.'
'Hè, hè,' lacht ze, met haar hoofd gevaarlijk dicht bij zijn schouder.

Vier kleine plastic flesjes gin rammelen op zijn dienblaadje. Hij is, denkt ze, nu al te ingewikkeld. Hij komt uit Genua en is gescheiden, heeft twee kinderen. Hij heeft in Afrika, Rusland en op Haïti gewerkt en twee jaar in New Orleans gezeten, waar hij als dokter in de Ninth Ward werkte. Hij is net naar Little Rock verhuisd, zegt hij, daar heeft hij een kleine mobiele kliniek voor soldaten die uit de oorlogen terugkomen.
'Pino,' zei hij met uitgestoken hand.
'Jaslyn.'
'En jij?' vraagt hij.
'Ik?'
Iets betoverends in zijn ogen.
'Hoe zit het met jou?'
Wat moet ze hem vertellen? Dat ze uit een oud geslacht van hoeren komt, dat haar grootmoeder in een gevangeniscel is gestorven, dat zij en haar zus werden geadopteerd, in Poughkeepsie zijn grootgebracht, dat hun moeder Gloria hemeltergende opera's door het huis liep te zingen? Dat ze naar Yale werd gestuurd, terwijl haar zus voor het leger koos? Dat ze de theaterschool deed, maar het examen niet haalde? Dat ze haar naam van Jazzlyn veranderde in Jaslyn? Dat het niet uit schaamte was, absoluut niet uit schaamte? Dat Gloria had gezegd dat er niets te schamen viel, dat het er in het leven om ging om beschaming te weigeren?
'Nou, ik ben een soort boekhouder,' zegt ze.
'Een soort boekhouder?'
'Ik zit bij een kleine stichting. We helpen met belastingaangiften. Het is niet wat ik me had voorgesteld te gaan doen toen ik jonger was, bedoel ik, maar ik vind het leuk werk. Het is nuttig. We gaan bij caravanterreinen en hotels en zo langs. Na Rita en Katrina en zo.

We helpen mensen met het invullen van hun belastingformulieren en regelen het nodige. Want vaak hebben ze niet eens meer hun rijbewijs.'

'Geweldig land.'

Ze kijkt hem wantrouwig aan, maar misschien meent hij het toch. Het zou kunnen – het is mogelijk, denk ze – waarom niet, zelfs in deze tijd.

Hoe meer hij praat hoe meer haar opvalt dat hij een paar continenten in zijn accent heeft, alsof het op al die plekken is neergestreken en op elk ervan een paar klanken heeft opgepikt. Hij vertelt dat hij als kind in Genua altijd naar voetbalwedstrijden ging om te helpen met het verbinden van gewonden die bij de stadiongevechten waren gevallen.

'Ernstige verwondingen,' zegt hij. 'Vooral wanneer Sampdoria tegen Lazio speelde.'

'Hè?'

'Je hebt geen flauw idee waarover ik het heb, hè?'

'Nee,' lacht ze.

Hij breekt het dopje van het volgende ginflesje open, giet de helft in haar glas, de helft in het zijne. Ze voelt zich nog vrijer bij hem worden.

'Nou,' zegt ze, 'ik heb ooit bij McDonald's gewerkt.'

'Je meent het.'

'Toch wel. Ik wilde actrice worden. Het was eigenlijk hetzelfde. Leer je tekst – wilt u er frites bij? Breng die over – wilt u dáár frites bij?

'Film?'

'Toneel.'

Ze pakt haar glas, heft het, drinkt. Het is voor het eerst in jaren dat ze zo open is tegen een vreemde. Het is alsof ze in de huid van een abrikoos heeft gebeten.

'Proost.'

'Salute,' zegt hij in het Italiaans.

Het vliegtuig begint een schuine bocht boven de stad. Onweerswolken en felle regen tegen de raampjes. De lichten van New York zijn als schaduwen van licht, onder de wolken, spookachtig, verregend, vaag.

'En?' zegt hij met een gebaar naar het raam, waar het donker als een web over Kennedy Airport ligt.

'Wat zei je?'

'New York. Blijf je lang?'

'O, ik ga een oude kennis opzoeken,' zegt ze.

'Aha. Hoe oud?'

'Heel oud.'

Toen ze jong was en niet zo verlegen, vond ze het heerlijk om in de straat voor hun huisje in Poughkeepsie buiten te spelen. Ze rende vaak met één voet op de stoep en de andere op de weg. Het vergde de nodige oefening: ze moest een been strekken en het andere ietsje gebogen houden, en dan zo hard mogelijk rennen.

Claire kwam op bezoek in een auto met chauffeur. Op een keer zat ze lang en met veel plezier naar het kunstje te kijken en zei dat Jaslyn in een lange entrechat rende: half op, half af, half op, half af, half op.

Daarna zaten Claire en Gloria op houten stoelen in de achtertuin, naast het plastic zwembadje, bij de rode schutting. Ze zagen er zo verschillend uit, Claire in haar keurige rok, Gloria in haar bloemetjesjurk, alsof zij ook op verschillende hoogten wegdek renden, maar met één lichaam, een combinatie van hun tweeën.

Aan de bagageband blijft Pino naast haar wachten. Hij hoeft geen koffer op te halen. Ze wrijft zenuwachtig in haar handen. Waarom toch, dat vage gevoel van benauwdheid in haar binnenste? Zelfs die twee gin-tonics hebben hun werk niet gedaan. Maar hij is ook gespannen, merkt ze, zoals hij van de ene op de andere voet wipt en aan zijn schoudertas trekt. Ze vindt dat zenuwachtige van hem wel leuk, hij is ook maar een mens, het maakt hem echt. Hij heeft al geopperd dat ze samen een taxi kunnen nemen tot in Manhattan, als ze dat zou willen. Hij is op weg naar de Village, wil wat jazz horen.

Ze zou hem willen zeggen dat hij haar geen jazztype lijkt, dat hij iets folkrockachtigs heeft, dat hij heel goed in een Bob Dylan-song zou passen, of bijvoorbeeld de hoestekst voor Springsteen op zak zou kunnen hebben, maar dat jazz niet bij hem past. Maar ze houdt van gecompliceerdheid. Ze wou dat ze zich naar hem om kon draaien en zeggen: ik hou van mensen die me op het verkeerde been zetten.

Daar besteedt ze zo veel tijd aan: bedenken wat ze kan zeggen en het vervolgens nooit echt doen. Kon ze Pino maar aankijken en zeggen dat ze vanavond met hem meegaat, naar een jazzclub, aan een tafeltje met een franjelamp zitten, de saxofoon door zich heen voelen trillen, opstaan en naar de kleine dansvloer lopen en haar lange lichaam tegen het zijne vleien, hem misschien zelfs zijn lippen langs haar hals laten strijken.

Ze kijkt hoe de rij koffers van de lopende band op de carrousel eronder tuimelt: die van haar is er niet bij. Een paar kinderen aan de overkant springen de carrousel op en af, tot vermaak van hun ouders. Ze zwaait naar ze en trekt een gezicht naar de jongste die bovenop een reusachtige rode koffer zit.

'Jouw kinderen,' zegt ze als ze zich naar Pino keert. 'Heb je foto's bij je?'

Een malle, onhandige vraag. Ze heeft onbezonnen haar mond opengedaan, zich te dicht naar hem toe gebogen, te veel gevraagd. Maar hij haalt een mobiele telefoon tevoorschijn en laat de foto's langskomen, laat haar een donker, ernstig, aantrekkelijk tienermeisje zien. Hij wil net doorscrollen naar een foto van zijn zoon, als een beveiliger naast hem opduikt.

'Geen mobiele telefoon gebruiken op de luchthaven, meneer.'

'Pardon?'

'Geen mobiele telefoons, geen camera's.'

'Je hebt niet je dag,' zegt ze met een glimlach, terwijl ze zich bukt om haar kleine reistas op te pakken.

'Misschien niet, misschien wel,' zegt hij.

Aan de overkant een schrille kreet. De kinderen op de draaiende carrousel zijn ook op de bewaker gestuit. Zij en Pino kijken elkaar aan. Ze voelt zich opeens veel jonger: de opwinding van de flirt, de lichtheid in haar hele lichaam.

Als ze de aankomsthal uitlopen stelt hij voor om via de Queensboro-brug te gaan, als ze het goed vindt. Dan zet hij haar eerst af en rijdt hij vandaar naar de Village.

Dus hij kent de stad, denkt ze. Hij is hier eerder geweest. Deze plek is ook van hem. Weer een verrassing. Ze heeft het altijd een van de mooie dingen van New York gevonden dat je overal vandaan kunt komen en dat de stad al binnen een paar ogenblikken na aankomst van jou is.

Sabine Pass en Johnson's Bayou, Beauregard en Vermilion, Acadia en New Iberia, Merryville en DeRidder, Thibodaux en Port Bolivar, Napoleonville en Slaughter, Point Cadet en Casino Row, Moss Point en Pass Christian, Escambia en Walton, Diamond Head en Jones Mill, Americus, America.

Een vloed van namen in haar hoofd.

Regen buiten het luchthavengebouw. Hij staat onder een smal afdak, trekt een pakje sigaretten uit zijn binnenzak. Hij tikt het pakje op de muis van zijn hand, trekt een sigaret omhoog en biedt die aan. Ze schudt haar hoofd. Ze rookte vroeger, nu niet meer, een voorbije gewoonte uit haar tijd op Yale; bijna iedereen bij het toneel rookte.

Maar ze vindt het fijn dat hij opsteekt en ze laat de rook haar kant op waaien, zodat die in haar haar gaat zitten, zodat het straks haar geur is.

De taxi glijdt door de regen. De staart van de bui is de stad overgewaaid, met een laatste vermoeide buiging, een eindval. Hij geeft haar een kaartje voordat de taxi naast de luifel op Park Avenue stopt. Hij krabbelt zijn naam en mobiele nummer achterop.

'Chique,' zegt hij als hij de straat in zich opneemt.

Hij haalt haar reistas uit de achterbak, buigt zich naar haar toe en kust haar op beide wangen. Ze glimlacht als ze ziet dat hij met een voet op en een voet naast de stoep staat.

Hij zoekt in zijn zakken. Ze wendt haar blik af en hoort opeens iets klikken. Hij heeft met zijn mobieltje haar foto genomen. Ze weet niet goed hoe ze moet reageren. Wis het, sla het op en maak er je screensaver van? Ze ziet zich al gepixeld samen met zijn kinderen meegedragen worden in zijn zak, naar zijn jazzclub, naar zijn kliniek, naar zijn huis.

Ze heeft dit nog nooit met een man gedaan, maar ze pakt haar eigen kaartje en stopt het in zijn borstzakje, geeft het met haar platte hand een tikje na. Ze voelt haar gezicht weer verstrakken. Te vrijpostig. Te flirterig. Te gemakkelijk.

Ze had er als tiener verschrikkelijk veel moeite mee dat haar moeder en grootmoeder op straat hadden gewerkt. Ze was bang dat het ooit op haar zou terugslaan, dat ze te verliefd zou raken op de liefde. Of dat het smerig zou zijn. Of dat haar vrienden erachter zouden komen. Of, nog erger, dat ze een jongen zou vragen om ervoor te betalen. Ze was op de middelbare school de laatste van haar vriendinnen die een jongen zelfs maar had gekust; eentje had haar op school een keer de 'Onwillige Afrikaanse Koningin' genoemd. Haar allereerste zoen was tussen natuurkunde en maatschappijleer in. Hij had een breed gezicht en donkere ogen. Hij omhelsde haar bij de deur, die hij met zijn voet dichthield. Alleen doordat een leraar aanhoudend op de deur klopte, lieten ze elkaar los. Ze liep die middag met hem naar huis, hand in hand door de straten van Poughkeepsie. Gloria zag haar vanaf de veranda van hun huisje en glimlachte innig. Ze bleef de hele bovenbouw met de jongen gaan. Ze had er zelfs over gedacht om met hem te trouwen, maar hij ging naar Chicago, voor een baan in de handel. Zij ging naar huis, naar Gloria, en huilde een dag lang.

Later zei Gloria dat het nodig was om van de stilte te houden, maar voor je van de stilte kon houden moest je lawaai hebben.

'Dus jij belt me?' vraagt ze hem.

'Ik bel je, ja.'

'Echt?' vraagt ze met opgetrokken wenkbrauw.

'Natuurlijk,' antwoordt hij.

Hij geeft haar een speelse schouderduw. Ze wankelt naar achteren als in een tekenfilm, met uitgestrekt maaiende armen. Ze weet niet goed waarom ze het doet, maar voor eventjes kan het haar niet schelen – er zit iets spannends in, ze moet erom lachen.

Hij kust haar nog eens, nu op haar mond, snel, fel. Ze zou bijna willen dat haar collega's erbij waren, dat ze konden zien hoe ze afscheid nam van een Italiaanse man, een dokter, op Park Avenue, in het donker, in de kou, in de regen, in de wind, in de nacht. Dat er een verborgen camera hing die het allemaal doorstuurde naar het kantoor in Little Rock, waar iedereen opkeek van de belastingformulieren om te zien hoe zij hem uitzwaaide, hoe hij zich achter in de taxi omdraaide, met opgeheven arm, een schaduw over zijn gezicht, een glimlach.

Ze hoort het sissen van de taxibanden als de auto wegrijdt. Dan houdt ze de kom van haar handen buiten de luifel en strijkt wat regenwater door haar haar.

De portier lacht, hoewel het jaren geleden is dat ze hem voor het laatst heeft gezien. Een Welshman. Hij zong altijd op zondag, als zij, Gloria en haar zusje op bezoek kwamen. Ze kan zich zijn naam niet precies herinneren. Zijn snor is grijs geworden.

'Juffrouw Jaslyn! Waar heeft u gezeten?'

En dan weet ze het weer: Melvyn. Hij wil haar tasje aannemen en even is ze bang dat hij gaat zeggen dat ze ontzettend gegroeid is. Maar hij zegt alleen, op een dankbare toon: 'Ze hebben me in de nachtdienst gezet.'

Ze weet niet goed of ze hem al dan niet op zijn wang moet zoenen – deze avond van zoenen – maar hij lost het dilemma op door zich af te wenden.

'Melvyn,' zegt ze, 'je bent geen spat veranderd.'

Hij klopt op zijn buik, glimlacht. Ze heeft het niet op liften, ze zou liever de trap nemen, maar er staat een jonge knaap met petje en witte handschoenen klaar.

'Mevrouw,' zegt de liftjongen.

'Blijft u lang, juffrouw Jaslyn?' vraagt Melvyn, maar het hek is al bijna dicht.

Ze glimlacht naar hem van achter uit de lift.

'Ik zal het appartement bellen,' zegt hij door het traliewerk heen, 'en laten weten dat u er bent.'

De liftjongen staart strak voor zich uit. Hij bedient de Otis heel omzichtig. Hij knoopt geen gesprekje met haar aan, houdt zijn hoofd iets schuin naar het plafond, terwijl zijn lichaam de maat lijkt te tellen. Ze heeft het gevoel dat hij hier over tien, twintig, dertig jaar nog zal zijn. Ze zou graag achter zijn rug gaan staan om zachtjes Boe! in zijn oor te roepen, maar ze kijkt naar het cijferpaneel en de ronde witte lampjes als ze omhooggaan.

Hij haalt de hendel om en zet de lift volmaakt gelijk met de vloer. Hij schuift zijn voet naar buiten om zijn vakkundigheid te controleren. Een precieze jongeman.

'Mevrouw,' zegt hij. 'De eerste deur aan uw rechterhand.'

Er wordt opengedaan door een grote Jamaïcaanse verpleger. Ze zijn even in verwarring, alsof ze elkaar om de een of andere reden zouden moeten kennen. Ze wisselen snel achter elkaar wat woorden. 'Ik ben een nicht van mevrouw Soderberg.' 'O, juist, kom binnen.' 'Eigenlijk niet haar nicht, maar zo noemt ze me.' 'Kom binnen, alstublieft.' 'Ik heb vandaag gebeld.' 'Ja, ja, ze slaapt nu. Loopt u maar door.' 'Hoe is het met haar?' 'Tja…' zegt hij.

En het tja wordt gerekt, een aarzeling, en geen positieve: het gaat helemaal niet goed met Claire, ze bevindt zich op de bodem van een donkere put.

Jaslyn hoort het geluid van andere stemmen: misschien een radio?

Het appartement ziet eruit alsof het in gestold hars is verzonken. Als kind joeg het haar en haar zusje altijd angst aan, wanneer ze met Gloria mee naar de stad kwamen, de donkere gang, de kunstwerken, de geur van oud hout. Zij en haar zusje hielden elkaars hand vast als ze de gang doorliepen. Het ergst was het portret van de dode man aan de muur. Het schilderij was zo gemaakt dat het net was of zijn ogen hen volgden. Claire praatte altijd over hem, dat Solomon zo gek was op dit en Solomon zo gek was op dat. Ze had een paar schilderijen verkocht – en zelfs haar Miró – om de uitgaven te helpen dekken, maar het portret van Solomon bleef hangen.

De verpleger neemt haar tas aan en zet die in de hoek tegen de staande kapstok.

'Gaat uw gang,' zegt hij en wijst haar de woonkamer.

Ze is stomverbaasd er zes mensen aan te treffen, de meesten van haar leeftijd, rond de tafel en op de bank. Ze zijn informeel gekleed maar drinken cocktails. Haar hart bonst tegen de wand van haar borst. Ook zij verstijven als ze haar zien. Wel, wel. Misschien de echte neven en nichten? Hooglied van Solomon. Hij is al veertien jaar dood, maar ze ziet hem in hun gezichten terug. Een is, zo goed als zeker, een nicht van Claire, met een streep grijs in haar haar.

Ze gapen haar aan. IJzig, de lucht om haar heen. Ze wou dat ze Pino mee naar boven had genomen, dan kon hij haar helpen om kalm en soepel het heft in handen te nemen, of op zijn minst wat aandacht af te leiden. Ze voelt nog zijn kus op haar lippen. Ze legt haar vingers er even op, alsof ze de herinnering eraan zo kan vasthouden.

'Hallo, ik ben Jaslyn,' zegt ze wuivend.

Idioot gebaar. Ze lijkt de president wel.

'Hallo,' zegt een lange brunette.

Ze heeft het gevoel dat ze aan de grond genageld staat, maar een van de neven komt met grote passen de kamer door. Hij heeft iets van een knorrige student, mollig gezicht, een wit overhemd, blauwe blazer, een rood lefdoekje in de borstzak.

'Tom,' zegt hij. 'Leuk je te ontmoeten, Jaslyn, eindelijk.'

Hij zegt haar naam als iets dat hij van zijn schoen wil schudden, en rekt het woord *eindelijk* tot een verwijt. Dus hij weet van haar. Hij heeft erover gehoord. Hij denkt waarschijnlijk dat ze hier is om te graaien. Het zij zo. Graaikraai. In werkelijkheid interesseert het testament haar geen zier; als ze iets kreeg zou ze het waarschijnlijk weggeven.

'Iets drinken?'

'Ik hoef niet, dank je.'

'We denken dat Tante zou hebben gewild dat we plezier hebben, zelfs in de donkerste ogenblikken.' En met zachtere stem: 'We zijn Manhattans aan het maken.'

'Hoe is het met haar?'

'Ze slaapt.'

'Ik ben laat – het spijt me vreselijk.'

'We hebben ook mineraalwater, als je wilt.'

'Is ze...?'

Ze kan de zin niet afmaken. De woorden hangen in de lucht tussen haar en Tom.

'Tja, het gaat niet goed,' zegt hij.

Weer dat woord tja. Een holle echo tot helemaal onder in de put. Geen plons. Een permanente vrije val. Tja.

Het staat haar tegen dat ze drinken, maar ze weet ook dat ze mee moet doen, dat ze zich niet afzijdig moet houden. Breng Pino terug, laat hem hun wat voortoveren, laat hem haar meenemen, de avond in, aan zijn arm, veilig tegen zijn leren jasje aan.

'Misschien toch maar een borrel,' zegt ze.

'En,' zegt Tom, 'wat kom je precies doen?'

'Pardon?'

'Ik bedoel, wat doe je precies tegenwoordig? Werkte je niet voor de Democraten of zoiets?'

Ze hoort zacht gegiechel aan de andere kant van de kamer. Alle ogen zijn op haar gericht, verwachtingsvol, alsof ze, eindelijk, op het toneel is beland.

Ze houdt van de mensen die het opbrengen om al dat gezeur te verdragen, degenen die weten dat pijn een voorwaarde is, geen vloek. Ze leggen hun leven voor haar op tafel, een paar vellen papier, een betaalbewijs, een uitkeringscheque, alles wat ze nog hebben. Ze telt de cijfers op. Ze kent de mogelijkheden voor belastinguitstel, de mazen, de in- en uitgangen, de telefoontjes die gedaan moeten worden. Ze probeert hypotheekbetalingen te annuleren voor een huis dat naar zee is weggedreven. Ze weet verzekeringseisen te omzeilen voor auto's die op de bodem van de bayou liggen. Ze probeert rekeningen voor kleine, witte doodskistjes tegen te houden.

Ze heeft gezien hoe anderen van de stichting in Little Rock mensen onmiddellijk aan de praat kregen, maar zelf is ze nooit in staat geweest zo snel tot hen door te dringen. Eerst zijn ze afstandelijk tegen haar, maar desondanks heeft ze geleerd te luisteren. En na een halfuur krijgt ze contact met hen.

Het is alsof ze tegen zichzelf praten, alsof zij de spiegel is die ze voor zich hebben, die hun een ander verhaal over henzelf vertelt.

Hun duisterheid trekt haar aan, maar ze houdt van het moment dat ze weer omslaan en een betekenis vinden die hen op een andere manier raakt: *Ik hield echt van haar. Ik maakte zijn overhemd los voor hij door de sluisdeuren dreef. Mijn man had de kachel op afbetaling gekocht.*

En voor ze het weten zijn hun belastingen geregeld, is de verzekeringsclaim opgesteld, zijn de hypotheekbedrijven aangeschreven, en wordt hun het papier over tafel toegeschoven om te ondertekenen. Soms kost het hun uren om alleen maar te tekenen, want ze hebben nog iets anders te zeggen – ze komen los en kletsen over de auto's die ze hebben gekocht, de liefdes die ze hebben liefgehad. Ze hebben een diepe behoefte om gewoon te praten, gewoon een verhaal te vertellen, hoe klein of roekeloos ook.

Naar deze mensen luisteren is als het luisteren naar bomen – vroeg of laat wordt de boom doorgezaagd en onthullen de waterlijnen hoe oud hij is.

Een maand of negen geleden was er een oude vrouw – ze zat op een hotelkamer in Little Rock, haar jurk wijd uitgespreid. Jaslyn probeerde betalingen te achterhalen die de vrouw niet van haar pensioenfonds had gekregen.

'Mijn jongen was de postbode,' zei de vrouw. 'Midden in de Ninth Ward. Het was een goeie jongen. Tweeëntwintig jaar. Werkte tot laat door als het moest. En werken deed hij, ik lieg het niet. De mensen vonden het fijn om zijn brieven te krijgen. Ze keken naar hem uit. Ze vonden het fijn dat hij op hun deur kwam kloppen. Luistert u?'

'Ja, mevrouw.'

'En toen kwam de orkaan eraan. En hij kwam niet terug. Ik wachtte. Ik had zijn avondeten warm gezet. Ik woonde daar op tweehoog. Wachten. Maar er gebeurde niks. Dus ik wachten en wachten. Na twee dagen ging ik hem zoeken, buiten, beneden. Al die helikopters die overkwamen en niet naar ons omkeken. Ik waadde de straat in, tot aan mijn nek, ben haast verdronken. Nergens een spoor te vinden, niks, tot ik daar bij het wisselkantoor kwam en de postzak zag drijven, en ik haalde hem naar me toe. En ik dacht: godzijdank.'

De vingers van de vrouw klemden samen toen ze Jaslyns hand greep.

'Ik was er zeker van dat hij de volgende hoek om zou komen drijven, levend. Ik keek en ik keek. Maar ik heb mijn jongen nooit meer gezien. Ik wou dat ik daar ter plekke was verdronken. Ik hoorde twee weken later dat hij boven in een boom was blijven steken en in de hitte lag te vergaan. In zijn postuniform. Stel je voor, in een boom vastzitten.'

De vrouw stond op, liep de hotelkamer door naar een goedkope ladekast en rukte een la open.

'Ik heb hier nog zijn post, ziet u? U mag het meenemen als u wilt.'

Jaslyn hield de zak in haar handen. Er was geen envelop aangeraakt.

'Neem alstublieft mee,' zei de vrouw. 'Ik kan er niet meer tegen.'

Ze nam de zak met brieven mee naar het meer bij Natural Steps aan de rand van Little Rock. Bij het laatste daglicht liep ze langs de oever, haar schoenen zonken in het leem. Vogels vlogen in paren op, schoten de lucht in en cirkelden boven haar met het rode zonlicht tegen hun gebogen vleugels. Ze wist niet goed wat ze met de post aan moest. Ze ging in het gras zitten en begon te sorteren: tijdschriften, reclameblaadjes, persoonlijke post die met een briefje teruggestuurd moest worden: *Dit is enige tijd geleden verloren geraakt. Ik hoop er goed aan te doen u dit alsnog te sturen.*

Ze verbrandde de rekeningen, stuk voor stuk. Telefoon. Energie. Inkomstenbelasting. Dat verdriet zou nu niet nodig zijn, nee, niet meer.

Ze staat aan het raam: beneden het donker. Gekwebbel in de kamer. Het doet haar denken aan witte, fladderende vogels. Het cocktailglas voelt breekbaar in haar hand. Als ze het te stevig vasthoudt, denkt ze, breekt het misschien.

Ze is gekomen om te overnachten, om een dag of twee bij Claire te blijven. Om in de logeerkamer te slapen. Om haar bij te staan bij het sterven, zoals ze zes jaar geleden Gloria bij het sterven heeft bijgestaan. De langzame autorit terug naar Missouri. De glimlach op Gloria's gezicht. Haar zus Janice voorin, achter het stuur. Spelletjes spelen met de binnenspiegel. Met zijn tweeën achter Gloria's rolstoel langs de oevers van een rivier. *Up a lazy river where the robin's song wakes a brand-new morning as we roll along.* Het was een feest, die dag. Ze hadden hun voeten in het geluk geplant en wilden het zich door niets laten ontnemen. Ze gooiden stokken in een draaikolk en keken hoe ze rondtolden. Legden een deken op de grond, aten Wonder Bread-boterhammen. Later op de middag begon haar zus te huilen, als een plotselinge weersverandering, met geen andere aanleiding dan het ploppen van een wijnkurk. Jaslyn gaf haar een verfrommeld papieren zakdoekje. Gloria lachte hen uit en zei dat ze het verdriet lang geleden achter zich had gelaten, dat ze er genoeg van had: iedereen wilde naar de hemel, maar niemand wilde dood. Het enige waar je verdriet om zou moeten hebben, zei ze, was dat er soms meer schoonheid in dit leven was dan de wereld kon verdragen.

Gloria ging met een glimlach op haar gezicht. Ze sloten haar ogen met de gloed van de zon er nog op, duwden de rolstoel de heuvel op, bleven een tijdje over het land uitkijken, tot de avondinsecten op kwamen zetten.

Ze begroeven haar twee dagen later op een plek niet ver achter haar vroegere huis. Ze had eens tegen Jaslyn gezegd dat iedereen weet waar hij vandaan komt wanneer hij weet waar hij begraven wil worden. Een sobere plechtigheid, alleen de meisjes en een predikant. Ze legden Gloria in de aarde met een van haar favoriete handbeschilderde borden en een naaidoosje van haar eigen moeder dat ze had bewaard. Als er een goede manier was om te gaan, dan was dit het wel.

Ja, denkt ze, ze zou graag blijven om ook bij Claire te zijn, een paar ogenblikken bij haar door te brengen, wat stilte te vinden, de ogenblikken te laten voortkruipen. Ze heeft zelfs haar pyjama, haar tandenborstel, haar kam meegenomen. Maar het is haar nu duidelijk dat ze niet welkom is.

Ze was vergeten dat er misschien nog anderen konden zijn, dat een leven op vele manieren wordt geleefd – evenzovele ongeopende enveloppen.

'Kan ik naar haar toe?'

'Ik geloof niet dat ze gestoord mag worden.'

'Ik steek alleen even mijn hoofd om de deur.'

'Het is een beetje laat. Ze slaapt. Wil je nog iets drinken…?'

Zijn stem gaat omhoog bij de vraag die niet is afgemaakt, alsof hij naar haar naam zoekt. Maar hij weet haar naam. Idioot. Onbeschofte, botte lummel. Hij wil het verdriet voor zichzelf opeisen en er een feestje van maken.

'Jaslyn,' zegt ze met een zuinig lachje.

'Nog iets drinken, Jaslyn?'

'Dank je, nee,' zegt ze, 'ik heb een kamer in het Regis.'

'Het Regis? Klasse!'

Het is het chiqueste hotel dat ze kan bedenken, het duurste. Ze weet niet eens waar het precies is – ergens in de buurt, dat wel, maar de naam heeft effect op Toms gezicht – hij lacht en toont zijn parelwitte tanden.

Ze wikkelt een servet om de voet van haar glas en zet het op de glazen koffietafel.

'Nou, ik zou zeggen welterusten. Het was me een genoegen.'

'Wacht, ik zal je naar beneden brengen.'

'Ik vind het wel, echt.'

'Nee, nee, ik sta erop.'

Hij raakt haar elleboog en ze deinst terug. Ze onderdrukt de aanvechting om hem te vragen of hij ooit preses van een studentenhuis is geweest.

'Echt,' zegt ze bij de lift, 'ik kan mezelf wel uitlaten.'

Hij buigt zich naar voren om haar wang te kussen. Ze laat hem tot haar schouder komen en geeft dan een zetje tegen zijn kin.

'Daaag,' zegt ze met een eentonige beslistheid.

Beneden houdt Melvyn een taxi voor haar aan en algauw is ze weer alleen, alsof er op die avond helemaal niets is gebeurd. Ze voelt in haar zak naar het kaartje van Pino. Draait het om en om in haar vingers. Het is alsof ze de telefoon in zijn zak al luid kan voelen bellen.

De enige kamer in het St. Regis kost vierhonderdvijfentwintig dollar voor een nacht. Ze overweegt een ander hotel te zoeken, overweegt zelfs een telefoontje naar Pino, maar schuift dan haar creditcard over de balie. Haar handen beven: het is bijna anderhalve maand huur in Little Rock. Het meisje achter de balie vraagt haar persoonsbewijs. Ze maakt er geen woord aan vuil, hoewel het niet aan het stel vóór haar is gevraagd.

De kamer is piepklein. De televisie hangt hoog tegen de muur. Ze klikt 'm met de afstandsbediening aan. De regen is overgewaaid. Geen orkanen dit jaar. Honkbaluitslagen, footballuitslagen, weer zes doden in Irak.

Ze laat zich op het bed vallen, armen achter haar hoofd.

Ze was naar Ierland geweest, kort na de aanvallen op Afganistan. Het was bedoeld als vakantie. Haar zus maakte deel uit van het team dat Amerikaanse legervluchten op Shannon Airport coördineerde. Ze werden op straat in Galway bespuugd, toen ze een restaurant uitkwamen. *Fucken Yanks go home.* Het was niet zo erg als voor neger uitgescholden worden, wat hen overkwam toen ze met een huurauto op de verkeerde weghelft terecht waren gekomen.

Ierland verraste haar. Ze had binnenweggetjes tussen het groen en hoge heggen verwacht, mannen met donkere haarlokken, afgelegen witte huisjes op de heuvels. Maar ze kreeg verkeersknooppunten en drempels en preken van dronken blaaskaken over wat wereldpolitiek precies inhield. Ze merkte dat ze in haar schulp kroop, niet kon luisteren. Ze had een paar losse feitjes gehoord over de man, Corrigan, die samen met haar moeder was verongelukt. Ze wilde meer weten. Haar zus had het tegenovergestelde – Janice wilde niets met het verleden te maken hebben. Het verleden was haar te pijnlijk. Het verleden was een vliegtuig dat binnenkwam met lijken uit het Midden-Oosten.

Ze reed zonder haar zus naar Dublin. Ze wist niet waarom, maar trage tranen bleven in haar wimpers hangen: ze moest ze samenknijpen om weer zicht op de weg te krijgen. Ze haalde steeds diep en stil adem als de wegen wéér breder werden.

Het was niet moeilijk om Corrigans broer te vinden. Hij was algemeen directeur van een internetbedrijf in de hoge glazen torens aan de Liffey.

'Kom maar langs,' had hij aan de telefoon gezegd.

Dublin was een groeistad. Neon langs de rivier. Versierd door zeemeeuwen. Ciaran was begin zestig, had een schiereilandje haar op zijn voorhoofd. Een half Amerikaans accent – zijn andere kantoor, zei hij, was in Silicon Valley. Hij zat onberispelijk in het pak, droeg een duur overhemd met open kraag. Er piepte grijs borsthaar uit. Ze zaten op zijn kantoor en hij gaf haar een levensbeschrijving van zijn overleden broer Corrigan, een leven dat haar uitzonderlijk en radicaal toescheen.

Voor het raam draaiden hijskranen boven de stad. Het Ierse licht leek te dralen. Hij nam haar mee naar de overkant van de rivier, naar een pub, weggestopt in een steegje, een echte pub met een en al hardhout en biergeur. Buiten een rij zilverkleurige vaatjes. Ze bestelde een pint Guinness.

'Was mijn moeder verliefd op hem?'

Hij lachte. 'O, ik geloof het niet, nee.'

'Weet je het zeker?'

'Hij gaf haar die dag alleen een lift naar huis, dat is alles.'

'Oké.'

'Hij was verliefd op een andere vrouw. Uit Zuid-Amerika – ik weet niet meer welk land, Columbia, geloof ik, of Nicaragua.'

'O.'

Ze merkte dat ze wilde dat haar moeder tenminste één keer verliefd was geweest.

'Dat is jammer,' zei ze, en ze voelde haar ogen vochtig worden.

Nijdig veegde ze met haar mouw langs haar ogen. Ze had een

hekel aan tranen, wanneer dan ook. Opzichtig en sentimenteel, het laatste wat ze wilde zijn.

Ciaran wist zich niet goed raad met haar. Hij ging naar buiten om met zijn mobieltje zijn vrouw te bellen. Jaslyn bleef aan de bar zitten en nam nog een bier, voelde zich warm maar licht duizelig. Misschien was Corrigan heimelijk verliefd geweest op haar moeder, misschien waren ze op weg naar een ontmoetingsplek, wie weet waren ze op het laatste moment in de ban geweest van een hevige liefde. Ze bedacht dat haar moeder pas vijfenveertig, of zesenveertig zou zijn als ze nog had geleefd. Ze hadden vriendinnen kunnen zijn. Ze hadden over al deze dingen kunnen praten, samen in een bar kunnen zitten, gewoon voor even, een biertje drinken. Maar het was eigenlijk een onzinnig idee. Hoe had haar moeder uit dat leven kunnen ontsnappen om een nieuw begin te maken? Hoe had ze daar ongedeerd uit weg kunnen lopen? Met wat, stoffer en blik? Daar gaan we, schat, pak mijn hoge hakken, gooi ze in de wagen, op naar het onbekende westen. Stompzinnig, ze wist het. Maar toch. Een avondje maar. Bij haar moeder zitten en zien hoe ze haar nagels lakte, bijvoorbeeld, of hoe ze een kop koffie inschonk, of haar schoenen uitschopte, maar één alledaags moment. Het bad liet vollopen. Vals aan het neuriën was. De toost sneed. Wat dan ook. *Up a lazy river, how happy we could be.*

Ciaran kwam de pub weer binnenwaaien en zei met een duidelijk Amerikaans accent tegen haar: 'Raad eens wie er mee komt eten?'

Hij had een splinternieuwe, zilverkleurige Audi. Het huis stond pal aan zee, witgekalkt, met rozen in de voortuin en een donker gietijzeren hek. Het was het huis waar de broers waren opgegroeid. Hij had het ooit verkocht en voor meer dan een miljoen dollar moeten terugkopen.

'Toch niet te geloven?' zei hij. 'Meer dan een miljoen.'

Zijn vrouw Lara was in de tuin met een snoeischaar bezig rozen bij te knippen. Ze was aardig, slank en zacht. Haar grijze haar zat strak naar achteren in een knot. Ze had zulke blauwe ogen dat het wel druppels septemberlucht leken. Ze trok haar tuinhandschoenen uit. Er zaten spatten kleur op haar handen. Ze omhelsde Jaslyn, hield haar een ogenblik langer vast dan verwacht: ze rook naar verf.

Binnen hing er veel kunst aan de muur. Ze liepen er rond, ieder met een glas koele witte wijn.

Ze vond de schilderijen mooi: Dublin, streng teruggebracht tot lijn, schaduw en kleur. Lara had een boek over schilderkunst gepubliceerd en had wat weten te verkopen tijdens openluchtexposities op Merrion Square, maar, zei ze, ze was haar Amerikaanse flair kwijtgeraakt.

Ze had iets van een mooie mislukking.

Ze kwamen weer in de achtertuin uit, gingen op het terras zitten, met aan de hemel nog een streep wit licht. Ciaran praatte over de huizenmarkt in Dublin: maar eigenlijk, vermoedde Jaslyn, hadden ze het allebei over verborgen verlies, geen winst, van alles waaraan ze in de loop der jaren voorbij waren gegaan.

Na het eten wandelden ze met zijn drieën over de boulevard, langs de Martellotoren en terug. De sterren boven Dublin stonden als verfstippen aan de hemel. Het hoogwater was al uren voorbij. Een enorme zandvlakte verdween in het zwart.

'Aan de overkant ligt Engeland,' zei Ciaran, om een voor haar onnaspeurbare reden.

Hij hing zijn jasje om haar heen en Lara gaf haar een arm, en zo liep ze ingeklemd tussen hen mee. Ze maakte zich zo tactvol mogelijk los, reed de volgende ochtend meteen terug naar Limerick. Het gezicht van haar zus straalde. Janice had kennisgemaakt met een man. Hij werd voor de derde keer uitgezonden, zei ze – stel je voor. Hij had schoenmaat achtenveertig, voegde ze er met een knipoog aan toe.

Haar zus was twee jaar geleden overgeplaatst naar de ambassade in Bagdad. Nog steeds krijgt ze af en toe een ansichtkaart van haar. Op een ervan staat een vrouw in boerka: *Zonnebad in Bagdad*.

De dag gloort winterhelder. Ze komt er 's morgens achter dat het ontbijt niet in de overnachtingsprijs is inbegrepen. Ze kan er alleen maar om lachen. Vierhonderdvijfentwintig dollar, ontbijt niet inbegrepen.

Boven neemt ze alle zeepjes, lotion en het schoenpoetsdoekje uit de badkamer mee, maar laat wel een fooi voor de kamermeisjes achter.

Ze loopt de buurt door voor koffie, ten noorden van de 55th Street. De wereld is bezaaid met Starbucks, maar ze kan er niet één vinden.

Ze kiest een kleine broodjeszaak. Room in haar koffie. Een bagel met boter. Ze wandelt met een omweg terug naar Claires adres, staat ervoor, kijkt naar boven. Het is een mooi gebouw, baksteen afgewerkt met een kroonlijst. Maar het is nog te vroeg om langs te gaan, vindt ze. Ze keert om en loopt naar de ondergrondse, met haar reistas om haar schouder.

Ze geniet van de uitbundige energie van de Village. Het is alsof alle gitaren plotseling de brandtrappen zijn opgeklommen. Zonlicht op de bakstenen muren. Bloempotten in de ramen.

Ze draagt een open blouse en een strakke spijkerbroek. Ze voelt zich op haar gemak, alsof de straten haar bevrijden.

Ze komt een man tegen met een hondje in zijn shirt. Ze glimlacht en kijkt ze na. De hond kruipt op de schouder van de man en kijkt met grote, zachte ogen naar haar terug. Ze zwaait, ziet de hond weer in het shirt van de man verdwijnen.

Ze vindt Pino in een koffieshop in Mercer Street. Het gaat net zo makkelijk als ze zich had voorgesteld: ze heeft geen idee waarom, maar ze was ervan overtuigd dat hij eenvoudig te vinden zou zijn. Ze had hem mobiel kunnen bellen maar besloot het niet te doen. Leuker om hem op te sporen, hem in deze miljoenenstad te vinden. Hij is alleen en zit gebogen over een koffie de *La Repubblica* te lezen. Opeens is ze bang dat er ergens een vrouw in de buurt is, misschien wel een die elk moment bij hem kan aanschuiven, maar dat moet dan maar.

Ze haalt een koffie, trekt de stoel naar achteren en gaat aan zijn tafeltje zitten. Hij tilt zijn leesbril op zijn voorhoofd, leunt achterover en lacht.

'Hoe heb je me gevonden?'

'Mijn inwendige GPS. Hoe was je jazz?'

'O, het was jazz. Hoe was het met je oude kennis?'

'Onduidelijk. Nog.'

'Nog?'

'Ik ga haar later vandaag opzoeken. Vertel eens. Mag ik je wat vragen? Alleen, nou ja, je weet wel. Wat brengt jou hier? De stad?'

'Wil je het echt weten?' zegt hij.

'Ik denk van wel, ja.'

'Hou je vast.'

'Ik doe mijn best.'

'Om een schaakspel te kopen.'

'Een wat?'

'Het is handwerk. Er zit een vakman in Thompson Street. Ik ga het ophalen. Ik ben er een beetje bezeten van. Het is trouwens voor mijn zoon. Van een bijzondere Canadese houtsoort. En die man is een meester…'

'Ben je helemaal uit Little Rock gekomen om een schaakspel op te halen?'

'Ik denk dat ik er ook even tussenuit moest.'

'Je meent het.'

'En, nou ja, ik ga het hem brengen in Frankfurt. Ga daar een paar dagen met hem op stap, beetje lol maken. Dan terug naar Little Rock, weer aan het werk.'

'Heb je je CO_2-voetafdruk al eens berekend?'

Hij lacht, drinkt zijn koffie uit. Ze voelt al dat ze de ochtend hier zullen doorbrengen, dat ze de tijd in de Village zullen verdrijven, vroeg zullen gaan lunchen, hij zal zich naar voren buigen en zijn hand in haar hals leggen, zij zal hem daar houden, ze zullen naar zijn hotel gaan, ze zullen vrijen, ze zullen de gordijnen opentrekken, verhalen uitwisselen, lachen, ze zal weer in slaap vallen met haar hand op zijn borst, ze zal hem vaarwel kussen en later, terug in Arkansas, zal hij op haar antwoordapparaat staan, en legt zij zijn nummer op haar nachtkastje, om te beslissen.

'Nog een vraag?'

'Ja?'

'Hoeveel foto's van vrouwen staan er op je mobieltje?'

'Niet veel,' zegt hij grinnikend. 'En jij? Hoeveel mannen?'

'Honderden,' zegt ze.

'Echt?'

'Duizenden, zelfs.'

Ze is ooit één keer naar de Deegan teruggegaan. Dat was tien jaar geleden, toen ze net was afgestudeerd. Ze wilde weten waar haar moeder en grootmoeder hadden getippeld. Ze had een huurauto genomen op JFK, kwam vast te zitten in het verkeer, bumper aan bumper. Bijna een kilometer auto's vóór haar. Het verkeer in de achteruitkijkspiegel hield haar in de klem. Een Bronx-sandwich.

Dus ze was weer thuis, maar het voelde niet als een thuiskomst.

Ze was sinds haar vijfde niet meer in de buurt geweest. Ze herinnerde zich bleekgrijze gangen en een brievenbus volgepropt met reclameblaadjes: meer niet.

Ze zette de auto in z'n vrij en zat aan haar radio te draaien toen ze verderop een glimp van beweging opving. Als een vreemde centaur rees een man boven een limousine omhoog. Eerst zag ze zijn hoofd, daarna zijn romp uit het open schuifdak steken. Opeens sloeg zijn hoofd abrupt opzij, alsof hij was aangeschoten. Ze verwachtte half en half dat er bloed over zijn dak zou sproeien. Maar de man stak zijn arm uit en wees alsof hij het verkeer aan het regelen was. Hij wendde zich om en om. Met elke draai sneller. Het was net een raar soort dirigent, in pak met das. De zwierende das leek bij het draaien een wijzer op het dak van de auto. Hij steunde met zijn handen op het dak en werkte zijn hele lichaam naar boven en ineens stond hij op de limousine, met gespreide benen en gestrekte vingers. Brullend naar de automobilisten om hem heen.

Toen zag ze dat anderen buiten hun auto stonden, armen leunend op hun open portier, een rijtje hoofden, dat als zonnebloemen dezelfde kant op keek. Ze deelden kennelijk een geheim. Vlakbij begon een vrouw te toeteren, ze hoorde gegil en op dat moment zag ze de coyote tussen de auto's door draven.

Hij leek volkomen kalm, liep met soepele tred in de hete zon, bleef staan, voortdurend draaiend met zijn lijf, alsof hij een raar wonderland vol verbazingwekkende dingen aan het bezichtigen was.

Het eigenaardige was dat de coyote de stad in- en niet uitging. Ze was blijven zitten en zag hem haar kant op komen. Twee auto's voor haar verwisselde hij van rij en kwam langs haar raam. Hij keek niet op, maar ze kon het geel van zijn ogen zien.

Ze zag hem in de achteruitkijkspiegel verdwijnen. Ze wilde hem toeschreeuwen dat hij terug moest, dat het de verkeerde kant op was, dat hij rechtsomkeert moest maken, gewoon omkeren en wegwezen. Ver achter zich zag ze zwaailichten. Dierenbeheer. Drie mannen met netten zigzagden door het verkeer.

Toen ze de knal van een geweer hoorde, dacht ze eerst dat het maar een knalpot was.

Ze houdt van het woord *moeder* en alle complicaties die het in zich draagt. Ze is niet geïnteresseerd in *echt* of *biologisch* of *adoptief* of wat voor andere reeksen moeders er ook op de wereld bestaan. Gloria was haar moeder. Jazzlyn ook. Ze waren als twee vreemden op een veranda, Gloria en Jazzlyn, die samen in de laatste avondzon maar zaten te zitten: geen van beiden kon iets zeggen wat de ander kende, dus hielden ze maar hun mond en keken hoe de dag ten einde liep. Een van hen zei welterusten, terwijl de ander opbleef.

Ze vinden elkaar langzaam, aarzelend, verlegen, trekken zich terug, versmelten weer, en opeens beseft ze dat ze nooit echt het lichaam van een ander heeft gekend. Na afloop liggen ze samen zonder te praten, hun lichamen licht tegen elkaar, totdat ze opstaat en zich stilletjes aankleedt.

De bloemen zijn ordinair, denkt ze, op het moment dat ze ze koopt. Wasachtig pakpapier, magere bloesems, merkwaardige geur, alsof iemand uit de snackbar ze met een gemeen luchtje heeft bespoten. Maar ze kan geen andere bloemist vinden die open is. En het licht wordt al minder, de avond is aan het verdwijnen. Ze gaat de kant op van West, naar Park Avenue, met een lichaam dat nog steeds tintelt en zijn denkbeeldige hand op haar heup.

In de lift komt de ordinaire geur van de bloemen omhoog. Ze had verder moeten kijken om een betere zaak te vinden, maar nu is het te laat. Nou ja. Ze stapt uit op de bovenverdieping, haar schoenen zakken in het zachte tapijt. Er ligt een krant op de grond, voor Claires deur, de gladde oorlogshysterie. Achttien doden vandaag.

Een huivering over haar armen.

Ze drukt op de deurbel, stut de bloemen tegen de deurpost als ze de grendels hoort klikken.

Weer is het de Jamaïcaanse verpleger die de deur voor haar openmaakt. Zijn gezicht is breed en ontspannen. Hij draagt korte dreadlocks.

'O, hallo.'

'Zijn er nog anderen?'

'Hoe bedoelt u?' zegt hij.

'Ik vroeg me alleen af of er verder nog iemand thuis was.'

'Haar neef is in de andere kamer. Hij doet een dutje.'

'Hoelang is hij er al?'

'Tom? Die heeft hier overnacht. Hij is er al een paar dagen. Hij nodigt mensen uit.'

Er valt een korte stilte, alsof de verpleger wil horen waarom ze nu precies is teruggekomen, wat ze wil, hoe lang ze zal blijven. Hij houdt zijn hand aan de deurpost, maar dan buigt hij zich naar haar toe en fluistert samenzweerderig: 'Hij heeft een stel makelaars voor zijn feestjes uitgenodigd, weet u.'

Jaslyn glimlacht, schudt haar hoofd: het maakt niet uit, ze staat niet toe dat het uitmaakt.

'Denk je dat ik haar kan zien?'

'Maar natuurlijk. U weet dat ze een beroerte heeft gehad, hè?'

'Ja.'

Ze blijft in de hal staan.

'Heeft ze mijn kaart gehad? Ik heb een malle grote kaart gestuurd.'

'O, was die van u?' zegt de verpleger. 'Die is grappig. Ik vind hem leuk.' Met een zwierig handgebaar nodigt hij haar binnen, wijst haar de kamer. Ze beweegt zich door het halfdonker, alsof ze sluiers opzij duwt. Ze blijft staan, draait de glazen knop van de slaapkamerdeur om. Een klik. De deur zwaait open. Ze heeft het gevoel dat ze van een richel afstapt. De kamer komt donker en zwaar over, een drukkende sfeer. Een smalle driehoek van licht waar de gordijnen niet helemaal sluiten.

Ze blijft even staan om haar ogen te laten wennen. Jaslyn wil het donker weghebben, de gordijnen openslaan, het raam op een kier zetten, maar Claire slaapt, heeft de ogen gesloten. Ze trekt een stoel bij het bed, naast een infuusstandaard. Het infuus is niet aangesloten. Op het nachttafeltje een glas. En een rietje. En een potlood. En een krant. En haar kaart tussen een hoop andere kaarten. Ze tuurt het donker in. *Gauw beter worden, oude malle eppie.* Ze weet niet meer of het wel geestig is; misschien had ze iets lievers en ernstigers moeten kopen. Je weet het nooit. Je kunt het niet weten.

Het op- en neergaan van Claires borst. Het lichaam is nu een mager wrak. Verschrompelde borsten, diepliggende ogen, gerimpelde hals, knoestige gewrichten. Haar leven is op haar geschilderd en verbleekt op haar. Even knipperen haar oogleden. Jaslyn buigt zich dicht naar haar toe. Een vleug muffe lucht. Weer knippert een ooglid. De ogen gaan open en staren. Oogwit in het donker. Claire opent haar ogen nog wijder, glimlacht of spreekt niet.

Een rukje aan het laken. Jaslyn kijkt omlaag als Claire haar linkerhand beweegt. De vingers gaan op en neer, alsof ze piano spelen. De gele roffelaars van de ouderdom. Degene die we aanvankelijk kennen, denkt ze, is niet degene die we uiteindelijk kennen.

Er slaat een klok.

Weinig anders kan de aandacht van de avond afleiden, alleen een klok, in een tijd die niet te ver van het heden, maar ook niet te ver van het verleden af ligt, het onverklaarbare ontvouwen van gevolgen in de tijd van morgen, de eenvoudige dingen, de nerf van beddenhout levend in het licht, het zwakke bewijs van donker nog in het haar van de oude vrouw, de wasemdruppels op de plastic levenszak, de krul van de vervlochten bloemblaadjes, de gebutste fotolijst, de vochtkring van een mok, waarin thee een lijn heeft achtergelaten, een onafgemaakte kruiswoordpuzzel, het geel van een potlood, dat over de rand van het tafeltje steekt, het ene eind geslepen, de puntenslijper er nog aan vast. Flarden van menselijke orde. Jaslyn brengt het potlood in veiligheid, keert het om, staat dan op en loopt om het voeteneinde naar het raam. Ze duwt de gordijnen nog iets verder vaneen, opent de driehoek, schuift het raam een tikje omhoog, voelt de werveling van een briesje op haar huid: de as, het stof, terwijl het licht nu het donker uit de dingen drukt. We struikelen verder nu, we zeven het licht uit het donker, om het te laten duren. Ze schuift het raam hoger. Geluiden van buiten worden duidelijker in de stilte, eerst verkeer, machinegegrom, hijskranen, speelplaatsen, kinderen, de boomtakken beneden op de avenue meppen naar elkaar.

Het gordijn valt terug maar er is een helder pad op het tapijt geopend. Jaslyn loopt weer naar het bed, trekt haar schoenen uit, laat ze vallen. Claire doet haar lippen een heel klein beetje van elkaar. Er komt geen woord, maar verandering van haar ademhaling, een afgemeten uitstel.

Wij struikelen verder, denkt Jaslyn, brengen wat lawaai in de stilte, vinden in anderen het voortgaan van onszelf. Het is bijna genoeg.

Behoedzaam gaat Jaslyn op de rand van het bed zitten, strekt haar benen uit, en wentelt ze zo langzaam als ze kan op het bed om de matras niet in beweging te brengen. Ze schikt een kussen, leunt opzij, plukt een haar uit Claires mond.

Jaslyn denkt weer aan een abrikoos – ze weet niet waarom, maar daar denkt ze aan, de huid ervan, de smaak, de zoetheid.

De aarde draait. Wij struikelen verder. Het is genoeg.

Ze ligt naast Claire op het bed, boven de lakens. Een zweem geur van de adem van de oude vrouw in de lucht. De klok. De ventilator. Het briesje.

De draaiende aarde.

NOOT VAN DE AUTEUR

Philippe Petit liep op 7 augustus 1974 over een kabel tussen de torens van het World Trade Center. Ik heb zijn luchtwandeling in deze roman gebruikt, maar alle andere gebeurtenissen en personages in dit werk zijn fictief. Ik heb me vrijheden veroorloofd ten aanzien van Petits onderneming, maar geprobeerd getrouw te zijn aan de essentie en de omgeving van dat moment. Lezers die meer willen weten over Petits luchtwandeling kunnen er in zijn boek *To Reach the Clouds* (Faber and Faber, 2002) een gedetailleerd verslag van vinden. De op pagina 279 gebruikte foto is van Vic DeLuca, Rex Images, 7 augustus, 1974, copyright Rex USA. Aan beide kunstenaars ben ik veel dank verschuldigd.

Let the Great World Spin, de oorspronkelijke titel van dit boek, is afkomstig uit het gedicht 'Locksley Hall' van Alfred, Lord Tennyson. Op zijn beurt was dat sterk beïnvloed door de 'Mu'allaqat,' of de 'Opgehangen Odes,' zeven lange Arabische gedichten uit de zesde eeuw. In het gedicht van Tennyson staat de regel 'pilots of the purple twilight dropping down with costly bales' en de 'Mu'allaqat' stelt de vraag: 'Is er enige hoop dat deze verwoesting mij troost kan brengen?' Literatuur kan ons eraan herinneren dat niet het hele leven al is beschreven: er zijn nog zo veel verhalen te vertellen.

VERANTWOORDING

Dit verhaal is grote dank verschuldigd aan velen – de politieman-
nen die me door de stad hebben rondgereden; de dokters die
geduldig mijn vragen hebben beantwoord; de computerexperts die
me door het labyrint hebben geleid; en al degenen die me geduren-
de het proces van schrijven en redigeren hebben geholpen. In werkelijkheid tikken er vele handen op het toetsenbord van de schrij-
ver. Ik ben bang dat ik sommige namen vergeet, maar de volgende
mensen ben ik ontzettend dankbaar voor al hun steun en hulp: Jay
Gold, Roger Hawke, Maria Venegas, John McCormack, Ed Conlon,
Joseph Lennon, Justin Dolly, Mario Mola, Dr. James Marion, Terry
Cooper, Cenelia Arroyave, Paul Auster, Kathy O'Donnell, Thomas
Kelly, Elaina Ganim, Alexandra Pringle, Jennifer Hershey,
Millicent Bennett, Giorgio Gonella, Andrew Wylie, Sarah Chalfant,
en iedereen bij Wylie Agency, Caroline Ast en iedereen bij Belfond
in Parijs. Dank ook aan Philip Gourevitch en iedereen van *The Paris
Review*. Aan mijn studenten en collega's op Hunter College, vooral
aan Peter Carey en Nathan Englander. En uiteindelijk verdient niemand meer dank dan Allison, Isabella, John Michael en Christian.

INHOUD

COLOFON

Laat de aarde draaien van Colum McCann werd in opdracht van
Uitgeverij De Harmonie te Amsterdam gedrukt door
HooibergHaasbeek te Meppel.

Oorspronkelijke uitgave *Let the Great World Spin*, Random House,
New York

Omslagontwerp Anne Lammers
Typografie binnenwerk Ar Nederhof
Foto auteur © Brendan Bourke
Foto pagina 279 © Rex USA

Copyright © Colum McCann 2009
Copyright © Nederlandse vertaling Uitgeverij De Harmonie en
Frans van der Wiel

ISBN 978 90 6169 917 0
Eerste druk december 2009
Tweede druk februari 2010

Voor België: Uitgeverij Manteau Antwerpen
ISBN 978 90 2232 452 3
D 2010/0034/173

De vertaler ontving voor deze vertaling een werkbeurs van de
Stichting Fonds voor de Letteren.

www.deharmonie.nl
www.manteau.be

Deze vertaling is mede tot stand gekomen dankzij een financiële
bijdrage van Ireland Literature Exchange, Dublin, Ierland.
www.irelandliterature.com
info@irelandliterature.com